1ª edição: fevereiro de 2015 / 10.000 exemplares

1ª reimpressão: março de 2015 / 10.000 exemplares

PUBLISHER: Eliana Michaelichen

EDITOR: Manoel Lauand

CAPA E PROJETO GRÁFICO: Gabriela Guenther | Estúdio Sambaqui

REVISÃO: Daniel Haberli

Dados Internacionais de Catalogação na Publicação (CIP)
(Câmara Brasileira do Livro, SP, Brasil)

Maria, Julio

Elis Regina : nada será como antes / Julio Maria. -- São Paulo : Editora Master Books, 2015.

ISBN 978-85-63201-10-2

1. Cantoras - Brasil - Biografia 2. Música popular - Brasil 3. Regina, Elis, 1945-1982 I. Título.

14-12970 CDD-782.0092

Índices para catálogo sistemático:
1. Cantoras brasileiras : Vida e obra 782.0092

Editora Master Books
R. Jerônimo da Veiga, 45 – 3º andar – sala B – Itaim Bibi
São Paulo, SP – 04536-000
tel. (11) 3078-1093
http://www.editoramasterbooks.com.br
Foi feito o depósito legal.

Julio Maria

ELIS REGINA
NADA SERÁ COMO ANTES

Editora Master Books

Com o amor de Dani, Eduardo e Helena.

Para Josias e sua eterna Maria Maria.

agradecimentos

Anésia de Tofoli, Beto Previero, Cesar Camargo Mariano, Daniela Tófoli, Danilo Casaletti, Edmundo Leite, Fernando Faro, Gilberto Gil, Helena Sato, Ivan Lins, José Nêumanne Pinto, José Nogueira, Miele, Renato Vieira, Roberto Menescal, Solano Ribeiro, Zuza Homem de Mello e aos herdeiros e representantes de Tom Jobim, Ronaldo Bôscoli, Jair Rodrigues e Wilson Simonal. Em especial a João Marcello, Pedro e Maria Rita, pela confiança e por acreditarem que a história só poderia ser contada com liberdade.

ÍNDICE

prefácio

QUEM NÃO GOSTARIA de escrever a biografia de Elis Regina?

Em sua carreira breve e intensa e em sua vida pessoal, Elis expõe elementos de sobra para a mais tentadora narrativa sobre uma cantora brasileira. Ademais, não se trata de *uma* cantora, está-se falando *da* cantora. Daquela que legou uma obra que atravessa o tempo.

Narrar a vida de Elis Regina é empreitada provocadora, mas também traiçoeira para quem não consegue disfarçar cega admiração, pois pode conduzir ao perigo de adernar a biografia por estar impregnada de bajulação.

Com a compreensão aguçada pela sensibilidade, aliada à fluência do texto absorvente de um dos mais confiáveis jornalistas especializados na música brasileira, Julio Maria soube sobrepor-se a armadilhas desse tipo, elevando sua leitura à sensação de ser, provavelmente, a biografia definitiva. Malgrado a carreira de Elis, tal como um Sinatra, possa suscitar o surgimento de futuros livros nesses moldes. Ainda que isso aconteça, não vejo como superar a harmonia que Julio logrou atingir ao atrelar à biografia sobre Elis dois aspectos flagrantemente dominantes: o da música e o da vida pessoal.

Muito longe de ser um livro sensacionalista, a obra mantém admirável justeza ao expor situações e fatos por vezes de abordagem arriscada. Apresenta narrativas e ponderações que, além de desenharem o contorno de uma existência, penetram com profundidade na essência da intimidade feminina inseparável do talento musical dessa intrépida e trepidante cantora maior da canção brasileira. Situações e fatos, até então, nunca dados à estampa com tanta clareza.

Julio traça a trajetória com régua e compasso. De adolescente gaúcha, baixinha e vesga, uma afinada *crooner* considerada fenomenal em Porto Alegre, que salta praticamente sozinha no picadeiro carioca da pós-Bossa Nova e rapidamente se consagra no primeiro ato da Era dos Festivais, para em seguida assumir a responsabilidade do mais decantado programa musical da televisão, Elis mergulha nas contendas e bastidores das batalhas intestinas entre tendências dessa época efervescente da canção brasileira. Com minúcia descreve manobras bem e mal-intencionadas nessa fornalha de vaidades, ao mesmo tempo em que deixa claro o misterioso fascínio que Elis exercia sobre os homens, músicos e especialmente compositores que por ela se apaixonaram, curtindo amores platônicos declarados sob a forma de inspiradas canções consagradoras. Paralelamente o livro sedimenta mais nitidamente, se é que alguma dúvida ainda pudesse existir, sua arrojada atitude de arriscar sempre em proveito de novos compositores que assim se tornaram os felizardos por ela revelados, e logo passaram a pertencer aos que dão caráter à canção brasileira.

Julio enfoca a carreira de Elis no exterior e enfatiza sua atuação no território brasileiro através de seus *shows* memoráveis que culminaram com o primeiro de três espetáculos que, em torno de um cantor, estabeleceu pioneiramente a linha divisória entre *show* musical e espetáculo completo com base na canção. Justamente dessas páginas em diante, o autor sabe interpretar com sagacidade o relacionamento de Elis com seus músicos, especialmente com o grande artífice de sua carreira, o admirável pianista e arranjador Cesar Camargo Mariano, com quem se acumpliciou integralmente na temporada vivida, não sem poucos percalços, em Los Angeles, para a concretização do projeto "Elis & Tom", um dos maiores triunfos da discografia brasileira. Estende-se ainda sobre os discutidos episódios dos embates da cantora na época da ditadura e sobre a cidadã que defendia direitos do músico ao mesmo tempo em que exigia excelência de execução para suas requintadas interpretações que, acreditem, chegaram a ser tachadas infundadamente de perfeitas demais. Não se deram conta tais opinantes de que, como carrega Julio, Elis era um músico.

Embates é o que não faltam nas páginas do livro, mormente os travados nas crises conjugais das quais Elis tirou "o que poderia valer de bom" traçando "uma linha do tempo de feitos influenciados pelos perfis de seus cônjuges". Nessa linha do tempo Julio estabelece a conexão de Elis com seu repertório, com sua espiritualidade, com sua postura social e política, com sua probidade contrastante com turbulências sucedidas nos seus últimos anos de vida nos quais a dificuldade por não conseguir superar conflitos existenciais levaram-na à culminância das mais decepcionantes interpretações de sua carreira no "trem clandestino com destino desconhecido" e, por fim, ao trágico e inesperado epílogo que deixou pasmado um país inteiro.

Em sua pesquisa e nas mais de cem atiladas entrevistas que realizou, Julio foi incansável na busca de esclarecimentos sobre pontos obscuros que uma vez aglutinados resultaram no estudo que me parece o mais profundo já realizado sobre Elis Regina. Soube externar a compreensão que teve de Elis abordando a individualidade intrincada e controvertida de uma mulher insegura que, não obstante, tinha absoluta segurança de ser, como confessou reservadamente, a maior cantora brasileira. Superdotada para a música, com capacidade e memória auditivas fora de série, Elis foi perfeccionista, enfezada, intolerante, quase sempre imprevisível e teve urgência de viver. Fez quase tudo antes do tempo.

Com *Nada será como antes* Julio Maria nos presenteia a biografia confiável, respeitosa e íntegra que Elis Regina, a cantora brasileira, merecia. O livro pelo qual esperávamos pacientemente por tantos anos.

Zuza Homem de Mello
setembro de 2014

NADA SERÁ COMO ANTES

A VOZ SUMIA AOS POUCOS. "Samuel..." Uma pronúncia arrastada. "Samuel..." Ainda mais frágil, uma súplica de alguém prestes a desabar. "Samuel..." Um barulho cortou a ligação e Samuel Mac Dowell sentiu a alma esfriar. Desligou o telefone, apanhou o paletó e saiu às pressas de seu escritório, na Rua da Consolação com a Avenida Ipiranga, para o prédio nº 668 da Rua Doutor Melo Alves, nos Jardins. Minutos depois, às 10h15, chegava sem a elegância do homem que Elis Regina apresentara à família como seu namorado havia seis meses. Pedro e Maria Rita brincavam com as empregadas no *playground* quando Samuel entrou pela portaria e se aproximou transtornado. "Quem está lá em cima?", indagou a Maria das Dores. "Elis e João. Mas estão dormindo", respondeu a arrumadeira. "Dá a chave." Subiu então até o 5° andar pelo elevador de serviço, entrou no apartamento e só parou diante da porta que dava para o pequeno átrio de entrada da suíte de Elis. Maria das Dores foi atrás. "Elis, abre", gritou Samuel. Sem resposta, chamou mais alto. "Abre isso, Elis!" João estava acordado. Ouvia música no quarto ao lado quando percebeu que nada parecia despertar a mãe. Aumentou o volume do aparelho e bateu na parede com um cabo de vassoura para acordá-la. Ao ver que deixava marcas na pintura, parou para não levar bronca. Dores trouxe as cópias das chaves em uma caixa e Samuel testou quase todas até conseguir abrir a porta, mas se deparou com uma segunda também fechada – a do próprio quarto de Elis. Girou a maçaneta e percebeu que estava trancada com a chave por dentro. Com a força do desespero, bateu e chamou Elis várias vezes. "As ferramentas, traz as ferramentas", pediu à arrumadeira.

Samuel desparafusou a roseta que protegia o buraco da fechadura e usou um alicate como martelo para bater sobre a chave de fenda e cortar a madeira. Sua intenção era alcançar a ponta da chave que trancava a porta por dentro para poder girá-la. Vinte minutos depois de chegar ao apartamento, ele entrava no quarto para ver a cena que mais temia. Dores já havia voltado ao *playground* para cuidar de Pedro e Maria Rita. João correu do quarto ao lado, mas foi impedido de entrar. "Vai brincar João, está tudo bem", pediu Samuel. Elis estava caída com os olhos semiabertos, vestida com um roupão rosa e segurando o telefone com um dos braços estendidos. Seu lábio inferior estava roxo e seus pés, gelados. "Elis!", chamou Samuel. Ao tentar levantá-la, sentiu que seu corpo pesava toneladas e que sua cabeça e seus braços pendiam no ar sem qualquer reação. O equilíbrio começou a perder para o desespero. Samuel recolocou Elis no solo e ligou primeiro para seu sócio, o advogado Marco Antônio Barbosa. "Deixe o que está fazendo e venha pra cá agora. E traga o doutor Álvaro." Correu então até a sala para pegar a lista telefônica, voltou ao quarto e discou para todos os números do Hospital das Clínicas que encontrou. Na quarta tentativa, falou com alguém que solicitou que ele tentasse o 190. Atendido agora por um policial cheio de perguntas, Samuel abreviou: "Você tem que mandar uma ambulância. É urgente!" Voltou então para Elis e passou a sacudir seu corpo e a gritar seu nome várias vezes. "Elis, acorda!"

A secretária Celina chegou ao apartamento intrigada. "Cadê essa Elis que não atende telefone?", perguntou da sala. Mas sentiu que aquela não era uma manhã comum e decidiu saber o que Samuel fazia na suíte da patroa. Ao entrar, olhou para o chão e reagiu com pavor: "Meu Deus, o que é isso?" Samuel chacoalhava Elis e suplicava por um sinal de vida. Ao ver Celina, ele pediu que discasse novamente para o 190, mas o atendente passou a fazer as mesmas perguntas. "Mandem logo essa ambulância!", Samuel gritou ao fundo. Celina desligou o telefone e passou a ajudá-lo pressionando o peito de Elis enquanto ele tentava a respiração boca a boca. "Lili, fala comigo? Por favor, Lili, fala alguma coisa", chorava a secretária, chamando por Elis do jeito que fazia quando as duas estavam a sós. Celina olhava cada traço do rosto pálido, a boca escura, as olheiras profundas, as mãos e os pés cada vez mais gelados. "Lili, pelo amor de Deus, respira!" O que estava ali não poderia ser Elis Regina – um corpo oco, sem reação, entregue às vontades alheias. Samuel ligou na portaria para avisar que uma ambulância estava a caminho. Minutos depois, uma sirene soou da rua. "Veja se chegou", disse para Celina. Ela foi até a janela do quarto, olhou a rua da frente e não viu nada. "Não é a nossa ambulância."

João, que brincava pelo prédio desde que Samuel o impediu de entrar no quarto, saiu pelo portão, atravessou a rua, entrou em um bar e comprou um saco de balas. Ao vê-lo retornar, o zelador João Francisco, já informado por um vizinho de que algo não ia bem no apartamento de Elis, não se conteve: "João, tem alguém doente na sua casa?" O garoto olhou para o saco de balas e respondeu baixo: "Acho que minha mãe está com gripe." Apesar de ter visto o esforço de Samuel para abrir a porta, Maria das Dores também não pensou no pior. Imaginou estar Elis em um de seus sonos invencíveis, que ela mesma testemunhou em várias manhãs daqueles quase dois anos em que trabalhava para a família. Agora, esperava a patroa acordar para pegar o dinheiro e ir à feira. Por volta das 11h, cansou de esperar. Deixou as crianças com a babá Teresa e foi às compras com seu próprio dinheiro.

Samuel resolveu agir. "Cadê a chave do carro?", quis saber. "O João Marcello deve estar com ela", respondeu Celina. "Manda ele subir, eu preciso do carro agora." Mas logo mudou de ideia. "Não, é melhor um táxi." Desceram pelo elevador, ele com Elis no colo. Assim que chegaram ao térreo, Celina correu até a rua para chamar um carro enquanto Samuel esperava sentado em uma escadinha da entrada de serviço com Elis nos braços. O primeiro táxi que avistou foi o do português Manoel Gouveia, um Fusca ano 1976, branco, que reduziu a velocidade assim que Celina passou a gritar para que parasse. Sem conseguir identificar de onde vinham os gritos, Manoel ameaçou partir até perceber a moça em desespero. "Embica na entrada do prédio, rápido. É caso de vida ou morte!" Manoel deu marcha à ré, subiu na calçada, abriu a porta e ficou aguardando. Ao mesmo tempo, um segundo táxi chegou trazendo o amigo que Samuel chamara por telefone, Marco Antônio, e o médico de sua confiança, Álvaro Machado Junior.

Samuel ajeitou a manta usada para cobrir o corpo de Elis e se levantou para levá-la ao carro. Ao perceber que ele tinha dificuldades, o zelador João Francisco deixou a portaria e foi ajudá-lo, imaginando que trazia uma criança no colo. Quando viu o rosto pálido de Elis, tomou um susto. Samuel sentou-se no banco de trás do Fusca para levar a cantora no colo, mas não conseguiu ajeitar suas pernas, que ficaram descobertas e pendendo para fora do veículo. João Francisco correu para recolocar a manta que caía e percebeu que Elis estava molhada, exalando um leve cheiro de urina. Ao lado do motorista, Álvaro se posicionou de joelhos no banco do passageiro, de frente para Samuel, para poder examinar Elis enquanto o carro saía. Colocou a mão em sua testa e apanhou seu braço para sentir sinais vitais. Sem olhar para Samuel, concluiu algo que preferiu guardar para si. Samuel não quis perguntar nada. "Vamos para o Hospital das Clínicas", pediu o médico ao motorista. Seu Manoel acendeu os faróis altos e partiu. Em outro táxi, logo atrás, vinham Celina e Marco Antônio. Às 11h30, chegaram ao pronto-socorro do Hospital das Clínicas de São Paulo.

Maria das Dores voltou da feira ao meio-dia. Carregava sacolas pesadas e, antes de pegar o elevador, decidiu descansar por algum tempo sentada na mureta perto do portão. Um carro da Polícia Militar estacionou. Os policiais desceram e chamaram pelo responsável. Atendidos pelo porteiro Nicola e por João Francisco, pediram o número de seus documentos para o registro de uma ocorrência, justificando que, naquela manhã, tinham a informação de que um dos moradores havia cometido suicídio. "Não sabemos de nada disso. Houve só uma senhora que passou mal e foi levada ao hospital por sua família", respondeu Nicola. Os policiais fizeram mais algumas perguntas e se foram, aparentemente sem prosseguirem com a ocorrência. Dores, intrigada, ouvia tudo. Antes de subir com as compras, foi tirar a dúvida. "Nicola, quem é a mulher que saiu desmaiada daqui?" "Foi a sua patroa", disse o porteiro. Dores pediu mais detalhes a Nicola. "Olha Dores, acho que a dona Elis estava morta quando saiu." A empregada deixou as sacolas no chão e colocou as mãos na cabeça ameaçando cair em desespero. Subiu rápido pelo elevador e encontrou Teresa no apartamento com as crianças. A babá não tinha certeza, mas fez sua suposição baseada na cena que pôde ver à distância. "Ela devia estar morta porque estava muito pequenininha." No instante em que Samuel saiu com Elis nos braços, Teresa estava no térreo cuidando de Pedro e de Maria Rita. Ela distraiu a pequena quando percebeu que as coisas não estavam bem, porém não conseguiu desviar a atenção de Pedro.

O garoto viu tudo do *playground* – Elis passar desacordada nos braços de Samuel, entrar em um carro estranho e sair sem dizer tchau. Aquilo que os grandes não explicavam ganhava a interpretação de uma criança de seis anos de idade: a mãe foi passear. Duas horas e meia após sair com Elis nos braços, Samuel voltava irreconhecível, acompanhado pelo amigo Marco Antônio e pelos irmãos Carlos e Beatriz. Foi até o quarto de Elis e lá ficou por algum tempo. Antes disso, Dores entrou no cômodo e retirou de lá uma garrafa de Cinzano caída no chão, com um resto da bebida. Rogério, tio de Pedro, também andava por ali visivelmente atormentado. Às 15h30, chegou uma equipe de técnicos do Instituto de Criminalística da Polícia Científica. Analisaram os aposentos, fotografaram as portas e os móveis e se retiraram, anotando em seu laudo técnico que "face ao grande número de pessoas no apartamento, pressupõe-se intensa movimentação das mesmas em seu interior, particularmente na suíte da cantora. Nestas condições, o local se torna totalmente inidôneo para a perícia."

Cesar Camargo Mariano, pai de Pedro, passou por ele sem muitos carinhos. Seus olhos estavam tristes e vermelhos, sua barba feita e um braço enfaixado. De tudo, o mais estranho era o fato de estar ali pela primeira vez em pouco mais de seis meses, desde que havia se separado de Elis. O menino dirigiu-se aos adultos para saber o que havia de errado. "Nada Pedro, vai brincar", disse uma das empregadas. O telefone da casa tocou e seu irmão João atendeu. Era o jornalista de uma emissora de rádio: "Bom dia. Por favor, é da casa da Elis Regina?" "É, mas ela não está", respondeu o garoto. "É só para confirmar: soubemos que ela morreu nesta manhã, é isso mesmo?" Com a maturidade de um menino de 11 anos, João sorriu sem graça daquilo que lhe pareceu piada, desligou o telefone e voltou a brincar. Pedro passou pela sala, ligou a TV e se sentou para assistir a um desenho no instante em que um plantão do *Jornal Hoje*, da Globo, começou a lhe dar as respostas que os adultos haviam negado. "Morreu nesta manhã a cantora Elis Regina." O menino correu de volta aos grandes e cortou a conversa com a urgência das crianças: "Pai, a televisão está falando que a mãe morreu. É verdade?" Os adultos já sabiam de tudo, mas só agora percebiam que era hora de cuidar dos pequenos. O silêncio tomou conta da casa e os olhares ficaram sobre Pedro por uma eternidade. Cesar o levou para o quarto com sua irmã Maria Rita para tentar dizer uma verdade na qual ele mesmo custava a acreditar. A mulher que na noite anterior colocou os filhos para dormir com um beijo em cada um não voltaria mais.

A notícia saiu como um tiro. Milton Nascimento estava com alguns amigos em uma praia da zona sul do Rio de Janeiro quando, inexplicavelmente, sentiu que deveria ir para casa mais cedo. Ao entrar, a empregada o recebeu com um comentário. "Seu Milton, o senhor viu que a Elizeth Cardoso morreu?" "Elizeth? Tem certeza? Que estranho", pensou ele. Milton ligou a TV e se deparou imediatamente com o rosto de Elis tomando a tela inteira. "O corpo da cantora está sendo velado no Teatro Bandeirantes, em São Paulo", dizia o noticiário.

Um furacão devastou os sentidos de Milton, tornando-o sem voz para gritar e sem ouvidos para atender ao telefone da casa, que passou a tocar impiedosamente. Assim que os amigos chegaram, souberam da notícia e perceberam seu estado de choque. Olharam-se e decidiram colocá-lo em um carro para seguirem em silêncio até uma praia deserta e distante. Quando avistou um barco atracado, vazio, Milton disse apenas: "É aqui." E ali ficou, por um dia inteiro.

Gal Costa assistia TV em casa, também no Rio. A notícia a mergulhou em um estado depressivo que levaria dias. Jair Rodrigues se preparava para dar uma entrevista em uma emissora de rádio em Santos, no litoral de São Paulo, onde estava para uma apresentação. Sem jeito, o locutor o avisou, ainda fora do ar: "Seu Jair, desculpe, temos de dar uma notícia triste agora." Jair perdeu o chão, cancelou o *show* e voltou para São Paulo. Caetano Veloso estava em Ondina, na Bahia, quando o fato lhe chegou por outras pessoas que souberam pela TV. Aflito, queria mais explicações, preocupado com os filhos da cantora, expostos a um noticiário que associava a morte de Elis ao uso de drogas. João Bosco descansava em seu isolamento de verão com a mulher Angela e o filho Francisco nas praias de Marataízes, no litoral sul do Espírito Santo. Sem rádio, TV nem telefone, estava em casa quando um vizinho veio até ele: "Rapaz, que pena que sua amiga morreu". "Que amiga?", quis saber. "Você não viu que a Elis Regina morreu?" João ouviu aquilo como uma brincadeira. Mas o rapaz foi entrando em detalhes e sua incredulidade começou a virar pavor. Saiu às pressas para um posto telefônico no centro da cidade e ligou para suas fontes no Rio de Janeiro. Era verdade, a pior que poderia ouvir. Edu Lobo tomava sol na praia de Ipanema. "A Elis morreu!", gritou uma mulher ao seu lado com um rádio de pilha ligado. Ao contrário de João, Edu não teve dúvidas. Mulher com esse nome, Elis, só havia uma.

Quando o rádio do Puma conversível de Luiz Carlos Miele começou a dizer que Elis havia morrido, o produtor dirigia pelas ruas do Rio de Janeiro com a cabeça em coisas mais importantes do que as notícias do dia como, por exemplo, Elis Regina. Amigos de quando vibravam juntos nos *shows* das portinhas mambembes do Beco das Garrafas, dos tempos em que improvisavam refletores com cartolinas enroladas, Miele e Elis tinham daquelas cumplicidades que dispensavam provas físicas de amor. Podiam passar anos sem se ver que o alicerce não rompia. Pois justamente naquele final de manhã, bateu em Miele uma vontade incontrolável de ver a Baixinha. Poucas horas antes, ele havia pedido a um empregado que enviasse a ela uma carta pelo correio em retribuição a um cartão carinhoso que Elis lhe mandara com dizeres cheios de entusiasmo e citações do arcebispo Dom Helder Câmara. Sua resposta era na medida para tirar o riso mais escandaloso da amiga, aquele que ela dava de olhos fechados e com a cabeça para trás. "Elis, com licença de Dom Helder Câmara, eu estou com uma puta saudade de você. Como é que eu faço pra te ver agora?" O rádio do carro insistia na notícia. Ouvir o nome da cantora na mídia era comum, mas aquilo começava a ficar desconfortável. "Mais de vinte mil pessoas já passaram pelo velório, que está sendo realizado em São Paulo. Elis tinha 36 anos..." Miele desligou o rádio e seu cérebro se comportou como um cão de guarda a protegê-lo, acionando um mecanismo de sobrevivência para criar uma notícia paralela que o salvasse de um provável acidente automobilístico: "Puxa, a mãe da Elis... Que coisa, a mãe da Elis morreu."

A mãe de Elis quase morreu. Um clarão a fez perder as memórias dos minutos que antecederam e de outros tantos que se seguiram à notícia de que sua filha estava morta. Dona Ercy Carvalho Costa só sabe que sua maior tragédia veio pela televisão, e mais nada. Senhora de punhos largos que já eram motivo de troça entre os irmãos quando criança, Ercy se segurou ajudada por uma genética que parecia lhe garantir vida eterna, só atingida por uma diabetes mas reforçada pelo copo diário de leite de cabra que entornou durante anos de sua infância. Com os ossos de aço e a alma de ferro, não havia doença que parecia derrubá-la. Ao se tornar mãe de Elis, primeiro, e de Rogério, depois, sentia que passara seus poderes aos filhos pelo sangue. Um estrabismo genético era o único defeito de fábrica em Elis e, ainda assim, daqueles que os médicos diziam "isso não mata ninguém". Elis e morte, aliás, eram duas palavras que não combinavam na mesma frase nem naquela manhã nem nunca. Sua filha Elis Regina? Bobagem. A TV insistia que ela estava morta. Já falava em velório, enterro, drogas. Era só refletir com frieza para ver que não havia sentido naquilo. Sua Elis Regina tinha energia para ser sol ou tempestade, nunca chuvisco. Das drogas, o coração de mãe dizia, jamais de aproximara. Sua força parecia pronta para mantê-la por séculos. Só podia ser engano. Além do mais, aquela Elis pertencia a uma família em que as senhoras não podiam deixar o mundo assim, sem aviso prévio.

1.

Elis Regina Carvalho Costa vinha de uma linhagem de mulheres acostumadas a dar as cartas para que seus mundos não se esfarelassem nas mãos dos homens. Ana, a avó, mãe de Ercy, era portuguesa de uma aldeia próxima a Coimbra. Seu temperamento árido da vida toda talvez tivesse origem ou explicação por aqueles tempos em que ela tinha como ofício carregar areia e pedra para ajudar aos pais. Ana era a boa mãe das atitudes certas, mas da prática, não dos carinhos. O seu certo era o certo e ponto. Já vivendo em Porto Alegre, onde chegou ainda menina, lavava e passava roupas para o boa-praça Gregório, também português, mas do Norte. Homem de poucas e equilibradas palavras, treinou as virtudes da calma e da sensatez nos anos em que passou trabalhando para uma paróquia nos arredores da cidade do Porto, em Portugal, sempre a serviço do padre, não de Deus. Não demorou para Gregório se engraçar com Ana, a mulher que cuidava de sua roupa e de sua vida antes mesmo de ser sua esposa, e logo a levou ao altar. Dos sete filhos, o segundo foi Ercy, sua fiel companheira.

Música na casa dos Carvalho Costa era para festa, nunca para ganha-pão. E, de todos, Ercy tinha a voz que mais brilhava. Seu pai achava graça. Sua mãe, nem tanto. “Cala essa boca, guria, no tempo em que tu tá cantando teu serviço tá parado.” Os sons que chegavam pela Rádio Nacional do Rio de Janeiro vinham muitas vezes em forma de bolero. Em dias de festa, tudo ficava mais leve. A mãe estalava os dedos como se fossem castanholas e fazia a casa dançar o Vira. As vozes soavam mais altas do que o rádio e a vizinhança queria saber: “Ana, pra quem é a festa? Quem está fazendo aniversário?” Um desejo de Ercy era especial, guardado como segredo no mesmo porão em que confinava seus sonhos impossíveis: ser cantora. Uma probabilidade que o pequeno mundo em que vivia lhe respondia impiedosamente ser inatingível. Se não podia cantar, Ercy dançaria. E se não para ganhar o pão, quem sabe para decretar a própria alforria. Aos bailes, ia uma vez por mês e, em um deles, despontou o moreno magro de bigode, cabelo engomado, caladão mas cheio de charme e sem-vergonhice, com um cigarro cambaleando pela boca. Queria saber se a dama jeitosa de 21 anos, rosto redondo, sorriso largo e olhos negros lhe concedia o prazer daquela contradança. Ercy replicou um par de "sins", separados por um curto espaço de tempo: um para a dança e outro para o pedido de casamento.

Dona Ana não gostou muito daquilo. Aos seus olhos, Romeu, 24 anos, era moreno demais, quase negro. Sua filha não seria feliz ao lado de um homem com aquela pigmentação. Ercy precisava mesmo de um rapaz distinto de pele branca, como o marido de sua irmã Aida. "Negro não dá", dizia Ana. Seu Gregório não entendia. Se a filha gostava de Romeu, que mal havia na cor? "Ele me parece uma boa pessoa", dizia aos amigos, prevenido contra os males irremediáveis que a intransigência da mulher poderia causar. O trator de Ana já havia deixado marcas na família. Na infância de Ercy, resolveu ela mesma tratar de uma dor em um dos ouvidos da filha com esguichos de água quente e analgésico aplicados com seringa diretamente no tímpano da menina. A dor era das mais fortes e o problema só piorou. A audição em um dos ouvidos nunca mais foi a mesma. Agora, o enlace com Romeu, decidiu Ercy, sairia por bem ou por mal. E saiu por bem. Ao ver um brilho incomum rodeando a filha pela casa, Ana jogou a toalha ao sentir que havia perdido a batalha. A vida de todos ali mudava rápido. Ercy e Romeu se casaram em um ano, Ercy engravidou no outro.

"Conta depois se dói muito?", pediu Aida à irmã Ercy. Era 17 de março de 1945, a tarde de um domingo de sol em Porto Alegre, quando a primeira filha de Ercy começou a mandar sinais de que chegava sua hora de vir ao mundo. Enquanto levava a irmã em seu carro para o Hospital Beneficência Portuguesa, Aida queria saber qual era o tamanho da dor de ser mãe. Mas, assim que começaram os trabalhos para o parto normal, Ercy não sentiu mais nada. Ou adormeceu ou desmaiou. Só lembra de Elis sendo colocada em seu colo. "E aí, como foi?", indagou a irmã. "Não sei Aida, eu dormi", respondeu. "Sua infeliz!", chiou, Aida. Ao chegar ao hospital, Romeu já tinha as instruções para fazer o registro da filha no cartório. A menina ia se chamar Elis, assim como a irmã de Eloir e Eloisa, filhas de um casal de amigos que foram padrinhos de seu casamento. Mas deveria ser Elis com i, não com y, "pelo amor de Deus", pediu a mãe. E caso o moço do cartório reclamasse por Elis não ser nome de santa, o que quase todos faziam à época, bastaria Romeu sacar um Regina e colocar ao lado para contornar a situação. Se não havia uma santa Elis, com certeza haveria uma santa Regina. O moço do cartório não reclamou pela falta do nome bíblico, mas percebeu uma outra deformidade naquele Elis, que jamais datilografara em sua jurisdição. Elis valia tanto para homem quanto para mulher. "Vão fazer uma confusão danada com a menina", disse a Romeu. "Então coloca Regina também", sacou o pai. "Elis Regina?", quis saber o escrivão. "Isso, Elis Regina."

Para Ercy, seria sempre Elis. Só Elis. Ou Lilica nos momentos de intimidade. O Regina era o alerta que acionava quando queria deixar claro que o tempo iria fechar. Os primeiros anos de Elis Regina foram vividos em uma casa de madeira no bairro Navegantes, subúrbio de Porto Alegre. Seu Gregório, como bom patrício, plantava parreiras para produzir seu próprio vinho, que era armazenado nos barris deixados no quintal. Ercy fazia as roupas sem economizar em laços e babados para uma filha que vestia como se fosse sua boneca. Andar e desfilar foram descobertas simultâneas. Se tivesse plateia, saía pelo corredor, andava até o fim e fazia um giro de pernas com graça esperando aplausos. Ao contrário da avó, que jamais saía em fotos por não suportar a própria imagem, a menina tinha consciência de que o trambolho que tia Aida levava em sua casa para tirar fotografias nos finais de semana a mostraria bela ou feia, só dependeria de seu empenho. Antes mesmo de falar, Elis sabia escolher os melhores ângulos para sair bem na foto.

Aos três anos de idade, Elis falava cantando e, aos cinco, fazia tudo virar música. E a música de verdade, que ouvia por tabela no rádio dos pais, tinha partes reproduzidas por sua voz o dia todo. A primeira que aprendeu a cantar foi "Adiós, Pampa Mía!", um tango argentino de sucesso lançado no mesmo ano de seu nascimento, 1945. "Chiquita Bacana", com Emilinha Borba, foi a segunda. Insegura e convicta em seus extremos, tímida e sorridente, estrábica em dias alternados, competitiva com os fortes e impaciente com os fracos, Elis foi formando uma personalidade de conflitos com o mundo e consigo mesma, sempre pronta para compensar deficiências com virtudes e vice-versa. Ao começar a cantar em casa músicas inteiras, não era mais a menina que gostava de plateia. Ia para o quarto, longe da mãe, e sentia o chão se abrir a cada frase reproduzida de uma canção de Angela Maria ou de Cauby Peixoto que lhe chegavam pela Rádio Nacional. As paixões dos pais – Marlene, Emilinha Borba, Francisco Alves – foram se tornando também suas descobertas e povoando seus pensamentos com música que parecia não acabar mais.

Elis não sabia o que eram *vibrato* ou sustentação, mas sentia quando algo diferente acontecia na voz dos cantores. Um pouco mais tarde, ouviria o trompetista Chet Baker cantando e João Gilberto tentando imitá-lo sem usar nenhum *vibrato* – algo que a influenciaria, por toda a carreira, na dosagem deste recurso. A voz da Elis criança era um descontrole, uma força indomável de timbre e volume que pareciam sair de uma mulher bem mais velha. A mãe, a avó e os vizinhos a ouviam todos os dias. Só faltava o mundo. E o caminho mais fácil para se chegar a ele, naquela Porto Alegre da década de 1950, era o programa dominical *Clube do Guri*, que o apresentador Ary Rego conduzia das 10h às 12h com grande sucesso na Rádio Farroupilha. Às vésperas do aniversário de Elis, a avó pediu que Ercy levasse a neta ao Clube como forma de lhe dar um presente. Não havia como negar.

Um dos campeões de audiência na época, o Clube tinha como estrelas seus talentos mirins, crianças que chegavam de todo o Rio Grande trazidas pelos pais, com suas melhores roupas, para momentos de astros diante do microfone e de uma plateia que vibrava em palmas e assovios. As crianças ensaiavam antes com um pianista e voltavam para seus lugares à espera do chamado de Ary. Aos sete anos, Elis já era um poço de dilemas ao chegar ao Clube. "Não mãe, não quero mais", disse antes mesmo do ensaio, provavelmente assustada com a festa que os meninos e as meninas mais ambientados faziam no estúdio. Nem o mentor Ary Rego a garota quis conhecer, levando Ercy a perder uma paciência que já era curta por nascença. No caminho de volta para casa, a mãe não escondeu seu desapontamento. "Mas tu achas mesmo que eu sou boba né, menina? Me faz passar uma vergonha dessas?" Elis travou diante do palco e transformou o *Clube do Guri* em um leão a ser domado em nome da honra.

Ao sentir que a filha andava solitária demais, com aqueles pensamentos de onde só pareciam brotar músicas, Ercy colocou na cabeça que daria a Elis uma irmã. Uma parceira que já tinha até nome: Eliana. Seu Romeu não queria nem mais homem nem mulher e decretou a fábrica por fechada. Ercy, então, enganou o marido, dizendo que não estava em dia fértil, e o recebeu em uma noite, cheia de segundas intenções. Quem veio depois de nove meses foi um menino, Rogério, moreno como o pai, que Elis trataria como se fosse seu filho de brinquedo. A família mudou-se para uma casa melhor e maior. O pai, funcionário da Companhia Sulbrasileira de Vidros, tinha direito a uma das moradias no conjunto habitacional popular conhecido como Vila do IAPI, o Instituto de Aposentadoria e Pensão dos Industriários, criado no fim dos anos 1940, na periferia de Porto Alegre. Uma grande figueira na frente do número 21 da Rua Rio Pardo, que se via logo que se abriam as janelas de madeira, era o que diferenciava o endereço das casas vizinhas. Seus dois quartos eram pequenos, mas a sala tinha o espaço que Elis precisava para brincar de professora. Havia um campo de futebol muito perto em que Rogério começaria a levar em consideração a ideia nunca vingada de se tornar um craque profissional. Feliz, de casa e irmão novos, Elis não se trancava mais para cantar. Quando a mulher lá de dentro dava sinais de que queria se manifestar, soltava a voz ali mesmo, na hora do jantar, de rádio ligado ou à capela. Em dia que não cantava, um vizinho chamava Ercy no muro do quintal. "Cadê a menina? Ficou doente?"

A volta ao *Clube do Guri* foi aos 12 anos, assim que Elis se sentiu segura para pagar a conta que havia pendurado com a mãe e com ela mesma. Música já parecia um bicho menos selvagem depois que Ercy a colocou para fazer aulas de piano com uma professora particular. Se cantar era coisa de mulher à toa, pensou a mãe, o piano seria sua redenção. O soberano instrumento encheria a casa de *status* e beleza, calaria a boca dos parentes invejosos e levaria a voz da filha à elegância dos salões mais nobres. Só havia dois problemas: a família não tinha piano e, se dependesse da disposição de Romeu para abrir a carteira, não teria nem um pandeiro. Quando a professora sugeriu à família que procurasse um conservatório para a menina seguir adiante, já que sua parte havia sido concluída, o piano em casa passou a ser um item indispensável. Seu Romeu, injuriado pelas aulas que comiam parte de um ordenado cada vez mais apertado, teve a deixa que precisava para mandar parar tudo. Nada de aula, nada de piano. Frustrada, Elis voltou seus esforços para o único instrumento que não precisava ser comprado e aquele que ninguém lhe tiraria: a voz.

"Mãe, me leva de novo no *Clube do Guri*?" Quando ouviu o pedido da filha, Ercy pulou na sandália. "E vai fazer o que lá, se já foi uma vez e não cantou nada, menina? Acha que eu tenho tempo a perder?" Elis insistiu: "Não mãe, desta vez eu canto." Sem apostar dois contos na guria, Ercy atendeu ao pedido mais para ficar em paz com a própria consciência. "Quero só ver se tu vais cantar mesmo." Até o momento em que Elis foi chamada por Ary ao microfone, a mãe temeu por um novo vexame. Mesmo produzida para o estrelato, com vestidinho de missa, sapato branco e rabo de cavalo, a filha não parecia bem. Estava pálida, com as mãos geladas e o nariz sangrando de sujar a roupa. A luva, parte da indumentária preparada por Ercy, já tinha o dedo furado pelas mordidas de apreensão. Depois de um rápido ensaio com o pianista Rui Silva, seu nome foi chamado com entusiasmo. "E agora, Elis Regina!" Entre as primeiras notas do piano e o início da canção "Lábios de Mel", de Waldir Rocha, que o rádio levava aos lares do País na voz de Angela Maria, ouviu-se um silêncio. A candidata só movia os olhos por trás dos óculos de lente grossa, à procura do colo da mãe na plateia ou de uma saída de emergência por onde pudesse desaparecer. Ainda sólida como o pedestal à sua frente, Elis começou a cantar. Aos poucos, deixava sair a mulher de voz robusta que vivia em seu peito. A empostação segura não combinava com a fragilidade da imagem que se tinha da garota e aquele timbre adulto de afinação extraordinária tomava o estúdio da Farroupilha parecendo congelar o tempo. A reação dos espectadores enchia Ercy de orgulho. Ary cruzou olhares com o pianista e sentiu que acabara de testemunhar algo muito sério antes mesmo que os aplausos chegassem ao fim. Em anos de rádio, desde seu início em Pelotas, quando ainda não havia pensado em vender tudo o que tinha para tentar a vida em Porto Alegre, Ary Rego não garimpava uma pepita daquele quilate. Ao chegar em casa, virou-se para a mulher, Dayse, e lhe disse o que repetiria outras vezes quando falasse sobre Elis Regina: "Descobrimos a nova Carmen Miranda."

Elis sumiu da Rádio Farroupilha. Nem ela nem sua mãe pensaram em fazer das tardes no *Clube do Guri* o início de uma carreira promissora. Haviam vivido ali um dia de glória que, para uma menina de 12 anos, já era uma realização com começo, meio e fim. Sua conta estava paga. Mas, ao cumprir a promessa de cantar e transformar os temores de Ercy em louros, ganhou moral. Ercy, de mãe, começava a ser fã. "Canta filha, canta aquela da Angela Maria", dizia para as visitas de casa. E Elis cantava em casa, na rua, nos intervalos das aulas do tradicional Instituto Estadual de Educação General Flores da Cunha, próximo ao Parque Farroupilha, onde entrou pensando em ser professora. A Elis aluna não era um fenômeno. O terceiro ano, por exemplo, teve de fazer por duas vezes depois de fracassar na primeira tentativa, sobretudo por suas birras com matemática e francês. Na matemática, o vilão eram os números. No francês, a professora.

Ida Godinho era um nome de dar calafrios nas meninas do General Flores. A mestra de francês usava preto dos pés, sempre em botas grossas que vestia sobre as meias três quartos, à cabeça, no cabelo curto e retinto. Os óculos sem aros e a testa inexpressiva informavam que dali não sairiam risos jamais. Entre as alunas, seu índice de popularidade era algo muito próximo do zero. Suas provas surpresa eram temidas e provocavam choros coletivos nas alunas que não chegavam à pronúncia de um "*comment allez-vous?*" de sua exigência. Seus apelidos nos bastidores, como códigos secretos, variavam periodicamente e Ida agia como se quisesse alimentá-los, sobretudo em suas investidas contra as colegas Elis Regina e Rejane Wilke, que estudavam na mesma sala. Rejane teve seu pior dia de presa ao aparecer na escola de vestidinho feito pela mãe em xadrez azul e branco, à época um modelo conhecido como Brigitte Bardot, lançado em filmes pela atriz francesa. A abordagem da professora veio com uma simpatia de escorrer veneno. "Nossa, Rejane, bonito vestido!" "Gostou professora? Ele se chama Brigitte Bardot." Foi o suficiente. "Que vergonha menina. Nunca que tu deverias usar um vestido daquela devassa."

Eram vexames públicos, de preferência com amigas como testemunhas. Elis sofreu mais. Ao saber que seus dotes de cantora começavam a deixá-la popular, e que as alunas chegavam a torcer para que o professor faltasse, permitindo que Elis assumisse o palco improvisado na sala, Ida foi aos extremos de sua fúria conservadora. De classe cheia, resolveu colocar a guria em seu lugar. Afinal, que negócio era aquele de aluna cantora? "Isso é coisa de gente rasteira, prática dos maus elementos", disparou. Elis só encontrou no travesseiro de casa o buraco que queria para enfiar a cabeça, ao chegar arrasada. A mãe quis saber o que era e Elis contou aos soluços. Ercy foi à escola com o sangue português fervendo. Sem se intimidar com a imponência dos corredores, descarregou sua indignação na diretoria. Aquilo não era coisa que professora fizesse a uma aluna. E quando que cantar era vergonha? Ida acabou deixando o colégio e Elis seguiu até o fim, com o francês aprendido aos traumas. Só não sabia que, em um dia não muito distante, o idioma ensinado por Ida Godinho seria de grande valor.

As paredes do General Flores da Cunha testemunharam cenas menos bélicas. Em meio à turma só de meninas, Elis e Rejane falavam até de garotos. E um dos primeiros a despertar os desejos e as fraquezas de Elis foi o camisa oito do time do Grêmio, Gessy, craque que acumularia onze títulos nas costas entre 1956 e 1962 e alimentaria um peculiar sonho de se tornar dentista. Para Elis, não era mais do que uma paquera platônica que terminou assim que Gessy foi flagrado por ela com uma guria desajeitada e malvestida após um treino. Bobagens. Entre Rejane e Elis era sempre mais agradável quando as duas falavam de música. Rejane tinha aulas de piano em casa, o que as condições de Elis não permitiam, e passou a se lembrar da amiga sempre que uma nova partitura lhe caía nas mãos. Sua mãe trouxe um dia a de "Fascination", uma antiga valsa francesa de 1904, de autoria atribuída a Dante Marchetti e Maurice de Féraudy, que acabara de se tornar popular no Brasil com a chegada do filme *Amor na Tarde* (*Love in the Afternoon*), com Audrey Hepburn e Maurice Chevalier. Na voz de Elis, imaginou Rejane, aquilo ficaria lindo. A amiga copiou a letra, que já havia sido traduzida para o português em 1943 pelo radialista Armando Louzada, e gravada por Carlos Galhardo, e esperou o recreio para mostrá-la. Sentada nas escadas que davam para o pátio, Rejane ouviu, em primeira mão e de cadeira cativa, Elis Regina cantar uma das músicas que, um dia, seria um de seus mais arrebatadores sucessos.

Quando o ciclo no General Flores chegou ao fim, Elis passou uma temporada de seis meses no colégio estadual Júlio de Castilhos e seguiu com seus estudos do então chamado ensino normal no Dom Diogo de Souza a fim de sair de lá como professora. Foi por esta época que se deparou com um detalhe que ganhava vida própria: sua voz transbordava às salas de aula. Episódio de sorte ou destino traçado, sua volta ao *Clube do Guri* era questão de dias. Ary Rego, inconformado com o desaparecimento de sua pepita dos estúdios da Farroupilha, foi surpreendido por uma atendente quando fazia compras na tradicional Casa Massom, na Rua Marechal Floriano com a dos Andradas. "Oi Ary, eu sou a tia da Elis, lembra dela?" Antes de cair para trás, Ary pegou o endereço de sua Carmen Miranda e seguiu para a Vila do IAPI a fim de convencê-la a voltar. Ary falou com Dona Ercy do quanto estimava por aquela guria no palco de seu programa e do mal que a família faria à história se interrompesse o curso daquele rio. Não precisou mais. Com a bênção da mãe e da avó, Elis voltou para se tornar a menina da Rádio Farroupilha. E, de tempos em tempos, levar para casa um presente do patrocinador: uma caixa de chocolates Neugebauer.

Ary a fazia brilhar em um ambiente que já tinha estrelas mirins fortes como Maria Helena Andrade e Ruth Maria. Com Maria Helena, Elis protagonizou seu primeiro episódio de rivalidade. Um miniconcurso promovido por Ary havia terminado empatado com as duas em primeiro lugar. Maria Helena, alegre e descontraída a ponto de conseguir cantar e sambar ao mesmo tempo, contra Elis, um poste com um vozeirão de outro mundo. No desempate, deu Elis. Seu prêmio: cinquenta cruzeiros mais um ferro de passar roupas. Dona Ercy adorou.

Quando parecia grande demais para estar no meio da gurizada do Clube, Elis foi promovida a secretária de Ary, uma espécie de ajudante de luxo. Ary Rego assistia à transição que parecia mudar tudo ao mesmo tempo. A cantora doméstica se profissionalizava e a menina se despedia de uma adolescência que mal começara a viver. Dona Ercy fazia pressão. Se aparecesse uma nota ruim no boletim da escola, a brincadeira acabava. Mas, mesmo sem tempo para se dedicar aos estudos como antes, Elis conseguia manter suas avaliações na média, e a brincadeira continuava. A partir dali, as coisas aconteceriam rápidas e intensas demais, como se cada ano de sua vida equivalesse a três. A artista Elis Regina, aos 12 anos, já tinha tiques de celebridade. Se Ary pedisse que cantasse um "sambinha", levava uma entortada. "Sambinha eu não sei, mas posso cantar um samba." Se fosse chamada a participar do coral da rádio, dava de ombros. Sua voz não era para soar em grupo.

A descoberta de Ary Rego começou a encher os olhos de outro homem nascido para o rádio e para as oportunidades de Porto Alegre. Maurício Sirotsky Sobrinho, apresentador e proprietário da Rádio Gaúcha, tinha um programa nas mesmas manhãs de domingo que Ary Rego, mas para um público um pouco mais velho. E era com o sangue quente que o Big Nariz, seu apelido pela protuberância física que nada o incomodava, fazia o popular Programa Maurício Sobrinho. Aos sábados, no auditório do Cinema Castelo, centro de Porto Alegre, obrigava todos a ensaiarem as passagens do dia seguinte na íntegra, sempre com um ouvido colado no rádio para saber o que faria a emissora concorrente. Quando farejou Elis Regina, Big Nariz afiou as garras. Até porque, contra a Farroupilha, a Gaúcha tinha vantagens incontestáveis como, por exemplo, a de pagar bem mais do que uma caixa de bombons aos seus cantores. Maurício convidou Elis e seus pais para uma conversa. Queria a cantora em seu quadro de funcionários. Vestidos com roupas de domingo, Ercy e Romeu levaram a filha à sala de Maurício com um largo sorriso de satisfação, prontos para assinarem o contrato que fosse e fazer aquela cantoria se tornar fonte de renda. Elis saía dali com seu primeiro emprego registrado em carteira de trabalho. A partir daquele 1º de dezembro de 1958, a Rádio Sociedade Gaúcha pagaria à sua mais nova funcionária, de 13 anos de idade, 6 mil cruzeiros mensais. A escalada de aumentos que viriam a partir daí serviria para proteger a menina dos falcões que sobrevoavam o terreno de Maurício e cobrir parte das perdas que a inflação abocanhava. Os 6 mil iniciais passaram a 8 mil em 1960; 10 mil em 1961; 12 mil até julho de 1962; 20 mil até o fim de 1962; 25 mil no início de 1963 e, num último salto, 50 mil cruzeiros até o dia 1° de agosto de 1963. Com o primeiro salário, Elis passou em uma loja de brinquedos e comprou um boneco de plástico. Colocou nele o nome de Paulinho, seu confidente e o último símbolo de uma infância da qual se despediria para sempre.

Maurício não herdaria um projeto de diva pagando apenas com dinheiro. A conta era mais alta. Escalar Elis para os outros programas, sobretudo àqueles em que ela deveria fazer parte de corais, era um desafio cada vez mais difícil e que, por ao menos uma vez, colocou sua emissora na corda bamba. Em 1961, logo após a renúncia de Jânio Quadros à Presidência do Brasil, os militares passaram a defender o rompimento da ordem jurídica que garantiria a posse do vice João Goulart e se colocaram em campanha pela convocação de eleições democráticas, para que fosse escolhido um novo presidente. Leonel Brizola, governador do Rio Grande do Sul e cunhado de Jango, acusando o golpe e babando de raiva, liderou por 14 dias um movimento pela posse do vice, que seria conhecido como Campanha da Legalidade. A fim de ganhar força e apoio popular, baixou uma ordem às emissoras de rádio de todo o Rio Grande: seus cantores e cantoras tinham exatas 12 horas para aprenderem o Hino da Legalidade, ensaiarem bonitinho e cantarem a plenos pulmões para todos os ouvintes. O hino era curto e suas estrofes chamavam todos a "marchar com a bandeira, recusar a traição e protestar contra o tirano". Se houvesse dono de rádio rebelde, a suspensão das transmissões e a cassação de alvarás não estavam descartadas. A Gaúcha fez o que pode. Depois de pedir que seus cantores decorassem a letra, alinhou-os e esperou em vão até o limite do horário pela chegada de Elis Regina. Sem sua estrela maior, o contingente da emissora cantou temendo pelo desemprego com o fechamento da rádio. Nada disso aconteceu, mas Elis jamais deu satisfações sobre o sumiço. Com sua atitude, mandava uma banana para o coral da Rádio Gaúcha e outra para a campanha de Leonel Brizola.

As faltas de Elis aos sagrados ensaios de sábado começaram a tirar Maurício do sério. Homem já acostumado a estranhezas de astros como João Gilberto e Germano Mathias, gente que passava por seu palco quando ia ao Sul, não se sentia confortável em engolir desfeitas da guria do IAPI. Quando a paciência esgotou, enquadrou Elis com uma advertência e deixou claro: que as faltas não se repetissem. Foi a vez de as garras de Elis saltarem. Autoconfiante, ciente de que era cada vez mais necessária aos negócios da empresa, fechou o tempo e saiu da Rádio Gaúcha pisando duro. Não foi um golpe no vazio. As ruas já falavam o nome de Elis Regina em alto e bom som.

2.

Os ventos do norte sopravam com força e Wilson Rodrigues Poso veio em um deles. Gerente comercial da gravadora Continental, com sede no Rio de Janeiro, Poso viajava pelo Brasil uma vez por ano a fim de saber das novidades de outras praças, conhecer artistas, cumprimentar lojistas e fazer contatos na era em que o disco começava a girar uma cadeia lucrativa. Em uma das lojas do centro de Porto Alegre, cruzou com o amigo Glênio Reis, radialista da Rádio Gaúcha, homem de confiança e faro treinado em seu programa de auditório Rádio Sequência, por onde Elis já havia cantado vestida com o uniforme do colégio. Glênio alertou que a cidade havia sido tomada por um tornado. "Tu vais ficar abismado com a guria." A frase era forte, mas nada que o executivo já não ouvisse sobre outras revelações em suas andanças pelo País. Difícil era prová-la. Glênio fez um teste. Entrou com Poso na Discolândia, no centro de Porto Alegre, e perguntou ao dono: "Se Elis Regina lançasse um disco, você compraria para vender na sua loja?" "Elis Regina? Mas é claro que sim!" Agora havia um bom argumento. A cantora faria uma apresentação no auditório da Rádio Gaúcha naquela noite, uma chance única para Glênio mostrar ao colega o novo fenômeno do Sul. Ao chegarem ao endereço, pegaram Elis em ação cantando de olhos fechados para uma pequena plateia que parecia em transe. Os recursos guardados como coelhos naquela voz saltavam um a um conforme as partes da canção exigiam, levando as emoções ao extremo e criando um impacto ainda maior por saírem de um ser tão frágil. Seus truques pareciam inesgotáveis. Poso, homem experiente que já havia trabalhado no lançamento da cantora Maysa no Rio de Janeiro, de audição apurada para colher artistas reais nas plantações de aventureiros, entendeu que Glênio Reis não brincava. Naquela noite, foi dormir com Elis Regina na cabeça.

Ainda que não fosse o diretor artístico da Continental, sem poderes para fechar negócios por conta própria, Poso resolveu assumir os riscos das atitudes que tomaria em nome da companhia. Até que o sistema de telefonia completasse uma ligação ao Rio e ele conseguisse pedir a bênção do chefão

Nazareno de Brito para dar os próximos passos, tempo demais passaria. E ali não havia erro. Era pegar o pássaro ou vê-lo voar. O caça-talentos foi a Maurício Sobrinho dois dias depois e encontrou um homem cortês, simpático, sem resistências em fazer negócios com sua contratada. Afinal, Elis continuaria funcionária de sua Rádio Gaúcha e, caso viesse a fazer sucesso com discos, sua audiência seria elevada. Mais uma vez, os pais de Elis foram convocados, e lá se foi a família em trajes de passeio assinar novos papéis com mais gente engravatada. A proposta era empolgante. Em dois anos, Elis Regina faria dois discos. A Continental mandaria as passagens para ela e Seu Romeu irem ao Rio de Janeiro para as gravações. Não havia cachê, como de praxe, mas se os LPs estourassem de vender, todos naquela sala nadariam em dinheiro. O repertório? Só um detalhe, depois decidiriam isso. Elis Regina dava adeus à inocência para nadar em um mar de tubarões.

Ao voltar ao Rio, Poso encheu-se de coragem para falar com o chefe. Nazareno de Brito ouvia sua explanação sobre Elis Regina com as sobrancelhas em forma de V. Na parte do "já contratei", o tempo fechou. "Como contratou? Sem me consultar?" As gravadoras tinham em seus diretores artísticos deuses mitológicos com superpoderes de sentir o cheiro de um fenômeno em potencial a quilômetros. Era sempre deles a primeira e a última palavra, e herege seria aquele que atropelasse um dom desses. Que essa tal Elis Regina fosse mesmo boa ou Poso pagaria a conta. Nazareno ouviu a menina e se convenceu logo, até porque já havia um contrato assinado sobre seus ombros, mas resolveu dar o seu toque de Midas. Elis precisava de um bom produtor e não cantaria nada daqueles sambas-canção de dor de cotovelo que trazia do Sul. O País estava mudando e uma juventude que fazia seus pais comprarem discos acabara de ser descoberta. Elis era a artista que a Continental mandaria para o *front* com a missão de derrubar ninguém menos do que Celly Campello.

Ninguém falava ainda em Jovem Guarda por aqueles inícios de 1960, mas muita gente já falava de Celly Campello. Celly, uma morena pequena e cativante criada em Taubaté, no interior de São Paulo, havia se tornado um gigante a bordo de "Estúpido Cupido", a versão do *rock* americano "Stupid Cupid", de 1958, lançada pela gravadora Odeon. Um projeto de sucesso logrado com uma história de capítulos que lembravam a trajetória da própria Elis Regina. Aos seis anos, Celly participara de um programa também chamado *Clube do Guri*, mas na Rádio Difusora de Taubaté. Aos 12 anos, ganhou seu próprio programa na Rádio Cacique e, aos 15, lançou seu primeiro disco, dividido com o irmão Tony Campello. "Estúpido Cupido" a fazia uma artista, enfim, que falava com os jovens, não com seus pais. Se os corações estavam cansados de chorar, pé no traseiro do cupido. E dizer aquilo dançando o que lá fora chamavam de *rock and roll* era uma revolução em si. A festa do amor, ainda que trouxesse angústia e dor, poderia ser bem mais divertida do que cantavam as tradicionais vozes do rádio. Quando Elis chegou, Celly já havia vendido mais de 100 mil discos.

O melhor homem para colocar aquela bucha no canhão, concluiu Nazareno de Brito, era Carlos Imperial. Carlos, o "disc-jóquei da juventude", já havia produzido um álbum de Roberto Carlos, *Louco por Você*, e estava envolvido com a frente de cabeludos que começava a se formar no País, com guitarras cinco graus mais quentes que as das músicas de Celly. Imperial exigia respeito não só pelas dimensões físicas. Alto, gordo e desbocado, era bom prestar atenção no que ele dizia. Os nomes que pronunciava, mais cedo ou mais tarde, soariam pelos ares e seriam contratados por uma ou outra gravadora. Sob o comando de Nazareno, Imperial repaginou Elis em som e imagem. Saíam a franja presa e os vestidos cheios de babados que a mãe costurava para entrarem sainhas, batons e coques com toda a ousadia que o tempo permitia. Ainda na época em que as orquestras faziam as bases mais seguras para um artista, mesmo para uma voz jovem, bandas de *rock* eram um risco. O arranjador Severino Filho foi chamado para conduzir um grupo orquestral e as canções começaram a ser reunidas. Seria uma transição sem choques: Elis sairia do universo de Angela Maria para o mundo de Celly Campello com um pé no sambinha e outro no *twist*.

A guria tinha de virar broto por força da natureza ou na marra. O texto que Carlos Imperial fez para a contracapa do LP batizado *Viva a Brotolândia*, de 1961, deixava claro. Aos 15 anos, Elis era "um broto cantando música de broto para você, broto, ouvir e dançar. Elis Regina é um broto, não só de idade, como de espírito também." Era broto demais. Ao sair o disco, o placar ficava em seis *rocks* ingênuos ("Sonhando", "Garoto Último Tipo", "As Coisas que Eu Gosto", "Amor Amor", "Baby Face" e "Fala-me de Amor") contra quatro sambas-canção ("Murmúrio", "Samba Feito pra Mim", "Dor de Cotovelo" e "Mesmo de Mentira"), com direito a uma poça de lágrimas de lambuja ("Tu Serás") e um calipso na abertura ("Dá Sorte"). Em todos, a empostação da voz continuava a lembrar Angela Maria.

A Elis que soava no disco, no entanto, não era a mesma menina que comovia Porto Alegre. Sua voz vinha arrumadinha, afinada, mas nada além disso, sem os poderes que a faziam uma necessidade vital aos ouvidos no momento em que entoava uma canção. A situação era ainda pior aos que a conheciam de outros carnavais: Elis soava falsa. Ela nunca ouvira aqueles *rocks* antes, sua escola era outra. Poso ia às gravações e percebia que algo não estava bem. A direção que estavam dando ao projeto brigava com a natureza de uma garota visivelmente insatisfeita sempre que se posicionava diante do microfone. Mas Poso preferiu, desta vez, não invadir o território alheio. Carlos Imperial deveria saber o que estava fazendo.

Se ainda não era a grande conquista, *Viva a Brotolândia* servia para provocar os primeiros efeitos da radiação fora de Porto Alegre. No Rio de Janeiro, o jornal *A Noite* esteve atento, antes mesmo do lançamento. "Elis Regina é o nome da gauchinha recém-contratada da Continental para reforçar seu *cast*. A jovem intérprete, já há alguns anos, é considerada a melhor cantora", anotou em sua edição de 16 de março de 1961. Quatro dias depois, o mesmo periódico retomou o assunto, festejando uma aposta antes de saber do resultado. "Pronto para ser prensado o LP de Elis Regina para a Continental. Tivemos o prazer de noticiar este broto gaúcho em primeira mão, certos de que, por seu valor jovem e espontâneo, será uma grata revelação para nosso mundo fonográfico." O *Correio da Manhã*, três meses depois e já com o disco em mãos, foi em outra direção. "Primeiro LP da ilustre desconhecida Elis Regina que, dizem, foi lançada para fazer concorrência a Celly Campello, que a esta altura deve estar morrendo de rir. O álbum *Viva a Brotolândia* traz uma seleção das mais pobres possíveis. *Rocks* e calipsos horríveis... Os sambas também, tirando "Dor de Cotovelo", são todos borocochôs", escreveu Rossini Pinto em sua coluna "Esquina Sonora".

A cena que poucos viram, e que a própria cantora faria questão de sepultar em suas memórias, se deu em uma tarde na TV Rio, quando o broto Elis foi convidado pela produção do programa *Hoje é Dia de Rock*, de Jair de Taumaturgo, para cantar iê-iê-iê na mesma ocasião em que estavam escalados Ronnie Cord, Roberto Carlos, Sérgio Murillo e uma banda de músicos feras chamada The Clevers, mais tarde conhecida como Os Incríveis. A baixinha de 15 anos no meio de tanto marmanjo estava de passagem pelo Rio para divulgar *Viva a Brotolândia*. As investidas da gravadora e de Imperial para fazê-la um bibelô da era que pode ser chamada de pré-Jovem Guarda já extrapolavam os estúdios de gravação. As estratégias às quais era submetida, no entanto, só reforçavam em Elis sua vontade de desaparecer do mapa para começar tudo de novo.

Quando trabalhavam com os artistas de lugares mais distantes de suas bases, como era o caso de Porto Alegre, as gravadoras observavam primeiro como o público local reagia ao lançamento de seus filhos ilustres para depois decidirem o calibre a ser usado em uma operação nacional. Quem vencia em sua cidade tinha tudo para conquistar o País. Mas o que houve com Elis foi o mais estranho e absoluto silêncio. Ninguém saiu pela Avenida Borges de Medeiros cantando "Dá Sorte", ninguém ligou para o programa de Glênio Reis pedindo "Baby Face". Sem ir adiante em sua terra, Elis não contaria com maiores esforços para ser lançada em outras praças. Como ainda havia uma segunda chance prevista em contrato, ela voltaria ao estúdio para fazer seu novo LP, agora sob o comando de outro diretor artístico, Diogo Mulero. De certo, sabia-se que Mulero, o Palmeira da dupla caipira Palmeira e Piraci, sucesso com a gravação de "Menino da Porteira", queria distância de *rock*. Uma boa notícia para Elis. Por outro lado, que Mulero não viesse com a história de fazer a guria se tornar uma nova princesinha da música sertaneja, que não iria pegar. Inezita Barroso só havia uma. Era melhor Dona Ercy acender as velas. Elis precisava de muita reza.

Diogo Mulero tinha talento, sensibilidade, mas ainda não sabia bem o que fazer com aquele material bruto trazido do Sul. Além de Severino Araújo, chamou os craques Guerra Peixe e Renato de Oliveira para reforçar os arranjos e mudou de foco. Elis Regina, em suas mãos, deixaria aquele negócio de *rock* e se tornaria uma cantora popular. Seu nome agora seria grafado, logo na capa, como Ellis Regina. O broto voltava a ser a "jovem gauchinha" na capa do disco e o bolero era promovido ao primeiro escalão. *Poema de Amor*, o nome do disco, saiu em 1962 trazendo uma cantora ainda mais distante de suas origens da Rádio Gaúcha do que a menina que apareceu na Brotolândia de Imperial. O auge do estranhamento era o chá-chá-chá "As Secretárias", uma versão para "Las Secretarias", de Pepe Luiz. Elis gravara aquilo com um nó na garganta e seu público cativo a ouvia com dores no peito. Onde estava a jovem refinada e envolvente dos palcos da Gaúcha? De novo, o disco saiu e nada aconteceu. Elis sentia diminuir a crença popular de que ela seria a maior cantora do País.

Gravata, terno azul e sapatos não combinavam com a forma de Airton dos Anjos ver o mundo. Alegre e festeiro, o jovem tinha que estar bem naquele personagem, mesmo sentindo a roupa desalinhada como se fosse de tamanho dois números acima do seu. Era um cabo de vassoura dentro de um saco de batatas. As próximas horas seriam talvez as mais importantes de sua vida. Com o coração aos pulos, Airton seguiu para a casa de Elis, na Vila do IAPI. Era ousadia demais falar com sua musa, a garota de seus sonhos eróticos, artísticos e românticos alimentados desde os tempos em que, a pedido da mãe, acompanhava a avó ao programa de Maurício Sobrinho, na Rádio Gaúcha. Enquanto a velhinha suspirava por Maurício, Airton desejava cada parte do conjunto da obra de Elis. Mas agora, não. Ele não podia vacilar. Nada de deixá-la perceber sua paixão reprimida. As mulheres gostavam de homens seguros. Airton tinha de dizer a frase rapidamente, em um tiro. Assim, tocou a campainha e Elis atendeu. "Olá, Elis, eu sou Airton dos Anjos." E logo mais, assim que ganhou confiança, revelou o que o levava ali: "Quer gravar um disco?"

Airton não era nenhum Wilson Rodrigues Poso na arte de cativar estranhos à primeira vista, mas tinha boas intenções e alguma forma de viabilizá-las. Divulgador da gravadora recifense Mocambo, em Porto Alegre, não precisou de muito para convencer Elis a fazer um novo disco com a empresa que ele representava. Ercy e Romeu o receberam com educação e diplomacia, mas sem o mesmo entusiasmo de quando ainda achavam que aqueles engravatados mudariam suas vidas. Andavam vacinados contra o deslumbramento de uma carreira que poderia não ser tão promissora assim, mas não fecharam as portas. Airton saiu da casa de Elis com o que importava naquele momento, um "sim". O problema agora era sensibilizar os donos da gravadora a lançá-la. Ao sentir que não teria respaldo, aceitou um convite em boa hora que lhe fizeram da companhia CBS e começou a vender a ideia aos novos patrões. Representantes do Rio de Janeiro vieram a Porto Alegre conhecer a cantora e seus pais, em uma cena que já parecia familiar na residência dos Carvalho Costa. Elis gravaria dois discos naquele ano de 1963. Se vendessem como água, todos naquela sala nadariam em dinheiro. O repertório? Um mero detalhe, decidiriam depois.

A nova Elis seria agora algo mais próximo de uma carioca de Copacabana. O samba-canção orquestrado perdia forças nas síncopes mais cruas da gafieira, do samba-jazz e até mesmo da bossa-nova, muito em função dos arranjos do trombonista Astor Silva. A proposta era "ensolarar" Elis Regina. O pandeiro entrava já nas introduções de "Dengosa" e "1,2,3 Balançou", algumas das armas do LP chamado apenas *Ellis Regina* para tentar firmar em definitivo o nome da garota. A guria, que já havia sido broto e *pop*, virava agora a nova voz do samba sem nunca ter segurado um tamborim. Mas não só isso. O lado B do mesmo disco abria com a espanhola "A Virgem de Macarena", uma versão para "La Virgen de Macareña", proposta por Astor depois de uma viagem que fizera a Buenos Aires. Acabou saindo tiro pra tudo que é lado e, de novo, nenhum deles atingia o coração de Elis. A cantora se incomodava cada vez mais ao sentir que a única coisa que mudava de disco para disco era a cor do selo que ia no meio deles. No mais, todos aqueles homens de negócios pareciam iguais. Mesmo se aproximando do repertório que falava um idioma que ela começava a entender melhor, como o do violonista Baden Powell, Elis não sentia ainda estar cantando aquilo que desejava. Ao ser desmamada e tirada do berço antes da hora, podia até ser um fenômeno de voz, mas não tinha maturidade artística nem emocional para comunicar aos outros aquilo que, de fato, queria cantar. Assim, virava marionete nas mãos dos executivos de gravadoras. Além do álbum *Ellis Regina*, a CBS também lançou *O Bem do Amor* com a mesma orientação comercial e, de novo, ninguém deu a mínima bola.

Apesar de já conhecer o Rio de Janeiro em suas viagens com Romeu para as gravações, Elis seguia sua vida na modesta casa do IAPI, ao lado do pai, da mãe, do irmão e de uma sobrinha de Ercy chamada Rosângela, apelidada de Gringa pela família, que passou a viver com os Carvalho Costa mais por necessidade do que por opção. Seu Romeu tinha oscilações entre empregos fixos, temporários e inexistentes e uma frequência certa no bar da esquina. Via nos salários da filha, fossem da Rádio Gaúcha ou como tímida vendedora de discos, uma chance de estabilidade financeira. Fumava até debaixo do chuveiro e bebia cada vez mais, mas não era de destratar a família. Pecava menos por ação e mais por omissão. Dona Ercy percebia que algo nos santos de pai e filha não batia. "Mãe, a senhora é tão bonita. Deixa esse homem e vai viver sua vida", dizia Elis. Ercy não entendia a origem do mal-estar e tentava convencer a filha de que o marido era um paizão.

Ainda um apaixonado à distância, vítima de olhares que julgava provocativos, daqueles que dizem "te quero" três segundos antes de emendar um "vê se te enxergas", Airton dos Anjos tentava separar as coisas. Como agitador cultural, fazia uma espécie de intercâmbio com as cidades vizinhas, levando a elas novos artistas gaúchos e recebendo em Porto Alegre suas apostas. Em uma viagem a Florianópolis, Santa Catarina, levou sua descoberta para um *show* coletivo no Teatro Álvaro de Carvalho. Airton, com o cantor Luis Henrique e outros novatos foram de ônibus alugado. Elis, já uma estrela em ascensão, seguiu em um pequeno avião Douglas. Quem sabe dali não sairia outro coelho. Ao saber que o todo-poderoso Armando Pittigliani estava na área, em férias, tomando sol na praia, tratou de ir buscá-lo imediatamente. Pittigliani era diretor artístico da poderosa gravadora Philips, que comprara em 1958 a Companhia Brasileira de Discos (CBD) e que mais tarde passaria a usar o nome PolyGram no Brasil, de onde sairiam os maiores nomes da música brasileira naqueles meados de anos 1960. Um aval seu, por verbal que fosse, seria a injeção de ânimo que Elis precisava. Airton se aproximou do colega cheio de entusiasmo. "Você tem que conhecer a garota, o *show* é hoje à noite", dizia ao executivo. O que Pittigliani menos queria era trabalhar naqueles dias, mas Airton era seu amigo e sabia vencer pelo cansaço. O diretor deixou a praia, foi para o hotel tomar um banho e, à noite, seguiu para o teatro.

Ao final da primeira parte da apresentação, uma menina miúda, de óculos grossos, acompanhada apenas por um violonista, cantou "A Virgem de Macarena" na mesma versão que gravara no disco da CBS que poucos ouviram. "Quem é esse monstrinho que arrasa tudo?", Pittigliani quis saber de Airton. "É a Elis Regina que te falei", respondeu o gaúcho. "Ela canta bem, mas está tudo errado. Vou falar com ela", encorajou-se o diretor. Airton o levou: "Elis, esse aqui é o chefão lá da Philips do Rio, ele gostou muito de você". "Ah é?", respondeu ela. Pittigliani, percebendo a muralha, decidiu travar um papo mais descontraído. "De onde você é Elis?" "Eu já gravei na CBS", ela respondeu. "E o que você canta?" "Ah, eu canto bolero, *rock*, essas coisas." "E não gosta de música brasileira?" "Eu gosto, adoro, mas não querem que eu grave isso, dizem que não vende disco." "É mesmo? Quer ir para a Philips gravar comigo?" "Quero, mas tem que ser música brasileira." Estavam ali, já nos acertos, quando perceberam que era hora de voltar ao *show*. Antes de Elis retornar ao palco, Airton se aproximou: "E agora, Elis, o que você vai cantar?" "Um *rock*." "Peraí, não pode ser uma música brasileira?", perguntou o produtor. "Eu posso cantar 'Chão de Estrelas'", disse ela. "Então canta essa pra gente?", pediu Airton. "Canto. Mas você quer com lágrimas ou sem lágrimas?"

Ou a baixinha era uma falastrona ou um gênio. Elis começou a cantar

"Chão de Estrelas" como se aqueles versos de Orestes Barbosa, ao menos os primeiros, fossem todos seus. "Minha vida era um palco iluminado, eu vivia vestido de dourado, palhaço das perdidas ilusões." Com vivência para requisitar todas aquelas frustrações para si, interpretava com uma verdade que nenhum diretor de gravadora percebera antes. Ao final, as lágrimas estavam entregues, conforme a encomenda, a Pittigliani, a Airton, à plateia e à própria cantora. "Elis, este aqui é meu cartão. Agora é dezembro, estou de férias, apareça por lá em fevereiro", disse Pittigliani, assim que a reencontrou no camarim. "Mas eu tenho um contrato com a CBS", avisou. "A gente dá um jeito nesse contrato, a gente compra esse contrato, faz o que for preciso. Não esquenta. Apareça em fevereiro."

O Rio Grande do Sul estava prestes a perder a Carmen Miranda de Ary Rego, o diamante de Mauricio Sobrinho, a paixão de Airton dos Anjos e a confidente de Rejane Wilke. E algo dizia a todos que seria para sempre. Além do convite de Pittigliani, outros sinais indicavam que, desta vez, o Rio de Janeiro seria o destino. Ao saber que Elis fazia as malas, o radialista Glênio Reis pensou em uma despedida. Avisou Ercy que apareceria naquela noite com uns dez cantores gaúchos, que a senhora não se assustasse. Ercy fez os lanches e comprou os refrigerantes na surdina. Assim que escureceu na Vila do IAPI, os músicos se esconderam atrás da grande figueira. Esperaram a luz do quarto se apagar e se posicionaram ao lado da janela para tocarem uma, duas, várias das músicas que Elis havia gravado. Mas a janela não se abria. Lá pela quarta canção, Elis surgiu com um choro incontrolável. Glênio não conseguia nem começar o discurso que havia escrito e ensaiado. Aos soluços, chegou ao fim: "Tu vais embora, mas tenha certeza de que nós vamos ficar aqui acompanhando tua carreira, e tu vais mostrar a cantora que tu és para São Paulo, para o Rio de Janeiro e para o Brasil." Na manhã seguinte, Elis embarcava para o Rio com o pai Romeu e as passagens só de ida.

3.

Sem combinar nada, Elis Regina e o general Olímpio Mourão Filho resolveram marchar pelas ruas do Rio de Janeiro no mesmo dia. Era manhã de 31 de março de 1964 quando o general se antecipou em alguns dias ao acordo feito entre os militares para extirpar os perigos comunistas que, segundo as Forças Armadas, rondavam as ideias do presidente João Goulart. De Juiz de Fora, Minas Gerais, Mourão Filho chegava com suas tropas para colocar o País nas mãos dos militares pelos próximos 21 anos em um episódio conhecido na História como Golpe de Estado por quem não vestia farda e Revolução de 1964 por quem vestia. João Goulart perdeu o País e Elis perdeu uma reportagem na Rádio Guanabara, AM 1360 kHz. Uma equipe já estava a postos para cobrir a chegada daquela cantora de 19 anos que vinha com o pai em um ônibus do Rio Grande do Sul quando o repórter, que ainda estava na redação, recebeu um telefonema do chefão Alexandre Kanduc. “Que horas vocês vão sair para esperar Elis?”, quis saber Kanduc. “Às sete”, respondeu o jornalista. “Então esquece e vai já para a rodovia Rio–Juiz de Fora. As tropas do general Olímpio estão chegando.”

Elis desembarcou no Rio de Janeiro com 36 mil cruzeiros velhos e surrados na carteira, alguns endereços anotados em uma caderneta e uma carta de recomendação profissional conseguida por Seu Romeu com amigos políticos influentes no Sul. Além do contato com Pittigliani, que a esperava na Philips desde fevereiro, tinha notícias de que o ator Paulo Gracindo, depois de assisti-la em ação, em Porto Alegre, havia indicado seu nome aos diretores da TV Rio para que fosse aproveitada nos programas da emissora. Em pouco tempo, e antes de ser consagrada como cantora, Elis era um dos personagens de um humorístico chamado *A Escolinha do Edinho Gordo*, um formato que anos depois seria consagrado por Chico Anysio. O programa ia ao ar nas noites de segunda-feira e trazia um elenco que parecia levar jeito para as câmeras. Wilson Simonal era o espirituoso Porquinho; Jorge Ben, o distante Bicho do Mato; e Orlandivo, o Paçoca.

A bailarina e coreógrafa Marli Tavares acumulava as funções de interpretar a aluna Ceguinha e de criar as danças do programa. Jorge Ben era o mais duro da turma. Simonal, o que tinha mais molejo. Evelin, outra bailarina, era o Coelhinho de Saias. A turma era completada pelos integrantes do Trio Irakitan: Joãozinho era Tampinha; Gilvã era Bacalhau; e Edinho, o professor, também chamado de Sapo. À caçula Elis Regina cabia a personagem Luluzinha, uma garota carismática "de saias curtas e covinhas maliciosas", conforme a descreveu o *Jornal do Brasil*, e que sonhava em cantar em uma boate e lançar um disco. Em um dos episódios mais engraçados, Elis fez a classe a acompanhar em uma versão compenetrada de "Jesus, Alegria dos Homens".

A experiência seria válida a Elis tanto por aquilo que acontecia diante das telas quanto pelos esbarrões de bastidores. Ao lado de Simonal, Jorge Ben, Marli Tavares e Orlandivo, ela vivia sua escolinha da vida real. O Trio Irakitan, com seus quase 15 anos de carreira, representava a Velha Guarda. E o baterista Dom Um Romão, nome que se tornava onipresente entre os músicos, ganhava sua admiração. Foi ele o primeiro a falar a Elis da existência de uma quebrada sem saída, cheia de jovens insanos, fantásticos e irrecuperáveis, que levava o nome de Beco das Garrafas.

Ainda tateando o Rio de Janeiro naquele primeiro semestre de 1964, Elis recebeu um convite de Carlos Lyra, compositor e violonista de mãos cheias de harmonias intrincadas e belas melodias, parceiro de Vinicius de Moraes e Tom Jobim, autor de "Você e Eu" e integrante da estelar caravana que dois anos antes se apresentara no Carnegie Hall, em Nova York, com a missão de apresentar a Bossa Nova ao mundo. Carlos Eduardo Lyra Barbosa já era Carlos Lyra quando descobriu Elis em um dos dois discos de sua fase gaúcha. Identificou uma garota de voz única e brilho incomum, com muito de Angela Maria mas de uma personalidade artística forte, de quem parecia prestes a andar com as próprias pernas. Elis poderia ser a peça perfeita para se encaixar como voz principal do LP que traria as canções que Lyra havia feito com Vinicius para uma comédia musical chamada *Pobre Menina Rica*. Suas músicas já haviam sido mostradas um ano antes na boate Au Bon Gourmet por Lyra, Vinicius e uma estreante chamada Nara Leão, sob direção de Aloysio de Oliveira. Agora, depois da temporada no palco, Carlos Lyra queria Elis para cantar as músicas que seriam gravadas com os arranjos de Antonio Carlos Jobim. Um luxuoso comitê de recepção. Só faltava Elis passar em um teste que seria mais difícil do que o próprio Lyra poderia supor e que teria, na bancada, Tom Jobim.

Ao lado do pai Romeu, Elis usava sandálias e um vestido simples feito por Dona Ercy quando tocou a campainha do apartamento de Lyra, na Rua Barão da Torre, em Ipanema. "Oi, eu sou a Elis." Ao entrar na sala do simpático e confiante violonista, duas outras pessoas a esperavam: um ressabiado Tom Jobim e o curioso Lara, empresário e amigo de Lyra, louco para ver em que bicho aquilo iria dar. Lyra empunhou o violão e, ali mesmo na sala, pediu que Elis cantasse algo. Ela cantou "Primavera", do próprio anfitrião, sem tirar reação alguma de Tom. Assim que conseguiu ficar a sós com o violonista, depois da primeira canção, o maestro desabafou. "Essa não vai dar, esquece. Vesguinha, caipira, feiosa, esquece." "Mas, Tom", argumentava o parceiro, "ouve só ela cantando." Lyra queria muito Elis, sentia que havia garimpado uma pedra preciosa da qual alguém iria logo se apoderar. Sem perceber, ou fingindo que não percebia a má vontade de Tom, Elis seguia em outras tentativas. "E outra coisa", continuou o violonista, aos cochichos com Jobim: "Isso que vamos fazer é disco, ninguém vai ver a cara. Na roupa, a gente dá um jeito depois." Não houve santo que convencesse Tom Jobim a dar um voto de confiança à gaúcha. Mais tarde, Lyra desconfiaria de que as reservas do amigo ao nome de Elis eram para favorecer a cantora Dulce Nunes, que estava na lista para subir ao posto de intérprete de *Pobre Menina Rica*. Dulce era mulher do maestro Bené Nunes, amigo de Tom. Uma boa cantora, mas jamais páreo para a novidade que chegava do Sul. Jogo de cartas marcadas ou não, fato é que Elis era gongada impiedosamente na sala de Carlos Lyra. Pouco tempo depois, o LP saiu com a voz de Dulce e sem os arranjos de Tom, que acabou desistindo por sentir que aquele musical de veia crítica poderia entrar na mira dos militares, recentemente empossados no comando, e trazer problemas para suas viagens aos Estados Unidos. Tom não podia vacilar. "Garota de Ipanema" o apresentara ao mundo havia um ano e em seus planos constava a gravação de discos nos excelentes estúdios norte-americanos. "E se não me deixarem mais entrar nos Estados Unidos?", perguntou a Lyra. Duas vezes frustrado, sem Tom e sem Elis, Carlos Lyra jamais se perdoaria por não ter batido o pé até o fim, por não ter ameaçado jogar o projeto com violão e tudo para o alto se sua aposta não fosse aceita. Só lhe restava soprar o nome de Elis aos quatro cantos, de forma que chegasse com mais força ainda aos ouvidos

dos diretores artísticos de TV no Rio e aos clubes efervescentes do Beco das Garrafas. Agora, a vitória de Elis em terras cariocas passava a ser questão de honra, também, para Carlos Lyra.

A parada não seria fácil. Como contratada da TV Rio, Elis entrava em lares cariocas como a extraterrestre caída de alguma galáxia desconhecida direto para o planeta bossa-nova. Uma turma de jovens modernos, com seus 20 e poucos anos bem curtidos na classe média da zona sul, estava diante da TV na sala do jornalista Nelsinho Motta quando o E.T. apareceu. Meninos bem-nascidos e bem-intencionados, como Wanda Sá, Francis Hime, Edu Lobo e Dori Caymmi, que já falavam o "bossanovês" com fluência e seguravam as rédeas das tendências do País desde que seus apartamentos se tornaram ateliês de confecção do novo ritmo. Ao verem Elis endurecida diante do microfone, vestida como se vivesse nos anos 1930, cantando como se estivesse em 1940 e penteada com um capacete de laquê comum em meados de 1950, alternaram reações de graça, surpresa e escárnio. "Meu Deus, e o cabelo?", fulminavam as meninas. "Mas ela canta bem", rebatiam os defensores. "Canta nada, isso é grito", alvejava alguém. Nelson Motta, o dono do televisor, percebeu que Elis era um assombro de voz em um *layout* que precisava ser urgentemente repaginado. Baixinha de peitos grandes, mostrava uma ligeira vesguice nos ângulos frontais e um desajuste físico piorado por aqueles trajes antiquados quando tentava mexer o corpo. Os deboches à sua interpretação vinham dentro de um contexto histórico. Mulher cantora poderia ser Nara Leão. Homem, João Gilberto. O canto havia deixado de ser festa para virar reza em 1958, quando o violão de João uniu os seus poderes à música de Jobim, à poesia de Vinicius e à voz de Elizeth Cardoso para criar um novo e duradouro presente com o álbum *Canção do Amor Demais*. A partir dali, voz para fora era coisa do passado, recurso da gente antiga da Rádio Nacional como Chico Alves e Sílvio Caldas, que enchiam o peito quando queriam transbordar de amor e compensar a falta que fazia um bom microfone. Ao voltar a aumentar o volume do canto em alguns decibéis, Elis enfrentava não só um apartamento de críticos implacáveis como também uma nova ordem musical que havia sido consagrada ali mesmo, naquela terra em que acabara de por os pés.

As esporádicas aparições na TV começaram a espalhar Elis Regina pelas salas cariocas, e nem todos prestavam atenção só em seus coques. "Há dias ouvimos na TV Tupi comentários acerca de Elis Regina. Falavam bem. Não a conhecemos, mas cogitamos fazê-lo. A moça, segundo os faladores, veio do Sul e apresenta-se como grande estrela da música brasileira. Será? Apareça, Elis", dizia a nota de Jorge Mascarenhas no jornal *Diário Carioca*.

O jornalista Renato Sérgio fazia sua refeição com a TV ligada no Programa *Almoço com as Estrelas*, de Aérton Perlingeiro, da Tupi, quando o nome de Elis foi pronunciado como uma atração convidada. Aquela baixinha cantando como gigante fez Renato se desligar do universo. O garfo passou a fazer viagens mais lentas do prato em direção à boca até que parou no ar. Renato estava em choque. Que diabos era aquilo? Se com o som daquela caixa de abelhas que só transmitia imagens em preto e branco ele sentira tamanho impacto, como seria ao vivo? Quanta convicção tinha a moça. Anestesiado pelo que acabara de ver, desligou a TV sem guardar o nome da menina. Alguns dias depois, o amigo e produtor Roberto Jorge entrou com urgência na redação do *Telejornal Pirelli*, da TV Rio, do qual Renato era editor. O assunto lhe era familiar. "Renato, preciso falar com você." "Se for rápido, pode ser agora", respondeu o jornalista. "Não precisa, vamos falar com calma", sugeriu Roberto. "Então vai indo para o boteco da esquina que eu vou pra lá assim que terminar de editar o jornal", marcou Renato.

Ao fim do trabalho, os dois amigos se encontraram. "É o seguinte", começou Roberto. "Eu tenho nesta minha mão aqui a maior cantora do Brasil e nesta outra minha mão aqui um lugar para esta grande cantora se apresentar." "Certo", cortou Renato, "e essa melhor cantora do Brasil seria quem, a Nara?", brincou. "Não, uma moça chamada Elis Regina", disse Roberto. A nuca de Renato congelou. "Puxa Roberto, acho que é a mesma menina que eu vi na TV dia desses." O lugar que Roberto dizia ter para o primeiro *show* de Elis era justamente uma boate do tamanho de uma sala de apartamento classe média de Ipanema que ficava em um apêndice na Rua Duvivier, em Copacabana. Seu nome já era conhecido de Elis: o Beco das Garrafas, o beco dos insanos.

Há alguns anos, o espaço já havia se tornado berço e quintal da Bossa Nova e do samba-jazz, a maior concentração de músicos por metro quadrado do Rio de Janeiro, até porque era músico a dar com pau em quase nada de metro quadrado. Sem luxo nem requinte, com *shows* levantados na raça, o que os levava para lá era a sensação de estarem fazendo com seus instrumentos uma história que só acontecia ali. Sérgio Mendes, Raul de Souza, Luis

Carlos Vinhas, Baden Powell, Dom Um Romão, Dom Salvador, Airto Moreira, Flora Purim, Chico Batera, Tamba Trio, Quarteto em Cy, Jorge Ben "Babulina" e muito mais gente disputava talento em clima de desfile, não de competição. O Beco era o portal a se atravessar antes de qualquer outra conquista, a pia de batismo de um povo que saía de lá para os estúdios das gravadoras ou, como Sérgio Mendes, Dom Salvador e Chico Batera, direto para uma carreira no exterior. E as Garrafas, uma singela homenagem à forma com que os vizinhos menos simpáticos da Duvivier expressavam seus sentimentos diante daquilo que chamavam de "bando de arruaceiros". Eles começaram a se acumular debaixo de suas janelas por volta de 1956 e, para quem queria dormir, a paz acabou. Quando o barulho ficava insuportável, geralmente com um saxofonista ou um trompetista inspirado tocando ao ar livre, uma garrafa voava das janelas dos moradores vizinhos em direção às suas cabeças. Apesar de não haver registro de morte provocada pelos objetos caídos do céu, era tanta garrafa voadora que o lugar ganhou o nome de Beco das Garrafadas e, mais tarde, Beco das Garrafas.

Metade do Beco, o que equivalia a duas boates, Little Club e Bottle's (as outras eram o inferninho Ma Griffe e a casa Bacará, que a partir de 1965 também se tornaria um prostíbulo), pertencia a Alberico Campana, um italiano que só queria pagar suas próprias contas e provar à família que poderia vencer na América do Sul depois de desembarcar no Rio de Janeiro em 1952 meio que, diga-se a verdade, contra sua vontade. A Venezuela era a sua primeira opção, o país do futuro que já havia levado muitos de seus amigos italianos e de onde parecia jorrar todo o petróleo do mundo. O problema é que Caracas exigia certificado de reservista em dia dos imigrantes e Alberico não tinha. Com as portas fechadas na Venezuela, sobrou o Brasil. Nem a língua que se falava por aqui ele sabia qual era. Por via das dúvidas, aproveitou as horas de voo estudando espanhol. Seus amigos disseram que os brasileiros falavam algo muito parecido com o idioma dos venezuelanos.

Com dois anos de Rio, Alberico sentia o freio de mão puxado e as economias na reserva quando começou a pensar em voltar à Itália. Às vésperas de capitular, encontrou dois italianos que lhe falaram de uma oportunidade de negócios em um pedaço de rua sem saída que era preciso ver para crer. De boate, Alberico não entendia nada. Havia sido garçom e *barman* de restaurante em seu país, nunca dono de inferninho. Ao chegar ao Bottle's, que ainda se chamava Escondidinho, ficou encantado. Arrendou o espaço com a ajuda do irmão Giovanni, que também chegara da Itália para trabalharem juntos, e passou a oferecer a alma para que o negócio desse certo. Internou-se no emprego, trabalhou duro e começou a receber músicos de uma turma jovem que até então só tocava em apartamentos. Alberico soube que um trio liderado pelo pianista Luis Carlos Vinhas havia entortado os ouvidos dos clientes no restaurante Au Bon Gourmet, na Avenida Nossa Senhora de Copacabana. A casa, que logo mais seria outro reduto de bossa-novistas, ainda não havia preparado sua freguesia para receber o samba com tantos acordes de jazz. Aos políticos, turistas e executivos que frequentavam o local, ainda era samba ou era jazz. Quando um se encontrava com o outro, algo parecia fora de lugar. O dono da casa teve de escolher entre o trio de músicos do palco ou as mesas cheias da plateia e, naturalmente, ficou com a plateia. O trio de Vinhas, convidado por Alberico, foi parar no Beco das Garrafas.

A estreia de Elis Regina nos palcos do Rio de Janeiro deveria ser um acontecimento. Roberto Jorge, com o aval de Alberico para fazer o que bem entendesse no Bottle's, pediu a Renato Sérgio que criasse o roteiro do *show*. Renato tinha algo já bem adiantado guardado no fundo de uma gaveta, um texto feito por ele para um dia, se tudo desse certo, ser a base de um espetáculo do Tamba Trio, ou Trio Tamba, como alguns chamavam a sensação maior do Beco – um recordista em acumular gente dentro e fora das boates em que se apresentava. À mesa do restaurante La Fiorentina, no Leme, os amigos lançaram suas primeiras ideias, adaptando para Elis Regina o *show* que seria do Tamba e fechando o nome do espetáculo em *Sosifor Agora*. A estrutura sofreria alterações, uma vez que a formação do grupo era outra. Piano, baixo e bateria ganhavam uma voz para seguirem, um elemento a mais que mudava tudo em uma época em que músicos de formações instrumentais chamavam pejorativamente intérpretes de "canários". Entre as canções, um apresentador faria interferências declamando trechos de poetas brasileiros que dialogassem com as músicas que seriam cantadas. As linhas gerais do espetáculo estavam ali, só precisavam combinar com Elis Regina.

Já com os contatos da cantora, Roberto levou Renato ao número 200 da Rua Barata Ribeiro, em Copacabana, um pardieiro que só precisava de mais uma meia jogada no chão para se tornar caso de saúde pública. Ver Elis naquele balança-mas-não-cai era de dar angústia. No quarto, sala e cozinha de dimensões claustrofóbicas parecia viver a embaixada do Rio Grande do Sul. Dona Ercy já havia chegado com o irmão de Elis, Rogério, que havia se instalado no pavoroso sofá da sala. Havia muita gente ali com sotaque gaúcho, talvez amigos de passagem pelo Rio. Os espaços eram divididos por cortinas improvisadas. A cama de Ercy e Romeu ficava encostada na janela, quase um escorregador de emergência para se chegar ao térreo pelos ares. Renato disfarçou o choque e se apresentou a Seu Romeu. Jornalista sério, já com cabelos brancos se sobrepondo aos pretos, falou das intenções da dupla com a cantora. Romeu, ao velho estilo dos muitos cigarros e poucas palavras, sentiu que poderia baixar a guarda e confiar a filha aos rapazes de bem. No dia seguinte, Renato levava Elis para conhecer o Beco das Garrafas com a promessa de trazê-la de volta, sã e imaculada, antes do amanhecer.

Ao entrar no Beco, a cantora teve a sensação de chegar à sua terra prometida. Era música demais, músicos aos montes e um público interessante que sofria para escolher entre ver um Raul de Souza no Bottle's ou um Wilson Simonal no Little. Nada em Porto Alegre se parecia com aquilo. As opções eram tantas, concentradas em tão pouco espaço, que não raramente os próprios artistas combinavam seus horários para que as pessoas pudessem ver as atrações das três casas mais povoadas do Beco, quando o Bacará também entrava na disputa levando Marcos Valle para tocar com a cantora Leny Andrade, com o pianista Tenório Junior, o baterista Edison Machado e o baixista Sérgio Barroso. Ninguém sairia dali com os bolsos cheios, mas a adrenalina de garotos como Valle, que aos 20 anos sentia o coração eufórico enquanto aguardava na calçada o dono da casa anunciá-lo para que surgisse como se viesse de algum camarim, não tinha preço. Elis ficou impressionada ao ver em ação o baterista Edison Machado, ou Edison Maluco para os íntimos. Suas baquetas reviravam tudo, invertiam o produto e a ordem dos fatores, colocavam o ritmo no prato de condução e espalhavam pelas peças uma escola de samba em tempo de jazz. Elis sentou-se à frente de Edison para entrar em seu transe particular e por ali ficou, alucinada e incomunicável antes de voltar a si.

Ao mesmo tempo em que Roberto e Renato levavam Elis ao Beco, com jeitão de seguranças, a cantora já havia ganhado a bênção de alguns músicos que conhecera pelos programas da TV Rio. Manoel Gusmão, baixista do Copa Trio – do baterista Dom Um Romão e de Dom Salvador, ao piano no lugar de Toninho Oliveira –, sentiu o drama assim que se apresentou na emissora com a garota de sotaque gaúcho pela primeira vez. Gusmão hospedava Dom Salvador em sua casa e, por uma noite, chegou para o jantar como quem trazia uma barra de ouro para sobremesa. "Salvador, caí pra trás hoje na TV Tupi. Toquei com uma garota que se chama Elis Regina." Enquanto Roberto e Renato arquitetavam a estreia de Elis, Gusmão e Salvador acionavam seus contatos, como se todos os rios de 1964 tivessem de desaguar no Beco das Garrafas. Sem saber que a garota tinha dono, falaram com Giovanni, o irmão de Alberico, para que ela fizesse uma espécie de teste, uma audição. Giovanni, aparentemente também sem saber que seu irmão já havia acertado a estreia de Elis com Renato Sérgio, topou. Mas, ao ver Elis cantando pela primeira vez apenas para ele, tensa e insegura, não gostou. À sua frente estava uma garota com dificuldade para achar o tom das músicas. Gusmão e Salvador convenceram Giovanni de que aquele havia sido apenas um dia infeliz, prejudicado pela angústia da inexperiência, mas nem precisariam mais se esforçar. O que era de Elis já estava escrito, ao menos no Beco das Garrafas.

O *show* pensado por Renato Sérgio e Roberto Jorge teria Elis sendo conduzida justamente pelo Copa Trio, que já havia estreado no Beco fazendo cama para as meninas do Quarteto em Cy, acompanhadas também pela violonista Rosinha de Valença. Smoking era o traje dos homens – Elis decidiria depois o que vestir. E desconhecida ali, só a cantora. Os músicos eram cobras nascidas e criadas em uma era que havia elevado o nível dos instrumentistas brasileiros a alturas nunca imaginadas. Os ensaios começaram e o *script* pensado por Renato mudava a cada passagem. A luz com holofotes feitos de lata de óleo seria pilotada por José Luiz de Oliveira, o Bico de Luz. Outra preocupação dos diretores era o gestual. Elis tinha a voz como arma incontestável, mas precisava melhorar a postura. E, em mais um daqueles encontros proporcionados pelos deuses, pela posição dos astros ou por algum baita traseiro apontado para a lua, passou pelo Beco das Garrafas, justamente por estes dias, o coreógrafo norte-americano Lennie Dale.

Chegado de Nova York em 1960, o bailarino que deu expressão corporal à música brasileira, e que mais tarde se politizaria criando com homens travestidos de mulheres um monumento da dança combativa chamado Dzi Croquettes, vivia por aqueles bares quando viu Elis ensaiando para o *show* de estreia. Renato, que já sabia de sua fama, pediu para que ele ensinasse àquela pedra que cantava como ninguém a arte de se movimentar. Como a voz, o corpo de Elis deveria voar. Lennie se realizava com a dedicação da nova aluna. Ao perceber seus braços curtos e leves, viu neles a salvação de uma personalidade que não estava nem um pouco a fim de sair dando cambalhotas pelo palco. Um palco, aliás, que praticamente não existia. Com o pouco espaço do Bottle's, Lennie tinha de pensar em algo que não exigisse um raio de atuação muito grande. Mais um motivo para investir nos braços. Uma vez para cima, e duas hélices estariam formadas. Lennie trabalhou tanto para que eles girassem que Elis quase saiu voando.

Filho do jornalista, radialista e compositor Fernando Lobo, o estudante de Direito e aspirante a músico Edu Lobo assistiu a um desses ensaios e gelou com algo que só os músicos percebiam. Elis tinha um senso harmônico de instrumentista, incomum aos cantores da época. Sabia quais acordes ficariam melhores, com ou sem acidentes, invertidos ou não, e cobrava seus músicos para que os encontrassem na forma em que sua intuição pedia. "Esse não está bom, é quase isso", dizia aos pianistas. Edu e Elis se conheceram no Beco, aos poucos, e ali começariam um breve namoro. Mas, naqueles dias que antecediam sua estreia, todas as forças estavam reservadas para a apresentação. Em um de seus primeiros pedidos, a cantora disse a Renato que queria abrir o *show* com "The Lady is a Tramp", um jazz clássico do fim da década de 1930, gravado mais tarde por Frank Sinatra e Ella Fitzgerald. O jornalista sentiu a sugestão parar na garganta como um caroço de manga, respirou fundo e explicou com todo o jeito que poderia. "Elis, ninguém vai gostar se você cantar isso aqui. A música é ótima, mas não aqui." Era importante fazê-la entender que qualquer coisa em inglês seria uma insanidade naqueles metros quadrados em que justamente uma nova música brasileira se firmava. "Inglês, aqui, não." Renato pediu que a moça se acalmasse, dizendo que já havia encomendado um belo tema de abertura a Edu Lobo. Elis entendeu e aceitou.

A cumplicidade entre Renato e Elis crescia naquelas tardes de ensaio no Beco das Garrafas. Quanto mais se aventurava em conhecê-la, mais o jornalista sentia que algo não ia bem. Desde que deixara o Rio Grande, Elis não tinha muito o que comemorar. Sua coleção de conquistas ainda era discutível: quatro discos esquecíveis que não lhe renderam uma mísera vinheta nas rádios, um constrangedor "não" de Tom Jobim na casa de Carlos Lyra e algumas pontas em programas da TV Rio com cachês que não lhe pagavam nem a condução. O Beco era apenas uma possibilidade de, na mais otimista das previsões, dar-lhe uma lasca de palco para cantar. Dinheiro mesmo, todos sabiam, jamais sairia dali. A situação só piorava quando Elis sentia a família escorando em seus ombros. A jovem estava assustada com o tamanho da encrenca: o pai, a mãe e o irmão se alojavam debaixo de seus sonhos antes mesmo que eles se tornassem reais. A torcida pelo sucesso virava cobrança. Afinal, era dele que todos sobreviveriam no treme-treme da Barata Ribeiro. Pressionada, Elis reagia atacando. Depois de um ensaio cansativo, saiu com Renato pela orla de Copacabana para relaxar. Entraram em um restaurante e sentaram-se – Elis de costas para o mar e Renato de frente para Elis. A certa altura, a cantora interrompeu a conversa, virou-se em direção ao mar e traçou com o dedo indicador toda a linha do horizonte que conseguia avistar enquanto fazia para si uma promessa em voz alta: "Um dia, tudo isso vai ser meu."

A convicção de Elis nascia de sua falta de opção. No contexto em que se encontrava, era vencer ou vencer. Ou voltar para Porto Alegre. A segunda noite em que saiu com Renato depois de outro ensaio foi para desabafar. Desta vez, eles caminharam até o início da faixa de areia da praia com Elis cabisbaixa, mais cansada do que o normal. O jornalista quis saber o que se passava. Parou de andar e colocou-se na frente da cantora, recebendo de volta um olhar cruzado pelo estrabismo que denunciaria pela vida toda seus desequilíbrios emocionais. "O que foi, Elis? Sinto que você não está bem", perguntou Renato. "Quero voltar para Porto Alegre, não aguento mais isso", disse a cantora. Os dois ficaram calados por uns dez segundos até que Renato colocou as mãos em seus ombros para então quebrar a pausa com uma pergunta: "Não diga isso, Elis. Afinal, você quer ou não quer ser a maior cantora do Brasil?" Ela o fulminou antes de responder com uma segurança que o intimidou: "Eu não quero, Renato, eu já sou a maior cantora do Brasil."

Os ensaios haviam esquentado o nome de Elis no Beco das Garrafas. Infiltrados entre os funcionários do Bottle's, dois homens conhecidos pelos *shows* que produziam no vizinho Little Club, Luiz Carlos Miele e Ronaldo Bôscoli, assistiam a tudo aos cochichos como se planejassem algo. Miele e Bôscoli só haviam escutado a voz de Elis uma vez, ao passarem em frente a uma loja de discos em Copacabana que tocava um de seus primeiros álbuns. "Se ela não for um bagulho, nasceu uma estrela", comentou Bôscoli. A divulgação da apresentação de estreia da gaúcha era feita na base do boca a boca. A exceção havia sido uma nota de duas linhas que aparecera em uma coluna social do jornal *Última Hora*, acentuando o nome de Elis como muitos o pronunciavam: "O Bottle's está de *show* novo. É uma cantora chamada 'Élis' Regina. Ela é bonitinha." E uma alfinetada de Carlos Imperial, que fracassara na tentativa de fazer a nova Celly Campello, em sua coluna "O Mundo é dos Brotos", da *Revista do Rádio*. "Elis Regina, gauchinha que adotou a cidadania carioca, está diariamente no Beco das Garrafas. Cuidado menina, que esse Beco às vezes é ingrato e derruba muita gente que já se julga cartaz."

***

As 40 mesas estavam tomadas quando a boate abriu suas portas naquela noite. O total que viesse do *couvert* artístico, 10 cruzeiros por pessoa, seria dividido entre os músicos. Quando muito, conseguiam com isso pagar o próprio jantar. Alberico ficava com uma lanterna nas mãos para ajudar na iluminação. Alguns refletores feitos de cartolina eram pendurados no alto. O palco era uma estrutura formada por caixas de cerveja. Sem cadeira para se acomodar, o sambista Zé Keti sentou-se no chão. Carlos Lyra também foi dar uma força e amenizar a dívida que sentia ter com a cantora. Há quem tenha visto até Jorge Babulina, o futuro Jorge Ben, espremido na plateia. Enquanto isso, Elis se maquiava em seu camarim particular, mais precisamente no banheiro da casa de Renato Sérgio.

"Ah, espera, preciso fazer uma coisa", disse Elis. "A gente vai se atrasar!", advertiu Renato. Quando estava para sair, já vestida e perfumada com a ajuda de Allete, mulher do jornalista, a cantora decidiu voltar a um dos cômodos. Foi até o quarto do filho bebê de Renato, se curvou sobre seu berço e lhe deu um beijo na testa enquanto dormia. Ao olhar para o amigo atônito escorado na porta, explicou tudo com uma frase: "É só para dar sorte." O trio Elis, Renato e Roberto seguiu para um ponto de ônibus. Assim que a condução para Copacabana chegou, eles entraram pela frente, passaram pela roleta e escolheram um banco vazio bem ao fundo. O trajeto até a Rua Duvivier não iria demorar, uma pena. Sonhar em silêncio naquele ônibus público, sob os efeitos de uma adrenalina bem-vinda que poderia ficar em seus organismos para sempre, era algo que valeria por cem *shows*.

A fila no Beco já deveria estar grande. As mesas foram arrumadas e o cartaz que fizeram com o nome de Elis ao lado de uma espora gaúcha já estava posicionado na entrada. Apesar de pouco se falarem no ônibus, os três amigos sentiam estar na mesma sintonia. De repente, Elis começou a cantar baixinho a primeira música que lhe veio à cabeça. Assim que ganhou confiança, aumentou o volume até chegar ao ponto de não se lembrar de que havia outras pessoas nos bancos da frente. Renato e Roberto se entreolharam e, ainda em silêncio, perceberam o tamanho da cena que viviam. No começo sem jeito, depois mais seguros, entraram na cantoria e seguiram cantando até o ponto mais próximo ao Beco, quando desceram para caminhar até o Bottle's. Se fariam história com o que viesse a acontecer dali em diante, o tempo diria.

Minutos antes do início da apresentação marcada para as 22h30, um fiscal do Juizado de Menores surgiu à procura do proprietário da casa. As multas não eram tão altas naqueles meados dos anos 1960, mas o problema ali nem era com os valores. Se vissem Elis, uma pivete sem pais nem responsáveis, com cútis de menor de idade apesar de seus 19 anos, prestes a ser a atração principal de uma noite regada a uísque e cerveja, revirariam ela e a casa pelo avesso em busca de qualquer contravenção. Os bares de Alberico Campana eram limpos de drogas. Quando fumavam um baseado de maconha – cocaína ainda era o "mal dos ricos" e pouco difundida no meio artístico – músicos o faziam fora de seu ambiente de trabalho. Já a bebida dos clientes não havia como esconder, era com ela que eles caíam e a casa parava de pé. Um dos funcionários de Alberico pensou rápido. Ao perceber que o fiscal estava para entrar no estabelecimento, ergueu Elis Regina com os braços e a fez entrar em um sótão usado para guardar o estoque. Ali, quietinha, sã e salva, ela ficaria até o homem da lei ir embora e o *show*, enfim, começar.

As palmas aplaudiam uma incógnita. Quem estava na plateia do Bottle's naquela noite, com exceção de meia dúzia que conhecia Elis de outras ocasiões, estava porque estaria na noite seguinte e porque esteve na anterior. Os músicos adoravam aquele espaço que sempre trazia atrações de satisfação garantida, onde poderiam ver sobretudo os melhores pianistas, baixistas e bateristas de uma música brasileira que havia se apoderado dos conceitos de harmonia e improviso do jazz, acrescentando-lhes o mecanismo rítmico do samba que os norte-americanos pastariam para entender. Elis, que muitos ainda chamavam de Élis quando se lembravam de seu nome, teria de conquistar seu espaço na era dos instrumentistas, tempos em que cantor era quase figura decorativa, apenas uma das turbinas que faziam o Boeing decolar. Muita gente estava ali mesmo era para assistir aos desfiles do piano de Dom Salvador e da bateria de Dom Um Romão. No que dependesse da dupla Roberto e Renato, no entanto, Elis iria virar aquele jogo.

O roteiro do *Sosifor Agora*, dentro do que permitia a estrutura daquele Cavern Club de Copacabana, colocava a gaúcha no centro das atenções. Assim que seu nome foi anunciado, Elis levantou-se de uma cadeira da plateia e se dirigiu ao palco – o roteiro falava em camarim, mas era melhor ignorar essa parte. No Bottle's, camarim era um estado de espírito. Assim que começou a cantar, um canhão de luz a mirou, deixando os músicos na penumbra. Canhão de luz também era uma força de expressão. No Bottle's, era o artista quem tinha de acertar o foco do refletor de cartolina enrolada pregado no teto. Se errasse a posição, ficaria no escuro. Depois de Elis, Romão fazia um solo de bateria e ganhava um refletor só para si enquanto os outros sumiam na sombra. Elis ressurgia nas luzes quando cantava de novo e voltava a desaparecer assim que Salvador pedia licença para o seu piano. O *show* seguia em um acende e apaga lâmpada que não tinha fim. O bom disso era que elas não esquentavam demais e a probabilidade de provocarem um incêndio ficava menor. O ruim era que algumas não aguentavam tamanha *performance* e queimavam antes do final da apresentação. Sônia Müller, que logo seria substituída no palco por Íris Letieri (conhecida por ser a voz dos aeroportos), era uma bela e explosiva apresentadora da TV Rio trazida ao Beco por Renato. Sua função era a de uma importante mestre de cerimônias. Assim que os artistas do palco acabavam um número, todas as luzes eram apagadas para que a cena fosse apenas de Sônia. De cartola, ela declamava uma pílula de poesia sentada em lugares inesperados, como no balcão do bar. Depois de outro número, a mesma estratégia a mostrava agora provocante à mesa de um cliente surpreso. Dizia um verso e Elis voltava com tudo. Ao final de duas horas, até os garçons estavam arrebatados.

A temporada do Bottle's, de quinta a sábado, fazia o nome de Elis crescer a cada noite. Seu timbre e sua percepção de conjunto já eram elogiados entre os músicos e o público cativo, cada vez mais numeroso graças ao *marketing* do boca a boca. No início do quinto final de semana, o telefone da boate tocou. Era a cantora querendo falar com Roberto Jorge. De São Paulo, Elis lamentava dizendo que não poderia estar no Rio naquela noite porque o Aeroporto de Congonhas estava fechado para pousos e decolagens devido a um temporal. Sem voos, só chegaria para a apresentação do dia seguinte, um problema perfeitamente compreensível não fosse uma cena intrigante que Roberto começou a assistir no instante em que falava com sua artista. Mais ou menos no momento em que Elis mencionou o termo "aeroporto fechado", o pianista Sérgio Mendes, recém-chegado justamente de São Paulo, passou faceiro diante de seus olhos, só faltando dar tchau. Wilson Simonal também não parecia sobrevivente de um avião abatido por um raio ao chegar de terno seco direto da terra da garoa. Enquanto Elis se lamentava, Roberto fazia uma rápida reflexão. Se aqueles outros artistas não tiveram tempo para virem de São Paulo nem de carro, nem de ônibus, nem de navio, não havia aeroporto fechado coisa nenhuma. A cantora estava lhe dando uma rasteira. O fato é que Elis já ficara grande demais para o Beco e convites para outros *shows* fora do Rio eram cada vez mais frequentes. Na cabeça de Roberto, Elis faltava ao Bottle's para cantar em outras praças. O produtor ficou furioso. Além do teto de Congonhas, a casa de Elis também estava prestes a cair. "Espera aí, Elis, o pessoal que chegou de São Paulo agora está aqui na minha frente e você está dizendo que o aeroporto está fechado?" "E daí?", rebateu ela. "Você está me chamando de mentirosa?" Recomposto do contra-ataque, Roberto voltou ao *front*: "Que história é essa? Você acha que tem algum moleque aqui?" Ao lado de Roberto, Renato sentia uma vontade danada de pegar o telefone para apaziguar os ânimos, mas já era tarde. Depois de trocarem insultos, a cantora desligou jurando nunca mais colocar os pés naquele fim de beco. E jamais voltar a pronunciar os nomes de Roberto ou Renato. A primeira temporada de Elis Regina no Rio de Janeiro terminava debaixo de chuvas e trovoadas.

Os dois gaviões que haviam assistido aos ensaios no Bottle's afiando as garras sentiram que era hora de atacar. Miele e Bôscoli começavam a fazer seus nomes virarem um só como produtores inseparáveis dos chamados *shows* de bolso, os *pocket shows*, quando ficaram sabendo que Elis havia rompido com Renato e Roberto. Eles já tinham planos para a garota, confiando, sobretudo, em seus faros treinados logo ali ao lado, no vizinho Little Club, de propriedade do mesmo Alberico Campana. Se o desconhecido pianista niteroiense Sérgio Mendes havia acabado de se tornar sucesso de bilheteria em suas mãos, em um espetáculo sem voz, com o saxofonista Paulo Moura, o baterista Dom Um Romão e o violonista Durval Ferreira, jogar Elis para cima seria moleza. Miele era um paulistano do bairro do Paraíso, de ancestrais italianos, repórter da TV Continental e com tiradas refinadas de um humor rápido no gatilho. Sua alma gêmea, ou complementar, era o jornalista Ronaldo Bôscoli, um carioca culto de manias excêntricas com um texto solto e inteligente, treinado em anos de jornalismo impresso. A união do homem que pensava – Ronaldo – com o que realizava – Miele – já nascera como previsão de cartomante no dia em que uma missão profissional colocou os dois no mesmo banquinho.

Daquele povo todo de quem a crítica começava a falar com entusiasmo, Miele só fazia ideia de quem era João Gilberto, até o dia em que seu chefe na TV Continental pediu que ele fizesse uma matéria com "esse pessoal aí da Bossa-Nova". Aos amigos de redação, perguntou quem era a boa alma que poderia ajudá-lo a preparar uma entrevista com alguns dos nomões do movimento e mais de uma pessoa lhe indicou Ronaldo Bôscoli. Então contratado da revista *Manchete*, Ronaldo estava na casa de sua namorada, Nara Leão, quando Miele ligou convidando-o para estar presente na primeira matéria que faria sobre a Bossa-Nova para a televisão. Na turma que havia reunido para a entrevista estavam Nara, Roberto Menescal, Luís Carlos Vinhas e o violonista e compositor Chico Feitosa. Como era gente demais para o único sofá da Continental suportar, e para a única câmera de TV enquadrar, Miele pediu que um auxiliar pegasse um ou dois banquinhos no bar ao lado para organizar melhor a bagunça. O formato "um banquinho, um violão", usado desde a chegada ao Rio do bruxo de Juazeiro, João Gilberto, virava expressão pela primeira vez – e para o desespero de muita gente. Nunca houve nada mais desagradável a um violonista do que a obrigação de se apresentar durante duas horas sentado em um maldito banco de madeira com um violão entre as pernas. Miele e Bôscoli teriam outros encontros – como a temporada em que Miele passou dormindo no sofá da sala de Bôscoli por falta de dinheiro. Quando desaguaram juntos naquele Beco das Garrafas, criaram rapidamente um *slogan* para o tipo de *show* que faziam em palcos que tinham o tamanho de uma mesa de quatro lugares: "Dê-nos um elevador que nós te daremos um espetáculo."

Sem esperar a poeira do Bottle's baixar, a dupla cercou a gauchinha com propostas de novas condições de trabalho, incluindo um repasse um pouco maior de *couvert* artístico, até fazê-la aceitar estrear no Little. Quase tudo o que a dupla conhecia de Elis era do Beco, mas ambos confiavam em seus tacos.

O pacote para Elis estava pronto. O *show* de bolso da dupla tinha uma bailarina clássica do Teatro Municipal do Rio de Janeiro, Marli Tavares; um trio excepcional de instrumentistas liderado pelo pianista Luís Carlos Vinhas, o Bossa 3; e Gaguinho, um passista e pandeirista comediante que faria um *show* sozinho se fosse o caso. No repertório, havia "Preciso Aprender a Ser Só", de Marcos e Paulo Sérgio Valle; e "Menino das Laranjas", de Théo de Barros. Um coquetel poderoso que só favorecia o voo de Elis e deixava a crítica querendo mais. "A única falha é o mau aproveitamento de Elis Regina... Apesar de ser apresentada também dançando, foi esquecida como cantora", cobrava o *Jornal do Brasil*.

A fama do Beco chegara a São Paulo antes da fama de Elis Regina. Solano Ribeiro, músico e produtor da paulista TV Excelsior, vinha ao Rio para dar uma geral nos bares que lhe indicaram como imperdíveis naquela espécie de miniatura carioca de Praça Roosevelt, o conglomerado com as melhores casas do ramo do samba-jazz em São Paulo. Solano queria fazer contatos e descobrir material humano que abastecesse os programas da emissora em que trabalhava. Ao entrar no Little, tremeu. Ao contrário dos paulistas, os cariocas reagiam com furor aos solos de bateria e piano, interferiam sem pudor com assovios no meio de uma música e aplaudiam assim que se sentiam tocados pela energia que brotava do palco. Sob nova direção, Elis viajava em suas interpretações com tamanha entrega que acabou por desencadear um inebriante processo químico no cérebro de Solano, algo que ele identificou como paixão. Sentindo o corpo pulsar, o produtor penteou as sobrancelhas, estufou o peito e se encheu de credenciais para se aproximar da gaúcha no final do espetáculo. Apresentou-se como enviado da Excelsior, o que certamente o tornou mais atraente, jogou flores sobre a voz de Elis e a convidou para um jantar por sua conta. Deu certo. Os dois saíram do Beco em um táxi para uma volta pelos bares do Rio com música ao vivo, em um giro que acabou atravessando a noite. Enquanto o sol nascia, passeavam pela orla de Ipanema trocando beijinhos e carinhos sem fim até que Elis pediu para ficar em casa. Solano, irremediavelmente rendido, sentiu dores físicas naquela despedida. Em um bilhete, escreveu uma frase que garantiu a sobrevida de seu *affaire*: "Amanheceu um amor em mim." No dia seguinte, estariam juntos de novo.

Sem mudar de estratégia, Solano seguiu para o Beco apostando no mesmo itinerário. Passaria primeiro no Little para perder o fôlego vendo Elis cantar, depois a convidaria para jantar em algum canto com música ao vivo e terminaria se perdendo com a amada, feliz da vida, pela noite do Rio de Janeiro. Só um detalhe entrava em campo, aos 45 do segundo tempo, quando já era madrugada. Na parte em que Elis deveria ser entregue em perfeitas condições em seu apartamento, os dois decidiram acordar Ercy e Romeu para um comunicado de última hora. Em linhas gerais, a história resumida por Elis aos pais foi a seguinte: "Pai, mãe, este é o Solano Ribeiro. Nós vamos nos casar." A filha ia direto ao assunto e, provavelmente por estar por cima da carne seca bancando a família com o soldo que ganhava no Beco, não sofria resistência. Casar ou comprar uma bicicleta, a última palavra era sempre sua. A não ser que o noivo se arrependesse.

Qualquer relação amorosa com Elis seria uma armadilha em 1964, já que tudo em sua vida parecia ter esperado este ano para acontecer. O casal até que tentou. Ao marcarem suas viagens – ele já trabalhando no embrião de um novo festival de música, ela alforriando-se cada vez mais do Beco para fazer *shows* pelo País – Solano e Elis sincronizavam horários de voos para ficarem juntos ao menos duas horas por semana durante algum trajeto. Nos raros momentos de namoro, falavam de política, cinema e música, que muitas vezes eram misturados e viravam um assunto só. De cabeça engajada em fundamentos esquerdistas, capaz de sintonizar a Rádio Nacional de Cuba para gravar um discurso de quatro horas de Fidel Castro na íntegra, Solano dizia a Elis que jamais cantasse essas bobagens vazias de Tom Jobim. Música de protesto era o melhor caminho para a salvação de um povo. Elis, influenciável até a medula, ouvia tudo com atenção. O Cinema Novo de Glauber Rocha era uma de suas paixões, mas não só. Certa noite, Elis trouxe uma dica de filme que desbotou a boina comunista de Solano: *A Hard Day's Night*, dos Beatles.

A química que havia fascinado o produtor desde o primeiro encontro começou a evaporar assim que a lupa da convivência o fez perceber comportamentos que antes, vistos a olhos nus de um homem apaixonado, pareciam charme. O fato de Elis ser explosiva não era o problema. O intrigante era que ninguém poderia prever quando ou contra quem seria a próxima explosão. Solano presenciou cenas de ataques verbais em família que o deprimiram e experimentou reações físicas que custava a digerir como se fossem apenas traços de personalidade. Um dia, estavam os dois espremidos no apartamento da Barata Ribeiro, ansiosos por uma resposta do casal de amigos Dom Um Romão e Flora Purim, que viria por telefone. Romão e Flora estavam prestes a viajar e poderiam assim deixar os namorados usarem seu apartamento dúplex no Leblon. Elis andava de um lado para o outro, excitada com a possibilidade de enfim ter algum momento de privacidade com o namorado. De repente, enrolou a revista *Manchete* que segurava e, sem dizer nada, desferiu um golpe na cabeça de Solano para aliviar a tensão. O susto foi grande, mas a dor maior foi a certeza do quanto ainda desconhecia a mulher com a qual pensava em se casar.

A independência extrema de Elis serviria de gota d'água no dia em que o produtor recebeu um telefonema de uma amiga da cantora. Hospedada em um hotel na Avenida São João, durante uma de suas idas e vindas a São Paulo, Elis pediu que ela ligasse a Solano em seu nome. "É melhor você passar aqui. Elis não está bem." Ao chegar ao quarto, o produtor encontrou a cantora deitada, pálida, coberta da cintura para baixo. Sua expressão não era das melhores, e ficou ainda pior quando Elis decidiu ir direto ao assunto: "Eu fiz um aborto." Não foi o ato em si que chocou Solano, mas seu *modus operandi*. Ele não sabia da gravidez, entendeu que um filho ceifaria a carreira de uma cantora novata pela raiz, mas não perdoava o fato de não ter sido comunicado. Se era para decidir por aquilo, gostaria de ter opinado também. Elis e Solano se separaram em definitivo após aquele dia. E, ao se cruzarem de novo, só conseguiriam sentir um grande vazio.

***

Elis percebeu que transbordava ao Beco das Garrafas e, pela primeira vez, emprestou sua força para ajudar um manifesto. Foi em uma tarde de sábado de 1964 que os artistas das TVs Rio e Excelsior se reuniram nas mesinhas do Little Club para registrarem um ultimato a seus patrões. Ou os cachês atrasados eram pagos ou eles deixariam as emissoras. A comissão da Excelsior, formada por Tito Madi, Carlos José, Severino Silva e Silvio Cesar, saiu com a promessa de receber a maior parte dos atrasos em 20 dias e o restante em 60. Mas o grupo da TV Rio, com o qual Elis tinha maior proximidade – Ciro Monteiro, Silvinha Teles, Luciene Franco e Roberto Nascimento – não fechou nenhuma negociação e só conseguiu marcar um próximo encontro. Sentada ao lado de Agostinho dos Santos, Elis levantou outra questão. Se uma mesma imagem de um artista era mostrada diversas vezes por uma ou várias emissoras associadas de TV, não era justo que este artista recebesse por apenas uma aparição. Mais um impasse estava colocado.

Em mais uma prova de que os fatos na vida de Elis Regina aconteciam em movimentos cíclicos, outra história se repetiria. Já com uma agenda sendo preenchida por *shows* em outras cidades, a cantora incumbia o pai empresário de ligar ou ir pessoalmente falar com os patrões no Little, comunicando suas faltas com justificativas nada originais. "Oi Ronaldo: a Elis não vai hoje, ela não está bem", dizia na sexta. "A Elis não vai, Miele, está sem voz", usava no sábado. Alberico e o público, disposto a sentar até no chão para ver a gauchinha, se incomodavam cada vez mais ruidosamente com suas faltas. "Isso é uma tremenda sacanagem. Anuncia Elis e não tem Elis? O público tem razão em ficar revoltado", pressionava Alberico. Cano após cano associados a um histórico de suspeitos sumiços no vizinho Bottle's fizeram Miele e Ronaldo ligarem os nós. E uma revelação involuntária de um amigo de Ronaldo, comandante em uma empresa de aviação, não deixava mais dúvidas. "Ronaldo, você tem que ver, rapaz. Ouvi uma menina no Paraná esses dias que canta demais. Seu nome é Élis ou Elis. Vocês têm que chamá-la pra cantar aqui." Quem ficou vesgo de raiva foi Ronaldo. Elis aumentava sua renda cantando em outros terreiros em dias de trabalho no Beco, com o pai ainda lhe dando toda a cobertura. A sensação de marido traído e último a saber despertou em Ronaldo seus instintos mais primitivos.

No momento em que Elis chegou ao Little, depois de sair aos trancos do Bottle's, o Beco começava a entrar em crise. A alta do dólar era refletida nos preços da noite, fazendo uma dose de uísque, muitas vezes falsificado, chegar a 2 mil cruzeiros. Grupos já se apresentavam para dois ou três casais e os egos inflamados deixavam vítimas. Tenório Junior Trio, Trio Irakitã e Rosana Tapajós, as atrações da casa, se estranhavam, com "cada um querendo ser mais moderno e mais cartaz do que o outro", segundo o colunista Eli Halfoun, do *Jornal do Brasil*. A ira de Ronaldo Bôscoli, despertada pelas faltas de Elis, iria desferir agora o golpe de misericórdia nos últimos tempos de vibração no Beco das Garrafas.

O produtor esperou para dar o bote na moita. Assim que chegou o próximo fim de semana, o telefone da boate tocou e ele fez questão de atender. Desta vez, a própria Elis dizia que não poderia fazer a apresentação daquela noite porque estava afônica. Era tudo o que o ódio represado de Ronaldo precisava para se materializar. "Afônica é o cacete! Fique sabendo que isto aqui não é palhaçada, não. Já sei que você faz *show* por aí." E no que bateu, levou: "Faço mesmo, e daí? Sou mais eu. Se quiser me mandar embora, manda que eu vou", disse Elis. "Então vá. Tá pensando que é quem? Barbra Streisand?" E levou de novo: "Não estou pensando, eu sou a Barbra Streisand." A demissão formal teria que vir com requintes de crueldade para deixar marcas mais profundas do que um simples desabafo por telefone. Com um pincel e uma lata de piche, Ronaldo foi até a parede dos fundos, na qual os artistas eram anunciados, e mandou ver o borrão sobre o nome de Elis Regina com capricho para que não desaparecesse por inteiro. Quem lesse deveria entender que alguém ali havia sido humilhantemente defenestrado – ou "pichado", como diria a expressão que depois do episódio passaria a equivaler a difamado. Elis sumiu do Beco para sempre e, da vida da dupla Miele e Bôscoli, só por algum tempo.

4.

Elis começou a pingar em São Paulo como garoa, antes mesmo de deixar o Beco das Garrafas. Em suas escapadas na surdina, sem que Miele e Bôscoli soubessem, chegava com discrição a um mundo sobretudo de universitários fissurados por uma nova música brasileira, ou, como em breve seria chamada, pela MPM – "música popular moderna". Fosse em um espetáculo beneficente na Associação de Moças da Colônia Sírio-Libanesa, fosse em uma aparição no Clube Hebraica, o importante era que São Paulo a conhecesse. Cada vez mais segura, topou o convite de Walter Silva, um jornalista e produtor de espírito empreendedor, para ser uma das atrações de *O Remédio é Bossa*, espetáculo feito pelos alunos da Faculdade Paulista de Medicina em outubro de 1964. Em mais uma escapada relâmpago da garra de seus patrões do Beco das Garrafas, Elis chegou a São Paulo direto para a casa do produtor Walter Silva com pouco tempo para definir o que cantaria dali a dois dias. Marcos Valle já estava lá, tirando o violão da capa, cheio de confiança para exibir sua apoteótica e contestadora "Terra de Ninguém", que fizera com o irmão Paulo Sérgio. Uma típica canção que a ditadura, sobretudo depois que ganhasse plenos poderes garantidos pelo Ato Institucional nº 5, adoraria incinerar e lançar suas cinzas ao mar sem deixar de interrogar seus autores até o limite do suportável. "Terra de Ninguém" começava triste, narrando o caminhar de um nordestino sobre uma terra devastada por agonias e incertezas. Um homem que caía ao final da tarde, mas que rezava para voltar cheio de coragem e lutar por aquilo que é seu. Quando tudo parecia estar às raias do apocalipse, o tom mudava para maior e o sol nascia em um verso de esperança. Manoel Barenbein, um jovem produtor também envolvido no projeto, ouviu sem dúvidas a composição na voz de Elis: "Vamos cantar essa." "Mas vai dar tempo?", disse Marcos, sentindo a água no pescoço. "Vai, sim, e vamos fazer da seguinte maneira..." Barenbein já tinha sua fórmula mágica.

Assim que o Cine Teatro Paramount abriu as cortinas para apresentar "Terra de Ninguém", Marcos Valle estava sozinho, iluminado por um refletor e escorado em um banco alto de madeira com o violão entre as pernas do jeito que a angústia lhe permitia. Ali, era um no palco contra os dois mil da plateia que lotavam o Paramount. E qualquer tentativa de se ajeitar no banco mais do que aquilo lhe dava a trágica sensação de que desabaria com banquinho e tudo. O jovem respirou fundo e seguiu em frente, entregue a um silêncio inquisidor. Andou com sua música sobre uma terra quase arrasada quando o refrão redentor chegou e Elis nasceu como um sol. Ao lado dos músicos, mas em um canto escuro do palco, só foi iluminada quando sua parte chegou em tempo desdobrado – um recurso dramático que seria muito usado pelos compositores de festival para envolver suas plateias. Era o momento em que cada palavra parecia sair voando, quase que obrigando o público a cantá-las. A aparição de Elis desencadeou gritos e aplausos que ao mesmo tempo davam sentido à letra de Marcos Valle e assinavam a consagração precoce de uma gaúcha que mal havia cantado naquela noite. De cada palco que subia, Elis descia maior e mais forte. Agora, retornava ao Rio de Janeiro com a sensação de estar com 120 quilos, peso demais para as estruturas do Beco das Garrafas suportar.

Walter Silva, um nome onipresente no circuito de *shows* universitários, convidou Elis para uma nova missão: cantar em espaço nobre no 1º Denti-Samba, uma apresentação promovida pela Faculdade de Odontologia da Universidade de São Paulo e que teria na primeira parte Walter Santos, Pery Ribeiro, Geraldo Vandré, Oscar Castro Neves, Paulinho Nogueira, Alaíde Costa e o grupo Zimbo Trio. Elis já tinha gosto de cereja e ficou com a segunda parte. Veio armada até os dentes, com o Copa Trio contrabandeado do Beco, e chegou cuspindo fogo logo na recepção do hotel. Por coincidência histórica, ou por puro racismo, o recepcionista do suntuoso Danúbio, na Avenida Brigadeiro Luís Antônio, fez o *check-in* de todos os integrantes mas se recusou a receber Dom Salvador e Dom Um Romão, os dois negros da comitiva. "Não temos mais quartos, desculpe." Os Dons estranharam, mas nada falaram. E nem precisariam. Em menos de cinco minutos, Elis demoliu o funcionário com duas dúzias de palavrões e meia de ameaças. Antes que os gritos lhe custassem o emprego, o recepcionista fez dois quartos aparecerem como mágica – uma mágica que só não teria poderes para livrar o Danúbio da vingança de Elis. Ao vivo e em cores, durante seu *show* no Paramount, ela contou toda a história e implodiu para seus fãs o que havia sobrado de dignidade do hotel.

O ano de 1964 seguia alucinante e Elis mantinha sua estratégia de nunca dizer não. Entre um palco e outro, chegou o convite para se apresentar com Silvio Cesar em uma boate da Praça Roosevelt chamada Djalma's, do compositor Djalma Ferreira. Silvio conhecia Elis de outros bastidores. Quando estava para receber uma menção honrosa por seu disco *Amor Demais*, no Teatro Municipal do Rio de Janeiro, percebeu se aproximarem o amigo e músico Rubens Bassini e uma garota que lhe parecia familiar de algum programa de TV. "Silvio, ela quer te conhecer", disse Rubens. Elis se comportava com a subserviência de uma fã. "Silvio, pode me dar um autógrafo?" Desconcertado, assinou a capa da *Revista do Rádio* que a garota tinha nas mãos com uma espécie de dedicatória às avessas: "Para Elis, o abraço de seu admirador, Silvio Cesar." Ao ser convidado para o espetáculo no Djalma's, Silvio sugeriu fazê-lo em duo com Elis. Com cachê e repertório devidamente divididos, a dupla escolheu as músicas, mandou o material para Eumir Deodato arranjar e se preparou para encarar São Paulo.

Durante a temporada no Djalma's, Elis ficou hospedada com Silvio em um apartamento na Rua Albuquerque Lins, no bairro de Santa Cecília. O Djalma's era um pouco maior do que as bocas do Beco, mas atraía as atenções para a cena da bossa-jazz paulistana. Jair Rodrigues, que nunca vira Elis antes, apareceu para dar uma canja com uma música que estava lançando naquele momento, com uma parte divertida que dizia "deixe que digam, que pensem, que falem" enquanto ele dançava com as mãos estendidas, ora com as palmas para cima, ora para baixo. O conjunto que mostrava a Elis a existência de vida inteligente em boates fora do Beco das Garrafas tinha no sax tenor o argentino Hector Costita; no piano, Luiz Melo; no baixo, Shu Viana; e, na bateria, Turquinho; além do sax alto do alemão Kuntz. Uma base maior, um som mais gordo, uma cama mais generosa. Sem saber, Elis rascunhava o repertório de seu próximo disco quando cantava sobretudo "Menino das Laranjas", de Théo de Barros; e "Berimbau", de Baden e Vinicius, duas canções que fariam até as moscas aplaudirem caso o público não viesse. Mas era com uma terceira que sentiria romper a redoma das cantoras corretas para tentar atingir a esfera das excepcionais. A própria Elis reconheceria que "Preciso Aprender a Ser Só", de Marcos e Paulo Sérgio Valle, fazia sua alma flutuar mais alto.

Silvio Cesar e Elis Regina viveram dias felizes no Djalma's. Os dois participaram ainda de uma mostra de músicos paulistas e cariocas no Teatro de

Arena, dirigida por Solano Ribeiro, chamada *Primavera Eduardo é Festival de Bossa Nova*, patrocinada pela loja de sapatos Eduardo. À capela, cantaram "O Amor em Paz", de Tom Jobim e Vinicius de Moraes. Silvio colecionou carinhosamente cada nota de jornal que se referisse à temporada ao lado de sua fã gaúcha até o dia em que foi arrumar a mala para voltar ao Rio de Janeiro. Ao sentir falta dos recortes, perguntou por eles à moça que limpava o apartamento. "Aquele monte de jornal velho?", respondeu ela, perigosamente. "Joguei tudo fora."

Instigado pelas repercussões de seus primeiros *shows* de formatos coletivos com músicos de Rio e São Paulo, as duas cidades do País que se provavam grandes produtoras de uma arte rica e original, Solano Ribeiro viu que daquela cartola sairia mais coelho. Os jovens amavam os espetáculos e respondiam com aplausos que vinham em uma massa sonora extravasante. Se San Remo, na Itália, havia conseguido atrair os olhares do mundo para aquela música, na visão do produtor, melosa e sem grandes virtudes, revelando um Sérgio Endrigo em mil cantores descartáveis, por que São Paulo não poderia fazer melhor? A ideia de potencializar o fenômeno dos *shows* ao vivo em um programa de TV o beliscava todas as noites.

Solano configurou sua ofensiva. Pediu a Enrique Lebendegruer, dono da editora de música Fermata, que lhe arranjasse o regulamento do Festival de San Remo. Adaptou aquilo à realidade de um mercado em nascimento e vendeu a ideia à TV Excelsior. Com carta-branca em mãos, apoiado pela direção, anunciou a abertura das inscrições e fechou com um júri supostamente à prova de falcatruas: os músicos Caetano Zamma, Damiano Cozzela e Amilton Godoy, além dos poetas Augusto de Campos e Décio Pignatari. As músicas inscritas não vinham em fitas, mas em partituras. Os jurados se revezavam ao piano para tocá-las sem saber quem as mandou. O candidato se identificava em códigos, não com nomes. As melhores eram classificadas e Solano, com a ajuda dos jurados, acatava o pedido do compositor ou indicava ele mesmo um outro intérprete. O patrocínio da empresa francesa de moda Rhodia garantia a megalomania de um projeto que rodaria por várias cidades mas que cobraria seu preço. Solano sofria na alma a cada interferência do diretor de propaganda da Rhodia, Livio Rangan, que ora queria desfiles de moda na abertura dos *shows*, ora tentava influenciar na escolha dos vencedores. Ainda assim, aquela era a primeira experiência de Solano no ramo, mas com grandes chances de vingar. A populosa comunidade de músicos certamente passaria a mandar suas composições para guerrear naquele embate de gladiadores intitulado I Festival Nacional de Música Popular Brasileira.

Com um total de 36 canções classificadas entre 1.290 inscrições, uma boa *performance* para uma primeira investida, o festival precisava de visibilidade. Solano, pensando em atrair as atenções da mídia e virar o assunto da temporada, queria que todo o evento fosse realizado no Guarujá, a rainha de então dos chiques, famosos e modernos no litoral paulista. Como acontecia com o Festival de Cinema de Cannes, na França, a distância e alguma dificuldade de acesso só aumentariam o mito e criariam mais notícia. Tudo ia bem até que Livio Rangan resolveu aparecer para buscar a alma de seu patrocinado. Além do Guarujá, a Rhodia queria que as outras eliminatórias fossem realizadas em São Paulo, no Rio de Janeiro e na cidade fluminense de Petrópolis. A Excelsior deveria transmitir as apresentações e as noites teriam como abertura o Show da Rhodia, que contaria com desfiles de moda e uma rápida *performance* de cantores-propaganda da empresa, como Wilson Simonal.

Foi ruim mas foi bom. A interferência do patrocinador em benefício próprio, que tirava o foco do Guarujá tornando-o só uma perna do festival, evitou que o navio de Solano naufragasse antes de sair do porto, triplicando sua visibilidade. Prestes a se tornar um evento mais da Rhodia do que da Excelsior, mais de moda do que de música, o festival foi alvo, logo de início, das ações de *marketing* da empresa, que distribuiu ingressos aos montes entre clientes e funcionários que pouco ligavam para os novos caminhos da música popular brasileira. Uma decisão que encheria as plateias, talvez, até demais. O sinal vermelho acendeu já no dia da estreia, quando Solano se aproximou do Cassino do Guarujá para acompanhar a primeira eliminatória. "Não vai dar", disse o diretor musical Silvio Mazzuca antes mesmo que ele colocasse os pés no recinto. "Não vai dar o quê?", quis saber Solano, na porta. "O lugar está lotado e a polícia não deixa mais entrar ninguém." O que a Rhodia não conseguiu entregar em ingressos de cortesia, a Prefeitura do Guarujá, de olhos grandes nas benesses políticas do momento, conseguiu. O resultado foi a balbúrdia. "O engenheiro garante que a segurança do prédio já está comprometida e ele poderá desabar a qualquer momento", dizia um administrador do cassino.

Solano, barrado em seu próprio festival, sentou-se na calçada em frente à entrada e ficou ali, com os *scripts* na mão, esperando o prédio soterrar seus sonhos. Mas as estruturas aguentaram firme e as esperanças retornaram quando alguém da produção se aproximou dizendo que uma porta secreta, por onde alguns artistas estavam entrando, poderia ser a salvação. Antes de Solano alcançá-la, um homem de terno veio ao seu ouvido, com sotaque francês: "Por favor, eu sou o presidente da Rhodia e gostaria que o senhor me ajudasse a entrar." O produtor e o executivo furavam o bloqueio para chegar à passagem privativa com dificuldade quando um segurança voltou a encrespar, desta vez, só com o presidente: "Não pode entrar por aí!", disse, sem muita delicadeza. Dois policiais se aproximaram, pegaram o presidente pelo braço e começaram a conduzi-lo à força para fora da casa quando Solano foi a um dos seguranças: "Rapaz, não é por nada não, mas esse aí é o presidente da Rhodia." Em um pulo, o rapaz saiu atrás dos policiais: "Soltem esse homem, deixem ele entrar." Mais uma edição assim e era Solano quem desabaria.

A noite de 27 de março de 1965, um sábado, aquela em que os artistas entraram até pelas janelas do cassino, teve 12 concorrentes dos quais sairiam apenas quatro classificados para a grande final, prevista para 6 de abril, no Teatro Astoria, no Rio. Aos felizardos que conquistassem os pódios mais altos, 21 milhões de cruzeiros seriam divididos em: 10 milhões e o troféu berimbau de ouro para o primeiro colocado; 5 milhões para o segundo; 3 milhões para o terceiro; 2 para o quarto e 1 para o quinto. Como a duplicidade de intérpretes era permitida, Elis ganhou duas músicas para defender: "Arrastão", de Edu Lobo e Vinicius de Moraes; e "Por um Amor Maior", de Francis Hime e Ruy Guerra.

A canção de Hime e Guerra já estava gravada no disco de Elis, *Samba, Eu Canto Assim!*, desde janeiro, pronta para ser lançada, quando os jurados a aceitaram na disputa para o festival realizado entre março e abril daquele mesmo ano de 1965. O regulamento era claro: todas as músicas concorrentes deviam ser inéditas tantos nos palcos quanto nos LPs. Por isso, a Philips segurou o lançamento do disco de estreia de Elis na companhia para sair assim que o festival acabasse e, muito provavelmente, consagrasse sua contratada. *Samba, Eu Canto Assim!* era a promessa de Pittigliani cumprida mais de um ano depois de se conhecerem em Florianópolis. Elis, enfim, encontrava-se consigo mesma cantando composições sob medida para sua voz, como "Reza", de Edu Lobo e Ruy Guerra; "João Valentão", de Dorival Caymmi; e "Preciso Aprender a Ser Só", de Marcos e Paulo Sérgio Valle. Saciava, enfim, a fome por um disco de profundidade que lhe desse relevância, aguardado desde seu primeiro LP, e a vontade de devorar o mundo. Se havia um *hit*, era "Menino das Laranjas", de Théo de Barros, aquela que cantaria em qualquer coreto de praça se lhe dessem apenas uma chance na vida. Elis mostrava nesta gravação, por um segundo, um recurso capturado intuitivamente das audições de Ella Fitzgerald e Chet Baker. Fazia o que os jazzistas chamavam de "shake", uma sacudida que tirava a linha melódica do lugar por um breve instante.

"Por Um Amor Maior" foi defendida com empenho e acabou, na primeira noite, classificada como a melhor *performance*. Foram computados a seu favor 296 pontos contra os 176 de "Sonho de Um Carnaval", de Chico Buarque, com a voz de Geraldo Vandré. O outro compositor representado por Elis era Edu Lobo, que a cantora conhecera no Beco das Garrafas, amigo e discípulo de Vinicius de Moraes, jovem de conversas e harmonias refinadas. Sentado ao lado de Vinicius, o poeta diplomata de energia magnética que atraía uma geração inteira à sua órbita, Edu havia talhado "Arrastão", lasca por lasca, até decidir participar do concurso. A canção começou a materializar-se no dia em que ele brincava ao violão ao lado de Vinicius fazendo um contracanto para a "Suíte dos Pescadores", de Dorival Caymmi, em uma das festas que frequentava nos apartamentos da zona sul do Rio de Janeiro. Mesmo quando aquilo já parecia bom, quase ganhando vida própria, Vinicius dizia que deveriam seguir em frente. Assim, passaram uma noite inteira lapidando as frases até chegarem à forma definitiva. "Arrastão" nascia de uma costela da "Suíte dos Pescadores". A música voou das mãos da dupla para cair no piano dos jurados do Festival da Excelsior por indicação do diretor artístico da gravadora Elenco, Aloysio de Oliveira, homem que lançaria o primeiro LP de Edu com a sensação do momento, o grupo Tamba Trio. Ao ouvi-la pela primeira vez, Solano identificou: esta é a cara da Elis. Edu também queria a cantora como intérprete e, modéstia à parte, tinha certeza de que a gaúcha, caída de amores por suas cadências, adoraria representá-lo naquele festival.

"Arrastão" fazia jus ao nome. Sem querer, Edu e Vinicius acertavam o alvo ao propor uma canção de discurso épico com andamentos alternados e clima envolvente – um formato que se aproximava das composições que chegavam produzindo um afluente da música popular brasileira, conhecido nas internas como "música de festival". Em entrevista ao jornalista Zuza Homem de

Mello, em 1979, Elis diria que "Arrastão" não foi a primeira canção sugerida para sua interpretação: "Quer saber mesmo a verdade? Eu ia cantar outra, chamada 'Resolução'. Mas, de repente, disseram que seria 'Arrastão'. Eu achava 'Resolução' melhor, com uma letra mais elaborada, com uma história de fôlego, longa." "Resolução", do mesmo Edu Lobo, em parceria com Lula Freire, seria gravada no LP *Samba, Eu Canto Assim!* O produtor Solano Ribeiro, no entanto, afirma que a canção jamais foi cogitada para ser defendida por Elis. "Eu nunca passei essa música para ela."

Mais do que uma harmonia engenhosa, a era pós-Bossa Nova precisava de estrofes que rompessem com os barquinhos, o sol e o mar do Rio de Janeiro. Na cartilha que muitos compositores passariam a estudar, canção para massas em auditórios deveria causar impacto sem longas introduções. História que viesse com nome de personagem e boa dose dramática, interpretada com entrega, saía na frente. E arranjo que soubesse alternar introspecção com euforia – a introspecção em duos sensíveis de, por exemplo, voz e piano, e a euforia em tempo ralentado ou desdobrado, com um som engordado por bateria, baixo e tudo mais nas alturas – estaria pronto para ganhar qualquer parada. Ainda que nem todo mundo saísse assobiando a melodia de "Arrastão" por Copacabana, a voz e os braços giratórios de "Hélice Regina" a fariam levantar voo.

A imprensa, ou boa parte dela, não via seus movimentos com entusiasmo. E suas decolagens se tornaram motivo de piada. "Quanto mais aplaudida, mais faz força, temendo-se que seus braços um dia se soltem e, como uma bomba atômica, caiam no Vietnã e acabem com a guerra", escreveu o *Diário Carioca*. "Lutou desesperadamente pela vitória da melodia de Edu Lobo e de Vinicius de Moraes, 'Arrastão'. Levantou os braços, rodopiou-os diante das câmeras, mostrou os dentes (aliás, bonitos) e quase perdeu a peruca (medonha) na hora do agudo", anotou Borelli Filho na *Revista do Rádio*. O *Jornal do Brasil* acendia outros sinais. "São Paulo curvou-se totalmente ao talento de Elis Regina, que é a grande figura da música brasileira de lá, no momento. Dizem, no entanto, que a moça está ficando difícil de lidar na medida em que vê seu sucesso crescer."

Os fantasmas pareciam rondar aquele terreno árido de egos em combate. Ao olhar para os lados, Elis sentia-se cercada por gente que, bem ou mal, conhecia de outras primaveras. Solano, o anfitrião da festa, não trazia boas lembranças. Ela não o via com ódio, mas um desconforto era mais do que evidente quando se cruzavam pelos corredores dos festivais. Ronaldo Bôscoli, o mesmo que a havia demitido do Beco, ressurgia materializado de duas formas: como parceiro de Roberto Menescal na canção concorrente "Por Quem Morreu o Amor", defendida por Pery Ribeiro, e ao lado de Luiz Carlos Vinhas na parceria de outra selecionada, "Cada Vez Mais Rio", cantada por Wilson Simonal. Além de ter tanta gente de quem Elis queria distância, os festivais não pareciam um lugar para se fazer novos amigos. Alguns compositores sentiam-se como cavalos posicionados nas raias do Jockey Club. Edu Lobo queria sumir quando ouvia um desconhecido gritar pelas ruas: "Vê se não perde, hein, rapaz? Apostei em você!" Aquela Olimpíada da canção tinha um outro agravante. A linha de largada estava cheia de cantoras que Elis, irremediavelmente insegura e para sempre competitiva, sentia-se na obrigação de deixar para trás: Claudette Soares, Elizeth Cardoso, Márcia e Alaíde Costa.

O monstro da vaia dos festivais ainda não havia sido criado em 1965. Sua invenção na categoria data de 1967, durante o III Festival da Música Popular Brasileira da Record, quando uma ação de *marketing* da gravadora Philips foi colocada em prática para fazer seu contratado Jair Rodrigues vencer a parada e lançar um novo disco com aura de campeão. Um pelotão de torcedores foi enviado ao Teatro Record com faixas e cartazes para que o mundo não tivesse dúvidas de que a música defendida por Jair, "O Combatente", de Walter Santos e Tereza Sousa, era a melhor daquela safra. Mas não foi bem isso o que os jurados entenderam e, quando eles anunciaram os primeiros classificados sem "O Combatente", a torcida de Jair quis derrubar o prédio no grito. O ruído contagiou o auditório e assustou os próprios jurados. Aquela reação voltaria no mesmo festival, dias depois, desta vez de forma espontânea, para azucrinar o violonista Sérgio Ricardo e sua "Beto Bom de Bola" até fazê-lo destruir o violão no palco e arremessar seus restos mortais à plateia. Estava criada a vaia, um personagem tão importante e decisivo na *performance* de uma canção quanto o próprio cantor e os jurados. Antes disso, em 1965, as plateias eram comportadas e a vitória de uma música como "Arrastão" dependia de sua própria força e do carisma do intérprete.

Sem vaias em seu caminho, Livio Rangan, o homem do dinheiro, aquele que Solano queria que ficasse longe mas não tão longe assim, atacou de novo. Sem esconder que sua preferência entre os finalistas era Wilson Simonal com

"Rio do Meu Amor" – Simonal, lembrando, era o artista contratado para fazer os *shows* da Rhodia pelo País – passou a oferecer presentes e almoços para ganhar aliados no júri. Ao perceber que a estratégia de Rangan, mesmo discreta, começava a surtir efeito, Solano acionou, após várias tentativas de completar uma ligação telefônica do Rio para São Paulo, o jornalista Walter Silva, que comandava na época uma potência na Rádio Bandeirantes chamada *Picape do Pica-Pau*. O Pica-Pau, no caso, era ele mesmo. Walter ouviu, indignado, a história dos presentes e prometeu uma ofensiva daquelas. Assim que entrou no ar, desceu a lenha no caráter de Rangan. Minutos antes da finalíssima, Solano certificou-se da repercussão daquilo que Walter noticiou como "denúncia anônima" e fez questão de repassá-la a Rangan, alertando que sua batata estava assando. Imediatamente, temendo pingos de lama em seu terno de tecido francês, o executivo reuniu o júri e deixou claro que desejava que todos ali votassem de acordo com suas próprias consciências – isto se, por ventura, alguém houvesse entendido o contrário.

As TVs da época exibiam suas programações apenas nas cidades em que as captavam. São Paulo não via o que era transmitido por emissoras afiliadas no Rio e vice-versa. Se uma praça quisesse ter o programa da outra, que o produzisse em seus estúdios nos mesmos moldes. Edu Lobo estava ansioso por saber como andava a *performance* de Elis com sua "Arrastão" na sede da Excelsior, no Rio. Em São Paulo, ensaiando a trilha do musical *Arena Conta Zumbi*, de Gianfrancesco Guarnieri e Augusto Boal, saberia de tudo por telefone. Estava mais precisamente no Bar Redondo, no centro, com a mãe no outro lado da linha passando o resultado minuto a minuto, nome a nome. Claudette Soares virou-se para Maysa enquanto Elis cantava e disse a frase que resumia a dimensão da cena que Edu Lobo não podia ver. "É, Maysa, quem cantou, cantou. Vamos embora." A classificação geral, narrada pela mãe de Edu, criava uma tensão insuportável. Quinto lugar: "Cada Vez Mais Rio", com Wilson Simonal. Quarto lugar: "Queixa", com Ciro Monteiro. Terceiro lugar: "Eu Só Queria Ser", com Claudette Soares.

Faltavam dois. Edu entrou em taquicardia. Segundo lugar: "Valsa do Amor que Não Vem", de Baden e Vinicius, cantada por Elizeth Cardoso. "Tá vendo, acabou", desabafou ao amigo Guarnieri. "Eles não vão dar o segundo e o primeiro lugar para uma letra do Vinicius", lamentou. Primeiro lugar: "Arrastão". E, então, não se ouviu mais nada. Edu e Guarnieri gritaram de São

Paulo, a mãe de Edu gritou do Rio e um teatro inteiro desabou. A festa jogava o nome do compositor nas alturas e o de Elis nas estrelas. A cantora chorou e cantou a vitória com os braços giratórios. Depois, voltou a ser a moça que Vinicius de Moraes havia acabado de batizar como Pimentinha. Na opinião de Elis, "Arrastão" era boa. Mas a sua preferida mesmo era "Por Um Amor Maior", de Francis Hime e Ruy Guerra.

A vitória de "Arrastão" coincidia com o momento em que *shows* em auditórios e teatros alugados por universitários se solidificavam como a saída para um universo que já não sabia o que fazer com tantos astros. Sem um circuito que fosse além das boates da Praça Roosevelt, São Paulo via surgir um cenário vibrante de apresentações promovidas por estudantes. Artistas e plateias conheciam a catarse, o jogo de estímulos e respostas que mudava tudo durante uma *performance*, mesmo com pouco respaldo técnico em som, luz e cenografia. Assistir aos *shows* se tornava uma experiência. Os espetáculos universitários começaram a criar uma cena capitaneada por novos personagens, jovens com tino empreendedor e boa dose de criatividade que passariam a fazer a ponte entre as instituições, os artistas e o público. Um deles era Manoel Poladian, aluno de Direito da Faculdade Mackenzie, cheio de dom e instinto para os negócios, que já havia começado suas investidas em 1961 com o primeiro Festival da Balança. Por seus palcos, passaram artistas imponentes como João Gilberto, Tamba Trio, Johnny Alf, Dick Farney e, em 1965, Elis Regina. Horácio Berlinck era outro nome forte que, ao lado de Eduardo Muylaert, Antonio Carlos Calil e João Evangelista Leão, conceberia, no Teatro Paramount e com o respaldo da Faculdade de Direito da Universidade de São Paulo, o primeiro festival O Fino da Bossa, marca que depois seria usada para batizar um programa na TV Record. E Walter Silva, jornalista, radialista, esquerdista, apaixonado por música e um observador que não jogava palpites pela janela, completava o primeiro time. Quando Elis lançou seu primeiro disco, ainda disfarçada de Celly Campello, foi com o pai Romeu levá-lo ao programa de Walter na Rádio Bandeirantes – o mesmo que Solano havia usado para denunciar os aliciamentos de Lívio Rangan. Enquanto ninguém apostava dois centavos na gaúcha, Silva sentenciava para sua audiência ouvir: "Esta aqui vai ser a maior cantora do Brasil."

Pois era a vez de Walter Silva entrar na roda. Um ano depois de ajudar nos bastidores a turma de Horácio Berlinck, o engajado estudante de Direito do Largo São Francisco, a fazer e a divulgar o coletivo O Fino da Bossa no

Paramount, que logo seria lançado em LP com um elenco que incluía Alaíde Costa, Nara Leão, Zimbo Trio, Jorge Ben, Paulinho Nogueira, Oscar Castro Neves e Sérgio Mendes, o jornalista pegou gosto e traquejo pelo negócio. Elis foi seu primeiro nome certo para estrelar um *show* centrado, desta vez, em duas atrações. Elis, a paixão de Walter, dividiria a frente do palco com o violonista Baden Powell e os deuses fariam o resto. A ideia era colocá-la ao lado do incontestável maior violão da época, acompanhados pelo grupo instrumental Zimbo Trio, do pianista Amilton Godoy, do baterista Rubinho Barsotti e do baixista Luiz Chaves. Isso até que uma série de desencontros alterasse o curso da História.

O Zimbo agradeceu o convite, mas estava com viagem marcada para compromissos fora de São Paulo. Baden, sempre chegando e saindo do País, também tinha passagens compradas para a Europa. Quando veio sua negativa, centenas de anúncios em cartazes lambe-lambes já haviam sido encomendados com seu nome pelo ansioso Walter Silva em uma gráfica do centro de São Paulo. Manoel Barenbein, que ajudava Walter na empreitada como assistente de produção, correu para gritar "parem as máquinas" e conseguiu evitar um prejuízo maior. O Jongo Trio – com o pianista Cido Bianchi, o contrabaixista Sabá e o baterista Toninho – entrava no lugar do Zimbo em uma troca rápida e digna. Só faltava um santo para o altar de Baden.

Em uma noite na Boate Stardust, no centro de São Paulo, para discutir negócios com o empresário recém-chegado da Argentina, Marcos Lázaro, Walter, sua mulher Déa Silva e Manoel Barenbein assistiam de relance um rapaz negro, magro, cativante e com uma voz de longo alcance trabalhando como *crooner* do grupo do pianista Alan Gordin, pai do guitarrista Lanny Gordin e proprietário da boate, e do baterista Hugo Landwer. O menino esforçado do interior, que batalhava na noite de São Paulo desde o início da década, era Jair Rodrigues, que Elis havia visto no Djalma's. O palco parecia sempre pequeno para sua *performance*, sobretudo quando fazia a plateia cantar "Deixa Isso Pra Lá". Se não tinha um primor de poesia, sua música não passava despercebida. Enquanto Walter falava com Lázaro, Déa o via intrigada, cheia de ideias. Assim que teve a primeira oportunidade, virou-se para o marido e fez a aposta: "Walter, por que é que você não chama esse rapaz para cantar com a Elis?" Jair? Não era nada daquilo que Walter pensava. Como substituir Baden Powell por Jair Rodrigues? Trocar a reza de um monge pelas travessuras de um garoto? "Ficou louca, mulher? Jair não tem nada a ver com Elis", respondeu Walter. Déa insistiu. "Olha só o sucesso que ele está fazendo." Walter se sensibilizou com tanta convicção e resolveu ouvir a esposa.

O exército de um homem e uma mulher só foi para a guerra. Walter e Déa, agora com o elenco fechado, fariam tudo para tirar do papel aquela temporada de três noites, 8, 9 e 12 de abril de 1965, no Teatro Paramount da Avenida Brigadeiro Luís Antônio, iniciado apenas três dias depois da final do festival da Excelsior. O nome de Elis estava quente, era preciso aproveitar. Walter corria atrás de equipamentos de luz e som, resolvia os detalhes do aluguel do teatro e procurava por um pintor que faria os anúncios na fachada do Paramount. Déa preparava os lanches e o suco para abastecer o marido e, em um latão de 20 litros, fazia cola, muita cola. Com Walter, varava madrugadas colando cartazes do *show* pelos muros do centro de São Paulo. Muitas vezes, olhavam para trás e viam outros anúncios sobre os seus. Iam lá e colavam tudo de novo.

O dinheiro que entrava tinha como destino certo sair. Um espetáculo no Teatro Paramount, com um elenco daqueles, era mais custoso do que parecia. A contabilidade era anotada centavo a centavo por Déa. Ao Jongo Trio, por ser trio: 450 mil cruzeiros. À Elis Regina e Jair Rodrigues: 300 mil para cada. Ao Aparecido, assistente de operação: 40 mil. Ao senhor que consertou e afinou o piano por duas vezes: 15 mil. Ao pintor da fachada do teatro, autor do refinado anúncio com o nome do *show* "Ellis Regina, Jayr Rodrigues e Jongo Trio": 60 mil. Depois de marcar a luz, colar cartazes, contratar o afinador de piano e inspecionar os instrumentos, só faltava Walter Silva ser Elis Regina. E ele foi. Ao menos por duas horas de ensaio em que a cantora não pôde comparecer por causa de um compromisso particular, Walter fez a parte de Elis ao lado de Jair e do Jongo Trio com uma voz que, se não era celestial, dava para o gasto. Sua recompensa viria à noite.

Duas mil pessoas lotavam o Paramount quando o piano de Cido Bianchi lançou os primeiros acordes de "O Morro Não Tem Vez", um rojão que só voltaria à Terra dez músicas depois, com "Menino das Laranjas". Não há ciência que esclareça o que houve de fato entre Elis e Jair naquelas noites. Sem pausas, a abertura vinha numa sequência crescente de nocautear o público, enfileirando "Feio Não é Bonito", "Samba da Carioca", "Esse Mundo é Meu", "A Felicidade", "Samba de Negro", "Vou Andar por Aí", "O Sol Nascerá", "Diz que

Fui por Aí", "Acender as Velas", "A Voz do Morro" e "O Morro Não Tem Vez". Jair e Elis se divertiam em cacos e malandragens que jogavam um para o outro, como se fossem amigos de infância. O repertório revirava a cantora e a mostrava de vários ângulos. Se alguém esquecesse a sequência, bastava olhar para baixo e ler a lista das músicas escrita com um giz no palco. Um tempo depois de ir às estrelas com sambas atômicos, Elis descia aos porões da alma cantando "Preciso Aprender a Ser Só" para reerguer-se de novo pelo "Ziguezague" de Jair. Ao final do *show*, o escritório de Walter Silva, montado no próprio teatro, foi visitado por centenas de pessoas que queriam comprar ingressos para a próxima noite antes mesmo de o produtor tê-la anunciado oficialmente.

O primeiro grande sucesso de Elis em um palco bem maior do que os centímetros quadrados em que cantava no Beco das Garrafas aproximou a cantora de seu novo produtor, Walter Silva, a ponto de tê-lo como amigo, conselheiro e confidente, e de dividir com ele os versos da única letra de uma música que assinaria em vida, "Triste Amor Que Vai Morrer", registrada na Editora Moderna em 1966. Déa diria anos mais tarde que a inspiração inicial de Elis havia sido o traumático episódio do aborto praticado pela cantora em 1964, interrompendo a gestação da criança que teria Solano Ribeiro como pai. Em duas rápidas estrofes, a letra diz: "Triste amor que vai morrer / por favor, para quê / Se um amor igual ao seu / Nunca vi, não senti / É preciso compreender / Sem você, vale o quê?/ Tenta entender / coisa tão bonita assim / Não pode ter fim / Um amor igual ao seu, meu bem / Tem que ser meu." Toquinho lançaria a canção no mesmo ano de seu registro, em 1966, no disco *O Violão de Toquinho*. Elis Regina jamais a gravaria.

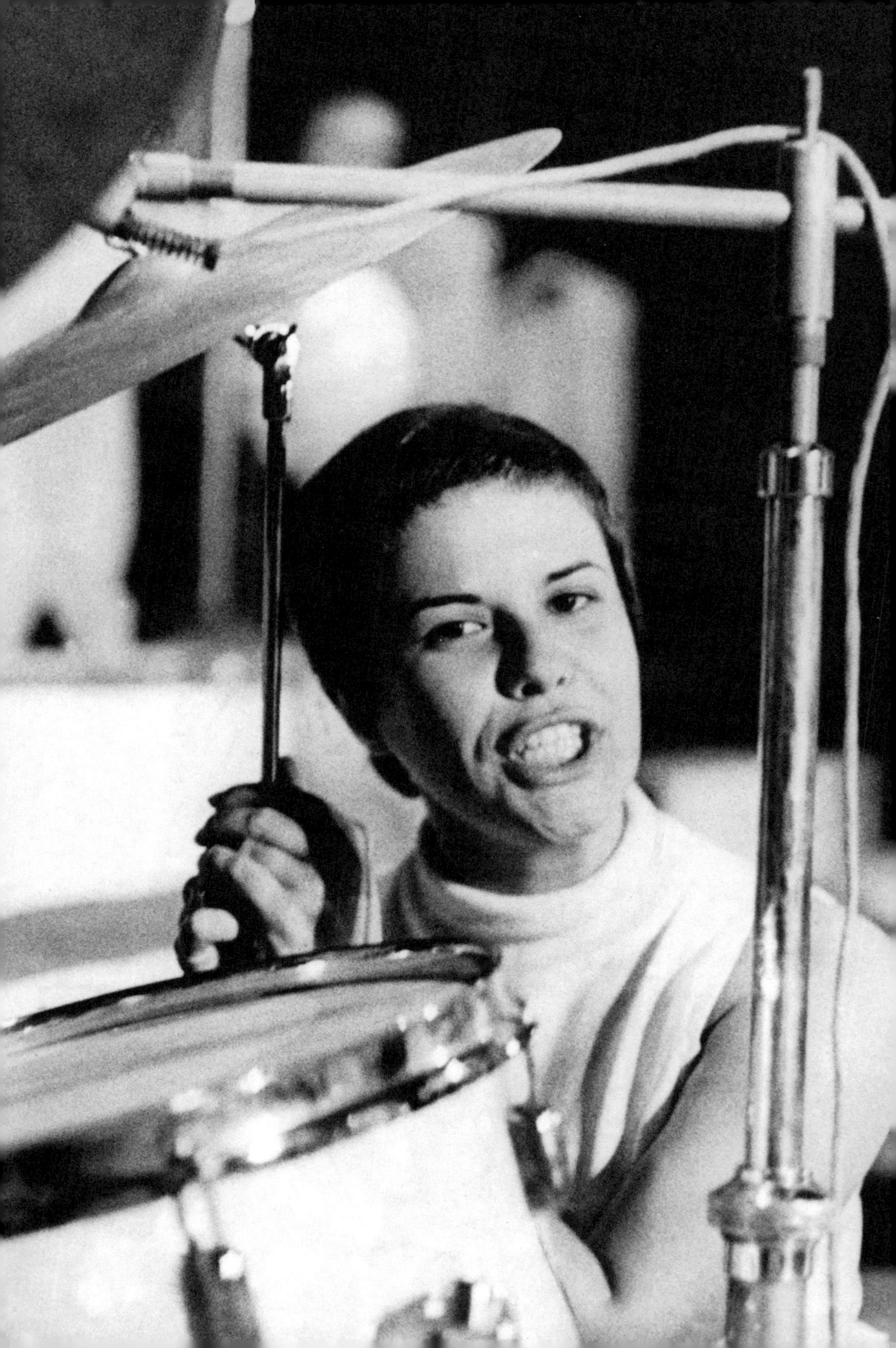

5.

Os FALCÕES ESTAVAM DE VOLTA. Solano Ribeiro precisava agir rápido depois da fenomenal repercussão da vitória nacional de Elis. Era preciso amarrar o gigante que havia criado antes que a concorrência o atraísse. Cheio de dedos, o produtor foi saber da cantora se ela aceitaria um contrato com a TV Excelsior para apresentar um musical que ainda seria arquitetado. A manobra de Solano poderia ter reações imprevisíveis, já que se tratava da primeira vez em que falaria com Elis diretamente após o rompimento. Certa de sua valorização no mercado, e com a vingança na ponta da flecha, Elis respondeu friamente que aceitaria a oportunidade do gentil cavalheiro desde que sua emissora lhe pagasse a quantia de 600 mil cruzeiros por mês. Um chute alto que poderia até inviabilizar o negócio, mas pelo menos acertaria a parte traseira do mensageiro. A TV Rio, para efeito de comparação, depositava mensalmente na conta de Elis 80 mil cruzeiros antes de sua ida para São Paulo. Solano custou a engolir o caroço, mas logo fez o diretor Kalil Filho levar a proposta ao chefão Edson Leite. A resposta veio seca: "Não temos mais o que fazer com essa menina."

Livre de compromissos contratuais com a emissora do empresário Mário Simonsen, Marcos Lázaro, o *manager* polonês radicado na Argentina, indicado por Solano para representar Elis naquela brincadeira de gente grande, colocou seu sotaque espanhol e suas habilidades de negociador judeu em ação. Espetou Elis na ponta do anzol e a lançou em um tanque de tubarões. A Tupi e a Record se estapearam até que a última deu o melhor lance e fechou um contrato com o maior número de zeros que a música brasileira vira até então. Elis Regina Carvalho Costa, que há sete anos havia começado a carreira recebendo 6 mil cruzeiros ao mês na Rádio Gaúcha, saía da Excelsior para a Record ganhando um salário mensal de 6 milhões de cruzeiros.

Aos 20 anos, Elis pagava caro por ter se tornado um barril de ouro em tão pouco tempo. Se não estava ensaiando para os *shows* que tomavam sua agenda, gravava discos em série. Se não estava ensaiando para gravar seus discos, participava de reuniões na Record para definir o novo programa que iria apresentar. Com o que sobrava, Elis tentava viver. Sob a tutela de Marcos Lázaro, passou a ouvir conselhos sobre o que fazer quando se vê tanto dinheiro entrar na conta da noite para o dia. Autorizado por sua cliente, Lázaro comprou, de uma tacada só e apenas com o primeiro salário, um apartamento de luxo na Avenida Rio Branco, centro de São Paulo, no mesmo edifício em que ele morava com a família. Até se arranjar na vida nova, que parecia não ter mais espaço para Romeu, Ercy e Rogério – todos de volta a Porto Alegre após a traumática experiência na Barata Ribeiro –, Elis já havia passado alguns dias morando com os Lázaro. Agora, com sua protegida a apenas dezessete andares abaixo de seus pés, o empresário poderia vigiar de perto todos os seus passos. E todos aqueles que se aproximassem da moça que, como Tio Patinhas, ele chamava de sua "moedinha da sorte nº 1".

Canalizar os deslumbramentos daquela criança propensa a jogar dinheiro para o alto quando queria satisfazer seus desejos também era missão de Elisa, a mulher do empresário. Vestidos, joias e maquiagens vinham em montanhas que muitas vezes angustiavam o espírito prudente da conselheira. "Minha filha, você deveria guardar dinheiro no banco, comprar dólares, imóveis, não desperdiçar", dizia a senhora, pregando no deserto das ambições. Depois de ver o pai lhe negar a música por não ter como pagar nem as teclas brancas de um piano, Elis consumia como que por desabafo. Elisa percebeu e a deixou voar alto, mesmo porque suas caras feias não mudariam nada. Solta no mundo, com uma conta bancária polpuda, distribuindo autógrafos, cobiçada pelos homens, invejada pelas mulheres, Elis era tomada por uma sensação de poder com prazeres imediatos e riscos invisíveis. Gastar e amar eram temas sobre os quais poucos teriam alguma ingerência durante sua vida.

Adylson Godoy era um pianista e estudante de Direito nascido em uma família de músicos de Bauru, no interior de São Paulo. Seus irmãos eram seres onipresentes no cenário que havia criado a sonoridade "mezzo samba, mezzo jazz" de São Paulo: Amilton, o pianista de formação erudita do Zimbo Trio, e Amílson, também pianista, do Bossa Jazz Trio. Os Godoy estavam por toda parte e Adylson, no melhor lugar onde poderia estar na tarde em que Elis havia acabado de gravar uma participação no programa *Gente*, da Record, ao lado do Zimbo Trio. Depois da gravação, Elis e Adylson, o Dico, começaram um flerte que logo se desenvolveria para uma típica paixão entre músicos que se admiram nas virtudes da própria categoria. Além de pianista, Dico compunha letras com sensibilidade. Além de cantora, Elis era dona de uma percepção harmônica instintiva, mais comum aos homens instrumentistas do que às mulheres cantoras da época.

Com um pouco mais de tempo, Adylson perceberia que havia mais ao fundo da gaúcha, só aparentemente rasa em conhecimentos gerais. Graciliano Ramos, Saint-Exupéry e Glauber Rocha eram os maiores fascínios de uma personalidade da qual brotavam indignações sobre a miséria e os rumos do País. Suas ideias saíam com naturalidade, mas Dico notava um involuntário traço de comportamento. Após ouvir atentamente uma informação que até então desconhecia, Elis poderia devolvê-la minutos depois, e em outro contexto, como sendo 100% de sua autoria, reprocessada com novos argumentos e profundas reflexões.

Ao deixar o estúdio da Record naquela noite, o casal seguiu para o restaurante Gigetto, próximo ao Teatro Cultura Artística, acompanhado pelos músicos do Zimbo Trio. Se divertiram, trocaram carinhos e, ao final, Dico se encheu de cavalheirismo para pedir à moça que lhe desse a honra de aceitá-lo como seu chofer. O Fusca estava parado ao lado. Ao se aproximarem, Elis percebeu que um dos pneus estava furado. Sem perder a pose, Dico pegou o estepe, posicionou o macaco e ergueu o carro enquanto Elis esperava de cara amarrada.

Se aquele Fusca falasse, contaria mais, como do dia em que Dico e Elis namoravam com calor em seus bancos em plena Rua Machado de Assis, no centro de São Paulo, perto da casa dos Godoy. A polícia, que um ano depois do Golpe de 1964 não era de oferecer bombons a seus abordados, suspeitou do movimento estranho dentro da viatura de vidros embaçados e fez sinal para os ocupantes abaixarem a janela. Dico atendeu prontamente, mas o policial que fazia a inspeção perdeu a primeira frase para Elis: "O que é que foi, hein? Vocês não têm mais nada pra fazer não?" Ao lado do militar, Dico não sabia se descia, se ficava ou se colocava um saco plástico na cabeça da namorada. "Ah, tanto bandido por aí, por que você não vai prender um?", continuava, sem freio. Ao sentir o rosto do policial desfigurar, Dico, que entendia da lei, resolveu fazer as honras da casa antes que ouvisse a voz de prisão. "O senhor me desculpe, a moça aqui está nervosa, com problemas pessoais. A gente mora logo ali." O policial advertiu os dois, disse que estava muito tarde e, por alguma intercessão divina, os liberou.

Namorar Elis Regina era brigar com duas naturezas: a dos fatos, que fazia o mundo girar com o dobro da velocidade, e a da própria Elis. Saber se ela estava de bem ou de mal da vida era como prever os números da loteria. Se estivesse bem, gargalhadas e papos de alto nível garantiriam os prazeres da noite. Se não, qualquer frase deflagraria sua fúria. Um espírito idealista emergia subitamente em Elis quando ela dizia acreditar que estava em um país com pobres demais, que aquilo deveria mudar. Ao falar de política, virava para Adylson e questionava suas intenções como aluno de Direito. "O que você vai defender se as leis não podem ser praticadas neste país? Será que um dia vai poder tirar um preso político da cadeia?" Era de se pensar. Sobre música, exaltava os anos de liberdade harmônica e instrumental trazida pela estética da Bossa Nova, sobretudo por gente como Carlos Lyra e Johnny Alf. "Ainda bem que a Bossa veio mexer nessa estrutura antiga. Que bom que a Bossa trouxe o jazz."

Ainda naquele ano de 1965, outro teatro veio abaixo durante a entrega do Prêmio Roquette Pinto, a designação maior dos comunicadores oferecido aos melhores profissionais do rádio e da TV, idealizado por Blota Jr. e realizado no auditório da Record. O anúncio dos vencedores não pegou ninguém de surpresa. Melhor cantora: Elis Regina. Artista revelação: Jair Rodrigues. No último quadro, decidiram fazer uma sessão que teria a participação de Zimbo Trio, Elis, Jair e, como convidado especial, Wilson Simonal. Os pares se revezaram. O Zimbo primeiro tocou sozinho para depois fazer um número com Simonal. Elis cantou com Jair e Zimbo e, depois, Elis e Wilson Simonal terminaram a noite. Estavam, lado a lado, os dois maiores artistas *pop*, antes mesmo que esse termo fosse criado. A dupla Elis e Simonal, revestidos de um carisma arrebatador de plateias e cartolas de emissoras, chamou a atenção de Paulinho Machado de Carvalho. O chefão da Record se aproximou assim que eles chegaram ao camarim. Queria que Simonal aceitasse o convite para ser, com Elis, a base do novo programa que já estava desenhado na emissora. Simonal, impossibilitado pelo contrato que tinha com a Tupi, onde ganhava bem para apresentar a sensação *Spotlight*, descartou qualquer negociação.

Sem Simonal, Jair Rodrigues se tornou um substituto natural, cuja química com Elis já havia sido testada e aplaudida nos palcos. Jair, acostumado a surpreender na condição de plano B, como fizera ao entrar no lugar de Baden Powell no *show* do Paramount, topou assim que o convite chegou a ele, naquela mesma noite. Iriam agora só definir o formato, fazer os ensaios e preparar a estreia. O nome do programa: *O Fino da Bossa*, que Horácio Berlinck, envolvido na produção, emprestava gentilmente para a emissora. O diretor: Manoel Carlos Gonçalves de Almeida, o Maneco.

"A gaúcha está chegando aí", avisou Maneco. O *Fino* teria ensaios e gravações todas as segundas para ser exibido nas noites de quarta, primeiro em São Paulo e, dias depois, em outras cidades. Aos rapazes do Zimbo, que já conheciam a peça, Elis era uma cantora carismática, de potencial artístico elevado, mas uma cantora. E cantora encarar instrumentista no tempo em que a música brasileira vivia seus dias de jazz não era fácil. Os músicos torciam o nariz, diziam que havia ego demais para estofo acadêmico de menos e diminuíam as donas das vozes chamando-as pejorativamente de "canários".

Elis chegou para o ensaio do primeiro *Fino* ainda na sombra dos pássaros. "O que é que você vai cantar?", perguntou Amilton. "Você", disse Elis. "Eu já sou comprometido, desculpe", respondeu ele. "Deixa de brincadeira, Amilton", falou Elis, com um tom de intimidade que, se não existisse antes, passava a existir naquele ato. "Cadê a partitura?", quis saber Amilton. "Não tem, mas é muito fácil. Não se preocupe que eu canto pra você." Ousada, chegava dando aula. Amilton abriu os ouvidos e Elis começou: "Você, manhã de todo meu / você, que cedo entardeceu / você, de quem a vida eu sou / Eu sei, mas eu serei." Sem saber nomes de acordes nem dos intervalos que os formavam, Elis direcionava com seu fio de voz os caminhos da harmonia de "Você", de Bôscoli e Roberto Menescal, como se regesse as mãos do pianista. Amilton percebeu que o canário era uma encrenca. Se esforçou ao piano e pegou os acordes para não ficar atrás. Em minutos, tocava uma canção que nunca havia escutado antes para uma voz que, como diziam, tinha algo de novo.

Muita água rolaria na música brasileira naquela segunda metade da década de 1960. Pois, quando os barquinhos da Bossa Nova já perdiam velocidade e Roberto Carlos ainda não era rei, o trono foi de Elis, Jair e Zimbo Trio. O projeto semanal pensado pela Record era um musical disfarçado de programa de auditório que a crítica especializada e as plateias louvaram imediatamente. E nada se dava por acaso. Não havia terreno mais fértil para brotar o primeiro fenômeno de audiência da história da TV brasileira do que as dependências da Record. A emissora de Paulo Machado de Carvalho pai, um ex-aluno de Direito do Largo São Francisco que começou a fazer de sua nova paixão um império, em 1931, ao fundar a Rádio Record, acreditava no magnetismo da música para atrair audiência. Isso desde que as portas de sua TV foram abertas, em 1953, três anos depois de chegarem ao Brasil os primeiros lotes das caixas valvuladas capazes de mostrar incríveis imagens em movimento, ainda que em preto e branco, chamadas aparelhos televisores.

Quando a ideia de *O Fino da Bossa* surgiu, a Record já havia deixado de engatinhar, sobretudo por ter investido pesado em equipamentos e mão de obra especializada que pudesse lidar com as contratações dos artistas estrangeiros que a emissora fazia questão de levar a seus estúdios. Não obstante os baixos recursos que a época permitia, tecnologia já era entendida como a alma do negócio. A rival Tupi, por exemplo, sentiu na pele o que era não dominar o assunto em 1960, quando resolveu trazer o guitarrista Les Paul e sua mulher, a cantora Mary Ford, para seus estúdios no bairro do Sumaré.

O grande Lester William Polsfus, o Les Paul, um dos principais músicos norte-americanos do século XX, inventor da guitarra elétrica de corpo sólido e outros equipamentos de efeitos sonoros incorporados imediatamente à vida de uma criança que ele mesmo ajudou a nascer no início dos anos 1950 chamada *rock and roll*, se sentia no picadeiro de um circo com malabaristas amadores pilotando câmeras de TV e aparelhos de áudio. A situação era de rir para não chorar. As duas únicas câmeras do estúdio eram usadas para a transmissão de um teleteatro que antecedia a apresentação dos convidados especiais. Assim que terminou, entrou um rápido intervalo comercial e os contrarregras correram para criar para Les Paul e Mary Ford um outro cenário, no mesmo estúdio, reposicionando as duas câmeras para filmá-los. Les Paul sorria docemente, possivelmente tentando se lembrar o que mesmo o havia feito se meter naqueles confins da América do Sul. O resultado era melhor nem ver. E a Record, aprendendo com o fracasso da vizinha, decidia que queria ir mais longe.

A direção de Paulinho Machado de Carvalho, filho do fundador, era sensível e corajosa. Ao sentir que vivia anos de efervescência cultural, conseguiu liberar o caixa da empresa para trazer artistas que viviam o auge de suas carreiras, como Amália Rodrigues, Louis Armstrong, Bill Halley & His Comets, Johnny Ray, Roy Hamilton e Nat King Cole. As apresentações ao vivo no Teatro Record eram tratadas como grandes acontecimentos. Eufórico com os resultados artísticos e comerciais de suas investidas, Paulinho queria mais.

Certo dia, ouviu alguém falar em Sammy Davis Jr. O cara arrasava, tinha de ser o próximo. Sem mensageiro que fosse ao seu encontro nos Estados Unidos para convidá-lo a vir ao Brasil em bom inglês, Paulinho olhou para um jovem que meses antes havia entrado na empresa na função de trocador de plugues dos microfones da mesa de som e fez a pergunta: "Zuza, você acha que pode fazer isso?"

José Eduardo Homem de Mello, o Zuza, era a peça chave para a materialização das ambições da Record. Escondido na patente mais rasa entre os técnicos da emissora desde que voltara de uma temporada dos Estados Unidos e fora demitido de suas funções de crítico musical do jornal *Folha de S.Paulo*, Zuza não só falava bem inglês como dominava a língua do som. Filho de fazendeiro com posses, em Itatinga, interior de São Paulo, havia vivido em Nova York entre 1957 e 1958 estudando música e musicologia na School of Jazz e na Juilliard School e passando uma temporada como estagiário do engenheiro de som Tom Dawd na gravadora Atlantic Records – além de assistir, nas horas vagas, a *shows* de Ray Charles, Billie Holiday e do Modern Jazz Quartet. Ao voltar ao Brasil, vinha com credenciais e conhecimento que poucos, ou ninguém, possuía. Aceito agora o desafio proposto por Paulinho, foi aos Estados Unidos e voltou, dias depois, com um contrato fechado para trazer Sammy Davis Jr. Caiu nas graças do chefe e ganhou espaço. De plugador de microfones, tornou-se o responsável pela parte técnica do Teatro Record – algo como promover, de um dia para o outro, o cabo a capitão. Ao pensar em música, Paulinho sabia que não poderia falhar. E era Zuza quem deveria cuidar para que seus artistas cantassem alto.

O Fino da Bossa vinha para colocar todo aquele *know-how* em teste. O primeiro programa, de uma série de musicais que seguiriam seu formato na mesma emissora, se tornaria um sucesso instantâneo a ser medido pelo tamanho das filas que se formaram nas calçadas da Rua da Consolação. Sobretudo composto por estudantes universitários de classe média, o público pagava para ver as gravações e também suas preliminares – *shows* destinados aos artistas novatos que não eram exibidos pela TV. Os cinemas da região fechavam as portas e os restaurantes abriam. Elis, Jair e Zimbo seriam preparados para receber todos os grandes nomes da época, fosse uma gente nova como Chico Buarque, Maria Bethânia, Edu Lobo, Nara Leão e Milton Nascimento, fossem os veteranos Vinicius, Ataulfo Alves, Aracy de Almeida,

Tom Jobim, Agostinho dos Santos e Dorival Caymmi. Uma era única em que Hermeto Pascoal, Heraldo do Monte, Raul de Souza e Baden Powell faziam um programa de televisão ser líder de audiência em horário nobre. Um fenômeno que jamais voltaria a acontecer.

Assim que as cortinas se abriram para a estreia de *O Fino da Bossa*, dia 17 de maio de 1965, Elis foi atingida por um impacto de tamanha força que só sentiria de novo, conforme revelaria anos depois, no dia em que virasse mãe. Mais do que sentir as pernas bambas ou o coração eufórico, desligou-se do mundo, andando sem destino pelo pequeno espaço da coxia. O palco ao qual deveria se dirigir em alguns minutos era um deserto aflitivo sem tapete, mesa ou cadeira, apenas com o pedestal sustentando um microfone solitário. O apresentador seria ela mesma. E se não fosse por sua experiência em cantar nos bailes de Porto Alegre um repertório que ia de Cauby Peixoto a Chet Baker, provavelmente travaria. O Teatro Record parecia muito maior do que era, minutos antes, durante o rápido ensaio que fizera com os músicos. À sua frente, havia agora um mar de cabeças viradas em sua direção e câmeras de TV posicionadas como metralhadoras à espera da caça.

O primeiro convidado foi Ciro Monteiro, que cantou "Formosa" com Elis, acompanhado pelo Zimbo Trio e por Baden Powell. Sete dias depois seria a vez de Ataulfo Alves, também com Elis, mostrar "Mulata Assanhada". E Dorival Caymmi faria uma das noites mais comoventes ao tomar o palco ao lado da cantora para mostrar "Das Rosas", com uma transmissão que fazia o telespectador se sentir no teatro ao ouvir as palmas nos momentos de entusiasmo.

O segredo era um microfone Philips de longo alcance que Zuza posicionara sobre a plateia, a fim de captar as manifestações de assobios e aplausos que muitas vezes vinham antes que as músicas terminassem. Ao constatar que Tuta Carvalho – integrante da chamada Equipe A da Record, com os diretores Manoel Carlos, Raul Duarte e Nilton Travesso –, usaria imagens de reações do público durante as apresentações, Zuza percebeu que aquilo seria estranhíssimo se não fosse acompanhado de áudio. Era preciso reforçar as cenas da plateia em êxtase com o som de seus gritos, ou algo pareceria estar fora dos eixos. A mesa de som ficava com um canal a postos o tempo todo para ser aberto assim que a plateia desse sinal de vida e as câmeras de Tuta a focalizassem. O som conseguido com os recursos que Zuza trouxera da Atlantic saía em vantagem em comparação com o áudio das emissoras rivais. Um efeito de reverberação artificial trabalhado com ecos sobrepostos, conseguido com um antigo gravador de fita Magnecord, era responsável por um brilho maior.

Assim que o baque inicial foi superado, Elis abriu o sorriso e seguiu ao encontro de Jair Rodrigues, entregue à onda de palmas. Ao ver o maestro Ciro Pereira no fosso do teatro, ficou mais calma. Um pouco antes de entrar em cena, foi o experiente Ciro quem amansou os nervos da equipe. "Calma rapaziada, ninguém vai morrer. Este não foi o primeiro nem vai ser o último. Se cada um de vocês ficar assim, neste estado, o que vai acontecer?" Com Elis, preferiu falar reservadamente: "Elis, fica calma senão você vai acabar tendo um enfarte. E você não tem idade pra isso." Maestro de talento excepcional, Ciro havia identificado uma menina à beira de um colapso nervoso, que havia passado às claras as três noites que antecederam a estreia, deitando no travesseiro, fechando os olhos e vendo um mar humano à sua frente para levantar-se novamente, assustada. "Você só tem 20 anos!"

Os ensaios eram tumultuados e nem sempre feitos no mesmo local. Elis poderia, em uma mesma tarde, passar o som no palco principal com o grupo regional do músico Caçulinha, que a cantora adorava, subir para o terceiro andar para cantar algum trecho com o trio ou o quinteto de Luiz Loy e voltar às pressas para a abertura do programa com o Zimbo Trio. "Não sei como eu lembrava de alguma coisa quando entrava em cena. Era muita confusão", disse numa entrevista transmitida em 17 de maio de 1978 no *Programa do Zuza*, apresentado durante onze anos por Zuza Homem de Mello na Rádio Jovem Pan. As memórias de Elis diziam mais: "Nunca me diverti tanto na minha vida. Eu era no *Fino da Bossa* a mesma coisa que o Cid Moreira no *Jornal Nacional*. Recebia uma ficha de apresentação com o nome das pessoas, os números musicais e uma ordem: se vira."

O formato não reinventava a roda. O Zimbo Trio fazia primeiro um número instrumental, longo e incendiário, para ser aplaudido ruidosamente e sem manipulações de macacos de auditório. Então, Elis surgia e cantava um de seus sucessos da época, podia ser "Menino das Laranjas", "Preciso Aprender a Ser Só" ou "Arrastão". "Upa Neguinho" seria lançada em um dos programas com um arranjo feito pelo desconhecido tecladista Cesar Camargo Mariano, que substituíra de emergência o Zimbo Trio na ocasião em que o grupo ficou preso no Rio de Janeiro após uma apresentação, por falta de voo que chegasse a tempo. Elis dizia amenidades, cumprimentava a plateia e chamava ao palco Jair Rodrigues. Os dois cantavam juntos e logo passavam a receber convidados.

Gilberto Gil aparecia pelos corredores com o violão em uma mão e a pastinha da Gessy Lever na outra, nos tempos em que andava dividido entre a música e a carreira de executivo da multinacional que vendia sabonetes. Adoniran Barbosa vivia meio esquecido em um boteco próximo à emissora, até o dia em que entrou convidado por um produtor e fez uma participação memorável ao lado de Elis. João Gilberto chegou um dia para cantar, mas não queria sair do camarim. Como não respondia aos chamados de um contrarregra para comparecer ao início da gravação, um segurança mal-humorado, sem ideia de quem era João Gilberto, entrou na sala, mostrou uma pistola e ameaçou o convidado: "Vai descer ou não vai?" João foi, amarelo, mas foi.

Um outro maestro do *Fino* era Chiquinho de Moraes, jovem da cidade de Tietê, interior de São Paulo, que só não se tornou advogado porque a mãe considerava "profissão de vagabundo". "Meu filho vai ser é músico", disse ela, depois de vê-lo imitar com um graveto nas mãos o maestro que regia uma orquestra no coreto da praça. Chico sentia estar ao lado de uma cantora com poderes sobrenaturais assim que recebeu Elis em seus primeiros ensaios. As músicas nunca eram passadas duas vezes. Quando faltava tempo, nem ensaio havia. Elis preferia que seus convidados usassem os minutos que antecediam o programa para treinarem com orquestra. Ela se garantiria ao vivo.

Chiquinho passou a fazer arranjos com pegadinhas para testar os dotes de Elis em seus limites. Escrevia introduções arriscadas que jamais entregavam o início das canções de bandeja, com harmonias indefinidas e tempos quebrados. Elis sorria e entrava no centésimo de segundo perfeito, seguindo seu instinto. As brincadeiras de Chiquinho seriam consideradas por ele mesmo, anos mais tarde, irresponsabilidades de um jovem em início de carreira.

As fitas com as gravações do *Fino* logo passaram a seguir de malote para as emissoras afiliadas da Record em outros estados e Jair, Elis e Zimbo, famosos nacionalmente, começaram a ser contratados para fazer *shows* em praças que eles não conheciam, inflando suas contas bancárias e o ego de Elis Regina.

Elis sabia de seu tamanho e não fingia modéstia quando algo, ou alguém, parecia ameaçá-la. Como uma rainha que não admitia princesas, logo passou a se incomodar com a escalação de cantoras em seu programa que tinham potencial para arrasar. Sua soberania no palco, único patrimônio em que não permitia concorrência, tinha de ser inquestionável. Alaíde Costa, sem sistema de defesa que a protegesse das alfinetadas do meio artístico, viveu ao lado de Elis um episódio que deixou marcas. Nana Caymmi, barrada no *Fino*, saiu do Teatro Record soltando brasa. Já Maricenne Costa e Claudette Soares preferiram não levar desaforos para casa.

Ao surgir no *Fino* para sua primeira apresentação como contratada da Record por um ano, Alaíde foi recebida de pé por uma plateia vibrante. Havia uma história por trás daquela imagem que comovia boa parte de quem a testemunhava. Muitos fãs que conheciam Alaíde desde a apresentação coletiva *O Fino da Bossa*, de Horácio Berlinck, entendiam sua aparição como o retorno de uma cantora ferida na alma pela perda de um filho, uma tragédia ocorrida meses antes e em pleno palco. Minutos antes de defender a música "Morrer de Amor", de Oscar Castro Neves e Luvercy Fiorini, no mesmo Festival da Excelsior que Elis ganharia com "Arrastão", Alaíde recebeu Elis, fazendo força para parecer que tudo o que havia acontecido na noite anterior não passava de uma anomalia do destino.

Ao lado de Wilson Simonal e do Zimbo Trio, Alaíde havia feito o *show* mais difícil de sua carreira no Teatro Paramount ouvindo parte da plateia gritar "Elis! Elis!" sempre que chegava sua vez de cantar. Grávida de três meses do jornalista e locutor Mário Lima, a cantora entendeu aquela manifestação como uma ação orquestrada pela cantora, algo do qual jamais teve comprovação. Pouco antes de se dirigir ao palco, havia recebido Elis Regina no camarim. A gaúcha começava a andar pela cidade, era um nome em ascensão, conhecia Simonal da TV Rio e com ele já havia se apresentado por lá, mas ainda não gozava das graças que "Arrastão" viria a lhe dar dias depois. "Eu estou até arrependida de ter vindo aqui", disse Elis, visivelmente ansiosa para ser convidada a cantar por Alaíde naquela noite. Como isso não aconteceu, voltou contrariada para a plateia. Os gritos de "Elis" seguiram cada vez mais agressivos até o final da apresentação, quando a carioca começou a passar mal. Do Paramount, seguiu direto para uma consulta com seu ginecologista, que assegurou a necessidade de repouso total para o bem da criança que levava no ventre. Alaíde não o obedeceu.

Sobretudo para não deixar o amigo violonista e compositor Oscar Castro Neves a ver navios, a carioca seguiu para o auditório da TV Excelsior de

São Paulo pronta para cantar "Morrer de Amor" na segunda eliminatória do concurso. Quando se preparava para o palco, Elis apareceu para visitá-la novamente, desta vez, com um alfinete de longo alcance. "Acabei saindo ontem antes de o seu *show* terminar. E aí? Eles continuaram chamando meu nome?", provocou. Alaíde fingiu não entender, mas subiu ao palco com um graveto atravessado na garganta. Sem perceber que estava com um início de sangramento, seguiu em sua interpretação até o fim. Assim que terminou, Elizeth Cardoso, que estava nos bastidores esperando para cantar "Valsa do Amor que Não Vem", de Baden e Vinicius, percebeu seu estado e chamou o pianista Pedrinho Mattar para acompanhá-la até o hospital mais próximo. Alaíde foi levada às pressas, mas quando chegou já não havia muito a ser feito. Os primeiros exames comprovaram que a criança estava morta.

As causas do aborto natural sofrido por Alaíde podem ser muitas e nada terem a ver com as provocações de Elis Regina. Alaíde havia subido a um palco contrariando as orientações de seu médico. Mas a infeliz sequência dos fatos a levou a guardar uma segura distância de Elis, que lhe trazia as piores lembranças. Até que, tempos depois, Alaíde ressurgiu em *O Fino da Bossa* de Elis para sentir-se consagrada pelos aplausos calorosos que a receberam. Mas sua reaparição ovacionada foi também, de certa forma, sua despedida do programa de televisão de maior audiência no País.

Por motivos jamais revelados pela direção ou pela própria Elis, Alaíde passaria os três próximos meses sendo escalada por Manoel Carlos, comparecendo ao programa e ouvindo que não havia mais tempo para se apresentar. Mesmo recebendo o salário em dia da emissora, sentia que estava na geladeira. Quando faltavam alguns meses para vencer seu contrato, foi à direção e pediu desligamento. Alaíde e Elis jamais voltaram a se falar.

Claudette era um nome de estrada e discografia a se respeitar naqueles meados da década de 1960. Após obter o terceiro lugar cantando "Eu Só Queria Ser", de Vera Brasil e Miriam Ribeiro, no mesmo festival de "Arrastão", seu moral foi às alturas e *O Fino da Bossa* passou a escalá-la de tempos em tempos na condição de convidada especial, pagando-lhe um dinheiro extra para cada aparição. Maneco a chamou para que dividisse o palco com Elis em uma das edições e um sinal amarelo acendeu nos camarins. Ao chegar à Record, houve uma reunião entre as duas cantoras e o diretor Manoel Carlos para definirem o que fariam no palco. Claudette, sabendo da fama de pimenta da parceira, resolveu arder primeiro. "Maneco, será que a Elis não pode cantar uma música minha?", provocou. Elis envesgou: "Claro que eu canto", irritou-se. E a carioca prosseguiu divertindo-se na zona de risco: "Mas meu tom é mais baixo do que o seu. Será que o tom original vai dar pra você?" Aos ouvidos de Elis, aquilo era um insulto. "Eu canto em qualquer tom, meu bem. Qual você quer?" No final, "Eu Só Queria Ser" saiu no tom original, com um belo dueto de duas grandes vozes.

Maricenne Costa já tinha credenciais respeitáveis entre os bossa-novistas. Chamada assim por Jota Silvestre, o antigo apresentador da Tupi que não via futuro em seu Maria Ignez Senne Costa de batismo pela confusão que poderia criar com a cantora de baião Marinês, Maricenne caiu nas graças de Maneco assim que foi convidada para uma temporada de *shows* nos Estados Unidos, feito considerável de um número restrito de cantoras da época, como Astrud Gilberto e Wanda Sá. Ao chegar para a costumeira reunião que antecedia os ensaios no Teatro Record, Maricenne sentiu um veneno escorrer em suas costas assim que ouviu o timbre de Elis falando alto com Maneco, provavelmente para que ela escutasse. "Até cantora da noite agora vem fazer o *Fino*?" Maricenne virou-se para Elis, subindo a serra: "Cantora da noite brasileira e paulista que vai cantar nos Estados Unidos." O contragolpe desconcertou Elis e a deixou sem revide. Maricenne mostrou então uma bem-vinda "Ave Maria", do compositor francês Charles Gounod, em formato de bossa-nova. Naquela fogueira das vaidades, rezar um pouco não era má ideia.

Nana Caymmi havia acabado de chegar da Venezuela, onde morou por cinco anos, quando recebeu o convite da produção para cantar no *Fino* em uma noite que tinha tudo para ser sua. Aos quatro meses de gravidez, esperando João Gilberto, seu terceiro filho com o médico Gilberto José Aponte Paoli, a herdeira de Dorival Caymmi cantaria ao lado de outro João Gilberto, o original, a quem Nana declarava todo seu amor batizando seu primeiro herdeiro homem com o nome composto e quase exclusivo do baiano de Juazeiro.

Até ali, Nana era pequena. Aos que não a ouviram cantar "Acalanto" em um disco do pai, de 1960, certamente só a conheciam de sobrenome. Ainda que fosse assim, Caymmi era o sobrenome, um patrimônio a se estender tapete vermelho desde "O Que é Que a Baiana Tem", gravada por Carmen Miranda em 1939. Se estar ao lado de João Gilberto era um sonho a ser vivido mesmo na boate da esquina, imagine fazê-lo no palco da Record, a casa dos músicos naqueles anos 1960. Ao lado de Elis Regina, então, que Nana respeitava como uma das grandes vozes da década, a euforia aumentava. Nana seguiu para São Paulo de avião, chegou e foi direto para um hotel reservado pela produção, no centro da cidade.

Como faziam todos os convidados, apareceu cedo na Rua da Consolação para se reunir com Elis e a direção do programa, pronta para receber as coordenadas. Assim que chegou ao teatro, sentiu que as coisas poderiam não seguir exatamente o roteiro que imaginou em suas madrugadas de insônia. Uma das primeiras cenas que viu foi Elis travando uma conversa reservada e cheia de gestos nervosos com o empresário Marcos Lázaro. Algo lhe dizia que o tema era ela mesma. Minutos depois, Lázaro se aproximou com uma expressão séria e desajustada. "Infelizmente, não vai dar para você cantar hoje. O programa já está completo." Nana nunca entendeu o que de fato a fez ser dispensada do *Fino*, ou "bloqueada", como diria. Durante a viagem de volta ao Rio de Janeiro, sem chão que a segurasse, tentava desfazer sem sucesso os nós daquele emaranhado de sentimentos. Como uma emissora de TV a tirava, grávida, de sua cidade, pagava-lhe as passagens de avião e a colocava em um hotel caro para dizer que não precisava mais de sua voz no momento da gravação?

No ano seguinte, 1966, Nana voltou a ver Elis nos bastidores do I Festival Internacional da Canção Popular, produzido pela TV Rio no palco do Maracanãzinho. Nana defendia "Saveiros", uma parceria do irmão Dori com o novato compositor Nelson Motta, e Elis, que vinha de uma amarga passagem pelo II Festival da MPB da Record naquele mesmo ano, quando conseguiu apenas o quinto lugar para "Ensaio Geral", de Gil, e nenhuma classificação para "Jogo de Roda", de Edu Lobo e Ruy Guerra, tentava voltar ao topo com "Canto Triste", de Edu Lobo e Vinicius de Moraes. Os jurados consideraram Nana a maior voz da temporada e a anunciaram vencedora, sendo seguida por Tuca, defendendo "O Cavaleiro", de sua autoria com Geraldo Vandré; e Maysa, com "Dia das Rosas", de Luis Bonfá e Maria Helena Toledo. A plateia, que torcia em ruidosa maioria pela marcha-rancho de Maysa, e a própria Elis, amarga por não ter aparecido entre os três primeiros, levaram um susto com o resultado. A vaia tomou o Maracanãzinho e Elis não escondeu o desapontamento. Meses depois, a Record contrataria Nana para ser mais uma de suas vozes a aparecer nos programas da emissora. Ainda que funcionárias do mesmo patrão, Nana e Elis jamais voltaram a se falar.

Maysa, que não era Nana, não deixaria Elis atravessada na garganta nem por um minuto. Depois de um começo de amizade relativamente diplomático, com direito a troca de elogios e uma visita da cantora ao *Fino da Bossa*, as conquistas profissionais da gaúcha não lhe caíam bem. Antes de serem rivais, as duas se cruzaram nos corredores da Record. Maysa encurralou Elis, desafiadora. "Fiquei sabendo que você me imita. Imita minha voz que eu quero ver." Era verdade. Elis sabia reproduzir os trejeitos vocais não só de Maysa, mas também de Angela Maria e Isaurinha Garcia, tudo com reverência. Maysa ouviu a imitação e saiu sorrindo. Com o tempo, seus grandes olhos passaram a ver a gaúcha como uma mulher mau-caráter, capaz até de sabotar sua bebida para levá-la à lona. Sem provas, foi justamente esta a acusação que usou para explicar sua derrota naquele Festival Internacional da Canção: Elis a teria dopado.

A noite seguiu do Maracanãzinho para a boate 706, no Leblon, com um clima de festa entre jurados e concorrentes apenas na superfície. Maysa e Elis, já calibradas no uísque servido nos bastidores do ginásio, sentaram-se frente a frente, um descuido quase fatal. Maysa disparou primeiro, sem preliminar: "Sua gauchinha de merda." E Elis respondeu: "Cala a boca, sua pinguça." Menescal, sentado perto das duas, sentiu que a prosa não seria das mais edificantes e levantou-se para ir embora em sinal de protesto. Ao passar por trás de Maysa, percebeu uma garrafa de uísque raspando sua cabeça. Maysa estava prestes a arremessá-la em Elis. Com um reflexo de goleiro, segurou a garrafa antes que ela alçasse voo. A mão de Maysa foi, a garrafa ficou. E os palavrões entre as duas cantoras continuaram por mais algum tempo.

De todos que andavam nos bastidores da Record, ninguém conheceria mais a fúria de Elis Regina do que Maria das Graças Oliveira Rallo, uma mineira de Juiz de Fora, filha de um motorista de ônibus e de uma dona de casa, recém-chegada a São Paulo para tentar a vitória nos palcos. Indicada pelo amigo trompetista da orquestra da Record, Waldir de Barros, a jovem via em Elis um canto moderno, vigoroso e, em seu programa, a chance de ser cantora profissional. Em pouco tempo, Maria das Graças mudaria seu nome para Claudia.

O drama de Claudia começou no dia de sua pretensa glória. A voz da mineira era algo de estarrecer. Ao soltá-la no teste com o maestro da orquestra da Record, Cyro Pereira, cantando "Canção do Amor Demais", fez pararem para assisti-la de uma só vez Maysa e Elizeth Cardoso, que ensaiavam no mesmo teatro para um outro programa. Quando terminou, alguns músicos da orquestra e as duas cantoras bateram palmas. Sua apresentação de estreia no *Fino* foi arrebatadora. Os jornais do dia seguinte elogiaram: "Claudia: uma das vozes mais lindas dos últimos 15 anos", publicou o *Última Hora*. O *Jornal do Brasil* foi atrás: "Claudia, uma moça de 18 anos, paulista, segundo os entendidos está prometendo ser, dentro de pouco tempo, um das melhores cantoras brasileiras." A Record a contratou para o programa e Marcos Lázaro, o mesmo empresário de Elis, passou a representá-la.

Um novo fenômeno era desenhado até que Ronaldo Bôscoli a abordou com uma proposta ousada: fazer um *show* no Beco das Garrafas, que teria a direção assinada por Miele e Bôscoli, chamado *Quem Tem Medo de Elis Regina?* Um equívoco que se provaria fatal. A ideia era criar contraponto, polarizar os personagens, faturar em cima de uma rivalidade que, se não existisse de fato, existiria à força. Claudia não aceitou e argumentou com o produtor, pressentindo o pior: "Olha Ronaldo, é perigoso, sou uma cantora em início de carreira. Se eu fizer isso as portas podem se fechar." A dupla de produtores entendeu e mudou o nome do espetáculo para *Claudia Não se Aprende na Escola*, mas já era tarde demais.

Ainda que nenhuma sessão do espetáculo tenha sido feita com o nome anterior, a notícia da intenção do *show* chegou ao Teatro Record e aos ouvidos de Elis. Ao receber Claudia para sua próxima participação no *Fino*, Elis começou um ritual de desonras com requintes de crueldade diante da plateia e das câmeras ligadas. "Agora, eu quero apresentar a vocês uma menina que começou a carreira aqui no meu programa. O nome dela é Maria das Graças e ela quer agora fazer um *show* no Rio de Janeiro chamado *Quem Tem Medo de Elis Regina?*", disse Elis. Claudia foi vaiada por cinco minutos. Ao responder as perguntas agressivas de Elis, segurava o choro. "Quer dizer que você vai fazer um *show* com esse nome no Rio de Janeiro?" Claudia rebatia: "Eu fui chamada para fazer este *show*, mas não fiz." "E por que não fez?", pressionava Elis. "Eu acho que não precisaria fazer um *show* assim." Ainda sob trovoadas, Claudia teve forças para cantar a oportuna letra de "Chora Céu". O público seguiu em vaias até surgirem os primeiros aplausos, mas as maiores pedras seriam arremessadas no dia seguinte.

Aquilo tudo que a mãe de Claudia lhe dizia, que esse negócio de ser cantora não era coisa que valia, começou a fazer sentido. A imprensa a triturou. Não era exatamente o que Ronaldo queria, mas uma polarização movida a paixões estava criada. "Medíocre" e "aproveitadora" foram os termos mais publicáveis usados contra ela. E histórias do tipo "Claudia bateu em Elis Regina no ar" ou "Claudia empurrou Elis Regina no fosso" começaram a ser criadas. O efeito foi imediato. Claudia, "a vilã oportunista", fez o *show* com Miele e Bôscoli no Beco das Garrafas já pálido. Sua próxima produção seria uma temporada chamada *Qual é o Tom, Mr. Jobim?*, no Teatro de Bolso, no Leblon. Ali, ela ficaria por três meses cantando para ninguém. Eram as mesas, os garçons, Claudia e o dono da boate, Aurimar Rocha.

Sem público, a cantora pedia para ser liberada. Mesmo na pele de cachorro morto, Claudia não queria levar mais chutes e, para não criar inimizade com Aurimar, ficou até o fim da temporada, vivendo no Rio em condições precárias. Quando a fome chegava, tomava água e ia à praia secar-se no sol para distrair o estômago – uma técnica que, não sabia por que, sentia funcionar. Assim que a poeira baixou, voltou a se inscrever em festivais de música e a se destacar em muitos deles. Viajou para o México, Grécia, Japão, Espanha e Venezuela, de onde trouxe prêmios. Em 1969, com "Razão de Paz para Não Cantar", de Alésio de Barros e do futuro maestro de Roberto Carlos, Eduardo Lages, venceu o I Festival Fluminense da Canção. Aquela noite em *O Fino da Bossa*, no entanto, deixaria a ferida exposta e Claudia, também por sua dificuldade em superá-la, jamais conquistaria uma carreira maior.

Elis despejava sua fúria no mundo quando sentia a sombra da injustiça se aproximar das pessoas que gostava. Era quando seus atos e palavras poderiam transbordar as barreiras do bom senso. Um de seus amigos músicos à época se chamava Rubens Antônio da Silva, que toda a Record conhecia como Caçulinha. À frente de um grupo regional pelo qual Elis adorava ser acompanhada no *Fino*, Caçula foi surpreendido por Elis em um dia de ensaio. "Diz aí Caçula, quanto é que você ganha aqui no programa?" "Ah, 500 cruzeiros." "Só isso? Então vamos agora mesmo pedir aumento." Elis subiu as escadas puxando o tecladista pelo braço até chegarem à sala do diretor Paulinho Machado de Carvalho. "Paulinho, é o seguinte: o Caçulinha está ganhando muito mal. O senhor tem de ver um aumento para ele e para todos os músicos do programa." Caçulinha queria evaporar. "Se o senhor não der um aumento, ele vai embora", disse Elis, decidida a resolver o problema à revelia das emoções do próprio Caçula. O tiro de Elis ricocheteou na armadura de Paulinho, reforçada contra pedidos de revisão salarial, e voltou no peito do protegido da atiradora. "Ora, então que saia!", respondeu o diretor, a queima-roupa. "Eu não quero sair, não!", interferiu Caçula, em pânico. Por influência ou não de Elis, os músicos receberiam um reajuste algum tempo depois da conversa. Mas, naquele dia, Caçula deu uma bronca na amiga: "Você precisava dizer uma coisa dessas?"

Outro por quem Elis comprava brigas era Chiquinho de Moraes. Diante de uma orquestra da qual não era titular, Chico havia se atrasado alguns minutos para um ensaio. Um trombonista de mau humor não gostou do atraso e levantou a voz: "Isto são horas, maestro?" Antes de qualquer reação do próprio Chico, Elis esticou o braço com o dedo apontado para o músico. "E você, está pensando que é quem? Coloque-se no seu lugar, você aqui é só o trombonista. E nem é dos melhores."

Haveria um preço a ser pago por todos que estavam à frente de um programa festejado e aguardado pelas famílias que possuíam aparelhos de TV em casa. O sucesso mandava o boleto. Anos mais tarde, a própria Elis desabafaria em um programa de televisão: "Eu era uma líder geniosa, temperamental e que dizia o que queria mesmo. *O Fino da Bossa* foi tudo de bom e tudo de ruim que se pode passar na vida de uma pessoa." A relação entre Elis e Zimbo Trio era de parceria, irmandade e, por parte de Elis, também possessão. O Zimbo era o seu grupo, uma percepção que começava a crescer na imprensa. "Reunir num mesmo disco Elis Regina e Zimbo Trio fez a certeza de seu êxito. Pois temos hoje um LP, já na praça, com a cantora que tomou conta dos *teenagers* com o melhor conjunto da nossa música popular", cravou a seção de lançamentos do jornal *O Estado de S. Paulo* em novembro de 1965 sobre o resultado de *O Fino do Fino*, o único disco a juntar a cantora e o trio. Sendo assim, era só a ela quem o grupo deveria acompanhar. Sua relação com aqueles jovens virtuosos se deu de forma imediata e suas afinidades haviam sido testadas em uma viagem internacional ao Peru, a primeira de Elis.

Convidado pela embaixada daquele país, o Zimbo foi informado de que poderia levar uma cantora e indicou a parceira. Elis só falava em música durante as viagens de avião, no hotel, nos cafés da manhã. Amilton passou a andar com folhas de partitura no bolso para anotar as ideias de Elis que poderiam surgir a qualquer momento. Em um dos trajetos, ela cantou uma linha melódica em sete por quatro, um tempo quebrado demais para a cabeça de alguém que nem partitura sabia ler. Amilton sacou que aquela cabeça não funcionava como a de um "canário". Quando iam para o pau, no calor dos palcos, queriam engolir o mundo com uma alegria incontrolável por estarem fazendo música. Intimamente, sabiam que faziam isso melhor que todos – uma autoconfiança que os levava às alturas. Elis, o quarto instrumentista do grupo, tinha uma interação premonitória com o piano, o baixo e a bateria de Rubinho, com quem se entendia até nas frases mais tortas.

Os incômodos surgiram quando o Zimbo passou a ser visto como um grupo de acompanhamento – algo que, em essência, nunca foi. Quando a gaúcha chegou, a banda já tinha disco lançado, era diplomada em improvisos nas madrugadas da Baiúca, a mais importante boate de São Paulo no início da década de 1960, e fazia *shows* com um repertório instrumental vibrante mesmo quando tocava temas de bossa-nova. Virava assim uma chave importante, implodindo a timidez do banquinho e violão com uma massa instrumental grande e vigorosa. O Brasil o descobria rapidamente e o mundo os reconhecia aos poucos. *Bossa no Paramount*, seu terceiro disco, teve cotação máxima na revista americana especializada em jazz, *Downbeat*. Com três anos de formação, a banda levaria três prêmios Roquette Pinto. À sombra de Elis, os músicos temiam virar apenas sombras. E eles passaram a temer essa ideia.

Jair Rodrigues de Oliveira também não estava ali a passeio. Sujeito mais boa-praça não havia naqueles tempos. O menino interiorano de Igarapava, cidade em que nasceu 27 anos antes de conhecer Elis, sem pai desde que era criança de colo, frequentava as missas de domingo sempre com segundas intenções. O que o padre dizia importava bem menos do que a beleza que sentia sair das vozes do coral, até que a mãe, Dona Conceição, lhe puxava a orelha e o fazia olhar para o sacerdote. Assim que Conceição o viu cantar pela primeira vez, afirmou, olhando em seus olhos: "Meu filho, acho que você vai dar para um grande cantor." Anos depois, ao ver a mãe na plateia de um *show* que fazia em São Paulo, não resistiu em responder: "Tá vendo mãe, virei cantor sem precisar dar pra ninguém."

Mesmo com sucessos em sua carreira solo, Jair parecia à prova das contaminações ególatras de seu meio. Sua voz, como a de Elis, era para fora, potente, sem resquícios da postura *cool* bossa-novista. Mas Jair nunca apenas cantava. Certa vez viu uma senhora dormindo em seu *show*, foi até lá e desferiu um tapa na cadeira em que ela estava que quase a enfartou. Olhava a plateia nos olhos e era capaz de plantar bananeira se sentisse vontade. Sua proximidade com Elis ficou provada de largada, no espetáculo do Paramount, como previra Déa, mulher de Walter Silva. Ouvir dialogarem em "Diz que Fui por Aí", no *pot-pourri* que abria o *show*, era como espionar a noite de dois amantes. Viviam e morriam, rasgando a alma de felicidade, diante de duas mil pessoas. Uma força que levaria muitos a acreditar que tinham um caso fora dos palcos, o que nunca ocorreu.

Não era com Jair que Elis mais se abria, mas era com ele que ela sorria, e muito, mesmo quando o tempo ameaçava fechar. Em uma viagem que fizeram com o Zimbo Trio a Portugal, Jair se aborreceu quando Elis saiu do tom em uma brincadeira: "Fica na tua aí, negão, que os portugueses não gostam de preto não." Jair fechou a cara, nunca havia passado constrangimento por causa da cor de sua pele. O baterista Rubinho percebeu o bico e tentou desfazê-lo na diplomacia, usando o apelido do amigo. "Que cara é essa, Cachorrão?" Jair desabafou e Rubinho foi comprar as dores: "Pô, Elis. Que história é essa de falar esse negócio pro Jair?" Elis sustentou: "Jair, os portugueses não gostam de preto não, rapaz, preferem mil vezes uma pretinha." Uma gargalhada de Jair mandou o bico pro espaço.

O único episódio em que de fato estiveram por um triz do rompimento se deu no Teatro Record. Antes do início do *Fino*, Elis ensaiava um número difícil com o Zimbo quando Jair abriu a porta e se deparou com um grupo de fãs assistindo ao ensaio. Ao verem o cantor, fizeram toda a farra que podiam. Elis explodiu, olhando para Jair: "Ô, rapaz, você não está vendo que eu estou ensaiando? Que falta de educação é essa?" O teatro viu Jair virar uma miniatura. Assim que teve a primeira chance, depois do ensaio, Cachorrão subiu a serra com a parceira. "Olha aqui, Elis, se você falar assim comigo de novo eu juro que lhe meto a mão no pé da orelha." Elis e Jair saíram chateados e assim ficaram por um tempo. Mas, no mesmo dia, trocaram declarações de amor e refizeram a amizade.

As vendagens provavam também que era ao lado de Jair que Elis funcionava bem em estúdio. Ao mesmo tempo em que já tinha em mãos *Samba, Eu Canto Assim!* pronto para ser lançado, a Philips procurou Walter Silva assim que soube que o produtor havia gravado o memorável encontro do Teatro Paramount. "Quanto você quer por isso?", quis saber a companhia. Walter ficou sem ação. "Mas se vende isso?" Resolveu então jogar alto, na primeira chance que teve de ganhar um dinheiro com o fenômeno que fez nascer. "Quero 1 milhão e meio de cruzeiros." Sem contestar, a gravadora liberou a verba, desde que Walter jamais reclamasse um tostão por *royalties*. Negócio fechado.

Dois na Bossa, com Elis, Jair e Jongo Trio, vendeu uma quantidade de discos absurda para os parâmetros da época, fora da curva que se via na indústria fonográfica desde que essa começara a se constituir como tal. Uma cifra começou a surgir, provavelmente contaminada pela comoção: aquele seria o primeiro LP a vender 1 milhão de cópias no Brasil. Um exagero que seria corrigido por Elis, anos depois: o número certo, segundo a cantora, era de 120 mil cópias – o que não deixava de ser uma proeza para os padrões vigentes.

Em 1979, o baixista Sabá, do Jongo Trio, daria uma entrevista ao programa de Zuza Homem de Mello, da Rádio Jovem Pan, dizendo que o *show* era para ter sido batizado *Três na Bossa*, mas que havia sido mudado "por outros interesses". Walter jamais teve *Três na Bossa* como uma possibilidade. Outra acusação de Sabá, também pelos jornais, seria a de que o produtor não havia pago o cachê do trio. Walter, furioso, enviou para os mesmos jornais o recibo de pagamento ao grupo no valor de 450 mil cruzeiros. E um terceiro equívoco, doloroso para o casal Walter e Déa, seria a afirmação de que o espetáculo era fruto do improviso. O produtor já havia traçado o repertório que seria colocado em ação nos ensaios que antecederam os *shows*. A falha, esta sim, havia sido não colocar o nome Jongo Trio na capa dos primeiros discos.

"Cassado o disco de 'Élis' Regina." Foi com este título que o *Diário Carioca* de 21 de agosto de 1965 apresentou uma matéria sobre uma busca menos glamourosa ao LP da dupla. Quem queria colocar as mãos em *Dois na Bossa*, segundo a reportagem, eram três oficiais de justiça, a mando do juiz João Bosco Cavalcanti Lana, da 13ª Vara Cível. O problema estava nos créditos de "Samba de Negro", de Roberto Correa e Silvio Gomes Pereira, que, na primeira prensagem, apareceu como "Subi Lá no Morro", de Nilo Queirós. "O LP, apesar de muito procurado, não está sendo encontrado nas casas vendedoras que, sabedoras da medida judicial, estão o escondendo com receio de que cada admirador de Elis seja um oficial de Justiça", dizia a reportagem. Um exagero que misturava dois fatos em um e revelava um sintoma de rejeição. O problema com o nome do samba e de seus autores foi resolvido nas edições seguintes, mas o sumiço do LP das lojas era em virtude da grande vendagem e da falta de preparo da gravadora para reabastecer os lojistas. A imprensa carioca, ou parte dela, não perdoava o fato de Elis ter trocado o Rio por São Paulo.

Uma última lasca ainda seria tirada por Walter Silva. Ao saber que uma edição estava prevista para ser lançada na Argentina, o produtor contestou, dizendo que o acordo que fizeram previa apenas o lançamento no Brasil. A gravadora pagou outro milhão e meio de cruzeiros e não se falou mais no assunto. Depois do sucesso, a Philips tentaria repetir a marca em 1966, com Elis e Jair acompanhados pelo quinteto do pianista Luiz Loy em algumas canções e pelo grupo Bossa Jazz Trio, que tinha ao piano Amilson Godoy, irmão de Amilton e Adylson, em outras. Era o *Dois na Bossa Número 2*, sem grandes vendagens apesar do natural impulso do programa. Uma nova tentativa seria feita no mesmo Teatro Paramount em 1967, com a dupla à frente da orquestra da Record para *Dois na Bossa Número 3*. Por pertencer a outra gravadora, a RGE, o Zimbo Trio estava impedido de participar das gravações com Elis e Jair, que eram da Philips. Mais uma vez, o que saía da intimidade pública entre os dois cantores era um álbum de sambas-canção e de enredo, com um longo *pot-pourri* em homenagem à Mangueira esquentado pelas manifestações da plateia mantidas propositalmente pelo técnico de som Zuza Homem de Mello.

Antes do *show* que seria feito para a gravação do terceiro *Dois na Bossa*, quando se preparava para passar a música "Cruz de Cinza, Cruz de Sal", de Walter Santos e Tereza Souza, Elis não se conteve ao ver pelo teatro o jovem gordinho de cabelos encaracolados que conhecia da TV e das cidades em que se encontravam quando suas agendas coincidiam. "Ô, Jô Soares, está com o bongô aí?" Jô respondeu: "Claro Elis, por quê?" "Pega lá e vem tocar essa aqui com a gente", pediu. Com um fraseado rítmico ágil desde a introdução, o amigo Jô, que fazia Elis gargalhar imitando um sotaque gaúcho arrastado sempre que os dois se cruzavam, acabou participando da gravação como convidado especial, mesmo não tendo seu nome creditado no encarte do LP. O disco trazia reforços no repertório, como "Marcha de Quarta-Feira de Cinzas", de Lyra e Vinicius, e um segundo *pot-pourri* chamado "Romântico", com "Minha Namorada", "Eu Sei Que Vou Te Amar", "A Volta" e "Primavera". Apesar de mostrar o sólido caminho que haviam encontrado, a sensação do primeiro LP da série não seria retomada.

O enfraquecimento de um programa líder de audiência com uma fórmula que lotava o teatro da Record e grudava seus telespectadores no sofá se intensificou em meados de seu segundo ano de vida, em 1966, quando *O Fino da Bossa* foi afinando até virar só *O Fino*. A festa regada a uma música de espécie rara esfriava por interesses que já não eram mais apenas artísticos.

Horácio Berlinck sentiu a crise na audiência abater um projeto que parecia não ter mais de onde tirar dinheiro. Do alto da intransigência de seus 19 anos de idade, foi a Paulinho Machado de Carvalho de decisão tomada: "Paulinho, vou sair do programa. E o nome não vai ficar não." O diretor nem discutiu. "Tudo bem, ficamos só com *O Fino*." Mal sabiam que a marca *O Fino da Bossa*, apesar de criada pela turma de Berlinck, jamais fora registrada por ninguém – o que valia ali era apenas o acordo verbal.

Outro desgaste começava a ficar evidente entre Elis e Zimbo sempre que alguma cantora pedia para ser acompanhada pelo grupo. Elizeth Cardoso, que a Record chamara para fazer par com Ciro Monteiro na liderança do programa *Bossaudade*, pensado para um público mais velho, pediu em contrato que queria o Zimbo a seu lado. Elis se enfureceu e foi sem sucesso manifestar o descontentamento na direção, já que o grupo passou a acompanhar também a dama da música brasileira. Fugindo da condição de músicos de apoio de Elis, o trio, por sua vez, desenvolvia coceira alérgica às crises de ciúme da cantora. Aquilo não poderia continuar.

As aparências já poderiam enganar até mesmo os fãs dos invencíveis Elis e Jair, a dupla de sambas dinâmicos e química poderosa. Apesar de falar pelos corredores de seu desconforto com a escalação de algumas cantoras de grande potencial, não consta que Elis tenha pedido ao diretor Manoel Carlos o sumiço definitivo de alguma concorrente. No entanto, um dia, Elis entrou na sala de Maneco com uma solicitação delicada: queria que Jair Rodrigues fosse demitido. Aos olhos da gaúcha, o parceiro era incontrolável e suas estripulias já haviam passado dos limites. Não dava para apresentar um programa ao lado de alguém dando piruetas e plantando bananeiras. "Pô, já falei com ele que não dá pra ser assim, então é melhor tirar", disse a Manoel Carlos. O diretor percebeu que se tratava de uma explosão com grandes chances de desaparecer na mesma velocidade com que surgira e resolveu apostar no tempo. Falou sutilmente com Jair, pedindo que maneirasse, e manteve a dupla em ação para não enfraquecer mais o programa. Maneco estava certo. Elis não voltou a falar no assunto.

A própria Record também deu uma força para que *O Fino* entrasse na UTI antes da hora. Desde a estreia do programa, quando percebeu que o pote tinha mel, passou a espremê-lo por cada gota, caindo nas tentações dos anunciantes e cometendo o pecado de não saber a hora de parar de aumentar o faturamento. Mesmo com o alto índice de televisores ligados no programa, Paulinho Machado de Carvalho queria mais, fazendo aquilo que estava formatado para ter uma hora de duração ser esticado para beirar as quatro. Em alguns programas, Elis cantava 15 músicas, fora os convidados. O doce começou a enjoar e o público passou a girar o botão em busca das novelas da TV Tupi e da Excelsior. Quando veio o início de 1966, Elis, com oito discos lançados, *shows* pelo País todo e um programa semanal nas costas, pediu dois meses de férias e a Record aceitou. Um equívoco ao quadrado que faria *O Fino* respirar apenas com a ajuda de aparelhos.

Sem perceber qualquer risco, ou fingindo que eles não existiam, Elis fazia um balanço vitorioso de 1965 à revista *Fatos & Fotos*. "Foi o melhor ano da minha vida." Planejava uma viagem à Europa para desligar-se do mundo. Iria a Portugal, Espanha, Itália, França. Se os dólares permitissem, esticaria ainda à Grécia para medir tijolo por tijolo do Pártenon com uma fita métrica. "Quero saber se é tudo mesmo aquilo que a gente estuda na escola." Sobre as pessoas que haviam contribuído para suas conquistas, falava de Jair Rodrigues: "Moço menino, motivo só de alegria, palavra certa no momento preciso. Piada no momento de tensão." Chamava Manoel Carlos de "Gordo Maneco" e, sobre si mesma, fazia uma de suas primeiras reflexões públicas mais profundas. "Elis Regina é uma menina velha, consequência única e exclusiva do mundo em que vive. E para que vocês melhor me conheçam e não façam ideias falsas a meu respeito, aí vai mais: Elis Regina Carvalho Costa tem 20 anos e é completamente diferente da Elis Regina, a cantora, mulher de pelo menos 40 anos bem vividos. Quem conhece uma não conhece a outra. A Elis Regina é obrigada a conviver com todo mundo, a ter determinado tipo de vida, a gostar de determinadas coisas que não agradam a Elis Regina Carvalho Costa. E por isso procuro isolar uma da outra." Com toda essa autonomia, seria difícil dizer a Elis que sua primeira grande viagem pelo mundo poderia se voltar contra a sua carreira. Não era o momento para tirar de cena um rosto com o qual o telespectador havia se habituado, sobretudo diante de uma ameaça que chegava do Rio de Janeiro em Cadillacs vermelhos que não andavam a menos de 120 quilômetros por hora.

146

6.

Elis e Jair eram soberanos na TV até que os cabeludos apareceram em suas vidas, mais exatamente às 16h30 do dia 22 de agosto de 1965, quando foi ao ar o primeiro *Programa Jovem Guarda*. E tudo começou com um buraco a ser preenchido. Sem mais poder exibir jogos nas tardes de domingo, após um desentendimento com a Federação Paulista de Futebol que alegou queda de público nos estádios em virtude das transmissões, a Record viu abrir uma janela em sua programação. Se já tinha uma atração para a música popular moderna, *O Fino*, e outra para a velha guarda, o *Bossaudade*, faltava arrebanhar os adolescentes – uma classe nova na qual nem as TVs nem o mercado publicitário pareciam levar muita fé. Na verdade, uma categoria de gente que, comercialmente, ainda não existia.

Marcelo Leopoldo e Silva foi o diretor designado pela emissora para dar forma ao projeto. Uma de suas primeiras missões foi achar um nome que não soasse nem antiquado nem patético, capaz de fazer a comunicação perfeita com garotos dispostos a pensar menos e a dançar mais. Marcelo lembrou de uma coluna social de sucesso do jornal *Última Hora* chamada "Jovem Guarda", assinada pelo amigo jornalista Ricardo Amaral. Suas notas narravam casos amorosos e revelavam segredos guardados pelos *playboys* mais descolados da época, filhos de famílias ricas e tradicionais de São Paulo e do Rio de Janeiro. Amaral havia sido demitido do jornal *Shopping News*, onde também era responsável por uma coluna de nome menos original mas de proposta idêntica, a "Gente Nova". Sem saber como batizaria seu novo espaço no *Última Hora*, conversou com o amigo colunista Tavares de Miranda, da *Folha de S.Paulo*, e ouviu dele uma sugestão. "Se eu falo dos mais velhos, falo da Velha Guarda. Já você, que fala dos mais jovens, filhos dos meus personagens, fala da Jovem Guarda." O nome soava bem, tinha força e ritmo para pegar de primeira. Marcelo Leopoldo cresceu os olhos no título do amigo, mas teve caráter. Foi a Ricardo Amaral e lhe pediu uma carta autorizando o uso da marca pelo programa prestes a estrear na Record. Sem cobrar nada pela cessão, algo de que se arrependeria mais tarde, o jornalista escreveu a permissão de próprio punho e a repassou a Marcelo. A empreitada já tinha nome. Só faltava o resto.

O efeito Elis-Jair pesou no momento de definir o novo musical. A emissora vasculhou os cantos em busca de uma dupla, um casal, assim como Elis e Jair, com o qual moças e rapazes se identificariam. Primeiro tentou Celly Campello e o cantor Sergio Murilo. Mas, sem o irmão Tony, com quem já havia feito um programa na Record, Celly alegou que não se sentiria bem com a própria consciência em aceitar o convite. A emissora evitava buscar um artista no Rio de Janeiro, já que as transmissões dos programas ainda eram locais e o público paulista poderia estranhar gente de outra praça arrastando erres e assoviando esses. No entanto, as opções em São Paulo não eram muitas e a direção passou a olhar para o Rio como uma possibilidade, sobretudo depois de colocar na mira um rapaz que personificava o moço com fama de mau que a emissora tanto procurava: Erasmo Esteves, que o Rio já conhecia como Erasmo Carlos.

Erasmo, que acabara de lançar "Festa de Arromba", era um nome em ascensão. Ao chegar na Record, falou com os diretores sobre as duas opções de mulheres pensadas para serem sua parceira, Wanderléa ou Rosemary, ambas citadas na letra da música. Apoiou a escolha de Wanderléa, mas fez questão de sugerir um amigo do Rio que começava a fazer sucesso, Roberto Carlos. Ao final de muita negociação, chegou-se ao veredito: em vez de dupla, seria a primeira vez que um semanal de TV receberia um trio de apresentadores. Paulinho Machado de Carvalho já conhecia a peça, e dela morria de preguiça. O nome Roberto Carlos era para ele a lembrança de uma criatura pegajosa que vivia pelos corredores da emissora pedindo para ser escalado para qualquer programa. Mas, desta vez, era um pedido de Erasmo e Paulinho ficou de pensar. Mal não faria. Se desse errado, encostariam o terceiro elemento no canto do palco e manteriam Erasmo e Wanderléa no foco principal.

A Record decidiu fazer um teste com Roberto e o trouxe a São Paulo para saber como o moço se comportaria em um estúdio de TV diante de câmeras e microfones. Sentado em uma sala com o violão nas mãos, esperando o sinal para começar a cantar, Roberto não sabia que era observado por Paulinho Machado por meio de uma vidraça. O diretor ainda não havia escutado a voz do candidato quando se fixou em sua expressão. Os olhos fundos e tristes combinados com um sorriso meigo e contido mudou as más impressões. Depois de passar algum tempo analisando apenas a figura do cantor, o diretor entendeu que aquela era a imagem de um astro predestinado ao sucesso, sobretudo com as mulheres, por um motivo que o tocou: Roberto estava sempre pedindo colo. Ninguém mais precisou convencê-lo de que daria certo. Paulinho comunicou ao cantor de que ele estava dentro e mandou marcar as primeiras reuniões com o time, incluindo o diretor Manoel Carlos, para definir os detalhes da investida. Na saída de um dos encontros, Roberto cruzou com o baixista Luis Chaves, do Zimbo Trio. Estava cabisbaixo, como a criatura pedindo colo, quando disse uma frase que Chaves não compreendeu: "Não bicho, esse programa não vai durar muito, não."

A *Jovem Guarda* era o "Arrastão" de Roberto Carlos, e foi isso o que Elis Regina sentiu assim que retornou de férias. O cometa já era visto por três milhões de pessoas nas noites de sábado, apenas na capital paulista, uma audiência que chegava a bater 100% no Ibope. O Instituto Brasileiro de Opinião e Estatística – o mesmo que diagnosticava anemia na audiência do *Fino* – existia antes mesmo da televisão, desde 1942, quando começou a escravizar os diretores das emissoras de rádio fazendo-os saber qual dos programas da época era o mais escutado em São Paulo. O *Jornal do Brasil* do dia 27 de maio de 1966, em um artigo assinado por Fausto Wolff, dizia: "O iê-iê-iê conseguiu varrer dos palcos, das boates, das rádios, dos auditórios e da televisão qualquer outra espécie de música. Elis Regina e Nara Leão e muitos outros cantores cujo lugar de preferência popular parecia ser indestrutível, simplesmente desapareceram." Ironicamente, a TV Record, em plena era de garimpo de gênios para servirem uma música que a própria emissora ajudou a criar, assistia à fenomenal explosão de um projeto que surgia sem o mínimo compromisso com o que se entendia por qualidade artística. As canções que apareceriam neste *front* seriam tão ingênuas quanto os gritos que se ouviam na frente do Teatro Record, como "hey, hey, hey, Roberto é nosso rei" e "asa, asa, asa, Roberto é uma brasa". Elis queria a morte.

A insegurança bateu e Elis Regina logo fez questão de dizer de que lado da música brasileira estava, criando um bloco de oposição aos jovens que cantavam aquele formato importado de melodias e harmonias rasas com guitarras que nada representavam da cultura do País. Ao falar à *Revista Intervalo*, abriu sua artilharia pela primeira vez contra aquele rapaz que já chamavam de rei. "Roberto não é cantor, e logo ninguém vai mais se lembrar de suas músicas infantis." Incomodada com o fato de não ser mais a grande sensação da TV, armou o espírito. Claudette Soares foi uma das primeiras cantoras a se sentir no meio do fogo cruzado, logo depois que teve a permissão de Roberto e Erasmo para gravar a canção "Como é Grande o Meu Amor por Você". Em uma decisão misteriosa, abafada e jamais assumida nem por Elis nem por ninguém ligado à Record, Claudette foi suspensa do *Fino* – um provável castigo por sua "traição" à música genuinamente brasileira.

De programa, a *Jovem Guarda* virava movimento, algo que nunca acontecera com o *Fino*. No embalo das músicas surgiam produtos como roupas e calçados que tornavam o projeto também um acerto comercial. O estouro dos roqueiros fez a direção da emissora olhar para o *Fino* como algo desgastado e carente de reformulação. O encanto havia sido quebrado por um intrigante feitiço. Se os programas eram exibidos em dias diferentes – o *Jovem Guarda* nas tardes de domingo e *O Fino* às quartas –, e se os públicos pareciam tão distintos – adolescentes e crianças do iê-iê-iê *versus* formadores de opinião, trintões e estudantes universitários politizados da MPB –, o que poderia explicar a debandada?

Manoel Carlos foi procurado por Paulinho Machado de Carvalho. "Maneco, queria saber se você não se importa de eu passar a direção do programa para o pessoal do Rio, o Ronaldo Bôscoli e o Miele", disse Paulinho. "Claro que não", respondeu o diplomata Maneco. "Pode passar para eles, eu adoro o Bôscoli." Só que Elis Regina não adorava o Bôscoli. Sentia por ele uma mistura de repulsa e náusea. A ousadia em pichar seu nome daquele jeito no Beco das Garrafas era algo que ela não perdoava. Se Bôscoli entrasse pela porta da frente, Elis sairia pelos fundos. Deixou isso claro na direção e ameaçou ir para a Tupi.

O pianista Luizinho Eça, amigo da dupla dos tempos do Beco, um dos fundadores do Tamba Trio, passou a mediar os ânimos como uma espécie de representante informal da Record, fazendo o que podia para não deixar o negócio melar. Afinal, era a chance de os cariocas ganharem um bom pedaço de terra na poderosa emissora paulista. "A coisa está brava pro lado de vocês, mas vamos dar um jeito", dizia a Miele. A insistência foi grande até que Elis cedeu um milímetro, dizendo que só negociaria a passagem de bastão na direção de seu programa se tratasse do assunto direta e exclusivamente com Miele, o Barba. Miele veio a São Paulo falar com Elis pisando em ovos e usando todo seu charme até conseguir um ok para o começo da nova fase do programa. Mas havia uma cláusula irrevogável no sim de Elis: que ela não respirasse o mesmo ar de Ronaldo Bôscoli, jamais. Miele festejou a vitória e enviou ao Rio um telegrama aos cuidados do amigo com uma palavra de três letras: "Gol!". Bôscoli responderia com uma frase menos cifrada: "Se ela me disser bom dia, eu como."

A "turma dos cariocas", como a nova dupla de diretores era conhecida nas internas da Record, em nada agradava ao time que já estava consolidado no programa, e vice-versa. Bôscoli considerava Jair Rodrigues uma presença cafona. "Uma cantora com esse talento ao lado de um cara que planta bananeira no palco não dá certo, é loucura", argumentou. A demissão de Jair foi o primeiro ato da nova administração. Sentindo o ar pesado, e já farto da imagem de trio acompanhante, o Zimbo aproveitou que seu contrato vencia e pulou fora.

A administração Miele-Bôscoli queria mesmo fazer uma recauchutagem geral. *O Fino*, mais elitizado, precisava de um novo tema de abertura. Luizinho Eça, convidado para fazer a música, chamou Miele, Bôscoli e Elis para trabalharem na letra e na melodia em sua casa, sem saber o tamanho da encrenca que arrumava. Armada até os dentes, Elis seguiu para o endereço. Miele foi de escudo. Levando a sério o trato de não falar com o desafeto nem sob tortura, a cantora ficou com Miele e Luizinho na sala em que havia um piano enquanto Bôscoli, com lápis e papel pronto para escrever os primeiros versos, ouvia tudo de outro cômodo, isolado como um enfermo contagioso. Após Luizinho tocar as primeiras notas, Miele deu a conferida: "Tá ouvindo daí, Ronaldo?". "Sim, tá bom", gritou o produtor. Mais um trecho da música e Bôscoli já tinha alguma coisa. "Ô Miele, vem aqui um pouco?" Miele foi, pegou o trecho e o trouxe de volta para Luizinho testar.

Elis ouvia e dava o veredito. Se era um sim, Miele gritava: "Ronaldo, valeu." E então o processo recomeçava do trecho da música em que haviam parado. Luizinho tocava daqui, Bôscoli ouvia de lá, Miele ia pegar a letra, Luizinho a testava e Elis esticava o polegar para cima ou para baixo. "Ronaldo, tá ouvindo aí?", gritava Miele. Vinicius de Moraes passou para uma visita a Luizinho neste exato instante. Depois de ver a cena, saiu apressado sem dizer o que queria. "Oi Luizinho, eu ia te dar um recado, mas depois eu ligo", falou com o pescoço esticado para dentro da sala. E saiu cochichando para si mesmo: "Isto aqui vai dar merda."

Sem o Zimbo, Elis adotava como suporte o Bossa Jazz Trio, com o qual havia gravado o segundo álbum da trilogia *Dois na Bossa*. Além das *performances* na TV, era com o novo time do pianista Amilson Godoy, do baixista Jurandir Meirelles e do baterista José Roberto Sarsano que Elis sairia para uma breve viagem à Venezuela, onde faria uma apresentação em uma emissora de TV de Caracas. O jovem quarteto aproveitava para se divertir antes de retornar à rotina de *shows* e gravações na Record.

Um pouco antes da viagem, durante um coquetel em um restaurante que ficava em frente à TV Excelsior, na Rua Rangel Pestana, José Roberto e Elis trocaram olhares e sentiram calores subindo pela espinha até não resistirem mais. Embora tivessem a mesma idade, o baterista se considerava uma criança ao lado de uma mulher. Elis era madura, pensava em constituir família, sabia o que queria e, sobretudo, o que não queria. E uma de suas decisões foi a de que ninguém, ou o menor número de pessoas possível, soubesse daquele envolvimento. José Roberto, a quem Elis chamava carinhosamente de Zé Colmeia, e Elis, a quem Zé Colmeia chamava carinhosamente de Catatau, tinham de segurar as pontas de um caso secreto.

Ao lado de uma celebridade, o jovem baterista bolava estratégias para que seu romance proibido não vazasse. Para irem ao cinema, escolhiam sessões em horários da tarde, geralmente as mais vazias. Ao chegarem, esperavam a projeção começar para entrarem na sala e saíam um pouco antes que os créditos subissem na tela. *Cidadão Kane* foi um dos longas que tocou Elis profundamente. Sem mais detalhes, dizia ao namorado que aquele filme teria uma forte mensagem relacionada à sua própria vida. Homens ricos e mais velhos cansaram de cortejar Elis na frente de José Roberto, nas tardes em que o músico esperava pela cantora em frente ao Teatro Record. Ao perceber que sentia ciúmes, Elis segurava seu rosto e pedia com doçura que não se sentisse daquela forma. O baterista percebia também a velocidade com que sua amada mudava de humor, passando do estado de euforia à tristeza profunda em segundos. Mistérios que jamais decifraria com precisão.

Caracas era um alívio ao clima pesado que passou a rondar a Record naqueles tempos de mudança. Viver era preciso e, ao menos por duas vezes, os venezuelanos ouviram uma gargalhada de Elis. A primeira foi em uma festa em que os brasileiros foram recebidos pela alta sociedade local, um evento de pessoas finas e bem-nascidas dispostas a conhecer de perto a gaúcha de quem a

América Latina já falava. Mas foi de repente que o clima de sorrisos e beijinhos virou pelo avesso, mais precisamente quando José Roberto começou a falar sobre uma bebida genuinamente brasileira chamada pinga. Antes de perceber que a malvada pinga o atrapalhava, disse a palavra três ou quatro vezes até que alguém lhe fez a tradução. Pinga, em países latino-americanos, significa pênis.

Em outra noite, ao saírem de táxi de um jantar em direção ao hotel em que estavam hospedados, Elis e os músicos do Bossa Jazz foram parados por soldados do exército venezuelano que faziam uma *blitz* nas ruas em busca de drogas e armas ilegais. Desceram do carro e mostraram os documentos, mas tiveram de encostar na parede enquanto eram revistados. Amilson levava no bolso da calça uma caixinha de chicletes brasileiros. Ao ver o objeto estranho, um dos militares se apavorou. Entendeu que fosse um artefato explosivo e deu ordens para que todos se jogassem no chão. Ficaram ali por um tempo, mas o chiclete não explodiu e os músicos foram liberados.

Ao voltarem a São Paulo, Elis e o Bossa Jazz desembarcaram impressionados com a qualidade técnica da TV venezuelana. Em uma das cenas, os técnicos fizeram uma montagem com a imagem de Elis cantando como se estivesse em pé sobre a caixa da bateria de José Roberto – um recurso que passava longe das possibilidades da Record. "Eles estão muito à nossa frente", comentou Elis aos repórteres na chegada ao Aeroporto de Congonhas.

Zé Colmeia e Catatau se conheciam mais, sempre que suas agendas permitiam. Marcavam discretamente cinemas e restaurantes para alimentarem uma confiança mútua da qual a cantora parecia carecer no meio do ciclone em que vivia. Em um fim de semana sem compromissos, Elis levou José Roberto para conhecer sua família, que passava alguns dias nas praias de Araruama, no Rio de Janeiro. Aos poucos, o namorado já não tão secreto observava as relações conturbadas na família Carvalho Costa. Havia um certo carinho no convívio com a mãe, mas, com o pai, sobravam conflitos. José Roberto sentia que, por mais que nenhum dos dois pensassem em algo mais sério como filhos e casamento, Elis precisava mostrar aos pais que estava ao lado de alguém normal. Seu Romeu o recebeu friamente, com um aperto de mão frouxo e nenhuma palavra. Dona Ercy foi mais atenciosa. Após fazer as apresentações, Elis levou José Roberto para o quarto e imediatamente encostou o ouvido na porta para saber o que falariam de seu acompanhante – uma aflição que só passou quando ela percebeu que o seu Zé Colmeia não havia sido rejeitado.

Cada vez mais angustiada com os rumos que sua vida ganhava, com um programa em crise dirigido agora por Bôscoli, um homem de quem desconfiava até que se provasse o contrário, Elis mostrava-se frágil, dando um descanso para a mulher decidida. José Roberto contou, sem maiores intenções, de uma espécie de conselheira espiritual, Dona Isaura, que vivia orientando os passos de sua mãe nos momentos de incerteza. Elis quis conhecer a preta velha. Assim que se colocou à sua frente, desandou a chorar compulsivamente, deixando impressionado o próprio Zé Roberto. Dona Isaura falou em "espírito perturbado" e disse para a moça tomar cuidado. Dias depois, quando o casal estava de passagem pelo Rio de Janeiro, Elis fez questão de ir com o namorado até um centro de umbanda indicado por amigos. José Roberto se assustava com cenas de pessoas se contorcendo e falando com vozes estranhas, mas a namorada seguia em frente. Diante de um pai de santo, Elis ouviu que deveria se proteger fazendo um trabalho em uma encruzilhada à sua escolha, mas levando consigo uma garrafa de aguardente, velas brancas e vermelhas e uma cumbuca de barro. Juntos, a cantora e o baterista compraram o que foi mandado, pegaram um táxi e seguiram tarde da noite para aprontarem o despacho em uma esquina do Méier, o tradicional bairro da zona norte do Rio. Enquanto Elis preparava a encomenda dizendo as palavras que lhe haviam orientado, José Roberto batia o queixo de pavor.

Os anjos e os demônios que apareciam à frente de Elis pareciam brigar por espaço em sua vida. Ao mesmo tempo em que mandava e desmandava na Record, a artista mais bem paga do País era também um poço de insegurança. E as pedradas que levava não eram poucas. Certa vez, na casa de José Roberto, aguardava a hora de sair para um *show* na cidade de Santo André com o Zimbo Trio. Era um dia de chuva e a cantora estava com febre, gripada e afônica, visivelmente sem condições de encarar duas horas de apresentação. José Roberto a convenceu de que o melhor era cancelar. Juntos, ligaram para o empresário Marcos Lázaro e deram a má notícia. Lázaro, sem santo a quem recorrer, apanhou José Roberto e Elis e os levou até o local da apresentação, onde o público esperava pela cantora. Diante da plateia, a própria Elis, em péssimas condições físicas, explicava que não haveria *show* naquela noite porque sua saúde não permitiria. No dia seguinte, um jornal da região estampava que a cantora havia cancelado a apresentação depois de aparecer visivelmente embriagada e escondendo sua gravidez com um casaco. Para uma jovem que anos antes cantava com as amigas em uma sala de aula de Porto Alegre, o mundo ficara hostil rápido demais.

Os maiores dilemas, no entanto, vinham da emissora que pagava o seu salário. Colocar a MPB *versus* a Jovem Guarda em um ringue era algo que muito interessava à Record – uma polarização saborosa que deveria ser alimentada junto aos telespectadores e aos artistas para render notícia e, consequentemente, audiência. Afinal, tratava-se de uma briga da Record com ela mesma, que nem passava pelas concorrentes Tupi e Excelsior. Os argumentos para legitimá-la pareciam inquestionáveis. No lado esquerdo do córner, a MPB, sigla que a imprensa criou para noticiar os festivais de uma forma que fizesse os títulos das matérias caberem em seus respectivos espaços. MPB era muito mais curto e funcional do que Música Popular Brasileira. Uma senhora robusta e de expressão fechada, consagrada em festivais da canção, de consciência política e estética renovadora, representada por músicas que acreditavam ter o poder de mudar o mundo. No canto direito, ele, o garotão iê-iê – o terceiro iê viria um pouco mais tarde – de guitarras nos ombros, filho de um norte-americano chamado Elvis Presley e com um lema que dizia algo como "é hora da diversão", superficial só até o terceiro acorde. O amor, aprendia-se com ele, não era para ser cantado com sofrimento. Os jovens queriam chutar o balde.

A decadência do *Fino*, que nas mãos de Miele e Bôscoli seguia descendo ladeira no Ibope, já beirando 30% de audiência, era o argumento perfeito para atiçar a rebelião da MPB. Mais vibrante do que preocupado, Paulinho Machado convocou uma reunião na empresa com a ala dos engajados, entre eles Elis, Nara Leão, Geraldo Vandré, Ronaldo Bôscoli, Gilberto Gil e Caetano Veloso, este como convidado especial e conselheiro de Gil, sem direito a voto. A ideia era encontrar um caminho para a sobrevivência da legítima música brasileira diante da ofensiva dos reprodutores de uma cultura "descartável e importada". Era preciso estancar a hemorragia iniciada havia mais de um ano e que não parecia ter cura. Em defesa das riquezas nacionais, Vandré subiu nas tamancas em um discurso comovente, mais por sua apaixonada crença naquilo que julgava verdade do que por sua verdade em si. Gil flanou sobre o mesmo tema, dando voltas acerca da importância dos meios de comunicação na formação de uma identidade definitivamente brasileira. Quando quase todos os pés pareciam flutuar a dois palmos do chão, erguidos por ideais revolucionários, Nara Leão pediu a palavra para fazê-los voltar à Terra, ou melhor, despencar por uma escadaria. Serena e equilibrada, passou a falar diretamente a Paulinho Machado de Carvalho: "Senhor Paulinho, estou aqui como contratada de sua emissora e irei sempre cumprir meus compromissos quando for escalada para qualquer programa. A emissora é do senhor e o senhor pode fazer o que bem entender com ela. Só gostaria de pedir um favor: que o senhor diga aos seus produtores que não me escalem mais para estar em um mesmo programa com Elis Regina." Silêncio dramático. "O que é isso, Nara?", perguntou Bôscoli.

Quem estava naquela sala sabia sobre o que Nara dizia. Uma edição da revista *Manchete* de 17 de junho de 1967 havia exposto todas as feridas entre Nara Leão e Elis Regina em uma matéria de página inteira assinada pelo jornalista Carlos Marques. Segundo a publicação, Nara e Elis foram convidadas a fazer uma foto nos estúdios da Manchete, ao lado de Gilberto Gil e Chico Buarque. Por um azar que mais pareceu pegadinha, Gil e Chico tiveram compromissos e não puderam aparecer. Assim, Nara, calma e risonha, e Elis, tensa e calada, ficavam frente a frente. O fotógrafo já havia disparado alguns *flashes* quando Elis, tomada por uma súbita fúria, abandonou tudo. "Vou embora, não gosto da Nara." Mais tarde, o jornalista entrevistou as cantoras separadamente e publicou os textos na mesma página.

O depoimento de Elis Regina sobre Nara Leão não deixava pedra sobre pedra. O título era uma de suas frases: "Nara canta mal e fala bem." Sua impiedosa artilharia dava assim o primeiro disparo: "Me irrita sua falta de posição dentro e fora da MPB. Ela foi musa, mas começou a trair os movimentos dos quais participava. Começou na bossa, passou a cantar samba de morro, depois músicas de protesto e agora aderiu ao iê-iê. Negou todos... Nara Leão desmente sempre a imprensa quando esta publica algo que não lhe convém... Observei que na música, Nara segue esta mesma filosofia. Afirma e depois desmente conforme as conveniências. Exemplo disso foi quando ela conseguiu ser manchete do jornal *Última Hora* ao espinafrar o Exército Brasileiro..." Elis seguia em colocações implacáveis. Acusava Nara de brigar com artistas que começavam a fazer barulho, como Roberto Carlos, apenas para ganhar espaço na mídia. "O que me admira é que ela faz psicanálise há seis anos. Será que ela faz psicanálise ou curso de publicidade, de autopromoção?" Elis subia o morro com o pé no acelerador. "A verdade é que Nara Leão canta muito mal, mas fala muito bem. No fundo, esta confusão toda é altamente promocional para ela." Sem mais discernir a cantora da mulher, algo que pedia que fizessem com ela, partiu para revelações de camarim. "Nara não sabe o que quer. Um dia, no meu camarim da Record, ela disse: 'não gosto de nada que faço, já estudei canto, fiz cerâmica, aula de música, mas nada disso me satisfaz. O que eu quero, na verdade, é casar, ter filhos e viver bem com meu marido'." Elis abria ainda um parêntese para dizer que nada tinha contra o iê-iê, mas sim contra a apelação. "Não é verdade que eu não gosto de Roberto Carlos, pelo contrário, acho que ele é o melhor de todos."

Ainda sem saber o que Elis havia dito, Nara foi mais amena quando procurada pelo repórter. Disse não entender o que havia de errado. "Quero cantar, quero que ela cante e queremos vender discos. Sou muito amiga de todas as cantoras." Fez então um retrospecto para tentar identificar o momento em que o pino da granada havia sido retirado. "Conheci Elis em um *show* no Teatro Paramount, em 1965. Trabalhamos na mesma estação de TV e na mesma fábrica de discos. Toda essa confusão começou quando apareci com o sucesso de 'A Banda', de Chico Buarque. Ela concorreu no mesmo festival, no ano passado, e daí em diante aconteceram coisas que me desagradaram."

Nara se referia ao II Festival da Música Popular Brasileira da Record, entre setembro e outubro de 1966, quando "A Banda", de Chico, empatou, após uma fervorosa final, com "Disparada", de Geraldo Vandré e Théo de Barros, defendida por Jair Rodrigues. Elis Regina, cantando "Ensaio Geral", de Gilberto Gil, ficou em quinto lugar. Nara seguia: "Quando Elis certa vez me apresentou em seu programa como 'uma moça que está prometendo muito', achei que estava sendo agredida." Sobre cantar músicas ligadas ao iê-iê de Roberto Carlos, a cantora rebatia: "Canto e cantarei o que for de bom gosto. Em São Paulo, recentemente apresentei músicas dos Beatles. Quem tem coragem de dizer que eles não prestam? "Yesterday", por exemplo, é quase erudita. O próprio Roberto Carlos tem músicas que são agradáveis a qualquer ouvinte. Ninguém pode negar que 'Nossa Canção' é bela." Dado o recado, Nara fechava seu depoimento oferecendo o dedo mindinho a Elis. "Possuo todos os discos de Elis Regina, gosto dela como cantora e acho que ela tem um excelente repertório. E ponto final."

Aquele ponto final era reaberto na reunião da Record. Elis, talvez por reconhecer que fora bem mais longe do que sua colega de profissão, não rebateu o desabafo que Nara fez a Paulinho. Até porque Nara vinha com classe, falando o que queria com um tom que esvaziava os argumentos de quem resolvesse lhe levantar a voz. Mas algo ficou claro. Antes de haver qualquer abismo entre a música brasileira e a Jovem Guarda, os egos da própria MPB pareciam levá-la para o abismo. Depois de alertar Paulinho de sua indisposição em dividir um palco de programa com Elis, Nara tirou do bolso um documento e o ofereceu ao diretor. "Aqui está a minha carteira da Ordem dos Músicos do Brasil. É só ver, sou classificada como cantora." A reunião terminou ali. A rivalidade entre Nara e Elis, não.

Antes de chegar ao desfecho, a reunião da Record havia rendido um fruto. Em vez de entubar *O Fino* mais uma vez, à espera de uma melhora na audiência, eles iriam desligar os aparelhos e investir em uma criatura de sete cabeças para minimizar as travessuras da Jovem Guarda. Elis Regina de volta com Jair Rodrigues, Wilson Simonal, Nara Leão com Chico Buarque, Geraldo Vandré e Gilberto Gil iriam se revezar na liderança do *Frente Única – Noite da Música Popular Brasileira*, um programa semanal, gravado no Teatro Paramount, de viés nacionalista que seguiria investindo nos grandes nomes da época ao estilo *O Fino da Bossa*.

Elis não tinha saída. Mesmo sem gostar da solução proposta por Paulinho, acabou vestindo a camisa e liderou uma manifestação no dia da estreia do programa, um grito público contra o *rock and roll*, um lance de *marketing* concebido no inconsciente nem tão inconsciente assim dos artistas que estavam ali menos para queimar a guitarra elétrica e mais para promover seus próprios programas. A ideia da Record, por trás da preocupação com o futuro da música popular brasileira, era fazer seus dois gansos voarem alto. Tanto a Jovem Guarda quanto a MPB só ganhariam publicidade com o feito. E assim seguiu, na tarde de 17 de julho de 1967, a Passeata contra a Guitarra Elétrica. De um lado de Elis Regina, Edu Lobo. Do outro, Gilberto Gil. E pelo caminho, que ia do Largo São Francisco ao Teatro Paramount, Zé Keti, Geraldo Vandré, MPB-4 e todos os populares que a turma conseguia arrebanhar pelo caminho. Na janela do Hotel Danúbio Azul, no centro paulistano, incrédulos como se vissem uma parada de senhoras católicas indignadas com a venda de sutiãs, Caetano Veloso e Nara Leão apenas lamentavam. "Isso me dá medo. Parece uma manifestação do Partido Integralista", disse Nara, referindo-se ao movimento ultradireitista dos anos 1930.

O primeiro *show* da série *Noite da Música Popular Brasileira*, seguindo a dinâmica do *Fino* de gravações às segundas e exibições na TV às quartas, foi definido por Marcos Lázaro como "a noite em que Elis Regina seria relançada". As calçadas da Avenida Brigadeiro Luís Antônio voltaram a ficar lotadas, como nos bons tempos, mas um grupo de estudantes passava um abaixo-assinado pedindo o retorno do antigo programa de Elis. Pouco antes do início do *show*, já eram quase 500 nomes para serem entregues à direção da Record exigindo a volta do velho *Fino*. Ao subir ao palco com um atraso de quase uma hora, Elis foi aplaudida de pé por dois minutos e cartazes foram erguidos com os dizeres "Elis nunca morrerá".

O jogo da Record deixava de ser divertido e expunha uma contradição interna. Diante da insatisfação e das expectativas dos artistas da *Frente Única*, a emissora elaborou um plano de ação com três tópicos: 1. A Rádio Record de São Paulo passaria a transmitir 100% de música brasileira; 2. A programação da TV seria reformulada, privilegiando a MPB; 3. Novas ideias seriam discutidas em reuniões semanais. Estratégias que chegaram a ser divulgadas em jornais da época, mas que ficaram no papel. Até porque nenhum diretor com o mínimo de ordem mental levantaria a hipótese de demitir ou encostar Roberto Carlos, o homem que mais vendia discos no País. Ao mesmo tempo em que servia de Q.G. para os militantes da MPB pura, a Record havia instalado em seus corredores o ninho dos novos inimigos. Setenta por cento dos artistas adeptos da guitarra elétrica eram contratados da emissora paulista neste momento. Avassaladores e estabelecidos, Roberto, Erasmo e Wanderléa seguiam à frente da Jovem Guarda. Como um extraterrestre tentando estabelecer contato usando um idioma que ninguém sabia falar, Ronaldo Lindenberg Von Schilgen Cintra Nogueira tentava ser Ronnie Von.

A paz de Ronnie Von havia acabado no dia em que a Rádio Tamoio, do Rio de Janeiro, tocou uma de suas músicas. Descoberto pelo produtor João Araújo enquanto se apresentava como convidado surpresa do grupo The Brazilian Bitles, Ronnie gravou sem compromisso um compacto com duas canções dos Beatles, "You've Got to Hide Your Love Away" de um lado e, do outro, "Girl", que se transformou em "Meu Bem" na versão do próprio cantor. O compacto era um teste feito a pedido de João, no qual nem Ronnie apostou um centavo. Isso até que "Meu Bem" tocou no rádio, para susto do próprio cantor. O garoto foi às lágrimas, ligou para os amigos e descobriu que nenhum deles havia escutado. Mas uma tia-avó que não deveria escutar escutou, e tocou a sirene na casa dos Cintra Nogueira. Alguns parentes reagiram com fúria, dizendo que Ronnie jogaria o nome da família na lama ao se envolver com uma gente da pior espécie, jovens que não só se dedicavam à música, profissão de desocupados, como penduravam no peito uma aberração chamada guitarra elétrica.

A guitarra elétrica de Ronnie Von não tinha nada a ver com a guitarra elétrica da Jovem Guarda. Apesar de ter sido lançado com uma balada ingênua, Ronnie queria chegar a algum lugar que a turma de Roberto não chegaria por limitações estéticas e a MPB recusaria pela cegueira do radicalismo. Mais do que cantar para brotos dizendo "é uma brasa, mora", ele queria experimentar, fazer *rock* com arranjo sinfônico, seguir as trincheiras que estavam sendo abertas pelos Beatles e criar uma terceira via para quem não estivesse enquadrado em nenhum dos padrões estabelecidos.

Depois do sucesso do primeiro disco, Ronnie foi contratado pela Record para fazer o programa *O Pequeno Mundo de Ronnie Von* e mais uma rivalidade foi criada na emissora. A imagem de Ronnie como potencial de sucesso era avassaladora. Moreno, olhos grandes e verdes, generoso e educado, foi identificado como uma ameaça direta ao reino de Roberto Carlos assim que seu rosto apareceu na tela pela primeira vez, em 15 de outubro de 1966. A reação nos bastidores foi imediata e, embora Ronnie fosse empregado do mesmo patrão da turma da Jovem Guarda, um decreto não oficial mas ameaçador foi baixado na Record: artista que pisasse no palco de Ronnie não seria bem-vindo na *Jovem Guarda*. Por medo de represália, muita gente ficou com a turma de Roberto transformando *O Pequeno Mundo de Ronnie Von* em uma caixa de fósforo. Muita gente, menos algumas bandas de *rock* mais ousadas que não teriam ingresso na Jovem Guarda nem se pagassem por ele e um grupo que o próprio Ronnie, inspirado pelo título de um livro de Stefan Wul, batizou de Os Mutantes.

Não importava de onde vinham ou que línguas falavam. Para Elis e o núcleo duro da MPB, Ronnie, Roberto, Erasmo, Wanderléa e Mutantes saíam todos do mesmo saco de jovens contaminados pela cultura anglo-saxônica no que ela tinha de mais vil. No momento em que a música brasileira se afirmava e se instrumentalizava politicamente, fazer *rock and roll* soava como uma provocação. Habitando o mesmo universo da Record, o minúsculo mundo de Ronnie Von haveria de se encontrar um dia com o império de Elis. Quando os dois andavam pelos bastidores do *Show do Dia Sete*, especial que escalava todo o elenco da emissora, o dia chegou. E Elis disparou, sem piedade. Como poderia Ronnie, com toda aquela educação recebida na alta esfera da sociedade carioca, com cultura de berço e família de posses, como se atrevia ele a fazer uma música tão pobre e superficial? "Elis, você se lembra de como você começou?", devolveu Ronnie, atingindo a cantora em sua cicatriz, expondo a fase em que ela viveu sua Brotolândia. "Eu era nova, mas você já deveria ter superado isso", disse Elis.

Não adiantava Ronnie tentar convencer a cantora de que sua proposta ia além das baladas ingênuas da Jovem Guarda, algo que ele detestava. A própria Elis já deveria saber disso desde que Ronnie havia recusado gravar "Por Você", uma música composta por Vinicius de Moraes para a trilha do filme *Garota de Ipanema*. O motivo: a canção se tratava de uma balada exatamente nos moldes das gravações dos jovem-guardistas, com uma levada manhosa que dizia três palavras-chave das quais Ronnie queria distância: "pra frente", "barra limpa" e "papo firme". "Por você, senhorazinha menina / Que mais linda não vai ter nunca mais / E que além de ser pra frente, barra limpa / E papo firme por demais." Elis havia ficado indignada com a negativa de Ronnie e ligou para o pai dele, tirando satisfações. "Como seu filho se recusa a gravar uma música de Vinicius de Moraes?" Ronnie acabou gravando e chegou à única conclusão que poderia chegar depois do embate com Elis na Record: a pior censura que o atingia não vinha dos agentes da ditadura, mas de um regime de normas e estatuto bem definidos conhecido como MPB.

Elis trazia a faca nos dentes. Na edição especial do *Fino* para marcar a despedida do programa, que havia ocorrido dois meses antes do novo *Frente Única*, houve "Parabéns a Você" entoado pela plateia, participações de Hebe Camargo e Aguinaldo Rayol, homenagens a Pixinguinha com Elis cantando "Carinhoso" e a inédita presença diante das câmeras do diretor Paulo Machado de Carvalho Filho, que deixara sua sala para parabenizar a apresentadora por sua "luta em nome da música brasileira". Apoiada e fortalecida, Elis ia para o ataque: "Quem estiver do nosso lado, muito bem. Quem não estiver, que se cuide."

Erasmo Carlos, dias depois, ofereceu a receita do sucesso no jornal *Última Hora*, um curso rápido, "inteiramente grátis" e "a quem interessar": humildade acima de tudo; ser sempre o mesmo, antes durante e depois do sucesso; não dar cano em *shows* confirmados; fazer muitos *shows* de caridade; promover seus colegas de movimento com carinho e afeto; descer do pedestal em que pensam que estão e misturar-se com o povo; visitar de vez em quando uma estação de rádio; responder com ternura às cartas dos fãs; e, finalmente, procurar gravar canções ingênuas e fáceis, pois o povo vive tempos de guerra e a música é a sua distração. "Sigam o exemplo de 'A Banda' e 'A Praça' que vocês se darão bem."

O jornalista e produtor Nelson Motta escreveu um artigo no *Jornal do Brasil* sobre as polêmicas da *Frente Única*. E foi objetivo: "As divergências pessoais (a união fez a força do iê-iê-iê) devem ser esquecidas para início de qualquer conversa em torno da promoção da MPB. Nara Leão tem que achar Elis Regina uma simpatia (pelo menos oficialmente) e Ronaldo Bôscoli e Edu Lobo devem considerar-se reciprocamente pessoas excelentes (pelo menos para constar)." Gil havia sugerido uma saída, lembrava Motta: "Gilberto Gil acha que muito da culpa cabe aos compositores, que estão fazendo músicas enormes e intelectualizadas, de difícil consumo." O que não seria o mesmo que dizer música rasteira. "Gil faz questão de dizer que não está sugerindo músicas fáceis ou primárias e sim uma música mais direta, sem perda de qualidade." Motta falava ainda de uma epidemia que parecia assolar a MPB: a doença da exclusividade. "Se Nara Leão grava uma música, ninguém mais o faz. Idem com Elis Regina, Geraldo Vandré ou Jair Rodrigues. 'A Banda' teve apenas três gravações diferentes. 'Disparada' idem. 'The Shadow of Your Smile' tem mais de 100 gravações diferentes na América, onde cada cantor dá a sua versão sem se preocupar com os outros... Se acabar a doença da exclusividade, a música brasileira estará perto do sucesso." E terminava citando uma frase de Carlos Imperial: "Alegria alegria, o bolo dá pra todo mundo."

Dois dias depois, Gil aparecia no mesmo *Jornal do Brasil* retomando o assunto que resvalava em Elis Regina. Os cantores que sofriam da "doença da exclusividade", exigindo músicas inéditas de seus fornecedores, provocavam desabastecimento do mercado. A situação piorava por causa da postura dos próprios compositores, que passavam a guardar suas melhores criações para ser defendidas por eles mesmos nos próximos festivais. "No ano passado já éramos poucos, agora somos muito menos em virtude do campo que foi aberto. Chico tem produzido muito. Vandré, Caetano e eu também. Meu repertório esgotou-se completamente e só agora estou pensando em compor para apresentar no próximo festival."

Sem articulação aparente com a frente ampla da MPB, a Ordem dos Músicos do Brasil apertou o cerco por tabela contra a Jovem Guarda ao decidir ser mais rígida com os cantores e instrumentistas que iam prestar testes para renovar ou retirar suas carteiras. Sem esta licença, ficariam impedidos de se apresentar em boates, clubes, emissoras de rádio ou televisão. Os que fossem flagrados sem o documento em dia pagariam multas pesadas e seriam enquadrados na lei por exercício ilegal da profissão. O alvo não declarado era o crescente contingente de músicos dispostos a tocar iê-iê-iê pelo País. Centenas de instrumentistas de São Paulo, Belo Horizonte e Rio de Janeiro procuraram legalizar suas situações, mas encontraram dificuldade. A própria OMB calculou que 90% dos candidatos que tocavam em conjuntos de *rock* estavam sendo reprovados. Muitos simplesmente não compareciam. Na OMB do Rio, dos 2.500 inscritos para as provas de junho de 1967, apenas mil compareceram. E como a lei era para todos, os músicos da MPB também deveriam renovar ou, no caso dos ainda ilegais, tirar suas carteiras o mais rápido possível. Nara Leão e Elis Regina fizeram os testes práticos e teóricos e passaram, mas Chico Buarque foi reprovado. A Ordem dos Músicos concedeu uma carteira provisória para que ele fizesse *shows* já agendados e, como procedia com quem fracassava na primeira tentativa, definiu um prazo de seis meses para que estudasse e retornasse para uma segunda chance.

O embate entre os estridentes defensores da MPB e os pacíficos representantes do iê-iê-iê, que ainda não entendiam porque aquilo que faziam em português não era considerado música brasileira, esquentou até chegar ao Ministério das Relações Exteriores do presidente Costa e Silva. Deixando claro de que lado estava, o ministro Magalhães Pinto ofereceu um almoço na Casa de Rio Branco para anunciar que a estrutura do Itamaraty estaria disponível a todos os artistas que trabalhavam pela imagem do País no exterior. A velha e a nova guarda do samba e da MPB compareceram em peso, com Ciro Monteiro, Pixinguinha, Lucio Rangel, Orlando Silva, Elizeth Cardoso, Elza Soares, Elis Regina, Tom Jobim, Donga, Almirante, Edu Lobo, o maestro Guerra-Peixe, Vinicius de Moraes, Jair Rodrigues e Nara Leão. Dos jovem-guardistas, nem cheiro. Ao proferir seu suntuoso discurso, Magalhães parecia disparar em direção à turma de Roberto Carlos. "Durante largo período de nossa história, parecemos voltados mais para fora em razão de nosso complexo do período colonial. Era como se esperássemos atingir a maioridade por um esforço de emulação com as admiradas civilizações europeias. Vivíamos a contradição de duas vinculações inconciliáveis: a que nos prendia a esta terra pelo berço e a que nos mantinha culturalmente atados a outras nações." Por um raro e curto momento, a MPB e o regime falaram a mesma língua.

Ainda que pudesse considerar a Ordem dos Músicos e o Itamaraty aliados em sua tentativa de higienização da MPB, a frente não teria os resultados esperados. O plano da Record era testar o revezamento de apresentadores por dois meses com a *Noite da Música Popular Brasileira*, no Teatro Paramount, para dar o posto definitivo ao artista que fizesse mais sucesso. "Acho que se fizermos a união de todas as atuais correntes da música popular brasileira de raiz, poderemos vencer", disse Gil, antecipando um conceito que, em breve, seria usado para a Tropicália. "Nossa frente há de vencer", garantiu Elis. A Record, que no Rio de Janeiro teria o programa da frente retransmitido pela TV Tupi, tratou de publicar um anúncio nos jornais, em espaço nobre, como fez no *Diário de Notícias* do dia 20 de agosto de 1967: "*Frente Única da Música Popular Brasileira* – um programa-resposta à ameaça do iê-iê-iê ao movimento musical brasileiro. Com nossos mais famosos cantores: Elis Regina, Nara Leão, Chico Buarque, Jair Rodrigues, Agnaldo Rayol, Gilberto Gil e MPB4. Entre outros cobras, eles vão participar juntos deste programa que agora se inicia, produzido especialmente para responder à ameaça do ritmo alienígena. Segundas-feiras, às 20h20 – TV Tupi, Canal 6."

Os mpbistas estavam dispostos a se unir contra os "alienígenas" e seguiram as dicas escritas por Nelson Motta no *Jornal do Brasil*. No programa apresentado por Gil, o baiano surgiu sob aplausos trazendo Elis, Nara e Jair cantando todos "A Banda". A imagem de Elis e Nara lado a lado era um recado claro da disposição que tinham para recolocar a música brasileira em lugar de destaque na mídia. Mas, ao contrário da comoção no teatro, as noites não tinham o impacto de audiência esperado. "Ainda não sabemos se isso vai emplacar", comentavam dirigentes nos bastidores. O problema é que nem todos os *shows* de Nana Caymmi, Gil, Miltinho, Agostinho dos Santos, Maria Odette e Geraldo Vandré pareciam mais suficientes para sensibilizar o telespectador, distante das guerrilhas de classe. Sem Ibope que o sustentasse, o *Noite da Música Popular Brasileira*, ou *Frente Única da MPB*, naufragou antes mesmo que despontasse um novo líder.

7.

Algo em Elis Regina a fazia fascinante aos olhos dos homens que congestionavam seu universo de compositores, diretores de TV, empresários, instrumentistas e produtores de discos. Muitos não saberiam descrever exatamente o que os enfeitiçava, mas desconfiavam. Ao contrário do padrão das namoradinhas da época, Elis era ao mesmo tempo decidida e misteriosa e a mania de se jogar em penhascos valia também para seus relacionamentos. Além de fornecedor de grandes canções, Edu Lobo foi um namorado discreto. Por ele, Elis se deslumbrou e foi correspondida. Mesmo quando estava ao lado de outros homens, como Solano, Dico e José Roberto, fazia questão de propagandear os feitos do compositor. "Arrastão" era a parceria perfeita, uma conquista que só os aproximava, sacramentando um namoro que havia começado com o freio de mão puxado, nos ensaios do Beco das Garrafas, e seguido discreto até o temperamento imprevisível de Elis desgastar a relação. As brigas vieram e, ao seguir para uma temporada na Europa, Edu aproveitou para se distanciar.

Quando tinha poucos meses de São Paulo, Elis conheceu o compositor e violonista Toquinho em uma noite na Boate Cave. Estava com o empresário Marcos Lázaro e acabou se enturmando com os músicos. Aos 19 anos, Toquinho já tinha um violão e uma elegância de chamar atenção. Os santos bateram logo no primeiro dia e a cantora se aproximou rapidamente dele e de sua família, frequentando sua casa no bairro do Bom Retiro como mais um porto para ancorar seus sentimentos. Por mais que aquela amizade caminhasse pelo fio que a separava da paixão, Toquinho era cauteloso. Não sabia se aquilo que começava a sentir com força cada vez maior sentia sozinho ou se brotava também em Elis, mas começou a procurar sinais. Deu aulas de violão à amiga e tentou ser o mais profissional possível, até que Elis começou a confidenciar segredos.

O maior deles foi recebido por Toquinho como uma indireta. Elis dizia que estava apaixonada mas não revelava por quem, o que só ativava no amigo a sensação de vitória. E se havia dúvidas, ele teve certeza no dia em que Elis chegou com um livro de presente, *O Pequeno Príncipe*, de Saint-Exupéry, assinado e com dedicatória da cantora: "Você é o responsável por aquilo que cativas." O jogo estava ganho, Elis só precisava ter coragem para ir em frente. Quando o dia da revelação chegou, Toquinho caiu de costas. O rapaz por quem Elis estava apaixonada era um baterista casado e a frase escrita no livro era apenas a reprodução de um trecho da obra de Exupéry.

Gilberto Gil não foi namorado de Elis, mas vontade não faltou. Gil, mesmo à época casado com Nana Caymmi, apaixonou-se dolorosamente pela gaúcha. Diante de suas vontades, comportava-se com a obediência de um samurai sem ousar declarações íntimas. O fato de participar da Passeata Contra a Guitarra Elétrica liderada por Elis, mesmo sem acreditar em uma linha daquela ideologia anti-invasão cultural ianque, representava nada mais do que a incondicionalidade de seu amor. Quando Elis lhe pediu adesão, ele só precisou adaptar a causa a algum discurso criado para apaziguar a própria alma, explicar aos amigos que "o que estava em jogo era o que a guitarra representava, não o instrumento em si" e seguir marchando de braços dados com Elis. "Por que isso, Gil?", contestou Caetano. "Vamos ter um programa de TV", respondeu. Nem ao amigo ele diria que tudo não passava de uma loucura de amor.

Era o feitiço de Elis agindo em mais um mortal disposto a desvendar seus enigmas. Gil falava sua língua e ambos se encontravam no sublime das canções que um fazia para o outro dar vida. A impossibilidade de tê-la era visível, mas nunca completa, o que a tornava uma possibilidade impossível e apaixonante. Gil a admirou desde o início, quando o telefone de sua mesa soou no escritório da Gessy Lever. "É Gilberto Gil?" "Sim." "Aqui é Elis Regina. Baden, Vinicius e Edu me falaram de você. Venha me ver, quero ouvir suas músicas. Onde você está?" "Estou aqui no meu trabalho, na Praça da República." "Então vem, eu moro perto, a duas quadras daí." Além de muitos comentários convergirem para os talentos do baiano, Elis soube do ouro que saía daquele violão assim que recebeu de Edu uma fita cassete com músicas cantadas por Gil, Caetano e Maria Bethânia. Gil voou para o apartamento de Elis com sua roupa de representante de sabonetes e pastas de dente da Gessy Lever, sentou-se no sofá e mostrou todas as canções que, imaginou, a deixariam feliz.

Elis não só gravou Gil como o chamou de bom e incensou o poder de suas letras. Logo depois de lançar "Louvação" no álbum *Dois na Bossa Volume 2*, com

Jair Rodrigues, um golpe de sorte saído das cinzas de uma tragédia colocou Gil nas alturas. No momento em que a canção era tocada na Rádio Panamericana, futura Jovem Pan, que ao lado das emissoras Record e São Paulo formava o trio da família Carvalho, um incêndio começou a destruir seu prédio, na Avenida Miruna. Além de acabar com equipamentos caros e importados, as chamas consumiam imagens arquivadas de programas musicais antológicos e fitas com cenas de gols de Pelé que nunca mais seriam vistas.

Transtornado, o locutor da Panamericana não teve dúvidas. Acionou um comando para que a música que tocava na ocasião se repetisse sempre que chegasse ao fim e abandonou o navio. A música era "Louvação". A direção percebeu a comoção popular diante do episódio e fez dos versos que Torquato Neto escreveu para Gil um hino de perseverança, a trilha para a imediata reconstrução da empresa que mais atuava na propagação da música brasileira. "Vou fazer a louvação / Do que deve ser louvado / Meu povo preste atenção / E me escute com cuidado (...) / E louvo pra começar / da vida o que é bem maior / Louvo a esperança da gente / Na vida pra ser melhor." Nem sob encomenda Gil acertaria tanto o sentimento de quem amargava a tragédia que deixava como vítimas fatais registros da história que jamais seriam recuperados. Nos dois dias seguintes, "Louvação" tocou milhares de vezes, uma após a outra, o dia todo, e ficou impossível não querer saber quem era seu criador. O jovem baiano cheio de argumentos, formado em administração de empresas e filho de pai médico, ganhava um rosto e uma voz.

Elis começou a gravar Gilberto Gil aos montes – além de "Louvação", vieram "Roda" e "Lunik 9" na safra entre 1966 e 1967. Ainda assim, Elis, aos olhos do baiano, continuava de um tamanho que só permitia paixões à distância. Diante de sua grandeza, o súdito se calava. Ficava ouvindo suas ideias até que ela dizia: "Fale, Gil". E então voltava a si e tentava falar. Gil guardou tudo, sem jamais confessar seus sentimentos a Elis. Nem precisava. Naquela noite de 1967, na Passeata Contra a Guitarra Elétrica, deu o braço à madrinha e marchou para derrubar um inimigo que ele mesmo nem sabia ao certo o que era. Ao lado de Elis, Gil iria sorrindo até o inferno.

Mas a fragilidade dos apaixonados não parecia interessar a Elis. Homem sem atitude bastava o pai, que passou a ver a filha como a muleta que poderia amparar sua incapacidade de caminhar sozinho. Seu Romeu, muitas vezes, usava o dinheiro que Elis presenteava para financiar uma vida de bebidas, cigarros e jogos de azar. Sem uma sólida referência paterna, a cantora passou a procurar segurança no mundo desde cedo. Quando Ronaldo Bôscoli veio com Miele dirigi-la do Rio, Elis o abominou o quanto pode até sentir a firmeza que o diferenciava de outros que não sabiam como se aproximar de sua condição de mito. Algumas decisões de Bôscoli até poderiam se provar equivocadas, mas o fato de existirem com altas doses de um personalismo sofisticado, por vezes exótico, lhe causavam admiração.

A conquista de Elis, um desafio elevado ao cubo após o traumático episódio da demissão da cantora do Beco das Garrafas, havia acontecido na casa de Luizinho Eça, durante os encontros para a criação da música de abertura do novo *Fino*. "Elis, posso falar com você?", arriscou Bôscoli. A resposta veio na ferradura: "O que é que você quer?" "Elis, depois que você saiu do Beco eu perdi tudo. Perdi você, perdi os *shows*, perdi tudo. Só fiquei com o Miele para botar no palco com a Tuca." A estratégia da feição de cão sem dono funcionou. Elis topou dar com ele uma passada no Beco para matar saudades e ver Miele em ação. Sorrisos e gracejos amaciaram os ânimos e começaram a cicatrizar as feridas.

Bôscoli assumiu riscos dizendo à cantora o que ninguém tinha coragem de dizer. "Esse seu *layout* é ridículo. Você tem que dar um jeito nisso." O salto 16 tentava levantar o moral, mas a sobrancelha de Dircinha Batista abaixo do cabelo capacete reforçava o impacto pavoroso que o vestido de zebra reservava do pescoço para baixo. Inspirado na imagem de Mia Farrow, a atriz namorada de Frank Sinatra, Bôscoli fez Elis assumir seu 1,53 metro, cortar o cabelo bem curto e investir em peças jovens. A guarda de Elis foi baixando. No dia em que ela passou por Bôscoli e lhe disse um "bom dia" mais entusiasmado, a velha profecia se concretizou.

Hospedado com Miele no Hotel Normandie para dirigir o programa da Record, Bôscoli fez da improbabilidade daquela conquista uma obsessão. Afinal, o ódio alimentado por Elis já havia dado sinais de que poderia esconder uma paixão. A estratégia do lobo era rondar sem atacar, acariciar sem beijar, jogar o jogo da paciência – um investimento precipitado seria fatal. Elis deveria se sentir especial, e nunca mais uma de suas presas. Um dia, o telefone do quarto do hotel tocou. "Miele, é Elis. O Ronaldo está? Manda ele passar em casa pra gente acertar uns detalhes do programa?" Miele deu o recado com a expressão de quem diz "agora vai" e Ronaldo foi. Desarmado, foi na primeira noite, foi na segunda e retornou na terceira. Quando voltava ao hotel, nada dizia a Miele. "Só pode ser uma maquinação diabólica", pensava o amigo. E era. Na casa de Elis, Bôscoli segurava os demônios para não cair em tentação. Elis o recebia com roupas sensuais e servia uísque. Ele falava de negócios, de Frank Sinatra, sorria, despedia-se e voltava para o hotel. Quando a quarta noite ameaçava seguir o mesmo roteiro, Elis mordeu a isca: "Escuta aqui", disse, olhando em seus olhos. "Você é veado ou me acha uma merda?" Sem dizer nada, Bôscoli a pegou no colo, levou-a até o quarto, fechou a porta com o calcanhar e por lá ficaram por dois dias, isolados do mundo, sem atender telefone. Uma secretária ficou encarregada de levar a comida. Bôscoli deitava-se ao lado de Elis com um sentimento de vitória – a maior delas, mesmo já tendo namorado cantoras como Maysa e Nara Leão e sendo conhecido pelos íntimos como "rabo de cometa", aquele que não desgruda de estrela. Intriga da oposição. Aquela conquista era especial, a mais improvável, conduzida habilmente com estratégia e paixão. Ao anunciar o casamento para o fim daquele ano de 1967, outros corações seriam destruídos.

Ninguém se apaixonou por Elis com a mesma abnegação de Milton Nascimento. Era ele um garoto de 20 anos, carioca criado em Três Pontas, Minas Gerais, quando chegou a São Paulo com o pianista e vizinho Wagner Tiso, de supetão, ambos trazidos pelo compositor Pacífico Mascarenhas. Ao abrir os olhos, estava na casa da cantora Luiza Fonseca tremendo da timidez patológica que o calava e lhe dava calafrios. Havia informação demais e tempo de menos para digerir tudo aquilo. Pacífico não disse a Milton nem a Wagner o motivo da viagem. Quando chegaram, foram levados a um estúdio onde Luiza gravava um disco. O pianista e arranjador Moacir Santos, grande mestre à distância tanto para Milton quanto para Wagner, fazia os arranjos das canções diante de seus olhos. A última delas teve um coro feito pelos garotos Milton e Tiso a pedido de Moacir.

Depois da gravação, houve uma festa na casa de Luiza. Milton ficou sentado olhando pessoas que só conhecia pelo nome, de um mundo que não esperava habitar tão cedo. Seus olhos inspecionavam a sala até que passaram por eles uma morena pequena e graciosa que se sentou no canto oposto. Milton a conhecia de vista, de alguma capa de disco, talvez algum *show*. Ao puxar a ficha na memória de ex-programador de rádio em Três Pontas, lembrou-se da música que ela cantava, uma espécie de iê-iê-iê com ar de Celly Campello, mas mais aboleirado, chamada "Dá Sorte", de um disco com nome engraçado, *Viva a Brotolândia*. Milton já sabia o que fazer para se aproximar, só precisava de uma oportunidade. De repente o puxaram dali e o colocaram ao piano para cantar algo. Milton e Wagner, ainda ressabiados, mostraram uma canção que tinham feito juntos havia um tempo, chamada "Aconteceu".

Assim que a festa acabou, saíram todos caminhando pela rua. Milton apertou o passo até chegar próximo a Elis. Quando estava perto de suas costas, cantarolou os versos que lembrava de "Dá Sorte". "Dá sorte fazer o que eu digo, dá sorte querer seu amor, dá sorte cantar comigo." Mas "Dá Sorte" deu azar e Elis virou-se furiosa: "Cala a boca! Nem toca nesse negócio." Milton não sabia que a fase de *Viva a Brotolândia* seria enterrada em cova funda por Elis durante toda sua existência e que qualquer menção a ela seria considerada uma declaração de guerra. Depois de um raro momento de coragem fora do casulo, Milton voltou a ele.

Após passar uns tempos em São Paulo, Milton Nascimento retornou para Minas Gerais. Um dia estava na casa da família dos amigos Márcio e Lô Borges, em Belo Horizonte, quando ligou a TV para tomar um susto. "Eu estou apaixonado", dizia, enquanto assistia Elis e Jair apresentando *O Fino da Bossa*. Inspirado pela cantora e entusiasmado com a efervescência musical paulistana, resolveu mudar-se de mala, cuia e violão para uma modesta pensão de estudantes que ficava no bairro do Paraíso, na zona sul. A São Paulo dessa virada de 1965 para 1966 tinha uma média de 50 músicos desempregados para cada instrumento em ação. Decidido a viver do que sabia fazer, resistiu até conseguir contrato com as primeiras boates para se apresentar. Dinheiro mesmo demorou a aparecer. Enquanto vagava pela cidade, teve o sinal de que algo deveria mudar em sua vida antes que fosse tarde. Com muita fome, há dias sem se alimentar, viu tudo escurecer e só não despencou na rua porque se escorou em um muro.

E então, a voz de Milton Nascimento soou nos ouvidos de Baden Powell. Nem Milton sabe como Baden chegou a ele, talvez por meio de um LP que havia gravado em 1965 com o grupo Quarteto Sambacana, só com músicas de Pacífico Mascarenhas. Seu nome era bancado pelo violonista em um momento em que Baden já era grande e sua palavra valia ouro. Ao inscrever "Cidade Vazia", que fizera com Lula Freire, no II Festival Nacional de Música Popular Brasileira, da TV Excelsior, entre abril e junho de 1966, Baden o indicou para ser o intérprete. Amilton Godoy, que estava no júri, estranhou: "Quem é esse cara? Vai jogar uma música bacana dessas na lata do lixo?" Ao que, em pleno reinado de Elis Regina, Baden respondeu: "Amilton, cantora abre a boca e sai pedra. Eu me responsabilizo por esse intérprete. É um menino de Minas, vale a pena." Restou a Amilton consentir. "Está bem, a responsabilidade é sua." "Cidade Vazia", prejudicada por uma interpretação nervosa de Milton na final, bem diferente da empolgação que mostrara na fase eliminatória disputada em Porto Alegre, levou o quarto lugar. Nenhuma façanha para Baden, mas um feito nada desprezível para o garoto que havia poucos meses passava fome nas ruas de São Paulo.

Quando estava saindo do Festival da Excelsior, Milton viu Elis Regina. Agora sabia que a menina que ele cortejou por parecer frágil era, na verdade, um gigante. Mineiros, cariocas e paulistas só falavam em seu nome. Ao vê-la de novo em uma fração de segundo que lhe saltou os batimentos, Milton decidiu não olhar, fingir-se de morto e seguir seu caminho sem dizer nem oi, protegido pelo benefício da dúvida que plantaria em Elis. "Afinal, esse idiota não me viu ou me esnobou?". Melhor assim. Não seria de suas reverências que a garota alimentaria o ego. E ser esculhambado de novo, em público, nem por brincadeira.

Ao passar mudo por Elis, Milton ouviu o barulho seco de um tamanco estalando no chão. E o que veio em seguida saiu num tom que misturava raiva e graça, pendendo um pouco mais para a raiva. "Mineiro não tem educação, não?" Milton tentou dizer algo. "Cala a boca", interrompeu Elis com a frase que já soava familiar. "O negócio é o seguinte", engatilhou a gaúcha. "De manhã a gente vê uma pessoa e diz bom dia. De tarde a gente diz boa tarde e de noite a gente diz boa noite. Isso se chama educação." Milton poderia falar agora? Ainda não. "E outra coisa: eu quero que você vá para minha casa cantar aquela música que você cantou lá na casa da Luiza." Elis deu o endereço e começou a cantarolar "Aconteceu", a canção que ele havia apresentado com Tiso. Milton se espantou. "Mas eu cantei isso uma vez só e você já sabe a música?" Elis olhou para Milton, colocou o dedo indicador no meio da testa e respondeu com três palavras ditas pausadamente: "Memória, meu caro." Milton veria Elis ainda uma segunda vez, na porta da Record, quando a cantora lembraria do vacilo que o rapaz havia cometido com a interpretação de "Cidade Vazia". "Que raiva que eu fiquei, você tinha que ter tirado o primeiro lugar com aquela música. Precisava cantar como cantou em Porto Alegre, mas você avacalhou tudo." Milton fechou a expressão e Elis mudou de assunto. "E então? Que dia você vai lá em casa?"

Suando de ansiedade, Milton apelou aos amigos de pensão em busca de companhia para o encontro. Queria algum porto seguro para quando a timidez jogasse sua alma no calabouço e ameaçasse estragar a festa. Irem à casa de Elis Regina com ele para quê? Ninguém viu muito sentido no convite e o cantor ficou só. Saíram Milton e o violão, de ônibus, rumo ao centro da cidade. Ao chegar no endereço, tocou a campainha e Elis abriu a porta. Milton entrou e percebeu que Gilberto Gil estava lá. O baiano vinha de novo a convite de Elis para mostrar mais músicas e ajudar a escolher o repertório do próximo disco que ela iria gravar. Entre dois amores platônicos e encabulados, Elis flutuava sobre acordes e letras de canções inéditas que começavam a ser feitas sob medida para seu prazer. "Esta sim", "esta não", bastava dizer. Ou "esta é boa, mas pode melhorar". Gil diz que Milton tocou umas três músicas naquele dia. Milton afirma que foram 23. Ou 33. Ou mais. Nas memórias de Milton, foi uma eternidade. E a cada canção que tocava, sentia de Elis a mais profunda e enlouquecedora frieza. Milton tocou "Crença" e Elis nada. "Gira Girou", e nada. "E a Gente Sonhando". Nada. E outra e mais outra, até jogar a toalha. "Não tem mais nenhuma?", insistiu a cantora.

Até havia, mas Milton a evitava. Tratava-se de sua primeira canção, composta anos antes em Belo Horizonte, logo depois que ele leu um livro com a história da música criada pelos negros nos Estados Unidos. Ao chegar na parte dos cantos nos campos de algodão do Mississippi entoados pelos escravos africanos, a gestação do *blues*, pai de toda a música norte-americana, Milton decidiu fazer sua própria canção de trabalho. Foi à janela do 21° andar do escritório em que tinha emprego de datilógrafo e tentou pescar algum ruído dos homens que ganhavam a vida mascateando na rua em frente. Nada pareceu interessante. Pensou então nas salinas que via na infância durante os passeios com uma madrinha que o levava do Rio de Janeiro, onde nasceu, até Cabo Frio, e encontrou a imagem que procurava. Aquilo soltou seus bichos e lhe deu um caminho harmônico interessante para um sofrimento lírico de fazer inveja a Muddy Waters. Mesmo assim, algo ainda o desagradava. Aquela era uma obra em progresso, não um cartão de visitas a ser mostrado para a mulher que estava prestes a lançá-lo no mundo. Elis quis ouvir mesmo assim e Milton, já exaurido pelo desconforto diante de Gil, pela indiferença de Elis e pelo nervosismo de sua própria natureza, tocou "Canção do Sal" como saideira, mais para cumprir tabela. Ao terminar, colocava o violão no saco quando sentiu um brilho na sala. "É essa, Milton", disse Elis. "É essa a música que eu quero."

"Canção do Sal" abriu a porteira para a boiada de Milton nos discos de Elis Regina. Quando o álbum *Elis* saiu, em 1966, todo o universo parecia estar a serviço da cantora. Gil e o parceiro João Augusto abriam com "Roda". Depois vinham Caetano Veloso ("Samba em Paz" e "Boa Palavra"), Edu Lobo e Gianfrancesco Guarnieri ("Estatuinha"), mais Gil ("Lunik 9"), Chico Buarque ("Tem mais Samba"), Marcos e Paulo Sergio Valle ("Sonho de Maria"), Francis Hime e Vinicius de Moraes ("Tereza Sabe Sambar") e Pixinguinha e João de Barro ("Carinhoso"). O fechamento, posição de luxo na época dos LPs tanto quanto a abertura, ficava com Milton Nascimento e sua "Canção do Sal". Elis gravou e adotou Milton com um sentimento materno, protegendo-o de uma cidade que parecia querer engolir sua simplicidade interiorana. Quando disse à direção do *Fino* que iria levá-lo ao programa, a cantora sentiu resistências ao convidado que ainda não passava de um ilustre desconhecido. "Se ele não vier, não tem programa", ameaçou. Milton foi. O mineiro apaixonava-se silenciosamente, cada vez mais, e pagava por sua proximidade com músicas, muitas músicas. Até o fim de sua carreira, Elis gravaria várias canções de Milton Nascimento. Mesmo que sua musa um dia não estivesse mais presente, seria só para ela que iria compor.

A subserviência de Milton a Elis só não era maior do que as certezas que o cantor tinha sobre suas próprias composições. Quando ouviu a gravação de "Canção do Sal", usou sua mudez enigmática para passar um recado que não conseguiria dizer verbalmente, reservando-se ao direito do silêncio sem explicações. Elis ficou intrigada, mas não insistiu. A partir dali, Milton passou também a lhe dar medo. O que quer que viesse com sua assinatura deveria ser gravado com uma qualidade absurda. Sobre "Canção do Sal", o pressentimento de Elis estava correto: o compositor não se manifestou porque não gostou do resultado. O problema não estava na voz, mas no arranjo do maestro Chiquinho de Moraes, que tornava suave algo que deveria manter a pegada rude. Afinal, tratava-se de uma canção de trabalho. Milton entendeu que se falasse com Elis, por mais que escolhesse as palavras, ela não iria aceitar.

Por isso, nunca deu sua opinião. A alma de "Canção do Sal" só seria lavada diante de seu criador em 1973, quando Elis, ao lado do pianista Cesar Camargo Mariano, do baterista Paulinho Braga e do baixista Luisão Maia, tocaria a música no programa *Ensaio*, da TV Cultura, apresentado por Fernando Faro. Uma base seca, sem sopros nem a bateria de samba que apareciam no disco, além de um andamento mais introspectivo, deixavam a voz de Elis livre para se esparramar. "Meu Deus, por que ela não gravou assim?", perguntou Milton a si mesmo.

Milton e Elis começavam a se entender sem palavras, tanto nas músicas quanto fora delas. Elis sentia que, mais do que com Gilberto Gil, que todos diziam ser seu compositor maior, Milton estabelecia com ela uma afinidade telepática. Ela sabia o que ele queria mesmo se a música viesse sem letra. Só se queixava de sua mudez quando precisava de uma opinião, mas dizia-se acostumada a homens de poucas palavras desde que conheceu o primeiro deles, Romeu, o pai que passou por sua infância lendo jornais e fumando cigarro. A relação se fortalecia e Milton passou a sonhar com Elis até diagnosticar-se como portador de um súbito mal ao qual davam o nome de amor platônico. Elis não saía de sua cabeça, mesmo quando ele a via com outros homens. Milton ia às extremidades da paixão incondicional, criando uma lógica para suportar a dor. A felicidade de Elis, mesmo em braços que não eram os seus, trazia-lhe conforto pela simples constatação de que o amor estava presente. E havendo amor, mesmo trazido por outros homens, Milton se sentiria próximo. Suas maiores declarações eram feitas em música, não em palavras. Falassem o que fosse, sairiam todas de seu sentimento mais profundo por Elis e teriam sempre a intenção de penetrar a alma de sua amada como ele jamais conseguiria fazer de outra forma. Se um dia Elis percebesse ser a causa de tudo o que ele criava e ela mesmo cantava, quem sabe o que era sentido, enfim, poderia ser dito.

Às vésperas do Natal de 1966, o cantor esperava Elis nos bastidores de *O Fino da Bossa* para se falarem depois do programa. Eles sempre saíam para jantar com a conta garantida por Elis já que, pelas economias de Milton, nem jantar haveria. "Diz uma coisa, onde você vai passar o Natal?", quis saber a amiga. "Em Três Pontas com minha família", respondeu Milton. "Não senhor, você vai passar o Natal no Rio de Janeiro comigo." Seria a primeira vez que o cantor quebraria a tradição e não veria seus parentes naquela época do ano. Milton aceitou o convite e seguiu para o apartamento de Elis em Copacabana, onde a cantora receberia a família e alguns de seus melhores amigos. Ao chegar, sentou-se em um canto e deixou os olhos vagarem.

Os presentes foram abertos e os cumprimentos feitos. Elis puxou uma cadeira para ficar à frente de Milton como se o mundo ao redor não existisse. Olhou bem em seus olhos e começou a chorar um pranto profundo que parecia estar lá havia um bom tempo. Uma frase veio à cabeça de Milton. "Eu acho que aqui está nascendo uma linda história de amor." Elis desabafou sobre suas angústias, lembrando episódios desde os tempos em que tentaram fazê-la uma nova Celly Campello. Uma das fases mais belas de sua vida havia sido interrompida por um projeto que lhe criaram à revelia de sua própria vontade. Nunca foi fácil, e quanto mais a chamavam de prodígio, mais difícil se tornaria. Ela só queria cantar, colocar para fora o monte de música que aparecia em sua cabeça sem avisar hora nem escolher lugar. Não imaginava que a mesma música que a realizava tinha de fazer parte de uma ciranda de negócios movida por uma gente que ela jamais imaginou existir fora dos filmes de ficção. Elis também chorava por sua condição de presa. Dizia que os homens que se aproximavam queriam sempre levá-la para a cama. Que sucesso era esse? O papel de confidente das amarguras de Elis, certamente potencializadas pelo clima de uma noite de Natal, aumentava em Milton duas certezas: a de que a amava e a de que, por esse amor, seguiria fiel ao seu próprio silêncio.

A lista de grandes homens calados na vida de Elis Regina reservava mais um. Indicado pelo produtor João Evangelista Leão, Francisco Buarque de Hollanda chegou visivelmente constrangido à casa da cantora, que a essa altura havia se tornado uma espécie de Meca para os peregrinos em busca de uma voz que abençoasse suas carreiras. Espremendo o braço do violão com a força da timidez, Chico entrou, sentou-se e, como uma fita que enrola no cabeçote do gravador, travou. Elis ficou olhando para Chico, Chico olhando para Elis, e nada. Mais tarde, a cantora contaria que a falta de atitude da visita tornou-se um grande incômodo depois que 15 minutos se passaram naquela situação. Elis tomou a dianteira. "Você é amigo do João?" "Sim." "E então, quer gravar suas músicas em uma fita?" Já escolada na linguagem dos mudos, Elis tentou deixá-lo à vontade na sala para que gravasse suas dez ou doze canções em paz. Eram geniais, mas isso só ficou claro mais tarde. A primeira impressão de Elis não foi boa e, depois que Chico se foi, ela ligou para

João Evangelista: "Oi, João, eu conheci seu amigo, mas acho que ele não está a fim de ser gravado." Elis, por não ter sentido firmeza, não gravou as músicas que Chico deixou. Resultado: Nara Leão gravou.

Se parasse para pensar, seria de enlouquecer. A intensidade dos acontecimentos na vida de Elis Regina não era algo normal. No fim de 1967, ela tinha 22 anos de idade e quase quatro de carreira, além dos limites de Porto Alegre. Havia gravado *Dois na Bossa*, o disco mais vendido no Brasil até então, e era contratada da maior gravadora do País, a Philips. Suas façanhas incluíam *shows* no exterior, a vitória de um festival de música nacional e a conquista do maior salário da TV brasileira, além de lançar Gilberto Gil, Milton Nascimento e Edu Lobo. O ânimo da indústria impulsionada pela nova música brasileira parecia não ter fim. Só nos primeiros cinco meses de 1966 foram 500 mil LPs vendidos que movimentaram 3 bilhões de cruzeiros, o equivalente a cerca de R$ 35 milhões em 2012. A lista dos mais procurados pelo público tinha em seus primeiros lugares Chico Buarque, Nara Leão, Quarteto em Cy, Jair Rodrigues, Geraldo Vandré, Tuca, Gilberto Gil, Caetano Veloso, MPB 4 e Elis Regina. Só na voz de Chico, "A Banda" havia sido responsável pela venda de 80 mil discos. Com Nara, 70 mil. As meninas do Quarteto em Cy garantiram a venda de 30 mil LPs. Um compacto de "Disparada", gravado por Jair Rodrigues, venderia 40 mil cópias.

Os números deixavam Elis desorientada. A ciranda de *shows* não lhe permitia respiros. Segunda estava em São Paulo, terça em Belém, quarta no Recife. Muitas vezes acordava sem se lembrar do nome da cidade em que havia dormido. Ao olhar para os lados, só via cifras. Com um pouco de esforço, se algum repórter lhe perguntasse, lembraria que em um tempo não muito distante era uma menina apaixonada por violetas, que adorava o cheiro do perfume Y, que torcia para o "Pelé Futebol Clube", que sonhava em se casar e ter filhos. Quando voltava à vida, sentia o baque. Marcos Lázaro, seu empresário, vivia sobre contabilidades, cuidando da carreira de mais da metade dos artistas da Record. Elis tinha um salário volumoso que poderia tanto lhe permitir tudo quanto lhe fazer sentir-se o nada. Mesmo os homens que surgiam à sua frente eram números correndo atrás de mais números. Um dia, Elis olhou no espelho e o que viu foi uma mercadoria de supermercado. Sem mais suportar a pressão, foi fazer psicanálise.

Sentada no divã, Elis tentava entender as origens de suas angústias. A garota de Porto Alegre criada por uma mãe tradicional para ser dona de casa saía pelo mundo sem ouvir conselho algum. A cada passo, desde o início, sentia-se uma máquina de fazer dinheiro para si e para os outros. A alegria que marcava sua personalidade havia sido trocada pela agitação, algo que o tempo poderia transformar em nervosismo e fazer evoluir para uma depressão. Elis sentia que não havia recebido educação para viver no meio artístico. Suas crises, diria em entrevistas posteriores ao tratamento, eram deflagradas sempre que atingida pela falta de honestidade. "Procurei carinho no meio, mas não achei", disse à revista *Manchete*, em 1966.

Seus complexos, suspeitava, poderiam ainda ter origens em sua estatura de 1,53 metro, que a condenara a ver a vida passar do andar de baixo. "Pessoal pequenininho tem um negócio esquisito que movimenta para frente, não dá pra explicar. Ele tem que crescer senão morre. Se não pode ser maior fisicamente, tem de ser maior na profissão", disse no mesmo ano, em entrevista ao jornal *Última Hora*. Ao final de não mais do que cinco sessões terapêuticas, Elis comemorava um feito: "Sempre liguei muito para o que diziam de mim. A psicanálise me ajudou agora. Não penso mais nisso." E lamentava outro: "Aprendi na psicanálise que não se pode ser vulnerável diante das pessoas que nos rodeiam. Perdi a confiança em mim e no resto." Quando descia aos primeiros anos e encontrava-se com sua infância, via uma menina de dar pena. Por ser a única guria entre os Carvalho Costa, percebia ter sido prisioneira de amores excessivos por parte da mãe, da avó e da tia. A sensação de ser propriedade alheia voltava agora, ao olhar para si e só ver um fantoche nas mãos dos homens das gravadoras, do *showbiz*, das emissoras de TV. "É terrível não nos sentirmos donos de nós mesmos." Elis teria um pouco mais de motivos para pensar assim. Afinal, chegara o dia de seu casamento com Ronaldo Bôscoli.

8.

DIZER "SIM" ERA POUCO, pequeno demais para decretar a queda de uma resistência tão longa. Assim que o padre perguntasse a Ronaldo Fernando Esquerdo e Bôscoli, 39 anos, se ele aceitava a senhora Elis Regina Carvalho Costa, 22 anos, como sua legítima esposa, Ronaldo diria: "Quero perfeitamente, quero." O galanteador mais eficiente do meio artístico nos anos 1960, mestrado em técnicas da conquista e doutorado em sensibilidade feminina, com especialização em cantoras de Bossa Nova e MPB, iria ceder à razão e amarrar o burro

aos olhos de Deus e dos homens. O casamento civil estava marcado para as 16h30 de 5 de dezembro de 1967. O religioso seria dois dias depois, na Capela Mayrink, na Floresta da Tijuca, um espaço para 36 pessoas que receberia 500. Só o véu de Elis tinha dez metros de comprimento, quase maior que a extensão da capela. Pequena, eles sabiam, mas de um valor espiritual para Ronaldo Bôscoli. Quando era aluno do Colégio São José, com oito anos, Bôscoli visitou a capelinha levado por padres professores. Ao olhar para o altar, pensou que, se um dia viesse a se enlaçar com uma garota, aquele seria o cenário perfeito. Casar ali era o pagamento de uma promessa feita não a Deus, mas a si mesmo.

Não por acaso, o civil foi marcado na própria casa dos noivos, uma mansão em estilo mediterrâneo de impressionar a *high society* na ladeira da Gruta da Imprensa, Avenida Niemeyer, Rio de Janeiro. De costas para o verde do ainda pacífico Morro do Vidigal e face para um horizonte sem fim de mar azul, a morada de três andares em estilo colonial com três quartos, dois banheiros, uma sala de estar de onze por cinco metros, uma sala de jantar, dois escritórios, móveis de madeira antiga, dependências para cinco empregados e um deque arrebatador havia sido o pivô na decisão de juntar os trapos. Elis, aconselhada por Bôscoli, havia deixado de gastar os tubos em roupas e joias para buscar sua casa dos sonhos no Rio de Janeiro, um cantinho para chamar de seu que não parecia existir por menos de 200 milhões de cruzeiros novos. Numa tarde de ousadia, o casal resolveu subir a Ladeira da Gruta e topou com o branco iluminado de uma mansão fora dos padrões dos apartamentos que tinham visto até então. O pacote oferecido por 150 milhões de cruzeiros incluía a mansão com praticamente tudo o que tinha dentro. Bôscoli não teve dúvidas de que Elis deveria fechar o negócio na hora. "Ah, tá, e se eu comprar esse elefante branco e você não se casar comigo?", disse ela. Bôscoli percebeu a corda fisgando o pescoço. Era hora de dizer sim.

Um dia antes da cerimônia, Elis recebeu alguns jornalistas para mostrar seus mimos. Ainda deslumbrada com a mansão na qual havia dormido pela primeira vez na noite anterior, seguia com eles pelos cômodos apontando os objetos de que mais gostava. "Olha que relógio lindo. Foi do meu avô, tem mais de cem anos." "Estes sofás de couro foi Marcos Lázaro quem deu." "Aquele sino persa é a nossa campainha." Ao cruzar com um retrato de Frank Sinatra na parede do escritório do marido, que só chamava de Velho, comentou com bastante verdade: "O Velho gosta mais dele do que de mim." Elis passava dias de angústia à espera do casamento. Fumava meio maço de cigarro por dia, algo bem acima de sua média, e dava sinais de esgotamento físico. "Ontem, quase dei uma trombada com o carro, estava cochilando no volante", disse aos repórteres. "Amanhã, a esta hora, estarei casando. Parece mentira."

O amanhã chegou rápido e Elis entrou apressada em casa, direto do cabeleireiro. Os jornalistas estavam por lá de novo, desta vez, ao redor de Bôscoli. Irritada, ela passou calada, tocando Boboca da sala, um dos seis cachorros da família. "Vocês estão vendo? Ela é assim mesmo", disse Bôscoli, visivelmente exausto em meio a uma espécie de coletiva de imprensa improvisada, talvez a única de que se tenha registro no Rio de Janeiro oferecida por um noivo duas horas antes de seu próprio casamento. "Vamos nos casar com separação de bens", fazia questão de explicar, lavando roupas em público antes mesmo que elas ficassem sujas. Aquela casa que todos viam com olhos grandes, dizia, seria paga por ele também. Sua condição, agora, era a de um "ex-aventureiro do amor". Golpe do baú? Se quisesse, já o teria aplicado em outras mulheres, dizia nas entrelinhas. Elis muito lhe devia por ser ele o mentor de seu novo visual. A declaração seguinte seria ainda mais boscoliana: "Não sou rico, mas estou bem. Ela ganha 15 milhões por mês e eu, dois e meio. O trivial será mantido por mim. O luxo, por ela. Quero ser o Ronaldo Bôscoli, não o marido de Elis Regina."

No horário marcado, estavam quase todos lá. Dezesseis convidados, 33 fotógrafos, 10 cinegrafistas e um juiz com o livro BB4 aberto na folha 158 esperando Ronaldo Bôscoli e Elis Regina para testemunharem um matrimônio no qual muitos só acreditariam vendo. A imprensa abriu sua artilharia: "De qualquer maneira, nunca se pode saber com quem nossas filhas vão se casar. Às vezes a gente cria uma pessoa com todo carinho, conforto e educação para vê-la, enfim, tombar nos braços de Ronaldo Bôscoli. Mas Elis Regina terá, para todo o sempre, o conforto de saber que a Guerra do Vietnã é muito pior", escreveu José Carlos Oliveira no *Jornal do Brasil*.

Paulinho Machado de Carvalho, um dos padrinhos, e o estilista Dener Pamplona chegaram com uma hora de atraso. Nada que criasse mal-estar maior do que aquele que os próprios noivos sentiam por curtirem uma ressaca de pé. Havia dois dias vinham fazendo juntos suas despedidas de solteiro. Duas noites antes, estavam em uma badalada festa no Copacabana Palace para celebrar a despedida da atriz norte americana Joan Crawford, espécie de mestre de cerimônias da psicodélica Noite Alucinante de Carnaby Street, com direito a banquete, desfile de moda e *show* de Elis Regina. "Os noivos mal se aguentavam", publicou o jornal *O Estado de S. Paulo* no dia seguinte ao casamento.

Gravata, terno escuro de listras mais apertado que o normal, camisa rosa de punhos e colarinho branco, cabelos no gel, Ronaldo Bôscoli estava pronto para levar ao juiz sua maior conquista, a prova de que seus poderes elevados ao extremo seriam capazes de transformar água em óleo. Até então, Elis era a algoz de sua trajetória de produtor do Beco das Garrafas e de sua carreira como compositor. Não dava a mínima para coisas marítimas, o que deixava à deriva "O Barquinho" que compusera tão dignamente com Roberto Menescal. “Dia de luz, festa de sol e um barquinho a deslizar no macio azul do mar.” O bombardeio à sua embarcação e a outros inhos da Bossa Nova havia sido promovido pelo sucesso de uma turma da MPB que chegava cheia de revolta política, chamada jocosamente por Bôscoli de “esquerda festiva”. “Elis estava no comando da fuzilaria”, diria ele sobre os efeitos anestesiantes que a nova MPB causava na até então imbatível Bossa Nova. A sensação de reverter aquilo no altar era de vitória. Quase uma vingança.

Quando deu início aos trabalhos, elogiando os dotes vocais de Elis, o juiz Ciro Lima já havia sido chamado por Bôscoli de Armando Marques, um dos maiores árbitros brasileiros de futebol. Ciro, visivelmente nervoso pela presença da cantora, não reclamou. O escrivão que havia levado a tiracolo, Antônio Faro, também havia dado um fora ao se esquecer de vestir a toga antes do ritual. Quem apostaria que estariam ali para uni-los em matrimônio? Ninguém, mas todos fariam bem seus papéis. A chuva insistente dos dias anteriores estava mais fraca desde que a cozinheira Glória mandara seu filho desenhar um sol no quintal da casa para que as nuvens se dissipassem. Ainda assim, as mulheres de longo sofreram para subir as escadarias que levavam à sala.

Além de Paulinho de Carvalho e Dener, estavam lá Luizinho Eça, Paulo Garcez, Francis Hime, Marcos Lázaro. A única baixa era a manequim Vera Barreto Leite, impedida de estar presente como madrinha do noivo por não conseguir voo de São Paulo a tempo, onde estava para um compromisso profissional. Wanda Sá a substituía como uma das madrinhas. Apesar de Elis não usar um vestido feito pela mãe, Dona Ercy via aos prantos a filha na pele de noiva. Não tinha por Bôscoli uma opinião sólida, nem intimidades, mas se alegrava ao perceber sua menina feliz. Ao vê-la emocionada, Bôscoli tentou ser gentil: “Mamãe, está em prantos? Qualquer coisa, estamos aí.” Elis, sem dúvida de que fazia a coisa certa, assinava o que tinha de assinar e guardava mais lágrimas para o altar do dia sete.

Houve quem espalhou pela rádio-peão da Record que a escolha do dia sete não era exatamente uma coincidência, mas uma estratégia de Elis. A emissora apresentava nesta data o *Show do Dia 7*, um especial de música e humor, com a convocação de quase todos os seus contratados. Ao marcar o casamento para esta data, Elis se livraria de metade dos bicões que preferia ver só no trabalho. Elis e Bôscoli escolheram os padrinhos um para o outro e fizeram questão de não saber quem seria padrinho de quem. “A gente prefere assim, tudo na base da surpresa”, disse aos jornalistas.

E foi na base da surpresa que Elis levou de Armando Pittigliani um pisão na cauda do vestido, logo na entrada da igreja, enquanto tentava passar pela multidão de convidados e turistas que comiam sanduíche. "Não pisa no meu rabo, porra", disse, desafinando do clima que Luizinho Eça tentava criar tocando "Imagem" ao piano, acompanhado por um sexteto de cordas da Orquestra Sinfônica Brasileira. Cinegrafistas, fotógrafos, padrinhos, convidados e penetras faziam o padre alemão Francisco de Assis Ohmacht se distanciar cada vez mais do noivo. Bôscoli percebeu que estava sem as alianças e ameaçou entrar em desespero. Miele sentiu a enrascada e resolveu o problema: "Se você não achar a sua, casa com a minha." Bôscoli achou. Ao tentar restabelecer a ordem, o sacerdote pegou um sino de mão e passou a tocá-lo com tanta força que o deixou escapar. O sino voou sobre as cabeças e desapareceu, mas ninguém se machucou.

Assim que proferiu as primeiras palavras, padre Francisco ouviu um cinegrafista dizendo para ele abaixar a cabeça. "Ou eu ou você, meu filho", respondeu. O altar era ocupado pela nova turma de Elis, pessoas da alta esfera carioca apresentadas a ela sobretudo pelo marido. Laura e Abelardo Figueiredo tinham uma importância especial na construção da nova senhora Bôscoli. Uma operação encomendada pelo noivo já havia sido colocada em prática quando Laura lhe apresentou à alta-costura e a outras condutas cinco estrelas. Helena Campos e Nelson Motta pai, além do jornalista Nelsinho Motta, eram grandes amigos de Bôscoli. E Miele, por tudo o que representaria naquela noite, não poderia faltar.

O ajudante do vigário, que deveria ler as passagens religiosas, não estava presente. Sem sacristão, Miele foi convocado de improviso. Ao ver o barbudo a seu lado, o padre ordenou, sem tempo para gentilezas: "Meu filho, pega este livro aqui e quando eu fizer assim com a cabeça você repete o que eu falei. Vai seguindo o texto." O livro, no caso, era a Bíblia. Jornais de São Paulo confundiram Miele com um líder religioso. "Estranhamente, o casamento de Elis foi oficializado por um padre católico e um rabino", escreveu um repórter. Bôscoli, que havia calibrado as ideias com doses de uísque antes da cerimônia, não conseguia parar de rir ao olhar para Miele. Assim que o padre pediu que todos rezassem um Pai Nosso e uma Ave-Maria, Elis e o marido já pareciam habitar mundos diferentes. Ela, compenetrada e comovida a cada palavra. Ele, segurando uma crise de riso.

As pessoas que não podiam ver os noivos tiraram os sapatos e subiram nos bancos. Luiz Eça começou a tocar a "Ária da Quarta Corda", de Bach, e Elis encostou em Bôscoli para chorar. O sacerdote leu uma passagem do Evangelho de São Matheus e pediu para que todos olhassem para a imagem da Virgem Maria e fizessem suas orações, mas percebeu que ninguém conseguia enxergá-la. "Não tem importância, vamos continuar. A cerimônia está muito boa, realmente", disse. A cena já era uma tela de Salvador Dalí quando o padre passou a conversar com a noiva como se estivessem os dois sentados em um bar no Beco das Garrafas. Ao ver a certidão de batismo de Elis, ele disse ter notado que a cantora havia sido ungida por um padre conterrâneo seu, chegado ao Brasil da Alemanha na mesma época que ele. Elis devolveu o comentário com mais frugalidades e os dois engataram uma conversa até padre Francisco olhar para Bôscoli. "Fico satisfeito em saber que estudou em um ambiente fraternal e familiar, no nosso Colégio São Bento, e sei que conservou aqueles traços de amizade e gratidão." Com a expressão mais angelical que poderia esboçar, Bôscoli sorriu.

O ritual da declaração matrimonial saiu truncado. Depois de ouvir o padre perguntar se aceitaria Elis Regina como sua legítima esposa, Bôscoli sentiu a garganta secar. Soltou no tranco, de uma vez só, um embolado "quero, perfeitamente, quero". Na vez de Elis, a voz saiu baixa e ela repetiu o "sim" para a igreja ouvir. Rogério, seu irmão, chorava baixo em um canto quando o padre pediu que o casal se abraçasse. Bôscoli perguntou se um beijo era permitido. Diante do sim, deu três, um após o outro, para que os fotógrafos fizessem bem os seus trabalhos. Um convidado esbarrou no altar e derrubou os candelabros que sustentavam as margaridas e seguravam um véu suspenso, que despencou como uma rede sobre algumas pessoas. Elis, desde a música de Bach, chorava sem parar. Sabia que aqueles passos mudariam sua vida, só esperava que fosse para melhor.

Se soubesse dos acontecimentos que antecederiam sua noite de núpcias, Elis poderia ter economizado tempo terminando tudo antes mesmo de começar. Após o casamento religioso, os tios de Laura Figueiredo ofereceram em seu apartamento uma festa para poucos. A certa altura, Bôscoli desapareceu por tempo demais. Elis percebeu e perguntou. "Vocês viram o Ronaldo?" Depois de procurar por quase todos os cômodos, a amiga e jornalista Cristina Gurjão, uma das convidadas, foi ao banheiro temendo o pior. Girou a maçaneta e flagrou o marido de Elis com uma mulher seminua. "Desculpe, Cristina, eu estava muito nervoso com essa história de casamento", tentou justificar. Sem cor, a jornalista voltou a Elis antes que o pior acontecesse e decidiu salvar o matrimônio do ano dizendo uma frase da qual apenas metade era verdade: "Ronaldo está no banheiro."

Ronaldo Bôscoli não tinha vocação para figurante. Quase sempre ia na frente a seu jeito, sem estudar palavras. O que pensava, dizia; o que sentia, fazia. Sem freios nem filtros. "Meu casamento será um sucesso na medida em que minha gaúcha esposa se carioquize, se modernize permanentemente, como eu, e perca sua essência pequeno-burguesa", disse ao *Diário da Noite*. Sua ficha corrida trazia lendas e feitos saborosos. Era ele, nem sempre ao mesmo tempo, jornalista esportivo, cronista, compositor, produtor e agitador cultural com uma insaciável sanha pela conquista do sexo alheio em qualquer uma das funções. A técnica que desenvolveu para tanto, testada e aprovada em muitas garotas do Rio de Janeiro entre 1950 e 1960, tinha como inspiração mais a carência de um cão sem dono e menos os ataques de um falcão. As condições, como fora com Elis, deveriam ser criadas para que as mulheres viessem aos seus braços, não o contrário.

Com Nara Leão havia sido assim. Antes mesmo de existir Elis Regina no Rio de Janeiro, Bôscoli já havia desenvolvido a técnica de saber estar no lugar certo, na hora certa, de olhos na mulher perfeita. De amigo em amigo, chegou ao apartamento do pai de Nara, o doutor Jairo Leão. Eram aqueles encontros entre músicos de cabeças brilhantes em formação, como a do violonista Roberto Menescal, o melhor lugar do mundo para se estar em 1958. Até porque seriam as festas de apartamentos da zona sul carioca que dariam régua e compasso para o surgimento da Bossa Nova, já esboçada pela voz de Dick Farney e pelo piano de Johnny Alf. Ao contrário de Nara, meiga, sensível e hábil com um instrumento incomum a uma mulher como era o violão, Bôscoli era desafinado e sem dotes para instrumentista. Seria um fanfarrão em meio a tantos virtuosos não fosse sua capacidade de criar belos versos. E só um galã de rodoviária se não conquistasse a rainha daquele grupo. Nara Leão, morena, olhos grandes, lábios fartos, inteligente, pequena em corpo e intensa em sentimentos, manteve com Bôscoli uma relação doméstica de entrega e com a anuência dos pais. Doméstica até demais, a ponto de despertar no produtor uma súbita vontade de pular a cerca para cair no quintal de Maysa.

Maysa era a tormenta pós-calmaria. Ainda noivo de Nara, Bôscoli uivou ao avistar os grandes olhos da rainha das dores de cotovelo e dos sambas-canção que ele próprio ouvia com certo desprezo. Alta, encorpada, lábios estreitos, inteligente e explosiva, era seu novo desafio. Depois de arrebatar Nara com doçura e guardá-la como um troféu conquistado no primeiro escalão das rodas do Rio de Janeiro, deveria domar Maysa até fazê-la trocar a música que ele considerava envelhecida e triste pela energia da Bossa Nova. Nara ficou sabendo da traição e se foi para sempre da vida de Bôscoli e de Maysa, agora, uma ex-amiga. Bôscoli faria a nova namorada até cantar bossa, mas a um preço alto demais. Ao descobrir que dormia com uma mulher em estágio avançado de dependência alcoólica, viu o inferno de perto. Brigas e discussões causaram desgastes capazes de fazer despencar qualquer mundo. Ao aparecer nesta ficha corrida, Elis Regina, com toda sua tempestuosidade, era um bálsamo, uma fusão de suas duas principais conquistas anteriores. Decidida como Nara, explosiva como Maysa, tinha o talento e a intensidade das duas juntas.

O bonde vinha sem freio quando Ronaldo Bôscoli decidiu subir. Se era sua no papel, Elis se tornava cada vez mais do mundo. Um mês depois do casamento, seu destino era Cannes, na França, onde participaria do Mercado Internacional de Discos e Edições Musicais, o Midem, ao lado do Bossa Jazz Trio. Com as passagens pagas pela Philips, Elis era a representante brasileira entre 450 artistas, de 38 países, observados por 500 jornalistas especializados em música. Era Bôscoli fazer as malas e seguir com a mulher não fosse um detalhe: aviões lhe davam pavor. E nem amarrado subiria naquelas carroças voadoras.

O pianista Dom Salvador recebeu uma carta de Elis pelo correio, datada de 29 de dezembro de 1967: *"Salvador, Salve! Preciso que vocês (você e o trio) estejam em São Paulo terça-feira pela manhã. O assunto é urgente e importante, além de decisivo e de interesse para vocês. Espero que todos estejam bem. Dê um beijão na Maria. Elis."* Salvador, pianista de alta patente, conhecido do Beco das Garrafas, morava no Rio com a mulher, Maria, e o filho, Marcelo, no mesmo apartamento 808 da Barata Ribeiro, em Copacabana, que um dia havia sido alugado por Elis. Convidada para ser madrinha de casamento do amigo, a cantora o indicou para assumir o imóvel assim que ela se mudou para São Paulo e deixou, como presente, dois meses de aluguel pagos adiantados.

Elis sonhava com o trio de Salvador ao seu lado, nesta época formado pelo baixista Edson Lobo e pelo baterista Victor Manga, provavelmente para aquela e para outras viagens, mas o pianista nem procurou saber a razão do convite por um único motivo: tocar com Elis era sinônimo de voltar a morar em São Paulo, algo que o aterrorizava sobretudo porque sobravam trabalhos nos estúdios do Rio. Era a segunda vez que Elis flertava com Salvador. Uma aproximação mais discreta já havia sido feita no ano anterior, em 1966, quando o Zimbo fez uma apresentação no Porão 73, em Copacabana. Salvador conta que Rubinho, baterista do Zimbo, disse que o pianista Amilton Godoy estaria pensando em deixar o grupo para se dedicar a uma carreira de concertista e que Elis o chamaria para seu lugar. Amilton diz que jamais pensou em sair do Zimbo. De qualquer forma, Salvador não se entusiasmou com a possível substituição e, em um raro episódio, um músico deixou Elis Regina querendo.

O Midem era um passo em direção à glória internacional que faltava a Elis, um festival para o qual o mundo olharia durante dez dias de exibições. A rede de TV Eurovision, por meio do satélite Telstar, iria garantir uma transmissão direta para 80 milhões de espectadores na Europa e Estados Unidos – uma oportunidade que faria Elis chegar à França, se preciso, de asa delta. Além dos possíveis aplausos de crítica e público, um fenômeno em potencial poderia fechar contratos de lançamentos de LPs na Europa, receber convites para *shows* em outros países e estar ao lado de uma gente que valia a pena conhecer. A atração que fecharia a noite em que Elis cantaria eram as Supremes, de Diana Ross, que chegavam orgulhosas pelos mais de 35 milhões de discos vendidos só nos Estados Unidos. Um estrondo.

Estar no Midem em 1968 era estar no centro de um universo que acabara de ser chacoalhado em suas bases pelos Beatles, com o lançamento do magistral álbum *Sgt. Pepper's Lonely Hearts Club Band*, e por Jimi Hendrix e seus LPs *Are You Experienced?* e *Axis: Bold As Love*. O *rock* viajava nas doses de um ácido que respingava no Brasil. Ao ouvir *Sgt. Peppers*, Gilberto Gil pirou. Imaginou como seria se misturasse Beatles à Banda de Pífanos de Caruaru e subiu os alicerces da Tropicália ao lado de Caetano Veloso. O mesmo homem que no ano anterior desfilava de braços dados com Elis contra a presença da guitarra elétrica na música brasileira construía um diálogo de derrubar arames farpados.

Estar no Midem em 1968 era estar também ao lado de grandes vendedores de discos, dentre eles, Roberto Carlos. Mesmo sem representar oficialmente o Brasil, missão exclusiva de Elis, Roberto surgiu como uma verdade inconveniente à cantora. Sua passagem por Cannes era para receber um troféu na condição de artista brasileiro que mais vendeu discos em 1967. Elis podia encantar plateias com "Upa Neguinho", mas ninguém faturava mais do que um rei voando nas asas da "Namoradinha de Um Amigo Meu".

A indiferença também era uma cruel possibilidade nas apresentações do Midem. Aos garotos do Golden Kids, por exemplo, que faziam uma espécie de *folk* circense cantado em tcheco, a falta de repercussão os faria passar anônimos. A reação da plateia era o polegar do imperador. Aplausos burocráticos mandavam os artistas de volta ao seu país na mesma classe econômica em que haviam chegado. Gritos efusivos estendiam a eles o tapete vermelho. Definitivamente na moda desde 1962, com o concerto da Bossa Nova no Carnegie Hall de Nova York; indiscutivelmente no auge desde 1967, quando Sinatra gravou com Jobim nos Estados Unidos o antológico encontro Francis Albert Sinatra & Antonio Carlos Jobim, o Brasil, mesmo quando representado por uma voz menos conhecida, saía em vantagem.

Ao subir ao palco para o *show* de abertura cantando "Upa Neguinho", Elis era apresentada a uma plateia de duas mil pessoas que pouco sabiam sobre ela. As palmas vieram em massa e a imprensa lhe reservou linhas generosas no dia seguinte. Antes de chegar a Cannes, o grupo havia passado dois dias em Paris, onde Marcos Lázaro tentaria fechar algumas datas para apresentações no clássico Olympia, o templo inaugurado em 1893 no qual se apresentaram gigantes da Europa e da América sobretudo depois de 1954, quando foi reativado como casa de *shows* pelo empresário Bruno Coquatrix. Uma negociação começou a ser feita mas nada foi acertado, o que fez Elis soltar os cachorros em Lázaro por entender que havia faltado habilidade do *manager*. Logo depois do sucesso estrondoso no Midem, Bruno apareceu no camarim com um contrato em mãos. O Olympia estaria aguardando a visita de Elis para o mês de março.

Mesmo recém-casada com Bôscoli, Elis mantinha sua relação com José Roberto Sarsano, o baterista que a acompanhava na França, beneficiada pelas intimidades secretas de uma viagem internacional. Era discreta em um romance presenciado pelos amigos de grupo, Amilson e Jurandir. Apesar de se sentir sempre ao lado de uma criatura dez anos mais experiente, a mil léguas de distância de sua ingenuidade, José Roberto não via em Elis uma mulher bem resolvida emocionalmente. Disposto a curtir a vida, percebia que tanto sucesso e dinheiro despejados sobre uma garota de origem humilde cobravam seu preço. Dentre todas as mulheres que viviam em Elis, uma não conseguia encontrar a felicidade. Aos olhos do baterista, ela não estava casada por paixão, mas por segurança. Ainda que estivesse certa de que era Bôscoli quem lhe daria um filho, Elis não falava do marido com o calor dos apaixonados.

A Record sentia que seu pássaro fazia voos cada vez mais distantes. Era preciso agir rápido para segurá-lo, se não mais pelo bolso, desta vez pelo coração. Assim que voltasse do Olympia, Elis receberia uma homenagem no clássico *Show do Dia* 7. Sua vida seria contada em detalhes com a presença de toda a família, pai, mãe, irmão e colegas de trabalho que iam de Chico Anysio a Marcos Valle, Nelson Motta e Hebe Camargo. Tudo estava pensado para que, em três horas e meia de duração, Elis se desmanchasse em lágrimas e lembrasse que sua história tinha raízes fincadas embaixo de cada lajota daquela emissora.

A volta a Paris foi com estilo. Ao chegar ao Aeroporto de Orly para uma temporada de três semanas no Olympia, Elis era aguardada por Bruno Coquatrix em meio a repórteres e cinegrafistas. A TV estatal francesa tinha por norma evitar histerias coletivas com exibições maciças de um mesmo artista. Ao perceber o clamor em potencial pela brasileira de cabelos curtos e sorriso largo, quebrou a regra e a mostrou cantando sete vezes durante a semana. A revista *L'Express* registrou: "A política de 'antimatraquage' de Roland Dhordain, novo diretor de departamento de variedades televisionadas, está caindo em contradição antes mesmo de ser aplicada. Isso por culpa de um diabinho brasileiro de 23 anos chamado Elis Regina." Uma emissora de rádio se referiu a ela como "la petite brasilienne belle comme le soleil" (a pequena brasileira bela como o sol). A revista *Paris Match* a recebeu com uma reportagem "a cores" de três páginas, um luxo só dispensado aos grandes da época.

Minutos antes de as cortinas vermelhas serem abertas e Elis ser chamada ao palco por um apresentador de *smoking*, a cantora aparentava uma confiança incomum no camarim. Já havia passado e repassado cem vezes o francês que usaria para apresentar seus músicos e com o qual, espertamente, cantaria "Samba da Benção", com uma pronúncia orientada pelo próprio Coquatrix para derreter as geleiras europeias. "E agora, a cantora considerada por Bruno Coquatrix como a nova Edith Piaf", anunciou arriscadamente o mestre de cerimônias. Por mais que a plateia confiasse no faro de Bruno, comparar uma mulher saída da distante América do Sul com a diva maior dos franceses soava heresia. As palmas foram frias e Elis, agora, entrava para matar mil leões.

Depois de apresentar o Bossa Jazz Trio com todos os biquinhos do francês bem pronunciado, Elis fez um sinal ao grupo e todos atacaram de "Arrastão". Charmosa, de vestido curto e dourado comprado na Butique Real, a mesma fornecedora de Brigitte Bardot, Elis começou uma rápida e implacável conquista. A plateia que haviam garantido ser uma das mais frias entregava-se em palmas para acompanhar "Samba da Bênção" em francês e "Canto de Ossanha". Ao final, os franceses estavam de pé, em aplausos volumosos. As duas últimas canções de seus 40 minutos seriam "Deixa", já aprovada pela plateia do Midem, e aquela que a levara mais longe até então, seu *hit* "Upa Neguinho", responsável pela venda de dez mil exemplares em vinte dias de um compacto colocado pela Philips nas lojas de Paris. Mesmo sem saber o que estavam dizendo, os franceses tentavam cantar junto com ela. Quando "Upa Neguinho" acabou, o teatro fez uma espécie de batismo com uma ovação que parecia não ter fim. Elis e o Bossa Jazz Trio saíram do palco e retornaram por seis vezes não para cantar, mas para agradecer os aplausos. Coquatrix dizia que os artistas com potencial de crescimento internacional não deviam atender pedidos de bis. "Elis é um dos maiores talentos que eu já vi, comparada à Judy Garland e, em alguns momentos, à Barbra Streisand", falava aos repórteres. "É lamentável que ela volte ao Brasil. Uma artista internacional não tem direito a ter pátria." E, olhando para a cantora, seguia: "Você tem tudo para fazer sucesso na Europa. Deixa que eu cuido disso."

Quando entrou no camarim, Elis foi tomada por um choro incontrolável. Como Edith Piaf e Charles Aznavour, ela via Paris a seus pés apenas quatro anos depois de deixar Porto Alegre. Dona Ercy precisava estar lá. Um telegrama do Brasil, assinado por Ronaldo Bôscoli, trazia três frases: "Eu sabia, eu sabia, eu sabia." Vencer em Paris era espantar o fantasma da dúvida. Afinal, o ouro que havia lustrado em seu país tinha o mesmo brilho fora dele. Inspirada, havia escrito uma carta apaixonada ao marido Bôscoli pouco antes do *show*, colocando o flerte com o baterista Sarsano na gaveta das aventuras:

"Velho, meu amor. Que é que vou te contar? Que estou feliz, que as coisas correm às mil maravilhas, que tudo se encaminha da melhor maneira possível? É verdade, eu não poderia estar melhor. Em todos os lugares que eu chego, em todos, sou recebida friamente, até cantar. Depois, então, tudo muda. As pessoas prestam atenção, mudam cenários, apresentação, iluminação, etc. Chovem convites, a imprensa fala de mim e tudo."

Os jornais franceses do dia seguinte à apresentação tentavam ser originais em seus superlativos. O *Le Figaro* buscava referências no que conhecia de Brasil: "Ela é a flor do carnaval do Rio, do qual possui a efervescência. Um rosto curioso, diferente, com a testa larga, todo o seu corpo dança sob o vestido. O seu samba nunca é triste e sua alegria leve tem um charme irresistível." O *L'Aurore* adornava mais: "Uma extraordinária e encantadora brasileira. Elis Regina ou o ritmo louco, levado ao paroxismo." O *World Pop News* sugeria os próximos passos. "Ela canta, termina o número e todos pedem bis. Merece a gravação de um LP que bem poderia ser registrado em Londres, em língua inglesa." No dia seguinte, o primeiro casal que avistou Elis a abordou com uma caneta nas mãos: "A senhora pode nos dar um autógrafo?" Conforme confessaria mais tarde, Elis se sentia Deus.

Marcos Lázaro contava os dólares. Depois do *show*, seu escritório passou a receber dezenas de telegramas da Noruega, Suécia, Dinamarca, Alemanha e Estados Unidos pedindo pela "Barbra Streisand brasileira." A alta procura elevava a cotação de Elis. Suas apresentações, agora, não sairiam por menos de 20 mil dólares. "Elis merece, precisamos valorizar nossos artistas", dizia o empresário com um orgulhoso sotaque espanhol. A imprensa brasileira saudou Elis com a mesma euforia que a francesa. E o jornalista Fernando Lobo, pai de Edu, não perdeu a alfinetada nos cartolas em um comentário no *Correio da Manhã*. "Não é de hoje que o artista brasileiro se vira sozinho. Os de mando só descruzam os braços para bater palmas. Agora, que Elis marca o maior sucesso pela música popular brasileira, vai sair feijoada completa pelos moços do Itamaraty."

Ronaldo Bôscoli, ainda preferindo a morte por solidão à possibilidade de despencar em um avião e desaparecer no mar, havia enviado cartas de amor e desespero pela ausência da mulher. A conta de telefone de Elis batia os 200 dólares em ligações para socorrer as crises de angústia do marido. Apesar dos momentos de curtição ao lado de Sarsano, a cantora declarava-se de novo a Bôscoli em seu retorno ao Brasil. "Velho, eu não via a hora de te ver. Você se comportou direito?" Aos jornalistas que a esperavam no Aeroporto do Galeão, lamentava sobre a distância. "Só morei 15 dias na casa do Rio desde o nosso casamento." Mais magra, de vestido azul e branco, com grandes óculos escuros sobre o rosto maquiado, trazia 110 quilos extras de bagagem que incluíam suvenires, dois óculos de sol, castiçais para a casa nova, vestidos da Dior, roupas Pierre Cardin e um biquíni estampado que ela não poderia usar nos três graus abaixo de zero de Paris, além de muita maquiagem. Ao total, um estouro que lhe custou 800 dólares em taxas de alfândega. Para Bôscoli, meias, abotoaduras de ouro e uma foto em que Elis aparecia em frente ao cartaz com seu nome na fachada do Olympia. O marido que entendesse o recado: em breve, a França teria Elis de volta.

Antes dos franceses, porém, os gaúchos. O povo que a aplaudiu pela primeira vez no auditório da Rádio Farroupilha, como a pepita de Ary Rego, sentia saudades. Acompanhava cada uma de suas conquistas por rádio, TV e revista, mas esperava com ansiedade por tê-la ao vivo e em cores. Os gaúchos a amavam incondicionalmente, mas algo não soava bem quando Elis pronunciava palavras sobretudo com as letras erre e esse. Uma delicada relação fonético-cultural havia se imposto assim que os fãs do Sul se depararam com as primeiras entrevistas de Elis fora de Porto Alegre.

Ao adotar o sotaque carioca com tamanha habilidade e rapidez, Elis era vista como alguém que preferia esquecer suas origens, uma atitude que feria o orgulho sulista na alma. O canto de sua fala evitava a língua vibrando orgulhosamente no céu da boca e impostava um chiado que torturava os ouvidos da tradição. Os que esperavam de Elis a redenção por nunca ter se tornado embaixadora dos pampas, no entanto, dariam com as cuias n'água. "Eu saí de Porto Alegre para ser cantora, não para fundar um Centro de Tradições Gaúchas. Nunca disse que iria sair vestida de prenda cantando 'Prenda Minha'", diria, em 1981, em pleno território gaúcho, durante uma entrevista ao *Jornal do Almoço* da emissora RBS. "Quando saí daqui, saí porque não tinha mais onde trabalhar. Os conjuntos de baile estavam acabando e a TV Excelsior havia invadido o País. Outras pessoas ficaram e acabaram morrendo." A ferida aberta naqueles que viam ingratidão em sua postura tinha uma chance de cicatrizar. Elis chegava para fazer um *show* no Rio Grande do Sul banhada a ouro, carregada nos ombros pela consagração na França. Do Rio Sena para o Rio Guaíba, levava o mesmo Bossa Jazz Trio para o Auditório Araújo Viana, onde festejariam os 11 anos da Rádio Guaíba com o mesmo *show* que havia arrebatado Paris.

Antes de partir para Porto Alegre, ainda entre os assovios dos cariocas, Elis falou com os jornalistas sem medir palavras. "Olha, a vida lá [no Rio Grande do Sul] é toda diferente porque, de qualquer maneira, aquilo é uma cidade do interior, província à beça." O descuido não passaria desapercebido. "Elis magoa gaúchos" era o título da matéria do jornal *O Estado de S. Paulo* em

19 de julho de 1968. Alguns programas de rádio e TV do Sul abriram mesas redondas para discutir a desatenção de Elis com sua história. Para piorar, o *show* no Araújo Viana deixara a desejar. Os 40 minutos sem bis de uma apresentação prevista para uma hora foram entendidos como descaso. A plateia lembrava de cantores internacionais que haviam feito aparições recentes muito mais generosas, como a sul-africana Miriam Makeba. A ferida, para muitos, continuava aberta.

A própria Elis reconhecia mudanças na fala. Sua passagem pelo Sul renderia uma desgastante discussão com tia Aida, irmã de Ercy, que não aceitava a traição soando nos lábios da sobrinha. A culpa daquela contravenção cultural, segundo Elis, era de sua ultrassensibilidade auditiva. "Acontece que eu tenho um grande ouvido para a música e uma grande capacidade de percepção e assimilação das coisas. Ora, vivendo como vivi, intensamente, no meio musical carioca e sofrendo as influências desse meio, ou seja, de uma linguagem diferente, nada mais natural que houvesse uma transformação na minha forma de expressão", disse em entrevista ao jornal *O Globo*, durante sua passagem por Porto Alegre.

Sentindo-se condenada pela ala mais radical de seus conterrâneos, Elis avançava para se defender: "Encaro meu sotaque com a maior naturalidade, e as ondas surgidas a respeito do assunto, principalmente em certos ambientes gaúchos, ou se originam da incompreensão ou são realmente frutos da má-fé. Eu estou trabalhando não para um Estado, mas em prol da música popular do Brasil." À revista *O Cruzeiro*, voltou ao assunto elevando mais a temperatura: "Sou gaúcha, mas não tenho problemas com Porto Alegre. Porto Alegre é que tem problemas comigo." Ao lembrar do quanto apontaram seu chiado como demérito, a ira aumentava. "Eles queriam que eu andasse vestida de prenda ou de bombacha, tomasse chimarrão em vez de uísque e andasse a cavalo no Rio de Janeiro. Não sou cidadã de Porto Alegre, sou cidadã do mundo." Quando a entrevista já havia terminado, Elis voltou-se ao repórter para sua última observação: "Olha, para terminar, eu só queria que o pessoal da minha terra entendesse o que eu falei, que não ficassem chateados. Não posso perder tempo em ser uma gaúcha quando preciso ser uma brasileira."

9.

A ELIS QUE ESTAVA NAS PRIMEIRAS IMPRESSÕES de Roberto Menescal ainda era a moça que aparecia em alguns programas da TV Rio em 1964. A imagem passava em instantes, mas dava o recado. Menescal ficou surpreso com a força daquela voz sem saber que Elis também estava informada das mágicas do seu violão. Quando ainda era um esboço de cantora, tocou a campainha da casa do compositor acompanhada pelo baixista Manuel Gusmão em busca de músicas para gravar seu primeiro disco pela Philips. Mas Menescal não estava. "Seu Menescal, veio uma moça aqui, disse que era Elis Regina", contou a empregada. O tempo passou com Elis e Menescal como gato e rato até o acaso os colocar frente a frente nos corredores da Record. Enquanto conversavam, lembrando das tentativas de contato, perceberam que Antonio Carlos Jobim se aproximava. Uma rápida sequência de frases trocadas entre ele e Elis, ou a ausência delas, deixou Menescal incrédulo: "E aí, Menesca. Como vai?", disse Jobim. "Tudo bem, Tom. Esta aqui é a Elis Regina", Menescal apresentou. "Ah, que bom, já ouvi muito falar desta moça, como vai Elis?", respondeu o maestro. Por constrangimento ou falta de memória, Jobim parecia ter apagado o episódio em que havia reprovado a gaúcha na casa de Carlos Lyra para o teste de *Pobre Menina Rica*.

Elis ignorou a existência de Tom Jobim. Fez apenas um sinal de cabeça e voltou a falar com Menescal como se ninguém estivesse ao seu lado: "E então, Menescal, a gente pode marcar para ver aquelas músicas?" Não podia ser. Elis sabia quem era Tom Jobim, o mundo sabia. Menescal supôs que fosse a rede de segurança armada pela timidez de Elis e tentou contornar a situação, mas Tom sentiu o golpe. "Pois é, Menesca. A gente se encontra por aí", e saiu. Na primeira ocasião em que os amigos se viram de novo, Jobim teve que comentar: "Rapaz, aquela gaúcha é danada."

Menescal foi convidado por Elis para ser seu novo guitarrista e diretor musical. Seria também uma das primeiras testemunhas de que nem tudo na vida de Elis e Bôscoli era tão cor-de-rosa quanto pintavam as páginas da revista *Manchete*, na qual Bôscoli escrevia uma coluna. Durante as preparações para uma temporada de *shows* na carioca Boate Sucata, do empresário Ricardo Amaral, algo dizia que o novo espetáculo poderia virar caso de polícia. Quando os fios desencapados do casal se encostavam na Lagoa Rodrigo de Freitas, ouvia-se a explosão em Copacabana. Seiscentas pessoas por noite assistiam a uma mulher radiante sem saber das cenas protagonizadas nos bastidores. Elis e Bôscoli pareciam desenvolver com gosto a técnica de guerrear em público sem se abalar. O *show* era produto de ensaios conflituosos em que qualquer pedido de Bôscoli ou observação de Elis serviam de estopim para o embate. Menescal via as discussões lembrando da frase de Carlos Imperial dias depois do matrimônio: "Deus castigou os dois casando um com o outro."

A cada ensaio, palavrões voavam sobre os músicos respeitando mais ou menos o mesmo crescente: o diretor-marido Bôscoli pedia à cantora-esposa Elis que fizesse algo, um movimento, um gesto, uma empostação de voz diferente. Elis dizia que não faria "porra nenhuma". Bôscoli a mandava "à merda", dizendo que não precisava fazer nada mesmo. Elis então afirmava que se quisesse fazer o que acabara de dizer que não faria, poderia fazer sim. Afinal, quem era Bôscoli para dizer o que ela deveria fazer ou não fazer. Muhammad Ali *versus* Sonny Liston, ao vivo e com entrada franca, guerreavam muitas vezes por mais tempo do que a passagem das músicas. Quando as cortinas da casa se abriam, Elis respirava fundo e surgia no palco com um brilho de deixar Bôscoli, Miele e Menescal desconcertados. "Não acredito que é a mesma mulher", pensava Miele.

Equilibrando-se sobre as cordas elegantes de Menescal, dirigida pelo maestro Erlon Chaves e observada por Armando Pittigliani, Elis quebrava a trilogia festiva da série Dois na Bossa com *Elis Especial*, um álbum mais sofisticado que o de 1966, de mais voz e menos instrumentos, com arranjos orquestrais contidos, piano quando preciso, bateria se necessário. Importavam mais a colocação da voz, a qualidade dos *vibratos*, a carga emotiva de maior ou menor intensidade que as palavras pediam. A Menescal, a cantora mostrava traços de uma personalidade que ia muito além do pugilismo verbal. Se quisesse, chorava sem desafinar. Se quisesse mais, usava o choro como recurso para abafar as notas e torná-las mais suaves.

"Carta ao Mar" era uma declaração de Bôscoli a Elis dos tempos de paz, musicada por Menescal, que havia atingido a cantora no mesmo lado do peito onde paravam as canções que a biografavam com êxito. Maior do que a solidão que sentia pelas partidas da mulher, as desavenças poderiam jogar a alma de Bôscoli em um calabouço, como declamava na sombra de seus versos: "Me multiplicando em sol / tento uma canção pra você / Trago flores, girassóis / Não me importa mal querer / O que vai em mim vem / de um desejo imenso de ser outra vez / Um barco, um azul / Outra vez, de tarde, morrer." Elis gravou "Carta ao Mar" no limite da emoção, abrindo a torneira para que as lágrimas apenas gotejassem a ponto de embargar a voz, sem deixar que inundassem a melodia. Conseguir manter o descontrole iminente sob controle era uma arma. "Não sei como ela faz isso. Se eu choro, tenho que parar", dizia Gal Costa.

Menescal recrutou os soldados que já tinha em mãos para a nova batalha de Cannes. Sem o Bossa Jazz Trio, Elis voltava ao Midem e ao Olympia escoltada pelo Elis 5, com o baterista Wilson das Neves, o pianista Antonio Adolfo, o baixista Jurandir Meirelles, único remanescente do Bossa Jazz, e o percussionista Hermes, além da guitarra de Menescal. "Sim, guitarra", respondia Elis quando lembrada pelos jornalistas da batalha que havia encampado contra os ameaçadores símbolos da cultura anglo-saxã. Elis erguera um argumento técnico para explicar a queda de sua Bastilha durante uma temporada que fizera com o mesmo Elis 5 na Boate Sucata. "O violão puro de Menescal não era ouvido. O contrabaixo de Jurandir também não. Só havia uma alternativa para que o trabalho deles aparecesse: usar guitarra e baixo elétricos", disse ao *Jornal da Tarde*. O sexto elemento chamado para seguir com o grupo para a França foi o maestro Erlon Chaves, responsável por escrever os arranjos que seriam executados pela orquestra do Olympia. Os ensaios na casa de Elis recebiam ainda mais dicas de Bôscoli. "Elis, faz como o Sinatra, suprime algumas palavras", dizia. Quando não era atendido, provocava: "Ah, não tem jeito, a Claudia canta muito mais do que você." Elis devolvia dois tons acima, sem constrangimentos.

O que já havia dado certo em Paris continuava na lista. "Upa Neguinho" e "Canto de Ossanha" seriam as buchas do canhão. "Corrida de Jangada" e "Aquarela do Brasil" arrebatariam os mais céticos. A presença do pianista Antonio Adolfo inspirou Elis a incluir "Sá Marina", o sucesso que ele e Tibério Gaspar haviam lançado havia pouco tempo, gravado por Wilson Simonal. Antes dos *shows* principais, houve duas apresentações em um pequeno teatro no subúrbio de Paris para testar o repertório. Elis só entrava na segunda parte, depois que a noite abria com um número de dança de um grupo norte-americano. A plateia tentava entender o recado daquela linguagem brasileira de samba com jazz sem se entregar de imediato.

Erlon Chaves começou a preocupar quando deu sinais de que poderia estar em Paris mais interessado em apreciar o sorriso da Mona Lisa. A estreia no Olympia se aproximava e nenhuma nota havia sido escrita para os franceses. "E os arranjos, Erlon?" "Deixa comigo", ele respondia, seco. Na noite anterior ao *show*, quando um fiasco se anunciava, ele fez um pedido: "Mandem um copista me encontrar no teatro." Assim que arranjaram o ajudante que transcreveria suas ideias nas partituras, Erlon seguiu para o Olympia no início da noite e avisou para não o esperarem no hotel. Quando o sol nasceu, as músicas já tinham seus devidos arranjos escritos, criados ou adaptados para todos os instrumentos. Antonio Adolfo não acreditou quando ouviu o resultado à noite e tocou pensando: "Ele conseguiu."

"Ela é genial, ela é Carnaval, ela é o Brasil, ela é Elis Regina." Elis estava fresca na memória do Olympia quando a mestre de cerimônias a anunciou assim, nem um ano depois de a "diabinha", como alguns apresentadores de TV a chamavam, provocar o primeiro tornado em Paris. O repertório também, a ponto de "Upa Neguinho" já parecer uma bola de ferro presa a seu tornozelo. "Estou louca que este neguinho cresça, vá logo servir o Exército e vire homem grande", disse Elis a jornalistas brasileiros, antes de partir. Mas ainda era o que deixava a plateia de joelhos. Acompanhada por seu quinteto e pela orquestra regida por Erlon, Elis parecia ainda mais solta, ainda mais atrevida.

Antes que o grupo voltasse para o bis, um homem entrou no camarim dos músicos se apresentando como um empresário de *shows*. Queria fechar ali mesmo uma turnê de um mês por outros países da Europa. Se estavam no paraíso, que abraçassem os anjos. Menescal disse sim em nome do conjunto e voltou para o palco. Em poucos minutos, e sem maiores detalhes, estava fechada uma temporada pela Suíça, Holanda, Bélgica, Suécia e Inglaterra. Mas, antes, havia Cannes. E, antes, Pierre Barouh.

A segunda temporada em um ano, no Olympia, de uma cantora sul-americana, feito inédito até então, confirmou a aposta de Bruno Coquatrix e trouxe consequências imediatas. Todos queriam Elis. Pierre Barouh, autor da adaptação para o francês de "Samba da Bênção", pegou a cantora pelo braço e a levou a um estúdio de Paris para gravar com ela um compacto com as versões também em francês feitas por ele para "A Noite do Meu Bem", de Dolores Duran, e "Noite dos Mascarados", de Chico Buarque. Barouh havia se rendido à música brasileira desde o dia em que esteve em uma apresentação do acordeonista Sivuca em Portugal, e via em Elis um fenômeno com um potencial vocal e uma divisão rítmica que o desnorteavam. O disco, que se tornaria peça de colecionador, fez um sucesso relativo, mas garantiu a permanência da voz de Elis nas principais rádios francesas por meses após a temporada.

Assim como o Olympia, a feira internacional da indústria do disco, que seria realizada em Cannes, teria Elis mais uma vez. Antes que os brasileiros chegassem ao Sul da França, as gráficas já estavam reproduzindo os panfletos que seriam entregues ao público dias antes da abertura com o *slogan*: "Midem, o festival que lançou Elis Regina."

Os termômetros do Midem apontavam para o calor dos trópicos naquele início de 1969, a ponto de provocar vertigem nas delegações de outros países. A noite de abertura estava prevista para ter ao menos quatro *shows* de artistas brasileiros considerados sensação pelos franceses: Elis, Edu Lobo, Mutantes e Chico Buarque. Gilberto Gil também estava na lista, mas, sem que seus amigos soubessem, vivia no Brasil dias de inferno que destoavam do tom festivo de Cannes. A celebração verde e amarelo que o Midem desenhara involuntariamente só não agradava ao resto do mundo – mais precisamente artistas de 42 países dos cinco continentes que queriam condições de igualdade para serem percebidos sobretudo por contratantes de *shows* e executivos de multinacionais. Alguns dirigentes estrangeiros alegaram desvantagem na avassaladora escalação brasileira e conseguiram alterar as peças do jogo. Elis e Edu Lobo cantariam na abertura. Mutantes e Chico, no dia seguinte. Uma mudança pífia, que só pulverizava ainda mais os brasileiros no evento. O mundo tinha razões para sua mania de perseguição. Afinal, até quem olhava para os artistas dos Estados Unidos via brasileiro infiltrado. Um dos cinco maiores vendedores de discos da América que deixara o Brasil havia apenas quatro anos estava inscrito como um dos representantes da música norte-americana: Sérgio Mendes.

A reboque de Elis, que de revelação passava ao confortável e menos glorioso *status* de confirmação, os europeus conheciam outros carnavais. Edu Lobo recebeu o título de "melhor compositor latino-americano da nova geração". O jornal *Nice Matin*, de maior circulação no sul da França, dedicou uma página ao Brasil com um texto sobre o trio de Rita Lee depois de vê-lo cantar "Caminhante Noturno": "É preciso ouvir os Mutantes para acreditar que os Beatles não estão sozinhos na vanguarda da moderna música popular. Esses três jovens brasileiros conseguem monopolizar uma plateia imensa, transmitindo com uma musicalidade fenomenal o que há de melhor na música jovem. A noivinha é uma graça." Após ver todos os brasileiros, o cantor da Guiana Francesa, Henry Salvador, disse pouco e tudo: "É o futuro." Sobre Elis, que havia cantado "Casa Forte", "Memórias de Marta Saré" e "Corrida de Jangada", a jornalista Danielle Heymann, do *L'Express*, comentou: "Sutil, inteligente e viva." E o *Nice Matin* informou que "tudo o que se poderia dizer sobre a maior cantora brasileira já foi dito. A Europa foi dominada definitivamente por sua voz inigualável."

A mesma voz que poderia dizer não a Chico Buarque. Os jornalistas brasileiros que cobriam o evento enviaram notícias de um mal-estar entre Elis e Chico no dia em que o cantor se preparava para sua apresentação. O motivo, dizia reportagem do *Jornal do Brasil*, era um empréstimo de músicos. Chico teria viajado sem acompanhantes e solicitara à equipe de Elis alguns escudeiros para seu *show*. Ao empresário Marcos Lázaro, Elis esbravejou, dizendo que pagava muito bem seus músicos para que eles fossem só seus. André Midani, segundo a reportagem, interveio e concordou em ceder os instrumentos, não os instrumentistas. A saia justa, anos depois, seria lembrada vagamente por alguns músicos que estavam no Midem.

Mas a Elis das desavenças relâmpago com o marido Bôscoli era a mesma Elis do meio musical. Assim como as nuvens de fúria passavam por sua vida conjugal para se dissiparem logo depois, as tempestades da vida artística também eram de verão. O sorriso chegava, apagava o passado e a opinião de Elis mudava de rumo com a mesma destreza com que sua voz modulava tons. Se de fato disse o não ríspido a Chico Buarque na França, o mal-estar não durou muito. Elis esteve ao lado de Chico assim que voltou ao Brasil, quando os dois passaram a fazer parte do Jovem Flu, um grupo de artistas torcedores do Fluminense que queriam Francisco Laport como novo presidente do time. Elis, Chico, o marido Bôscoli e mais o ator Hugo Carvana, o jornalista Nelson Motta, os cantores Dori Caymmi e Silvio Caldas, e o diretor de gravadora Armando Pittigliani assinaram um manifesto que teria consequências históricas nos rumos do tricolor: "O princípio básico do Jovem Flu é de que o Fluminense Futebol Clube forme e mantenha um grande time, justificando o seu nome. Para isso, o Jovem Flu exige uma revolução", dizia o documento. Os artistas não queriam que os dirigentes usassem o futebol como meio de projeção pessoal e política. Mesmo depois de ajudar a colocar Laport na presidência, de onde só sairia em 1972, o Jovem Flu tentou continuar na pressão para participar também da escalação, até que os próprios artistas perceberam que passavam dos limites e tiraram o time de campo. Elis, militante futebolística, já havia declarado sua opção nos gramados quando gravou "Bom Tempo", em 1968, cantando "Jovem Flu satisfeito / Alegria batendo no peito / Radinho contando direito / a vitória do meu tricolor". O autor da música: Chico Buarque.

A França marcava só o início da maior saga que Elis faria pela Europa depois que os músicos aceitaram o convite feito às pressas nos bastidores do Olympia. Quando o avião pousou em Estocolmo, na Suécia, para uma turnê de 36 dias pelos países vizinhos, um homem de fala mansa e bem vestido, óculos de aro preto e uma calvície ganhando terreno, recebeu o grupo na saída do aeroporto. Conversaram, trocaram gentilezas e marcaram um giro pela noite sueca de música quente sob graus negativos. Que gentileza a Philips mandar um representante para recepcioná-los, pensou Menescal. Ao saírem levados pelo atencioso guia de sotaque francês, entraram num bar onde um grupo tocava jazz e ficaram por ali, entre goles de cerveja e papos de iniciados. Até que o rapaz se dirigiu aos instrumentistas da casa para pedir que deixassem os brasileiros darem uma canja. O grupo empunhou os instrumentos e começou a tocar música brasileira com a fúria dos jazzistas. O clima esquentou e o guia não se conteve. Sacou uma gaita do paletó e subiu ao palco, invadindo os improvisos com frases limpas e ágeis. "Esses suecos sabem tudo", pensou Menescal. "Qual a próxima?", alguém perguntou. "Bluesette", sugeriu o guia gaitista. "Bluesette, Toots Thielemans", sacou Menescal. Toots Thielemans. "Bluesette". Toots... Calvície. Gaita. Aeroporto. Quando o brasileiro juntou as peças do quebra-cabeça, a banda ouviu as fichas caindo em seu cérebro. O guia sueco, ou aquele homem que as circunstâncias transformaram em guia, era o próprio Toots Thielemans. O gaitista belga que conduziu Ella Fitzgerald e Bill Evans com solos memoráveis e ergueu temas monumentais do jazz estava ao lado o tempo todo.

Dois dias depois, quando já haviam passado por um programa de TV onde encontraram a cantora e ativista sul-africana Miriam Makeba, estavam todos no estúdio Europafilm, de Estocolmo, para gravarem Elis e Toots. Sem tempo para invenções, decidiram fazer um álbum de risco zero. Elis e Menescal pensaram em músicas que deslizariam sem enroscos. "Wave", "Aquarela do Brasil", "Nega do Cabelo Duro", "Corrida de Jangada", "O Barquinho", "Você", "O Sonho", "Canto de Ossanha" e "A Volta". Toots ficaria livre para solos e intervenções de fundo, fatiando cada tema com a lâmina de sua gaita. As instrumentais eram "Visão", de Antonio Adolfo e Tibério Gaspar; "Wilsamba", de Menescal; e "Honeysuckle Rose", de Andy Razaf e Fats Waller. "Five For Elis", a única de Toots, havia sido feita sobre o tempo quebrado de cinco por quatro, uma inspiração nas divisões que Elis gostava de promover para testar a concentração de seus bateristas. O álbum ficou pronto em uma tarde e entrou para a discografia da cantora mais como lembrança do ano de sua expansão territorial.

Menescal via episódios que o arrepiavam. Por vezes, era desencorajado de arrebatar plateias em lugares como Suíça e Bélgica, onde o público não se rendia facilmente a desconhecidos que cantavam em idiomas estranhos. Ao saber das recomendações, Elis se preparava para a briga com o dobro da vontade. Em minutos de *show*, colocava a plateia fria e impenetrável sobre as cadeiras. Em outra ocasião, um gerente avisou que as condições de interação entre músicos e cantor eram sofríveis porque os primeiros ficavam a uns 100 metros de distância do palco. Quando ouviu isso, Elis piscou para o parceiro como dizendo "então é aqui que vamos arrasar". Ao final da apresentação, vendo as pessoas de pé, foi ao ouvido de Menescal: "Não tem essa de público, rapaz. A gente é que faz o público."

Havia ainda uma nova investida internacional da Philips para aquele ano, que seguia a política de aproveitar os contatos para lustrar o verniz de sua estrela internacional. A agenda previa para maio um LP gravado em Londres com a orquestra do maestro Peter Knight, mas ninguém suportaria esperar até lá longe do Brasil. O excesso de convivência em terras estrangeiras e a distância de casa cobravam seu preço. Elis começou a implicar e deixar evidente quando não gostava de algo. Preocupado com a unidade do conjunto e com a própria sobrevivência, Menescal bolou uma estratégia da qual Elis jamais teve conhecimento. Alguns dos músicos iriam fazer uma espécie de revezamento para acompanhar a cantora, por mais simples que fossem os programas. Um tomava café, outro almoçava, um terceiro jantava. Ainda assim, as queixas chegavam com uma frase cada vez mais frequente: "Pô, Menesca, assim não dá. Viu o que ela fez comigo?".

Elis não admitia o grupo separado. Queria todos juntos no café, no almoço e no jantar. Quando chegou seu dia de ser acompanhante, Menescal jogou a toalha. Elis iria fazer compras em Londres e precisava de um ajudante para carregar as sacolas. O cavalheiro de prontidão respirou fundo e seguiu, pronto para parar diante de cada vitrine, entrar em cada loja, observar e comentar sobre os botões de cada vestido. Quando tinha quatro sacolas no lombo, começou a bambear. Na esquina da Oxford Street com a Regent Street, Elis avistou uma loja enorme e seus olhos brilharam. "Elis, esta é uma loja de noiva e você já é casada. Vamos embora?", argumentou, tentando quebrar o feitiço hipnótico da vitrine. "Não, vamos entrar", disse Elis. Sua sede de vida fazia a cabeça de Menescal girar como um disco de 45 rotações. Um quarto. Só o que queria naquele momento era um quarto. Daria uma guitarra Gibson 1952 em troca de um banho no hotel. "Então vai, Elis, eu te espero aqui", disse, prometendo ficar de pés plantados. Assim que Elis entrou na loja, Menescal saiu como um tiro, escondendo-se na multidão rumo à estação de metrô mais próxima. Antes de descer as escadas, ainda olhou para trás e viu Elis de pescoço alto tentando avistá-lo. Chegou ao hotel, mergulhou na banheira de água quente, mas não relaxou, imaginando o que seria dele assim que Elis voltasse. Sua intuição estava certa ao olhar para o telefone pensando que ele tocaria: "Seu filho da puta. Então você me deixa sozinha", gritava ela, do outro lado da linha. "Desculpe, pensei que você tivesse ido embora", mentia ele. Só dias depois, dentro de um avião, Menescal entenderia quem era Elis Regina.

Havia muito cansaço voando de volta ao Brasil no final da turnê. Exaustos, saudosos de suas famílias, os músicos queriam descansar também de Elis Regina. Menescal sentou-se na poltrona da aeronave e abriu um livro em qualquer página mais para se proteger do que para ler, até que Elis se aproximou: "Posso sentar?" Querendo dizer não, disse sim. "Claro, Elis, estou lendo um livro." "Eu também vou ler", ela disse. Menescal contava as horas para chegar ao Brasil e orava pelo silêncio quando a cantora fechou as páginas da revista que lia com força e o olhou decidida: "Você pensa que eu vou ser uma Elizeth Cardoso com sessenta e poucos anos cantando para sobreviver?"

"Eu não estou pensando nada, Elis, só estou lendo, pelo amor de Deus." Mas ela prosseguiu: "Não, você pensa sim. Mas você vai ver que não. Eu não vou ficar como a Elizeth Cardoso." De volta ao livro escudo, Menescal continuava mudo, mas agora intrigado com a frase de Elis que fazia tudo naqueles pouco mais de 30 dias ganhar sentido. Não era por acaso que Elis consumia três anos em um como se o mundo estivesse suspenso por um fio. Sua tristeza e sua alegria eram experimentadas no limite com uma vontade angustiante de ver vitrines, de andar pelas ruas, de estar com amigos mesmo em dias sem humor. Os saltos suicidas na escuridão, morrendo em cada canção muitas vezes por noite, eram demais para quem não tinha na vida a mesma urgência de viver. Elis, pensava Menescal, não era para os fracos.

O Brasil também não. Quando o avião aterrissou com os músicos no Aeroporto Santos Dumont, o País já era outro. Entre o dia 13 de dezembro de 1968, data em que os homens do General Costa e Silva faziam valer o Ato Institucional Número 5, até o final de fevereiro de 1969, quando Gil e Caetano sofriam com suas primeiras consequências confinados em uma prisão domiciliar em Salvador, o terror instalado com violência ainda mais psicológica do que física tentava eliminar o ambiente artístico sufocando as cabeças que mais pensavam. As notícias que não vinham mais pelos jornais amordaçados transtornavam Elis. Gil não havia ido ao Midem porque, àquela altura, antes de seguir para a Bahia e, de lá, para o exílio em Londres com Caetano, já dormia em solitárias no Rio de Janeiro. Geraldo Vandré, parceiro de Elis na resistência por uma música sem contaminações, havia fugido para o Chile, de onde partiria para a França na humilhante condição de exilado intelectual. Desde seu recente segundo lugar no III Festival Internacional da Canção, com "Pra Não Dizer que Não Falei das Flores" conclamando o povo a fazer a hora da revolução sem mais esperar acontecer, os militares espumavam por colocá-lo na mira de um fuzil. Edu Lobo, outro colaborador de prestígio, estava nos Estados Unidos estudando orquestração e respirando o ar puro de Los Angeles. E Chico Buarque, que acabara de se apresentar com Elis no Midem da França, nem havia voltado. Alertado pela família da labareda que lambia tudo depois do AI-5, partiu para Roma com a mulher Marieta Severo, grávida de Silvia, a primeira filha do casal. O que seria um passeio de dez dias acabou se estendendo, sobretudo após a notícia das prisões de Caetano e Gil, para uma temporada de 14 meses. Elis Regina estava só, mas havia se preparado para isso.

Ainda entusiasmada com as vitórias internacionais, Elis não sentia o impacto. Menos de quatro meses depois da temporada internacional, estava com o Elis 5 de volta à Europa. Enfim a Inglaterra, onde gravariam o LP *Elis in London*. Ao chegarem ao estúdio, a orquestra do maestro Peter Knight já estava a postos. Um rápido comentário de Knight sobre alguns arranjos que ele ouviu em discos anteriores da cantora, escritos por Chiquinho de Moraes, havia deixado o clima quase hostil. "As orquestrações são boas, mas seriam melhores se os instrumentos estivessem afinados." O forte sindicato dos músicos ingleses havia ganhado uma batalha dos estúdios londrinos para garantir mais dinheiro e emprego à categoria. Gravações em *playback* não eram permitidas. Ou seja, nada de músicos gravarem bases para Elis chegar e colocar a voz com mais agilidade. Tudo tinha de ser feito ao vivo. Outra condição exigida por acordo era a presença de instrumentistas ingleses no estúdio mesmo se os estrangeiros trouxessem uma sinfônica completa. Assim, para cada músico brasileiro havia um equivalente inglês que ficaria de prontidão para assumir o posto caso alguém sofresse um infarto ou algo parecido.

Knight havia sugerido que os brasileiros ensaiassem com a orquestra por uma semana antes das gravações. Menescal agradeceu mas dispensou a proposta, perdoando o maestro por não conhecer Elis. Assim que as cordas soaram, a gaúcha subiu dois palmos do chão para cantar "A Time For Love" e "How Insensitive". Não havia muito espaço para a orquestra no samba rock "Zazueira", de Jorge Ben, mas sobrava em "Wave", "Você", "O Barquinho" e em "Se Você Pensa", de Roberto e Erasmo. "Sim, Roberto Carlos", respondia ela quando lembrada de sua pouca fé nos jovem-guardistas. "Não gostava, mas mudei, dá licença? O Roberto, com 'Se Você Pensa', fez a música mais contundente sobre o relacionamento entre duas pessoas: a que explora e a que é sentimentalmente explorada pela outra. É a melhor música dele e a melhor que eu conheço no gênero", disse ao *Jornal da Tarde*. Elis gravou o disco sem repetir meio compasso. Um único reparo aconteceu por causa de um violino desafinado. Quando a última nota silenciou, todos os músicos, titulares e reservas, se levantaram para aplaudir a garota que haviam acabado de conhecer.

Elis vivia 1969 com vitórias e sorrisos que iam na contramão de quem perdia tudo. Uma depressão coletiva abatia o universo ao seu redor com a debandada forçada de seus timoneiros; e a música brasileira, pela primeira vez desde o início da Bossa Nova, no final dos anos 1950, não sabia mais para onde ir. O trauma dos exilados, um dramático choque de realidade diante de um regime que se fazia agora fisicamente presente em suas vidas a ponto de poder acabar com elas, tremia a alma de quem havia ficado no Brasil. Um turbilhão de sentimentos misturava impotência, medo e saudade à dúvida que não queria nem podia calar: quem seria o próximo?

As chamas começaram a consumir a memória da música brasileira em janeiro de 1969 com uma sequência de incêndios que jamais tiveram suas origens esclarecidas. O império dos Machado de Carvalho, nascente da canção de resistência, era abatido com a força real e ao mesmo tempo simbólica do fogo. Em janeiro, a torre de transmissão que ficava na Avenida Paulista foi a primeira a ser destruída. Dois meses depois, labaredas que surgiram no camarim de Roberto Carlos tomaram o histórico Teatro Record Consolação. Mais quatro meses, no dia 13 de julho, ardia o Teatro Record Centro, ex-Paramount, onde Elis havia começado sua história em São Paulo ao lado de Jair Rodrigues e do Jongo Trio. Menos de três horas depois, a TV Globo perdia seus estúdios da Rua das Palmeiras pelo mesmo motivo.

O V Festival da Música Popular Brasileira tornou-se o melhor retrato daqueles dias. Usando como base o Teatro Record Augusta, um antigo cinema alugado pelos Machado de Carvalho, a emissora tentou reerguer-se na polêmica. Mudou o formato das eliminatórias colocando o músico diante dos jurados que agora ficavam no palco, dentre eles Maysa, Aracy de Almeida e Agostinho dos Santos, em uma espécie bizarra de *show* de calouros. A plateia e a audiência que queriam música debandaram não só pelo tiro de misericórdia que a Record desferia nas próprias têmporas, mas também porque a qualidade das canções parecia reforçar a tese de quem acreditava no apocalipse. Se não fosse por um jovem chamado Paulinho da Viola, o festival, tal qual os teatros incendiados, estaria condenado às cinzas. "Sinal Fechado", que deu o primeiro lugar a Paulinho, era a não música e a não letra de festival, uma fuga rara e proposital. Por si, este era o recado. A canção perdia suas referências e as pessoas não conseguiam mais se comunicar. "Olá, como vai? / Eu vou indo, e você, tudo bem?" Paulinho dizia tudo sem dizer nada, a ponto de sensibilizar até os jurados submergidos em uma direção que tentava encontrar o caminho no desespero.

O AI-5 levou mais tempo para ser sentido na carne por Elis. Depois de saber de seus primeiros estragos, ela se comportou com certa indiferença e uma ausência de temor de quem nada devia. Do festival dos traumas, conseguiu até aproveitar duas canções para seu repertório futuro: "Sinal Fechado" entraria no *show* e no LP de *Transversal do Tempo* e "Comunicação", defendida por Vanusa, seria gravada no álbum *Em Pleno Verão*. No caminho contrário dos que partiam, Elis queria ficar, sobretudo agora que jovem-guardistas e tropicalistas faziam parte do passado. Roberto Carlos, o maior vendedor de discos de 1968, se tornara o primeiro brasileiro a vencer o Festival de San Remo, na Itália, cantando "Canzone Per Te", de Sergio Endrigo e Sergio Bardotti. Roberto havia acabado de se despedir das tardes de domingo com *O Inimitável*, um dos raros LPs que não trazia seu próprio nome no título e de onde saíam "As Canções Que Você Fez Pra Mim", "Ciúme de Você" e "Eu te Amo". Sua transição para cantor romântico criava um novo personagem que faria comprarem seus LPs não mais apenas as garotas de 15 anos como também suas mães. A migração de estilo aumentava seu público drasticamente e se provaria vital assim que o transatlântico da Jovem Guarda começasse a naufragar com todos os que não conseguiram se reinventar a bordo.

Se dependesse de Ronaldo Bôscoli, Elis não sairia mais do Brasil. "Uma cantora que ganha mais de 50 mil cruzeiros novos em seu país, apoiada pelo público e com seu marido ao lado, não pode se dar ao luxo de iniciar uma carreira no estrangeiro", disse à revista *Veja* em dezembro de 1968. Ainda com poder de incidência sobre Elis, Bôscoli domesticava qualquer desejo da mulher em lançar-se novamente pelo mundo. "Vou levar adiante minha carreira internacional, vale a pena", havia dito Elis ao *Jornal da Tarde* em 3 de março de 1968. Ao retornar da turnê europeia, seu discurso era outro. "Ganho muito dinheiro, 60 mil cruzeiros por mês, para me aventurar no exterior sem garantias extraordinárias. Não vou destruir tudo o que fiz somente para dizer que me apresentei no exterior. Além disso, adoro minha terra", falou ao jornal *O Estado de S. Paulo* em 22 de dezembro.

Por ausência de identificação ou falta de paciência para andar em bando, Elis nunca fez parte de movimentos musicais. Considerada à sua revelia uma cantora de MPB, o que nunca foi movimento, preferia andar só mesmo dentro da sigla, evitando os percalços e as possíveis concorrência internas. No Sul, rejeitou a condição de cantora exaltação das tradições regionais e, fora dele, não as usou para formar sua personalidade artística. No Rio, observou os cariocas mantendo deles uma distância segura e sem fazer esforços para ser aceita pela turma da Bossa Nova. Depois da Jovem Guarda, que repudiara antes mesmo que existisse como movimento, quando deixou claro o mal-estar que sentia no papel de Celly Campello *cover*, Elis se viu diante de outra novidade de existência grupal e, por consequência, excludente, chamada Tropicália. A ausência de Caetano e Gil não seria tão sentida agora quanto a falta de Chico e Edu por uma razão estética. Diante da derrubada das fronteiras que existiam entre o *rock* eletrificado e os regionalismos acústicos propostos pelo tropicalismo, que havia precedido o exílio dos baianos, disse mais uma vez: "Estou fora."

Elis era dura ao observar a expressão como uma tentativa de capitalização sobre um invento sobretudo *pop* e sem relevância artística. "Gosto do Gil, mas de sua fase a.T., o Gil antes da Tropicália", disse ao jornal *O Estado de S. Paulo*. De Bôscoli, vinha uma interessante reflexão que desaguava em um involuntário elogio às avessas: "Eles [os tropicalistas] estão 30 anos na frente. A cultura deve ser dada ao povo em doses homeopáticas." Elis e Bôscoli desdenhavam publicamente da Tropicália, mas o que diziam não deveria ser retrato fiel do que pensavam. Afinal, Elis fez sérios planos para gravar um disco produzido pelo maestro e papa dos tropicalistas, Rogério Duprat.

Duprat vinha de arranjos revolucionários impressos em canções interpretadas por Caetano, Gil, Gal, Nara, Mutantes e Tom Zé, com os quais lançaria o referencial *Tropicália ou Panis Et Circensis*, considerado um dos álbuns mais importantes gravados no Brasil. Havia criado uma saga monumental em "Domingo no Parque", de Gil, misturando o nordeste às guitarras dos Mutantes, invenção que conduziu a canção ao segundo lugar no Festival da Record de 1967. Duprat não saía da cabeça de Elis quando Armando Pittigliani, da Philips, ligou para o produtor Manoel Barenbein: "Manoel, a Elis quer falar com a gente." Barenbein, Pittigliani, Fernando Lobo, pai de Edu, e Elis se encontraram em uma churrascaria nos Jardins, em São Paulo. "Quero que você produza o meu próximo disco", disse Elis a Barenbein. E emendou com um segundo pedido que fez até as picanhas tremerem. "E que o Rogério Duprat faça os arranjos." Seria um estrondo, pensou Barenbein. Elis aderindo ao Tropicalismo sob a batuta de Duprat não deixaria pedra sobre pedra. Saíram todos animados da reunião, alinhando as ideias, mas Elis não voltou ao assunto. Barenbein estranhou o sumiço e logo ficou sabendo que a cantora estava em estúdio com o arranjador Erlon Chaves, dirigida pelo mesmo Pittigliani, gravando seu próximo trabalho que seria chamado *Elis Como & Porque*. Algum tempo depois, voltaria a cruzar com Elis, que acenaria sempre com um "Manoel, precisamos gravar aquele nosso disco com o Duprat." Em 1974, o selo independente do pesquisador Marcus Pereira lançaria um disco que traria Elis interpretando canções de compositores gaúchos com os arranjos de Duprat. Um projeto que nada havia de tropicalista e que pouco circulou. Já o álbum com o qual Barenbein sonhou, jamais existiu.

Alheia à falta de clima para patriotismos, Elis começava o novo disco declamando seu amor à pátria com "Aquarela do Brasil", de Ary Barroso. Havia ficado em dúvida se a unia com "Nega do Cabelo Duro", argumentando que o disco poderia soar envelhecido, mas Pittigliani insistiu na ideia e ela foi em frente. Quando chegou na parte do "qual é o pente que te penteia", percebeu o efeito de chocalho no chiado da frase e não teve mais dúvidas do acerto. As gravações de *Elis Como & Porque* foram marcadas em um estúdio alugado pela Philips perto da estação de trem da Central do Brasil. Dos distantes Chico, Caetano e Gil não havia nada, mas de Edu Lobo ela aproveitava "Casa Forte", com a melodia feita em *vocalise*, e "Memórias de Marta Saré". O que viria depois era mais encrenca. "O Sonho", de Egberto Gismonti, trazia uma complexidade melódica de se ouvir vinte vezes antes de assobiá-la, e "Vera Cruz", de Milton e Márcio Borges, era outra rosa que se alcançava depois dos espinhos. Apesar das regravações de "Canto de Ossanha" e "O Barquinho", ficava evidente que Elis queria desafios de graus mais elevados.

A contracapa do LP trazia 15 tópicos escritos por Elis em tons confessionais. O terceiro usava um episódio histórico para falar de seu novo conceito de coragem. "O medo que eu tinha se me afigurou ridículo vendo aquele homenzinho solto no espaço, sem cordão umbilical." Assim, ficou bonita a lembrança do astronauta norte-americano Neil Armstrong se tornando o primeiro homem a pisar na Lua naquele 20 de julho de 1969, no mesmo instante em que Elis e seus músicos gravavam o novo álbum. Mas a realidade foi menos romântica. Ao ver Pittigliani e os músicos parando as gravações para assistir à cena pela TV que ficava em um cômodo abaixo do estúdio, Elis se enfureceu. Enquanto o locutor traduzia a frase que dizia ser aquele "um pequeno passo para um homem, um salto gigante para a humanidade", ela queria mandar seus músicos a Marte. "Que porra vocês estão fazendo?" "O homem está pisando na Lua, vem ver", disse Pittigliani. "Homem na Lua o cacete. Vamos gravar e parar de ver essa palhaçada desses merdas aí? Ficam esses americanos fazendo *marketing*." Subiu todo mundo em uma pressa que só puderam saber do fim da história no dia seguinte.

Estar perto de Elis era estar sempre perto de Ronaldo Bôscoli. Aos que ganhavam sua confiança, ainda que temporariamente, a cantora se abria em intimidades sem filtrar os desabafos de seus dramas conjugais. Armando Pittigliani, desde a viagem em que a viu pela primeira vez no Sul, se tornara um dos homens em quem Elis confiava. Assim que atendeu ao telefone no meio da madrugada, soube o tamanho de tal confiança. "Sou eu, Elis." "Oi Elis, aconteceu alguma coisa?" "Você pode dizer para aquele filho da puta do Bôscoli que eu não quero mais ficar com ele?" "Ah, Elis, agora são 4 horas da manhã, depois eu falo com ele." Pittigliani também era amigo de Bôscoli e, no meio do fogo cruzado, testemunhava dribles monumentais do marido na esposa. Ao ouvir de uma "fonte anônima" que ele havia adentrado com outra mulher os portais de um motel, Elis foi à desforra. Depois de soltar os cães em Bôscoli, resolveu ouvir suas últimas palavras. Começava uma cena protagonizada por um dos maiores atores do *showbiz* brasileiro.

Sua justificativa por estar em um motel com outra mulher, por sinal também casada, era a seguinte: depois de uma briga com a esposa, Bôscoli se sentiu devastado, prestes a desmoronar de angústia. Precisava de um ombro amigo. Mas quem? Um homem não resolveria seu problema, não saberia o que lhe dizer. Homens em geral são rasos para os dilemas do coração. Se fosse ver uma mulher solteira e inexperiente, se depararia com o mesmo problema. Como fazê-la entender tal sofrimento se nem parceiro tinha? Bôscoli foi, por isso, afogar suas mágoas com uma senhora casada. Incrível, mas ia colando. E o motel? "Ah, sim", prosseguiu. Sendo ele um homem conhecido, não poderia entrar em um restaurante ao lado de uma mulher que não fosse sua esposa. O único lugar seguro para proteger a esposa das más-línguas era um motel. Só o fato de Elis ouvir tudo sem jogar um porta-retratos em sua direção já era uma vitória.

Outro escândalo doméstico viria em alguns dias. Elis descobria agora que Ronaldo tinha cama cativa no King's Motel de São Conrado, conforme informava a fatura do cartão de crédito do marido, enviada pelo correio: três estadas em menos de um mês. Sem Ronaldo em casa, ela abriu o envelope preocupada em pagar as contas. Depois de constatar a traição, deitou-se no sofá, apanhou um livro e esperou o marido. "Meu amor, que saudade", disse ele, abrindo a porta. "Filho da puta, sai da minha frente", respondeu ela, arremessando o livro e a fatura pelos ares. "Elis, não é nada disso, você vai me ouvir", gritou. Ronaldo sabia que a mulher respondia bem ao tratamento de choque. Assim que ela parou de falar, sacou outra de suas miraculosas histórias. "Olha, você tem passado muito tempo ensaiando e eu não consigo ficar nessa casa sem você. Fico louco, pego minha máquina de escrever e vou para o King's trabalhar com o Miele. Pode ligar para ele." Miele confirmaria qualquer absurdo que viesse pelo telefone em nome de Bôscoli, mas Elis não ligou. No dia seguinte, o casal se beijava de novo.

10.

Assim como a irreversível agonia da audiência do *Fino* havia levado à morte um dos maiores fenômenos televisivos da Record, os especiais com Elis que vieram na sequência também não vingaram. Miele e Bôscoli decidiram voltar suas miras para os espetáculos teatrais, mesmo porque não havia muita opção: a Record os demitiu por falta de resultados. Chegava ao fim também a era de Elis na emissora paulista. "Saí em solidariedade a eles", disse a cantora na época, simplificando um pouco o episódio. Sem público ligan-

do a TV como nos bons tempos, não havia mais ambiente na empresa depois de inúmeras tentativas de mantê-la à frente de um programa de MPB. Ao seu estilo, Elis caía atirando: "Lá é tudo limitado. Não quero mais fazer televisão." Uma promessa que não cumpriria.

O Teatro da Praia, entre o Leblon e Ipanema, surgiu como uma chance para Miele e Bôscoli colocarem em cena um musical de Elis Regina com toda a carga da influência norte-americana que já haviam provado ser viável desde as temporadas no Beco. Para serem donos absolutos do espetáculo, criaram a Praia, Produções Artísticas Ltda., onde Miele e Bôscoli escreviam,

Miele e Elis apresentavam e os demais – músicos, iluminadores, maquiadores e técnicos de som – trabalhavam só para eles. O teatro de 550 lugares foi alugado por uma temporada. Ficava em um prédio ainda em obras e um escritório foi improvisado em sua cobertura, com caixotes servindo de bancos e tábuas de mesa. O objeto mais fiel a uma sala real era o telefone, que um dia tocou. O presidente da companhia aérea Air France no Brasil, Joseph Halfin, tinha um convite a fazer. Queria contratar Elis para um *show* na abertura do estimado Prêmio Molière, em São Paulo, que ele mesmo havia idealizado. Uma honra, já que o Molière era a grande premiação das artes no País. Mas algo intrigou a dupla. Uma apresentação de Elis na TV àquela altura poderia minar a força do espetáculo que estavam prestes a estrear no Rio. "Mas na TV serão 45 minutos enquanto, no teatro, vocês terão duas horas", argumentou o executivo. Fazia sentido. As partes marcaram uma reunião e o local escolhido para receber o presidente da maior companhia de aviação francesa foi a sede da Praia.

Enquanto Halfin não aparecia, Miele e Bôscoli aproveitaram para ter uma discussão técnica sobre voos e galinhas que nada tinha a ver com Elis, com a Air France ou com qualquer coisa que já haviam discutido em suas vidas. A questão foi lançada por Bôscoli: se, por acaso, ele arremessasse uma galinha exatamente de onde estavam, o 13° andar de um edifício, será que o animal voaria? "Não voa, não, Ronaldo", disse Miele. "Será que não voa mesmo?", insistiu Bôscoli. "Ronaldo, galinha não voa." Uma terceira voz entrou na conversa. "Chefia, dá licença, mas galinha voa sim. Eu sei, já trabalhei em granja." Era o contrarregra da equipe, que ouvia atento enquanto abria uma caixa de isopor para pegar cerveja. Aquele voa não voa durou até que Bôscoli resolveu ir adiante. "Aposto 100 cruzeiros que galinha voa." E mandou o contrarregra ir comprar o animal.

Joseph Halfin chegou ao escritório limpando o terno da poeira que o atacara já no elevador. Se aproximou, fez os cumprimentos e foi logo aos detalhes do *show* e das passagens de avião que iria providenciar para a celebração do Molière. "Dá licença, chefia", voltou o contrarregra com a galinha enrolada em um jornal. "Só um minuto, seu Halfin", pediu Miele. A discussão da galinha foi reaberta na presença da vítima e da testemunha. O animal parecia calmo, Halfin não. A convite de Bôscoli, foram todos ao parapeito e, para desempatar o jogo, fizeram a pergunta a quem mais entendia de voos ali. "Halfin, o senhor acha que galinha voa?" O executivo já pressentia o pior: "Não faço a menor ideia." Miele resolveu acabar com o dilema. "Ronaldo, me dá essa galinha." Pegou o animal, tirou-o do embrulho e o arremessou. A galinha chegou a avançar dois metros para frente, mas percebeu que não era uma boa ideia e entrou em pânico. Tentou voltar, perdeu altitude e colidiu de bico com a vidraça do andar de baixo. Ouviu-se então um último pio antes que o animal despencasse até se despedaçar na rua. Miele virou-se primeiro para Ronaldo: "Dá as 100 pratas aqui, eu disse que galinha não voava." E, depois, para Halfin. "Como o senhor está pensando mesmo em fazer a apresentação do Molière?" Antes que o executivo recuperasse o fôlego, o contrarregra interferiu novamente: "Chefia, a galinha tá lá embaixo mortaça. Tem bronca se eu pegar o que sobrou pra fazer uma canja?" Ali só tinha maluco, era o que certamente pensava Halfin. Mas eram aqueles malucos que tinham a maior cantora do País nas mãos.

Alguns dias depois, Halfin ligou para marcar a reunião em que assinariam o contrato para a apresentação de Elis no Molière. Miele foi à sede da Air France, em São Paulo, para fechar o negócio. Ao chegar, subiu pelo elevador da presidência. "Bom dia, senhor Halfin." "Olá, Miele, o senhor pode esperar só um minuto?" Inesperadamente, pediu que entrasse na sala um outro alto executivo. "Por favor, Miele, o senhor poderia repetir a este homem a história da galinha voadora? Ele diz que é tudo mentira minha." Miele saiu do escritório com um contrato assinado e a simpatia dos patrocinadores do prêmio que ele passaria 17 anos apresentando. Para Elis, o Molière serviria de aquecimento antes do Teatro da Praia, um *show* especial em sua vida, sobretudo por fazê-lo com o primeiro filho no ventre. Sua tão sonhada gravidez estava em curso quando as cortinas se abriram.

Elis e Miele contavam casos, sapateavam, faziam imitações em caras e bocas seguindo um roteiro que tentava amarrar tudo. Vinicius de Moraes, Erlon Chaves, Nelson Motta, Betty Faria, Pery Ribeiro e Claudio Marzo alternavam-se nas primeiras cadeiras. Muitas vezes biográficas, as falas abriam com lembranças do Beco das Garrafas, lugar "onde o mais bobo dava nó em pingo d'água." Lennie Dale era parodiado por Miele, que se afeminava enquanto Elis falava dos movimentos de braço que havia aprendido com o dançarino: "Fiquei louca com Lennie. Aí comecei a tal natação e fui apelidada de Hélice Regina." A plateia ria, Miele e Elis se divertiam. Duas partes a serem levadas a sério eram a homenagem a Charlie Chaplin, com Elis devidamente caracterizada de Carlitos, e as citações a Caetano Veloso, exilado em Londres: "É a pessoa mais importante da minha geração", disse, antes de cantar "Irene" com um arranjo tropicalista de Menescal.

Quando sentia ter falado demais, Elis mordia a própria língua com prazer. Neste momento, era sobre Caetano Veloso, alvejado por ela durante a Tropicália, que sua opinião mudava radicalmente de lado. "Um dia eu cometi o erro de dizer que não gostava do Caetano. Agora, estou aqui para dizer que ele é o maior poeta, o homem que faz as mais belas letras do Brasil. Eu não gostava do Caetano porque tudo o que ele fazia e dizia servia como uma carapuça para mim. Até o pescoço", disse em entrevista coletiva, pouco antes da estreia do Teatro da Praia. Gil, vivendo em Londres com Caetano, era lembrado com uma interpretação quente de "Aquele Abraço". O resultado do que Elis fazia no palco animou a Philips a lançar a apresentação em um disco ao vivo e com pouca edição: *Elis e Miele no Teatro da Praia*. A festa estava boa, mas não poderia ir mais longe. Era a hora de Elis virar mãe.

Quando o médico afirmou que o palco colocaria a gestação em risco, Elis interrompeu a temporada e prometeu ficar em casa até João nascer. Mas, dois meses depois, sentiu o peso da espera. Craque no tricô, passava horas diante da TV ou brincando com os cachorros, até o dia em que percebeu um sorriso diferente em um deles. Era tudo o que precisava para voltar ao palco, qualquer palco. "Quando a gente começa a achar que o cachorro está com um sorriso diferente, é hora de sair de casa", desabafou em uma entrevista. Miele e Bôscoli, mais uma vez, entravam em ação, mas seguindo as ressalvas que o médico, rendido pela paciente, prescrevera com pesar: "Nada de agitos". Ao contrário da dinâmica apresentação no Teatro da Praia, seu novo *show*, desta vez no Canecão, teria uma cantora mais estática ao microfone, fazendo breves comentários antes de cada canção. O repertório clássico trazia "Aquarela do Brasil", "Canto de Ossanha" e "Corrida de Jangada". Assim como no espetáculo anterior, seu figurino era comprado em uma loja de crianças do Rio chamada Bebê Conforto. "Eu me sinto bem com elas, são do meu número." O prazo de duração daquilo que os médicos viam como uma insanidade também havia sido preestabelecido: um mês.

Um *show*, o primeiro deles, foi o suficiente para derrubar um homem de 1,93 metro de altura. Erasmo Carlos, mesmo sem jamais ter sacado uma arma durante a troca de tiros entre MPB e Jovem Guarda, perguntava-se ainda a razão de tanto ódio. Parte da crítica o via com ressalvas e muita gente da classe artística ainda fazia questão de ignorar qualquer sombra de qualidade em seus trabalhos. Sentado ao lado de André Midani e outras pessoas em uma mesa de muitos lugares, suas lágrimas surgiram assim que Elis começou a cantar "As Curvas da Estrada de Santos". Sua música, feita com Roberto, na voz de Elis o levava à glória, colocando-o entre os maiores. O choro se tornou compulsivo, de causar preocupação nos amigos. Em entrevista a Ruy Castro para a revista *Playboy*, em 1980, Erasmo voltou à noite em que sentiu "dar a volta por cima" na plateia do Canecão. "Era o começo do reconhecimento. Mas era também o fim de mágoas antigas, o começo de uma nova proposta, de um novo tempo, de amizade entre intérpretes e compositores das mais variadas tendências. O Roberto não estava presente, mas eu chorei por ele porque sei que ele também choraria se estivesse lá. Eu pensava assim: 'A gente é legal, porra! Taí a prova de que nós somos legais!'"

Elis passou a sentir que o filho queria nascer. Ela e boa parte da plateia do Canecão, que via sua barriga, contrariando recomendações médicas, subindo e descendo como se João Marcello fosse pular dali a qualquer instante, sobretudo no samba "Vou Deitar e Rolar". Elis seguia tanto o que a letra dizia – "Quaquaraquaquá, quem riu / Quaquaraquaquá, fui eu" – que o próprio Paulo Cesar Pinheiro, um dos compositores, ficava aflito: "Ela vai ter um aborto espontâneo", dizia aos amigos.

João Marcello, o garoto pelo qual o casal vibrava desde que Elis apareceu abanando eufórica o resultado positivo do exame de gravidez, começou a vir ao mundo na manhã em que Elis chegou à casa da amiga Silvia Vinhas para uma visita corriqueira. Foi o pianista Luiz Carlos Vinhas, marido de Silvia, quem a levou ao hospital. Avisado por telefone, Ronaldo seguiu no mesmo instante. João nasceria bem no meio daquele ano em que ninguém duvidava de que o Brasil conquistaria mais uma Copa do Mundo, em um 17 de junho, na Casa de Saúde São José, no Rio de Janeiro. Mesmo dia de Brasil x Uruguai, valendo uma vaga na final do Mundial.

Apaixonado por futebol, Bôscoli sentia o coração palpitar em dobro. Fez planos até de receber os amigos na casa da Niemeyer para assistirem ao jogo antes que João resolvesse entrar na pequena área, como centroavante oportunista. Às 10h30, o menino achou o caminho do gol e veio ao mundo pelas mãos do obstetra Ivan Lengruber, em uma rápida cirurgia cesariana. A escolha do nome João Marcello satisfazia os pais mas traía uma promessa, ou melhor, duas. João era uma vontade de Elis; Marcello, ideia de Bôscoli. Nada a ver com as juras feitas pessoalmente aos jogadores da Seleção Brasileira Pelé e a Carlos Alberto Torres na casa da Niemeyer, antes que embarcassem para o México. Se o Brasil viesse com o título, o menino se chamaria Carlos Alberto, prometeu Elis a Carlos Alberto. Se o mesmo Brasil viesse com o título, o menino se chamaria Edson, prometeu Bôscoli a Pelé. Mas, assim que os rapazes chegaram com a Jules Rimet debaixo do braço, pai e mãe apresentaram o novo membro da família: "Este aqui é o João Marcello." Pelé não se constrangeu: "Não importa, meu pai se chama João." Para Pelé, a escolha não deixou de homenageá-lo.

A tranquilidade de Ronaldo Bôscoli se amparava na segurança que a própria mulher transmitia enquanto levou João no ventre. Se perguntassem a ela por que insistia em trabalhar grávida, fazendo *shows* e compras no supermercado, sua frase estava pronta: "Gravidez não é doença. É vida." Certo de que tudo sairia bem, Bôscoli deu uma passada no boteco mais próximo para uma calibrada no uísque e voltou ao quarto. O horário do jogo se aproximava, o Brasil iria entrar em campo. Ouvindo o barulho dos fogos, Ronaldo pediu alforria, deu um beijo no filho e correu para ver a partida com os amigos na Niemeyer. Com Clodoaldo, Jairzinho e Rivelino, o Brasil despachou a Celeste uruguaia por 3 a 1 e se aprontou para a grande final. João Marcello era um amuleto da sorte. Moleque bom. Quatro dias depois, o Brasil triturava a Itália no Estádio Azteca com um 4 a 1 arrasador desenhado por Pelé, Gerson, Jairzinho e Carlos Alberto. Era vitória demais batendo no peito de Ronaldo, até que as más notícias começaram a chegar.

João Marcello não estava bem. O leite de Elis havia secado e os médicos identificaram uma intolerância da criança ao leite de vaca e seus derivados que muito complicaria a vida da mãe. Só outros seios de boa vontade poderiam alimentar João naqueles primeiros anos de vida. De saúde frágil, o garoto foi colocado no soro com um grave quadro de desidratação, sob observação e sem prazo de alta. Seu estado piorou e a equipe médica decidiu ter uma séria conversa com Elis, usando o tom de quem diz que tudo pode acontecer. Elis, angustiada, passou a noite ao lado do berço, fazendo confissões e juras de amor, chorando e sorrindo para a criatura que tanto desejava levar pra casa. No dia seguinte, os médicos entraram na sala e se espantaram com a melhora de João. Um deles perguntou como havia sido a noite e Elis contou que tinham apenas "conversado muito". Inspirado, o doutor deu o diagnóstico: "Sua voz salvou o seu filho."

Elis deixou João em recuperação com as enfermeiras e saiu do hospital para a casa da família Figueiredo, seus primeiros amigos no Rio de Janeiro desde o noivado com Bôscoli. Laura, mulher do diretor de programas e empresário da noite Abelardo, dava colo às lágrimas da amiga e a via desabar em sentimentos de culpa. Elis acreditava que o fato de ter feito uma cirurgia plástica com o doutor Ivo Pitanguy para diminuir o tamanho dos seios, à revelia do marido Bôscoli, havia prejudicado a amamentação. As filhas de Laura, Mônica e Patrícia, se comoviam com aquilo que consideravam um traço brilhante da tia postiça. De repente, depois do choro e das lamentações, Elis decidia tomar um banho e mergulhava na espuma da banheira com um sorriso e uma leveza que já pareciam maior do que os problemas. João era um mundo de sentimentos em que Elis finalmente poderia cultivar o amor incondicional sem sentir-se peça de um tabuleiro. Estava ali, em seus braços, o primeiro homem no qual ela poderia confiar.

Quase um ano depois, Elis resolveu escrever ao filho uma carta de amor. Assim que colocou o ponto final, dobrou a folha, fechou o envelope e o guardou em um cofre que tinha em casa. A ideia era mostrá-la a João apenas quando ele completasse 18 anos. Orphila Negrão, amiga da cantora, negociava alguns de seus bens logo depois de sua morte, em 1982, quando encontrou o documento no cofre de Elis. João Marcello jamais soube da existência desta carta.

"Rio, 14 de junho de 1971

João

Queria era te dizer que te amo, preciso de você. Quero você mais do que tudo que já quis. Queria te dizer também que não sei como é que achava graça nas coisas antes de você surgir, porque eu sinto uma falta incrível de você. Quando não está por perto, os troços perdem o sentido e a razão. Outra coisa que você precisa saber é que você construiu pacas. Você me pegou um bagaço daqueles, me ajeitou, me maneirou, me devolveu a risada do ginásio, criou uma fonte de investimento em minhas áreas menos desenvolvidas. Negócio maravilhoso a sua mão no meu cabelo. A única mão que não me mete medo. Coisa linda seus olhos me olhando sério, me levando a sério, me descobrindo até pra mim. Incrível sua boca sorrindo e falando coisas poucas, mas o suficiente para nos entendermos e sabermos que estamos em boas mãos. Quanto eu te devo! Não tem o que dê jeito. Você chegou e arrasou, acabou com o baile. Se por ventura eu falhar, se não estiver à sua altura, se for menos do que você acha que merecia, não me imagine mais do que eu sou. Tenho tantos problemas quanto você. Não me culpe. Antes, procure me compreender. Sou resultado do que a vida fez comigo, inconsciente e inconsequentemente. Saiba, porém, que você foi o único ser com o qual eu não fui inconsciente nem inconsequente. Pensei, medi tudo, apesar de que não sou perfeita. Bem que gostaria de ter sido, mas nunca se consegue, mesmo tentando o máximo. O bacana é que sobra a todos uma vida para consertar os erros cometidos nesse pouco tempo e, no que depender de mim, creia, me jogo de cabeça e não te deixo em falta. Só quero que a gente sempre fale de frente, sem camuflagem, olho no olho. Esteja certo, eu nunca vou mentir, nem uma mentira piedosa. O que tiver que ser vai ser. Nem que seja ferro em brasa, mas vai. Porque o que há de mais bonito é a confiança nos companheiros de briga. Fora dela, não há salvação. É o mínimo que posso fazer de verdade verdadeira com você, que me deu uma concepção nova de vida. Só me falta dizer muito obrigado por você ser tudo o que você é, por você ter nascido e por você ter me dado a felicidade de dividir tão intimamente o meu corpo. Sejamos felizes, é o que quero. E é o que há de ser, meu filho. Sou tua sempre. Mamãe."

Os *shows* voltaram logo, mais precisamente quatro meses depois da recuperação de João. Em sua primeira viagem a São Paulo, Elis se hospedou com o filho no Hotel San Rafael, na Avenida São João. Miele e Bôscoli tinham um amigo em quem podiam confiar em São Paulo, José Nogueira Neto, o Nogueirinha. Assim que chegaram, Miele foi a ele explicar a situação: "Nogueira, seguinte: o João, filho da Elis, tem um problema. Só aceita leite materno. Mas o leite da Elis secou. Lá no Rio ela compra leite de uma clínica em Botafogo, mas aqui em São Paulo não sabemos como arranjar isso. Consegue pra gente?" Nogueira saiu de farmácia em farmácia até ter certeza de que nenhuma vendia leite materno em pó. Por meio de amigos médicos do Hospital das Clínicas, soube que só o Banco de Leite do Hospital do Servidor Público Estadual de São Paulo poderia ajudá-lo. O leite em excesso das parturientes passava por um processo no qual entrava líquido e saía em pó, com suas propriedades inalteradas e seguro para ser armazenado. O problema é que o Servidor não estava autorizado a vendê-lo. Nogueira foi ao relações públicas do hospital com uma proposta: em troca de doses diárias do produto, Elis faria campanha na TV para que as mulheres fizessem mais doações de leite materno ao hospital. Ninguém iria negar uma garota propaganda como Elis Regina.

Nogueira era o parceiro de papos e copos de Miele e Bôscoli, sobretudo em noites de luar que não tinham Elis Regina. Em uma delas, Bôscoli o convidou a passar uma temporada no Rio para irem a uma boate conhecer uma jovem voz da qual falavam muito. Com Elis cumprindo sua agenda fora do Rio, a noite era deles. Ao chegarem ao *show*, viram o cantor negro, alto, de sorriso enorme e voz ainda maior vestido como um alienígena em Copacabana. Emílio Santiago era seu nome e seu futuro era certo, desde que nunca mais usasse blusa de gola rolê com calça de flanela creme no verão carioca.

Os amigos voltaram para a casa da Niemeyer cansados. Conversaram um pouco e foram dormir. Nogueira no quarto de hóspedes, Bôscoli na cama de casal. O produtor começou a ficar inquieto, com uma taquicardia que às vezes lhe despertava um súbito medo da morte. Além de não entrar em avião, tinha pavor de morrer eletrocutado ou vítima de terremoto. Quando Nogueira pegou no sono, o parceiro veio do quarto ao lado. "Pô, Nogueirinha, sabe o que é? Eu estou aqui com essa palpitação. Vamos conversar um pouco, quem sabe eu me acalmo e consigo dormir." De rádio ligado, começaram a trocar ideias até o sono chegar. Nogueira deitou no lado direito da cama, Ronaldo no esquerdo. "Pô, mas aquele Emílio é bom mesmo, não?" "O cara arrasa." Dormiram. Quando o dia clareou, a porta se abriu em um tranco e Elis entrou em brasa. "Ronaldo, o que você tá fazendo na cama com esse aí? Ah, pelo amor de Deus, Nogueira, dormindo com o meu marido?"

11.

Elis concluía que, de novo, mudar era preciso, seja lá o que isso significasse. Segura de que faria com a voz o que bem entendesse, sentia agora a necessidade de embarcar em voos mais juvenis, de perder o medo de ser *pop*, de andar por terras ainda mais desconhecidas. Fazer isso sem vender a alma é o que seria o seu desafio. Ninguém dos altos escalões da companhia de discos lhe cobrava nada, até porque sabiam que Elis iria embora no dia em que ousassem enfrentá-la. Mas um fato é que a cantora nunca mais foi um estouro

da boiada em vendas desde o primeiro *Dois na Bossa*. Aos 24 anos, o detalhe de não ser ainda uma voz das massas era algo que a incomodava.

Nelson Motta chegou como o homem que poderia colocá-la nos trilhos de um outro destino, seja lá também o que isso poderia significar. Jovem e antenado, bem relacionado, tinha o poder de materializar-se nos melhores lugares onde quem gostava de boa música poderia estar. Quando a Bossa Nova nasceu nos apartamentos da zona sul do Rio, ele era da turma, amigo dos compositores. Quando a era dos festivais se estabilizou, atacava de jornalista e compositor. E quando Sebastião Rodrigues Maia começou a virar Tim Maia, traduzindo para o português o *soul* e o *funk* que ferviam nos Estados Unidos, Motta já era produtor. Jogando contra havia apenas o fato de ser ele um legítimo integrante da turma de Bôscoli, uma gente que Elis via de olhos vesgos por saber que era a ela que seu marido recorria antes e depois das batalhas domésticas. Era preciso uma aproximação estratégica e cuidadosa que Motta saberia conduzir com habilidade. Afinal, se estava feliz pelo convite de André Midani para ser o novo produtor de Elis, Elis também precisava de seus serviços para operar a mudança que tanto queria.

Motta traçou a si mesmo algumas regras informais para que sua direção não acabasse em colisão frontal com uma muralha. Fazer o que Elis pedisse, com a subserviência de um samurai, era a primeira delas. Mostrar o que conseguisse recolher de compositores novos sem usar tons impositivos era outra. O produtor estava próximo dos Mutantes e adorava *rock and roll*, mas decidiu pisar no campo minado com meias de seda, ainda que isto significasse, por vezes, abrir mão de seus gostos pessoais.

A estratégia deu certo e o álbum *Em Pleno Verão* veio brilhante. Os arranjos de Erlon Chaves tinham sopros abertos, conduzindo uma voz vibrante e entusiasmada. Vou "Deitar e Rolar (Quaquaraquaquá)", de Baden Powell com Paulo Cesar Pinheiro, era um samba encrencado mas bem próximo, com um refrão de se guardar na primeira audição. Sua origem nada tinha de revanche ou revide de Elis ao marido Bôscoli, embora partes da letra soassem como provas definitivas de suas turbulências conjugais: "Não venha querer se consolar / que agora não dá pé nem nunca mais vai dar / Também quem mandou se levantar / Quem levantou pra sair perde o lugar." O arremesso da autoestima às alturas refletia sobretudo o retorno de Baden à vida depois de uma temporada tentando afogar a depressão no álcool. Dias difíceis, de quando era assombrado pelo fantasma de Teresa, a mulher que tanto amava e de quem havia acabado de se separar. "Vou Deitar e Rolar" era, oficialmente, a trilha do violonista reerguendo a cabeça ao lado do amigo Paulo Cesar. Extraoficialmente, seria também uma ameaça que Elis dirigia ao marido infiel e que, em pouco tempo, colocaria em prática. O repertório trazia ainda o *hitmaker* Jorge Ben com duas, "Bicho do Mato" e "Até Aí Morreu Neves", e Roberto e Erasmo Carlos, já deitando nos braços da antiga detratora, com "As Curvas da Estrada de Santos" – um torpedo radiofônico de alta precisão. Por sugestão de Motta, Elis se libertava da gravação original investindo em uma interpretação rasgada e livre, como uma cantora de *soul* norte-americana, reforçada por um piano *blues* e uma bateria volumosa que levavam a canção nas alturas até o fim.

Motta fez encomendas a Caetano Veloso e Gilberto Gil que, do exílio em Londres, mandaram suas letras cheias de recados subliminares, na medida para driblar a capacidade de entendimento dos militares. "Fechado pra Balanço" era Gil falando de si mesmo: "Tô fechado pra balanço, meu saldo deve ser bom... Viver não me custa nada, viver só me custa a vida..." E "Não Tenha Medo" era Caetano enviando uma carta para Elis, mais escancarada, desafiando a inteligência dos fuzis. "Não tenha medo não, tenha medo não... Nem um não, nem um senão / Nem um ladrão, nem uma escuridão / Nada é pior do que tudo / Que você já tem no seu coração mudo." Apenas um senão ficaria por conta dos arranjos de Erlon, que mais tarde Motta consideraria exagerados. *Em Pleno Verão* abatia dois alvos com um disparo. Elis soava livre, leve e jovem conseguindo, mesmo que em doses calculadas, um grau maior de engajamento político. E havia mais. Uma participação armada por Motta faria as testemunhas crerem na existência dos deuses.

"Puta que o pariu, que cantor é esse?" Elis não segurou o susto quando ouviu Tim Maia pela primeira vez, cantando "Primavera" em uma fita que Motta havia levado de uma reunião com os executivos da Philips. A fita era apresentada pelo produtor Manoel Barenbein aos colegas de trabalho, quando Motta a pediu para mostrar a Elis quem era o negrão *black power* que vinha fazendo a cabeça dos diretores da gravadora. Embora ainda desconhecido, Tim havia chegado de uma temporada nos Estados Unidos como um gigante que queria engolir o mundo com a voz. Mais do que um dueto, juntá-lo a Elis Regina seria um duelo.

Motta o convidou para aparecer na Philips no dia de gravação e Tim foi cheio de vontade. Ajeitou o violão no colo e começou mostrando "Primavera" e mais meia dúzia de canções. Quando chegou a "These Are The Songs", uma balada a la Marvin Gaye com partes em inglês e português que ele mesmo havia composto, Motta e Elis gritaram "é essa!" ao mesmo tempo. A música foi gravada naquele dia. Não por acaso, Tim havia escolhido cantar o momento mais solto, mais *soul*, onde tinha certeza de que deitaria nos improvisos. Ao ouvir Elis rasgando, vinha como um trator. Se um queria sexo, o outro falava de amor, e Nelson Motta sentia estar escrevendo uma parte da história.

O tiro acertado no alvo de *Em Pleno Verão* aproximou Nelson Motta de Elis Regina com uma serenidade inédita no histórico de relacionamentos profissionais da cantora. Era como se Nelson soubesse dos terrenos em que não deveria pisar e como se Elis retribuísse o respeito sem jamais destratá-lo. Havia um contexto para que essa aproximação ficasse forte. Ronaldo Bôscoli rondava mais por São Paulo do que pelo Rio de Janeiro, às voltas com sua nova boate Blow Up, aberta na Rua Augusta em sociedade com Miele. Sem mais receber do marido tantas novidades artísticas como no começo do relacionamento, Elis viu no novo produtor o portal que a levaria a mundos desafiadores. A fila começava a andar. Motta, mesmo casado, passou a gostar de Elis além da conta já no terceiro mês em que trabalhavam juntos. Em uma das noites em que Bôscoli estava em São Paulo, combinou com a cantora Joyce e seu marido de então, Nelson Angelo, para que os três fossem ao casarão de Elis, na Avenida Niemeyer.

Joyce, de quem Elis gostava muito e acabara de gravar "Copacabana Velha de Guerra" após descobrir seus dons no IV Festival Internacional da Canção Popular da TV Globo, queria mostrar músicas novas para o próximo disco da amiga. Nelson Angelo também poderia emplacar alguma. Conversavam todos sobre as espreguiçadeiras brancas do terraço até que Joyce, grávida de sete meses de sua primeira filha, Clara, sentiu sono e foi levada para dormir na cama de Elis. Sem Joyce na turma, comprimidos de mescalina foram distribuídos e todos iniciaram suas viagens. Nelson Motta conta ter sido ele a pessoa que levou a substância que Tim Maia havia acabado de trazer dos Estados Unidos.

O efeito da droga veio logo, como descrevera Aldous Huxley em seus estudos publicados na obra *As Portas da Percepção*, quase duas décadas antes. As luzes passaram a brilhar mais e a música começou a se misturar com os odores da noite – algo que Huxley classificara como um cruzamento de sentidos. Ali, provavelmente pela baixa dose que tomaram, não houve sintomas de *bad trip* – as viagens indesejáveis que poderiam levar a surtos de dor e angústia. Suspensos no tempo, os amigos se sentiam leves, confiantes e transbordando de amor pelo universo. A madrugada avançou. Pela manhã, Joyce despertou e foi até o terraço onde estavam Elis e Nelson Motta, ainda deitados na espreguiçadeira e com os pés para fora da manta. A cantora percebeu que algo estava ficando sério demais para haver testemunhas, chamou o marido e partiu. Sozinhos, Motta e Elis começavam a aliviar as vontades proibidas dos dias de gravações com beijos apaixonados.

Vigarista, traidor? Não. Havia sinceridade em seus sentimentos. Sinceridade? Qual sinceridade poderia justificar tal atitude? Elis havia cantado em seu casamento, um álbum de fotos documentava as memórias daquela noite. Sim, ele era digno do inferno, mas amava Elis. E Bôscoli? Seu amigo, seu mestre? A criatura tinha o direito de engolir o criador depois de golpeá-lo pelas costas? Menos. Havia muito tempo que Bôscoli não tratava a esposa como deveria. Se não fosse em seus braços, logo encontraria outro refúgio que a restaurasse até a perfeição. Ainda assim, era sujo. Mas não mais sujo do que as desavenças e os palavrões do casal. Sim, ele estava decidido, iria brigar por Elis. Mas havia ainda sua mulher, suas duas filhas. O que pensariam do pai? Um canalha por estar com outra ou um covarde por não lutar pela própria felicidade? Nelson Motta dirigia pelas curvas da Avenida Niemeyer ouvindo anjos e demônios. Ainda sem saber qual deles tinha razão, sentia uma euforia brotar nos porões da alma com uma violência que quase o fazia levitar naquela primeira manhã depois de ter tido Elis Regina só para ele.

Nelson, sem dizer nada à mulher, e Elis, silenciosa com Bôscoli, configuraram um legítimo caso extraconjugal. A princípio, não havia grandes problemas que os impedissem de se encontrar, mas a imprensa começou a captar os comentários que pairavam pelos ares do Rio. Quando procurado por jornalistas especializados em alcovas, Motta tinha, literalmente, um texto pronto: "Perguntar a mim sobre os problemas de Elis com o Bôscoli é bater na porta errada", escreveu a uma repórter da revista *Intervalo*, em 1971, autorizando que ela publicasse suas palavras na íntegra. "Como padrinho de casamento deles, só resta torcer para que tudo se resolva. É muito penoso ter de ver tanta gente se meter e torcer contra um casal que teve a sorte-azar de ser famoso e admirado." Ao final, o produtor tentava dissipar as nuvens carregadas citando com bom humor os filhos pequenos dos dois casais: "Mônica e eu temos a Elis como nossa futura consogra, já que é inevitável o rumoroso caso entre o senhor João Marcello Bôscoli e a senhorita Joana Motta."

Nelson começava a trabalhar no novo disco que Elis lançaria sob sua administração e andava envolvido com a produção da série musical que tinha a cantora como uma das apresentadoras. O *Som Livre Exportação*, na Globo, seria sua volta à TV depois de fracassadas tentativas de emplacar na Record um novo fenômeno após *O Fino da Bossa*. Os especiais eram gravados sempre em cidades mais distantes do Rio, como Belo Horizonte e Brasília, o que facilitava a vida dos amantes. Quando não estavam em suas zonas de conforto, eles as criavam. Um dos refúgios era o Hotel Margaridas, em Petrópolis. Elis chegava para o encontro secreto trazendo o filho João Marcello, de um ano, e a babá a tiracolo. Passavam ali um final de semana unidos e voltavam para suas vidas reais cheios de culpa e felicidade. Sair pelo Rio juntos era difícil, mas não impossível. O *bunker* mais confiável era o apartamento de André Midani, que muitas vezes os recebia pela manhã com a mulher Márcia Mendes, apresentadora do telejornal *Hoje*, da Globo. Ou a casa de Rogério, irmão de Elis, que assistia de camarote o par de pontas brotar na testa do cunhado pelo qual seu santo jamais simpatizou. O King's Motel, em São Conrado, era um dos poucos destinos seguros em território carioca. Elis não usava disfarces, mas abaixava-se assim que chegavam para pedir um quarto.

Sem uma faísca que pudesse causar incêndio na relação, Nelson Motta animava-se para tirar seus LPs do plástico. Enquanto escolhia o repertório do próximo disco, levava Elis a um mundo que ela pouco conhecia. James Taylor, o rapaz norte-americano que se mudou para Londres em 1968 para ser lançado pela gravadora dos Beatles, valia uma audição atenciosa. Crosby, Stills and Nash, Cat Stevens, Led Zepellin, Rolling Stones. Motta entrava na vida de Elis com vinis que, anos antes, poderiam ser arremessados contra a cabeça dele. A guitarra, definitivamente, não era mais um mal a ser combatido, mas uma aliada. E foi em uma dessas incursões que Elis aceitou gravar "Golden Slumbers" no disco *Ela*, a canção de Lennon e McCartney que os Beatles haviam lançado dois anos antes, em 1969, no álbum *Abbey Road*. Com Motta, Elis derrubava a última muralha, mesmo quando o resultado não ficava dentre os melhores. Os arranjos de Chiquinho de Moraes, sobretudo nos timbres de um teclado de cabaré, embrulhavam os Beatles com fitas demais. Caminhando perigosamente por um território sagrado, Elis partia para uma postura vocal que suprimia a delicadeza da canção sem reinventá-la. Os Beatles, que não eram a praia nem de Elis nem de Chiquinho, jamais voltariam a um disco seu.

A compensação surgia no campo em que Elis jogava de olhos fechados. Além de ouvir o que Motta lhe mostrava, ela queria sangue novo e ainda confiava, sobretudo, no próprio faro. Seguindo suas orientações, Motta saiu à caça e se deparou com Ivan Lins, um rapaz de 25 anos que começava a circular nos *shows* universitários. A própria Philips já estava de olho no jeito de compor do tecladista barbudo. Só faltava o telefone tocar. "Olá, Ivan Lins? Aqui é o Nelsinho Motta. Estou com a Elis e ela queria conhecer seu trabalho. Você pode mandar uma fita?" A resposta deve ter sido um "claro que sim", mas Ivan não se lembra exatamente por sentir que um apagão tomou sua consciência.

A Ivan Lins, um chamado de Elis era algo equivalente a John Lennon convidando um garoto para tocar em sua banda. Ivan via Elis pela televisão como um ser inatingível, com uma força que fugia à sua compreensão. Agora, ele só precisava gravar algumas músicas em uma fita e enviá-las para Nelson Motta. Simples, se a loucura da ansiedade não fizesse os dias levarem o dobro do tempo para passar. Entre as gravações, mandou aquela na qual mais acreditava, "Madalena", um samba quilométrico composto com Ronaldo Monteiro, de harmonia movimentada e levada quente. Motta ligou de volta assim que ouviu a fita: "Ivan, tem aqui umas três músicas bacanas, mas você não quer encurtar essa 'Madalena'?" Ivan topou, passou a tesoura em alguns versos e reenviou a fita. Ficou dois dias andando pela sala, de um lado a outro, até que o telefone voltou a tocar. "Ivan, aqui é o Roberto Menescal. Estou fazendo os arranjos para o disco da Elis. Você não quer passar no endereço dela amanhã para vocês se conhecerem?" A resposta deve ter sido "claro que sim", mas Ivan não se lembra por que, neste momento, sentiu o chão se abrir. Elis o chamando para sua casa era como Paul McCartney convidando um fã para tomar chá em Liverpool.

Assim que abriu a porta para Ivan, Elis identificou uma criatura em pânico e, imediatamente, passou a tratá-la como se fosse um objeto de porcelana. Sua presença ali era importante não só para que se conhecessem, mas também para que José Roberto Bertrami, o pianista do Azymuth que acompanharia Elis na gravação, aprendesse o singular jeito de Ivan com as teclas. O encontro foi simpático, agradável, deixando as melhores impressões entre as partes. Uma semana depois, Elis voltou a chamar Ivan para falarem mais sobre repertório.

Ao retornar à casa da Niemeyer com o parceiro Ronaldo Monteiro, Ivan tocou a campainha e a empregada atendeu. "Olá, eu sou Ivan Lins e este aqui é o Ronaldo. A Elis está?" "Só um minuto." Ao anunciar as visitas, a funcionária só mencionou Ronaldo – apenas um detalhe se o nome não fosse Ronaldo. A noite anterior não havia sido de carícias entre Elis e Ronaldo Bôscoli, que dormira fora após uma briga. Ao ouvir a empregada dizer que Ronaldo estava ali, Elis transfigurou-se e partiu em direção à porta soltando todos os palavrões. "Cachorro, como é que você tem coragem de aparecer na minha casa?", dizia, girando a maçaneta. Ivan teve vontade de chorar. Via sua "Madalena" indo para o espaço, sem noção do mal que poderia ter feito. Mas Elis abriu a porta, percebeu o engano e se recompôs, pedindo gentilmente que os dois entrassem.

Três meses antes que o LP saísse, em abril daquele ano, "Madalena" era lançada pela Philips em compacto duplo, uma jogada para esquentar o futuro lançamento e tentar levar Elis às massas com incansáveis execuções nas rádios. Deu certo. A lista dos compactos mais vendidos no Brasil em 7 de março de 1971 tinha Elis no topo, com "Madalena", seguida por Roberto Carlos ("Ana"), Johnny Mathis ("Close to You") e Waldick Soriano ("Paixão de Um Homem"). Vencer Roberto, ainda que o LP não repetisse a mesma façanha, ficando em sexto lugar durante suas primeiras semanas no mercado, tinha um sabor especial e selava um dos raros encontros harmoniosos de Elis. Mais do que uma parceria entre cantora e compositor, Elis seria, para sempre, a protetora de Ivan Lins.

A busca por um grande repertório seguia e Motta lançava mão de outra estratégia para fazê-la gravar uma música que já havia sido lançada por outra cantora, uma questão delicada. Incluir "Cinema Olympia", de Caetano Veloso, era missão quase impossível uma vez que a outra cantora em questão era ninguém menos que Gal Costa. Além da insegurança que fazia Elis evitar rinhas com grandes vozes, havia um agravante: naquele momento, uma polarização era criada entre as duas maiores artistas do País – em parte artificial, estimulada pela imprensa; em parte natural, percebida pelo público. Para muitos, Gal era a moderna e Elis a antiga. Por mais que tivesse feitos que a desvencilhassem da imagem de tradicionalista, algo que parecia cristalizado sobretudo depois que o Tropicalismo estabelecera novas possibilidades também às cantoras, Elis ainda era atingida pela crítica. Nelson Motta tentou cicatrizar a ferida fazendo-a sangrar: "Elis, por que você não grava esta música?", desafiou. "Porque a Gal já gravou", respondeu Elis. "É por isso mesmo, faça melhor", insistiu ele. Elis, assim como Gal, jamais reconheceria publicamente a concorrência, até porque as duas alimentavam uma relação fraterna. Mas, em silêncio, a história era outra. Gal era a realidade a ser enfrentada, um arraso sem fazer força, a voz de um pássaro em extinção. A chance de mostrar que poderia ser melhor do que isso era tentadora. Ok, que viesse "Cinema Olympia".

Quando sentou-se para ouvir o resultado da gravação, Nelson Motta o considerou muito semelhante ao estrago de um tiro que se dá no próprio pé.

Não era para ser assim, com tantas cordas colocadas pelo maestro Chiquinho de Moraes, tanta imponência orquestral em uma faixa que deveria soar com a força autossuficiente de um *rock and roll*. Elis não parece ter tido a mesma impressão, já que cantou "Cinema Olympia" muitas vezes, mas uma reflexão tomou o produtor depois do incômodo com o episódio. Colocada ao lado de Rita Lee, Elis protagonizava um contraponto interessante. A amiga Mutante havia nascido com voz ideal para cantar bossa-nova enquanto Elis, a voz da MPB, tinha tudo para ser uma roqueira fenomenal.

O grupo que saiu pela estrada com Elis para lançar o disco *Ela* era o mesmo que havia participado das gravações. Seu novo guitarrista era Toninho Horta, um rapaz de linguagem jazzística, desenvolvida junto à turma de Belo Horizonte, uma das gratas surpresas na música instrumental dos últimos anos e que Elis aceitou após submeter a um teste em sua casa. O segundo guitarrista era o jovem Nelson Angelo, um fã incondicional de Elis desde os tempos de *O Fino da Bossa*. O piano era de Sérgio Carvalho; o baixo do pernambucano Novelli; a percussão de Hermes Contesini; e a bateria do experiente Wilson das Neves, que Elis já havia tirado da TV Tupi pagando o dobro. "Quanto você ganha lá?" "Seiscentos cruzeiros", respondeu Das Neves. "Venha tocar comigo que eu pago 1.200." Negócio fechado.

Depois de passar por várias cidades, o grupo iria terminar a temporada com um *show* em um clube de Vinhedo, no interior de São Paulo. O clima nos bastidores não era dos melhores. Alguns músicos vinham contestando os valores do cachê e pediam aumento, mas a cantora achava a partilha a contento e se exaltava com o assunto. Após ser apresentado por Miele, o grupo subiu ao palco e fez a apresentação até o final, com profissionalismo. Quando soavam os últimos acordes de "Upa Neguinho", Elis foi ao microfone como quem arremessa calmamente uma granada para trás: "Eu queria que vocês aplaudissem minha banda com força porque, a partir de hoje, ela não toca mais comigo." O conjunto inteiro estava demitido.

12.

NELSON MOTTA ERA UM *RESORT* que Elis se dava ao luxo de frequentar depois de dois longos anos em ebulição ao lado de Bôscoli. Ali não havia estresse, cobranças, detalhes da relação a serem discutidos. Conversas não se tornavam quedas de braço, opiniões não se transformavam em cabos de guerra. Nas benesses da vida extraconjugal, ninguém perguntava onde estava o dinheiro para a feira nem contava na folhinha o número de dias sem sexo. Quando a nota fiscal chegou com o valor da aventura, Nelson Motta conheceu o inferno.

Assim que os rumores começaram a ser amplificados, o produtor tentou aliviar o peso da consciência se separando e deixando para a família a casa, equipada com todos os pertences. Foi morar no apartamento de um amigo no bairro da Lagoa, que aos poucos se transformava em uma espécie de refúgio de divorciados com direito a viagens lisérgicas ao som de Cat Stevens. A felicidade plena estava a um passo de se concretizar, bastava Elis pedir o divórcio. Motta soube que seu romance chegara aos ouvidos de Bôscoli. E soube também da frase que ele teria dito ao descobrir que estava sendo traído pelo aprendiz de 1,67 metro. “Até que enfim Elis encontrou alguém à sua altura.”

Só valia passar por aquilo tudo porque a vida oficial com a mulher que amava parecia ser uma questão de tempo. Ao menos, era o que ela mesmo lhe dizia dia sim, dia não. "Vou me separar, agora vou" era a frase que intercalava com "de hoje não passa" e "agora ele foi longe demais".

Elis não só não se separou como também armou uma cena que fez Nelson pagar por cada segundo que passou ao lado da mulher do amigo seu. Pois foi em uma manhã de outubro que ele atendeu ao telefone. Elis falava como se não fosse a sua Elis, cheia de formalidades e interpretações, de voz dura e com uma certeza inabalável, dizendo estar ao lado de Ronaldo Bôscoli enfermo, internado em um hospital para se tratar de uma depressão supostamente provocada pelos boatos que ouvira sobre o caso da esposa.

Elis falava que Nelson era o culpado, que parasse de espalhar mentiras para os jornalistas. Depois de afirmar que nunca existiu e nunca existiria nada entre os dois, desligou o telefone, deixando o produtor em choque, segurando o aparelho, tentando acreditar que tudo não passava de uma estratégia de Elis para se desvencilhar das desconfianças do marido. Mas não. Elis não o procurou mais. Motta entrou em uma perigosa espiral de sentimentos que o consumia a cada dia. Juntou as cartas que recebeu de Elis e as levou ao aliado Rogério para que ele as mostrasse à irmã e a fizesse relembrar de tudo que passaram juntos. Mandou recados até por Dona Ercy. Sem esperanças, partiu para Londres sozinho, o destino ao qual sonhou ir com a amada, e se entupiu de ácido com todos os malucos de Portobello Road. Sua temporada de Elis Regina chegava ao fim.

Aos jornalistas, Elis já havia semeado uma possível separação ao discorrer sobre suas convicções a respeito de casamento e maternidade. Para ela, a segunda jamais deveria servir de muletas para o primeiro. "Tem muita gente que pensa que filho pode dar jeito em casamento destrambelhado. Puro engano, ou irresponsabilidade. É obrigação evitar que a criança cresça em uma casa doente", disse à revista *Fatos & Fotos*. Elis sentia que as desavenças que ela e Bôscoli chegaram a alimentar em público pesavam demais. Depois de experimentar as águas mansas de Nelson Motta, voltar a servir palavrões com torradas no café da manhã era mais do que um retrocesso. Miele, mesmo sentindo a intensidade dos desentendimentos, valorizava cada instante ao lado da dupla, degustando as frases de Bôscoli e as interpretações de sua mulher. Estar no meio de tudo também era divertido, não podia negar. Elis, dizia ele, era a única artista dona de um talento com o qual não conseguia se acostumar.

Bôscoli e Miele foram convidados pela Globo para dirigirem uma série com o nome *Elis Especial*, que também poderia se chamar Bôscoli Especial tamanha a impressão digital do produtor em cada episódio. Com o respaldo financeiro e tecnológico da Globo, as ideias dos diretores eram quase todas possíveis de se tornar realidade. Elis dançava tango com Jece Valadão, segurava Miele em miniatura na palma da mão e aparecia ao lado de uma sósia pelas ruas do Rio cantando "Copacabana Velha de Guerra". Declamava os textos do marido, atuava como protagonista nos quadros e cantava, na maioria das vezes, em *playback*, ao contrário do calor das *performances* ao vivo. O primeiro programa abria com sua imagem diante do espelho, maquiando-se de palhaço enquanto dizia: "Especial? É, é uma ideia. Só que eu preciso me acostumar à ideia de trabalhar sozinha. Já não me agrada que seja muito individual, eu o tempo todo não me agrada. Não, não é isso não. Eu tenho certeza do que sei fazer. Não é medo de errar não, é medo de estar só. Aquele medo que, no fundo, os astronautas devem ter." O texto de Bôscoli se aliava à sinceridade de Elis para ganhar audiência.

A cantora surgia autobiográfica entre bonecos gigantes de Jair Rodrigues, Frank Sinatra, Pelé e Vinicius de Moraes. Ao lado de cada, repassava a vida. "Vinicius de Moraes tem muito a ver comigo, com minha carreira. Ele me batizou Pimentinha. Li sobre o amor através dele. Vinicius, o que ama sempre como da primeira vez." De Jair, uma evidente imposição sua entre as quatro personalidades, já que Bôscoli continuava não vendo no sambista afinidades com a esposa, ela dizia ser o "Jairzinho do meu ataque", lembrava do "gol" que haviam feito em 1965 no *show* do Teatro Paramount e arrematava dublando o *pot-pourri* de sambas do disco *Dois na Bossa*. Elis encostava-se então na imagem de Frank Sinatra, o ídolo maior de Bôscoli, como o texto deixava claro: "Frank Sinatra, maior carreira de cantor do século 20. Taí um cara que fez tudo bem, na hora certa. Taí um cara que viveu tudo de uma vez só. Sinatra é um ser desconcertante. Romântico e cruel, engraçado e triste." O quadro terminava com Elis escorada em Pelé, "o único bom moço dos quatro", cantando "Perdão Não Tem", do próprio jogador, que Elis havia gravado com ele em 1969 no compacto *Tabelinha – Elis X Pelé*.

A fidelidade de Miele, exercida para ambos os polos daquele relacionamento, o colocava como um ponto de equilíbrio que não deixava cenas cômicas se tornarem trágicas. "O que Miele pedir, eu faço", dizia Elis para alfinetar

Bôscoli e mostrar que, aos que mereciam, ela reservava toda a sua doçura. "Elis, vamos fazer uma cena em que você e Menescal saem do mar usando roupa de mergulho, ok?", disse Miele, em um *set* no Clube Costa Brava, onde gravavam imagens para um clipe da música "Carta ao Mar". "Mas eu não sei nadar e aqui está muito fundo", dizia Elis, amedrontada. "Sem problema, qualquer coisa o Menescal pega você, ele é campeão mundial de pesca submarina." E era mesmo. Elis afundou e quase não voltou mais. Quando emergiu, salva por Menescal, veio cuspindo água e palavrões.

Em um episódio que comprovou sua importância naquela balança de egos, Miele foi convidado por uma repórter e um fotógrafo de uma revista que queriam fazer uma entrevista com Elis e Ronaldo na casa da Niemeyer mas que, compreensivelmente, não tinham coragem de irem sozinhos. Miele aceitou, sabendo que seu papel seria muito próximo ao de um segurança. Se algum prato voasse, ele seguraria no ar. O casal os recebeu simpático, respondeu bem a todas as perguntas e, depois do papo, Elis convidou os jornalistas para o almoço que havia preparado. Com todos à mesa, Bôscoli pediu que a mulher passasse o sal. "Por quê? Tá dizendo que minha comida não tem sal? Vai comer a comida da tua mãe, aquela idiota", respondeu Elis. "Minha mãe idiota? E a tua? Aquela lavadeira", devolveu o marido. Elis gostava de subverter as partes do corpo humano nos palavrões: "Ah é? E por que é que você não vai tomar atrás do seu saco?" Já Ronaldo adorava pregar em Elis um termo que designava uma espécie de distúrbio de comportamento, fora de moda na época, que mais tarde seria conhecido como bipolaridade: "Elis, você não passa de uma ciclotímica." Os jornalistas olhavam para o prato invejando a existência dos feijões. Miele sabia que a tempestade sumiria com a mesma rapidez com que surgira assim que ele dissesse a coisa certa. E disse: "Aquele festival de filmes do Charles Chaplin está passando nos cinemas, o que vocês acham?" Elis pensou um pouco: "Já estreou aqui no Rio? Eu aceito. Tá a fim, Ronaldo?" "Eu topo", respondeu ele. Fim de mais um *round*.

Elis, com ou sem o marido em casa, queria estar sempre ao lado de compositores novos. Fez certa noite um encontro com Dori, Francis Hime, Nelson Motta, Edu Lobo e Marcos Valle e aceitou receber outros repórteres que queriam produzir uma matéria sobre o encontro. Enquanto os convidados falavam de música e tocavam, um dos jornalistas perambulava entre as rodas chamando os artistas de lado com perguntas provocativas, tentando jogar uns contra os outros, manipulando polêmicas. De Marcos Valle, que havia acabado de mostrar "Viola Enluarada" a Elis, ele quis saber. "Mas você só tem essa música?" A Dori e Francis Hime, perguntou: "Você gosta da Elis mesmo? Ela não é meio estranha?" Até que um dos convidados avisou a cantora das más intenções do rapaz. O tempo fechou. "Mas você é um filho da puta!", veio Elis, ameaçando estapear o jornalista ao mesmo tempo em que o colocava para fora. "Eu trago os meus amigos na minha casa e você vem fazer esse joguinho? Se Ronaldo estivesse aqui, ele te matava."

Antes que a casa da Avenida Niemeyer desabasse, haveria ainda tempo para uma demonstração de solidariedade do casal para com o semelhante. No caso, um jovem cearense de 21 anos, alto e magro, com olhar de cachorro caído do caminhão de mudança e que já pensava em deixar tudo e voltar para sua Fortaleza natal. Recém-chegado ao Sudeste, sem pai nem mãe, Raimundo Fagner estava na mais absoluta pindaíba, resistindo bravamente às pressões da família, que na verdade queria que ele voltasse a Brasília para terminar a faculdade de Arquitetura, abandonada desde que cismara com aquela conversa de se tornar cantor. Ao saber que Roberto Menescal procurava músicas para fechar a lista do espetáculo *É Elis*, Fagner mandou sua fitinha com quatro ou cinco delas. Elis se apaixonou por "Mucuripe", "Cavalo Ferro" e "Noves Fora", parcerias com outro cearense da mesma turma, Belchior, e logo quis conhecer o autor daquelas façanhas. Fagner era salvo pelo gongo.

As sessões do espetáculo *É Elis*, mais um produzido por Miele e Bôscoli, eram sucedidas por jantares em restaurantes caros. Fagner, sempre na plateia como convidado do casal, nunca aceitava esticar a noite com os amigos. Inventava desculpas, abaixava a cabeça e saía no silêncio. Bôscoli começou a desconfiar e decidiu desvendar o mistério. Depois de um dos *shows*, ofereceu carona ao cantor e o deixou no ponto em que ele pediu para ficar. Assim que Fagner se afastou, o seguiu à distância até vê-lo entrar em um prédio velho e abandonado. Subiu e, ao ver o estado das dependências, entendeu de onde saía tanto constrangimento. Fagner morava em uma espelunca que nem colchão tinha. O primo que havia alugado o apartamento o deixara sozinho quando faltava um mês para dar o prazo de entrega do imóvel. Sem mesada dos pais, o cearense só esperava o mês vencer para voltar para seu sertão. Bôscoli chegou em casa arrasado e foi falar com Elis. No dia seguinte, ligou para Fagner e fez o convite. A casa da Niemeyer era sua também, pelo tempo que precisasse.

Foram quatro meses de convivência, os quatro últimos meses de existência do casal Elis e Bôscoli. Um período intenso que também faria bem à sua carreira e colocaria seu sistema nervoso em teste. A morada de Elis era um catalisador de músicos e jornalistas com os quais o cearense não imaginava conviver nem em sonho. Antes mesmo de sair o álbum *Clube da Esquina*, de Milton e Lô Borges, Fagner estava na sala para ouvir algumas de suas gravações pela primeira vez ao lado de Milton Nascimento. Ivan Lins e a mulher Lucinha eram hóspedes frequentes. E João Marcello, com dois anos de idade, o seu salvador. Era a João que Fagner recorria quando o tempo fechava durante as batalhas finais. A estratégia era pegar o menino no colo e sair com cara de babá.

"Será repartido o grande manjar. Informo-lhes, pesaroso, que está muito abalada a relação Elis-Bôscoli. Que seja poupado o JMB. Indefeso que é. Quanto a mim, mandem bala, bichos!". Era final de 1971 quando Ronaldo Bôscoli escreveu de próprio punho as palavras sobre o iminente desenlace de seu casamento na revista *Intervalo*. Sua preocupação era o filho, tratado no comunicado pelas iniciais. Bôscoli suspeitava, com razão, de que teria sérias dificuldades para ver o garoto a partir daquele dia. O copo abastecido de traições transbordava. Ventos vindos da turnê na Europa, um ano antes, sopraram que Elis vivia aos carinhos com o cantor francês Pierre Barouh. Os boatos nunca foram confirmados, mas Bôscoli já via razões o bastante para pular a cerca e afogar as mágoas com uma vizinha que andava oferecendo-se na ausência de Elis. Agora, coçava a testa sempre que ouvia o nome de Nelson Motta. "Ele queria ser eu de qualquer maneira. Era meu discípulo e começou a paquerar a Elis. Nelsinho oficializou a pretensão, quis casar com ela e tudo. Mas havia outros urubus rondando a carniça e minando nosso relacionamento", contou em seu livro de memórias.

Quando a água do Titanic bateu nos quadris, Ronaldo tentou mais um bote, uma nova namorada, loira, de parar a Avenida Atlântica. Imaginou que assim que Elis soubesse do romance, ficaria furiosa, depois melancólica e, enfim, correria às lágrimas de volta para seus braços. Mas não foi bem assim. "Elis, eu vou embora e vou me casar com outra pessoa. Vou pedir para ela buscar minhas coisas", disse Bôscoli. "Seu filho da puta, quero só ver se ela tem coragem de aparecer aqui", respondeu. A nova mulher de Ronaldo apareceu, estacionou o carro e, antes de descer, ouviu um barulho no capô. Da janela, Elis arremessou uma das malas do marido com todos os discos de Frank Sinatra.

O clima da separação rondava o espetáculo *É Elis* – o que de certa forma foi sentido pela crítica. "O *show* não consegue fazer com que o público preste mais atenção às músicas, cantadas quase que friamente. E se Elis briga com sua personalidade explosiva durante quase duas horas, também não é certo que ela, apesar de seu esforço, ganhe uma nova face", anotou uma crítica da revista *Veja* do dia 15 de março de 1972. Elis abria a apresentação olhando para o público, dando um recado visual e outro verbal. Sua imagem não vinha com maquiagens. O vestido de renda que usava era longo e branco, o cabelo estava curto e as unhas, ao natural. Suas primeiras palavras no palco eram: "Olha, minha gente, o bom desse *show* é que ele não vai ter nada de especial. É uma transa simples, só eu e vocês. Vou apenas cantar." No camarim, uma repórter da revista *Manchete* a procurou para saber o quanto estava ganhando com aquilo. "Ganho um tutu firme. Dá pra comprar bala para o João Marcello, carne para Cassius Clay e Dolly, milho para Neurótico e Aristóteles e mais ração para cinco galinhas, dois galos e dois marrecos." O primeiro era seu filho; o segundo e o terceiro, seus cães. E o quarto e o quinto, seus patos.

O *show* no Teatro da Praia ganhava relevância em duas frentes. Além de trazer músicas que seriam gravadas no próximo disco da cantora, como "20 anos Blue" (de Sueli Costa e Vitor Martins, usada para abrir e fechar), "Boa Noite, Amor" (conhecida na voz de Francisco Alves), "Olhos Abertos" (de Zé Rodrix e Guarabyra), "Vida de Bailarina" (do repertório de Angela Maria) e "Nada Será Como Antes" (de Milton Nascimento e Ronaldo Bastos), além de "Construção", de Chico Buarque, que a crítica considerou o ponto alto da noite, Elis tinha na mesma ficha técnica, pela primeira e única vez, dois personagens que logo protagonizariam uma transição conjugal que, no seu caso, também significaria profissional. *É Elis* marcava o *check-out* do quase ex-marido e diretor Ronaldo Bôscoli e o *check-in* do quase novo marido e arranjador Cesar Camargo Mariano. Uma sucessão que havia sido intermediada por Manoel Francisco de Moraes Mello, o maestro Chiquinho de Moraes.

Chico de Moraes já havia rodado quilômetros suficientes para que suas palavras tivessem peso. Além de assinar orquestrações nos últimos LPs de Elis, havia sido o regente do conjunto que a acompanhava na TV Record nos tempos de *O Fino da Bossa* e entrava na sala do empresário Marcos Lázaro sem bater. Assim como Elis, Chiquinho também estava no auge, trabalhando em arranjos, regendo orquestras e tocando piano para seu outro cliente, Roberto Carlos. A possibilidade cada vez mais próxima de ser convocado para acompanhar os dois na mesma data começou a lhe tirar o sono, até que ele foi a Marcos Lázaro: "E se isso acontecer, Marcos?" "*No, fique tranquilo, hombre*", tranquilizou o empresário.

Agoniado, Chiquinho seguiu pensando em um substituto. Quando falou com Ronaldo Bôscoli, ouviu a sugestão do amigo: "Por que você não manda o Roberto para aquele lugar e assume logo a Elis?" Não era bem assim. Somado ao fato de não poder estar em dois lugares ao mesmo tempo, Chico havia acabado de se casar com uma mulher que pagava para que ele não estivesse em um daqueles dois lugares jamais: ao lado de Elis Regina. Apesar de deixar claro em casa a relação sempre profissional entre cantora e maestro, o ciúme de uma mulher que se horrorizava com a ideia de os dois viajando juntos, mais cedo ou mais tarde, o pressionaram. Com o peso de um piano de cauda nas costas, Chiquinho pensou em um nome que conhecia de bons serviços prestados a Wilson Simonal e como tecladista do Som Três que poderia substituí-lo com louvor: Cesar Camargo Mariano.

O maestro levou a ideia do provável sucessor à casa de Elis. "Eu já ouvi falar dele", ela reagiu, sem euforia. "Ok, pode chamar o rapaz", disse Ronaldo. A primeira oportunidade de Chico abordar Cesar foi em Porto Alegre, durante uma edição do *Som Livre Exportação* na qual acompanhava Roberto Carlos. A conversa se deu nos bastidores, em uma sala de paredes escuras para a qual vazavam o som e as luzes coloridas que piscavam no palco em ritmo frenético. Um cenário psicodélico com vozes elevadas, rostos aparecendo e desaparecendo e uma conversa que mudaria muito mais do que o nome do pianista de Elis Regina. Chico fez uma rápida introdução e chegou logo ao ponto: "Seria interessante se você entrasse como pianista da Elis, o que acha?" Cesar respondeu com uma frase: "Foi o que eu sempre desejei."

Os dois combinaram o primeiro encontro com Elis. Estavam em um sábado. Na próxima quarta, Cesar pegaria um voo em São Paulo para o Rio, desembarcaria no Aeroporto Santos Dumont no começo da tarde, ligaria para Chiquinho apanhá-lo e, juntos, chegariam à casa de São Conrado. Movido pela ansiedade, Cesar chegou antes do combinado, por volta de 10h30, no exato instante em que Chico curtia com a mulher as preliminares do amor. Quando o telefone tocou, o maestro pulou da cama como se despencasse das nuvens. "Chico, cheguei", disse Cesar. Chiquinho praguejou dois ou três palavrões, ouviu outra dúzia da esposa, vestiu-se e foi buscar seu sucessor.

Ao chegarem à casa de Elis, subiram as escadas e tocaram a campainha. A moça que trabalhava para o casal atendeu e os deixou entrar para esperarem na sala. Alguns minutos depois, vieram Ronaldo e Elis. Chiquinho tomou a dianteira e foi direto: "Aqui está o homem, aqui encerro minha tarefa. Tchau." E deixou São Conrado às pressas para tentar subir de volta à nuvem que deixara flutuando em seu quarto. Chegou em casa, abriu a porta e olhou para a mulher com malícia, mas a nuvem já havia passado.

Sobre a casa da Niemeyer, pairava outra nuvem anunciando tempestade. Sem mais esperança de colar os cacos, Ronaldo usava o momento proposto por Chiquinho de Moraes para tentar amortecer o impacto profissional provocado pela separação. Não era só o maestro que estava preocupado com a passagem de bastão, mas o diretor artístico também. "Cesar", começou ele, "Elis e eu estamos nos separando e decidimos que não vamos continuar trabalhando juntos", disse, com Elis distante, agora em outro cômodo. "O assunto de nossa conversa é o seguinte: ela quer mudar de grupo, mudar de casa, de marido, de tudo, e está a fim de trabalhar com você. Só que estamos com um *show* parcialmente montado. Já tenho uma ideia de cenário e iluminação, mas ainda é preciso escrever o roteiro e escolher as músicas com ela. Eu não vou dirigir, estou puxando o carro. Você quer pegar esse pepino?" Não era exatamente o início de vida nova que Cesar imaginara, mas se era o preço para tocar com Elis, ele estava disposto a pagá-lo. Algum tempo depois, consumadas a separação de Elis e Ronaldo e a união de Elis e Cesar, Chiquinho encontrou Ronaldo Bôscoli em uma boate. "Viu o que você arrumou?", disse Ronaldo. "Você perdeu o emprego de maestro e eu perdi o emprego de marido."

A era Cesar Camargo começava com dores de cabeça. Ele correu para formar a banda a tempo de entrosá-la, escolher repertório, ensaiar. O baixista Sabá e o baterista Toninho Pinheiro, que formaram com ele o Som 3 em 1966, foram suas primeiras investidas. Para sua surpresa, ambos disseram não. Um "não" que desceu quadrado, com jeito de que havia alguma restrição a Elis Regina. A próxima ligação foi para Luiz Claudio Ramos, guitarrista de mão cheia, que logo indicou o baixista Luizão Maia, conhecido por fazer um som "tão gordo quanto ele" – como dizia Elis –, e o baterista Paulo Braga, oriundo de uma formação instrumental mineira que tinha Milton Nascimento no baixo e Wagner Tiso ao piano.

O resultado no palco de *É Elis* animou a Philips a lançar um disco. As gravações eram feitas à tarde, os *shows* à noite, de terça a domingo, com sessões duplas aos sábados e domingos. Além da parceria de Elis com Cesar, nascia a base de um grupo que ficaria por anos ao lado de Elis, cultivando um espantoso entendimento sem palavras. Luiz Claudio deixou a formação para trabalhar com Chico Buarque logo depois da estreia do espetáculo. Em seu lugar, por sugestão de Luizão, o guitarrista Hélio Delmiro foi chamado para completar o que poderia ser chamado de quarteto fantástico.

Além de um filho, o único bem artístico que ainda poderia sair das ruínas com Ronaldo Bôscoli era uma canção. Elis percebeu que a agonia que vivia, aliada à sensibilidade que ganhava com a maternidade, poderia ser combustível para uma memorável interpretação. O que a tornava grande, ela sabia, era sua capacidade de viver a vida particular em público, criando identificação imediata com a plateia ao fazê-la sentir as mesmas lágrimas que brotavam no palco. Cheia de dores, Elis ligou para Paulo Cesar Pinheiro com uma encomenda. "Estou vivendo uma situação braba de separação. Você me faz uma daquelas?"

Paulo ligou para Baden, contou a situação, combinou o encontro e sentaram-se os dois, Paulo esboçando a letra, Baden a melodia. Depois de mergulharem naquele poço até o fundo, transferindo para Elis sentimentos que eram deles também, colocaram o ponto final e o nome na canção de "Última Forma". "Sua música está pronta", Paulo avisou. Elis queria ouvir o resultado logo e pediu que Paulo fosse com Baden ao seu encontro, armados de voz e violão. Ela e Cesar Camargo os esperariam após o *show*. Os parceiros desceram ao porão onde ficava o camarim. Baden tirou o violão da capa e Elis sentou-se à sua frente com Cesar. Como testemunha, apenas um jovem que varria o corredor.

Os amigos começaram a mostrar a música: "É, como eu falei não ia durar / Eu bem que avisei, pois é, vai desmoronar / Hoje ou amanhã um vai se curvar / E graças a Deus não vai ser eu quem vai mudar." Os olhos de Elis envesgaram e as mãos se curvaram tensas. Paulo seguia: "E qualquer um pode se enganar / Você foi comum, pois é, você foi vulgar / O que é que eu fui fazer quando dispus te acompanhar / Porém, pra mim você morreu / Você foi o castigo que Deus me deu." O corpo de Elis se retraía e seu rosto não refletia a alegria das descobertas, mas uma angústia que parecia aterrorizá-la. Quando acabaram a música, um silêncio de cem anos soou pela sala. "Isto aqui não está dando certo", pensou Paulo. Elis muda, Cesar calado, Paulo desconcertado e o rapaz varrendo o chão. Baden cutucou o amigo. "Então, parceiro, vamos embora?" Saíram os dois tentando entender o que se passara naquela sinistra audição. "Mas o que houve?", perguntava Baden. "Será que a gente carregou na tinta?", dizia Paulo Cesar. Anos depois, quando "Última Forma" já havia sido gravada pelo grupo MPB 4 e pelas cantoras Márcia e Elizeth Cardoso, Paulo encontrou Elis e aproveitou um momento de descontração para tirar a dúvida. "Puxa, por que você não gravou a música? Não era boa?" E Elis respondeu: "Era, Paulo Cesar, era boa até demais."

As canções que Elis escolhia para gravar passavam por um filtro que não se limitava a aferir qualidades artísticas. Como havia deixado claro no episódio de "Cinema Olympia", ela só aceitaria regravar uma canção já lançada se tivesse certeza de que sua voz trituraria a versão anterior. Se duvidasse disso, batia em retirada, como quando ouviu Milton Nascimento cantando "Viola Enluarada". Mesmo já tendo anunciado aos autores Marcos e Paulo Sérgio Valle que queria a canção, Elis concluiu que nada mais poderia fazer depois que a "voz de Deus" passou por ali.

O seu departamento interno de seleção poderia barrar também músicas que tinham o poder de aumentar feridas em momentos delicados. Foi o que levou à eliminação, ainda que temporária, de "Deixa o Mundo e o Sol Entrar" do repertório. Marcos e Paulo Valle pareciam olhar sobre o muro do casal, observando-o com binóculos da janela ao lado. Pois, se não haviam feito nada disso, como poderiam saber tanto de suas vidas a ponto de escreverem versos como: "De repente, vejo bem / eu sou alguém com medo de viver / Sou prisioneiro das coisas que eu amei / Mas não tem sentido estar na vida / Preso a quem não quero mais." E vinha a segunda estrofe: "Do outro lado está você / nossas promessas voam quase sem ver / que esse amor aflito / guardado só pra nós / de tão grande já não dá no quarto / pede o mundo e a luz do sol." E a sufocante terceira parte: "Meu passado já morreu / quem veio dele, sei, vai me entender / que o amor existe enquanto há paixão / Siga, minha amiga, pela vida / e que eu viva um novo amor."

Foi Ronaldo quem concluiu que havia sangue demais naquelas frases, fraturas que já estavam expostas. Elis concordou e, mesmo após gravar a canção sob as súplicas de Nelson Motta, em 1971, decidiu engavetá-la. "Deixa o Mundo e o Sol Entrar" só sairia em 1979, como a última faixa de um disco que Elis abominaria por ter sido feito à sua revelia pela Philips, com gravações não aproveitadas de outros LPs. O que o casal não sabia é que a letra de Paulo Sérgio Valle falava da angústia pela qual passava o próprio autor, que coincidentemente também vivia um doloroso processo de separação na mesma época. Um drama que provocava sintomas universais e que poderia estar na biografia de qualquer um.

Os olhos de Elis já estavam grandes em cima de Cesar Camargo Mariano. Depois de um dos últimos *shows* da temporada, ela o chamou em seu camarim e lhe fez um convite que, com o mínimo de malícia, percebia-se um recado de segundas intenções. Assim que segunda-feira chegasse, ela o queria como convidado em uma das sessões de cinema que fazia para os amigos em casa uma vez por semana, usando um projetor emprestado pelo Museu da Imagem e do Som. O filme seria *Morangos Silvestres*, de Ingmar Bergman. Cesar aceitou.

Quando o primeiro rolo chegou ao final, Elis se levantou e deixou a sala por um instante. Ao voltar, passou por Cesar, colocou um bilhete no bolso de sua camisa e pediu discretamente que ele só lesse após o filme. As luzes foram apagadas e a projeção recomeçou. Olhando a tela sem conseguir mais se concentrar na história do médico Isak Borg, Cesar sentia o peito explodir. Saiu antes do final e se trancou no banheiro com o bilhete nas mãos. As frases de Elis não traziam muita poesia, mas tinham objetividade: "Gosto de você pra caralho, quero você pra caralho. Caguei pro mundo." Cesar olhou para a janela e imaginou-se passando por ela. Ele precisava de tempo, de ar puro. Era um homem casado, não pensava em divórcio – não pelo menos até dois segundos antes de olhar no espelho tentando entender o que o fazia, de telespectador convidado, tornar-se personagem principal de um longa *nonsense*. Sem coragem de voltar para a sala, olhou de novo a janela e decidiu fugir. Apertou-se até passar pelo buraco, caiu no quintal, entrou no carro e desapareceu.

Isto tudo foi na noite de uma segunda-feira. O estúdio estava reservado para as 14h de quarta, quando começariam as gravações do primeiro disco que Cesar faria inteiramente com Elis. Aos amigos mais próximos, ela já dava o músico por desaparecido. "Perdi o pianista e o namorado." Sem esperanças, chamou para as gravações Antonio Adolfo, craque das teclas que saberia fazer o trabalho bem feito e em pouco tempo. A primeira da lista era "Atrás da Porta", de Chico Buarque. Nada poderia ser mais simbólico.

Cesar sumiu de pavor. Assim que saiu da casa de Elis, dirigiu seu carro com os pensamentos a 220 km/h até que decidiu parar para pensar. E parado ficou a noite toda, de portas fechadas. Um dia, dois dias. Assim que se resolveu, passou em casa para abrir o jogo com a mulher. Desabafou e seguiu para o estúdio, no horário marcado, a fim de cumprir a missão. Antonio Adolfo já estava lá, a postos no instrumento, esperando para começar a gravação. A saia-justa era dois números menor, com Cesar não conseguindo disfarçar o mau jeito e Elis estudando as expressões do fugitivo. Situação contornada, o pianista assumiu as teclas, a direção artística do disco e as emoções de Elis Regina. Ao terminarem de gravar "Atrás da Porta", sozinhos no estúdio, Elis ofereceu carona: "Quer que eu leve você para sua casa?" Cesar não pensou muito: "Sim, eu preciso pegar minha escova de dentes." O destino os declarava marido e mulher.

Se era para mudar tudo, que fosse com vontade. Elis queria ir mais fundo no novo disco, torcer a língua de quem dizia que não havia nada de novo na música brasileira. Com as músicas de *É Elis* na manga, colocou pressão no novo produtor, Roberto Menescal, para que ele fechasse o repertório. "Conseguiu as músicas?", insistia. "Não, mas vamos procurar. Elis, se você me chamou, deve ser por alguma razão. Então me dê 15 dias para eu descobrir as que faltam e depois de ouvi-las você pode dizer se gostou ou não gostou", respondeu. Elis estava tensa, de certa forma inconformada por não encontrar canções inéditas com a mesma facilidade dos anos anteriores. "Eu já falei com alguns compositores, mas ninguém tem nada pra mim", disse a Menescal.

Uma fita cassete chegou com os nomes de Francis Hime e Chico Buarque escritos na etiqueta. Elis e Menescal ouviram a primeira, a segunda, a terceira, e nada. Seguiram a quarta, a quinta, a sexta e a sétima, e ainda nada. Eram belas composições, mas nenhuma que Elis quisesse gravar naquele momento. As opções acabaram e a dupla, frustrada, falava sobre outras possibilidades enquanto a fita continuava a girar. De repente, algo que mais parecia um esboço de uma canção passou a soar com um início de letra. "Quando olhaste bem nos olhos meus / e o teu olhar era de adeus..." E logo começava um lá lá lá só para segurar a melodia, sem letra definida. Quando Francis perguntou se havia gostado de algo, Menescal agradeceu, explicou que não era bem aquilo que queriam para o momento, mas quis saber do mistério. "Que música é aquela que não está terminada?" "Ah, deve ser algo que estava na fita. Eu gravei as outras por cima, nem sabia que ainda estava lá", disse Hime, explicando que há tempos Chico tentava, mas não conseguia terminar a canção.

Menescal, no prazo estipulado, sentou-se com Elis para mostrar tudo o que havia conseguido, em uma audição cheia de perguntas da cantora e respostas do produtor. "O que é isso? Parece ótimo." "É '20 Anos Blue', da Sueli Costa e do Vitor Martins, muito bom." "E essa aí?" "É 'Casa no Campo', do Zé Rodrix e do Tavito." E então, Menescal reduziu a marcha e falou tenso: "Agora, Elis, tem uma música aqui que faço questão de que você grave. É do Tom Jobim." Elis estranhou. "Mas o Tom não tem nada de novo." Menescal insistiu. "Esta aqui é nova, e eu a roubei."

O crime aconteceu na sala da casa de Tom Jobim, no Rio. Menescal, em sua cruzada por canções para sua cliente, chegou à morada do maestro no instante em que ele ensinava uma de suas novas músicas para uma cantora desconhecida chamada Rose. "Menesca, só um minutinho que já falo com você, deixa só eu acabar a música aqui com a moça." Sentado, de ouvidos ligados, sentiu naqueles acordes e na letra extensa um poder de sedução que há muito não percebia em uma nova criação. Assim que Rose se foi, feliz e certa de que gravaria uma pepita de Jobim, Menescal decidiu anunciar o assalto: "Tom, é o seguinte, essa música é minha e eu vou levar para a Elis." "Mas e a moça, Menesca?" "Ah, diz a ela que eu roubei." Ao ouvir, Elis nem precisou chegar à segunda estrofe para proferir a sentença: "Vamos gravar." A música era "Águas de Março". Cesar Mariano sustenta outra versão para explicar como a canção chegou às mãos de Elis. Em seu livro de memórias, diz, sem mais detalhes, que foi Tom Jobim quem apareceu na casa da cantora levando "Águas de Março" como um presente. Um episódio não necessariamente exclui o outro. Menescal pode ter colhido primeiro a canção na casa de Tom e, depois, Elis ter recebido o pianista, que faria questão de lhe mostrar como gostaria que aquilo fosse cantado.

Era preciso definir o que fazer com o rascunho de canção que havia surgido como um fantasma na fita de Francis Hime. Menescal fez Elis gravar a música, mesmo inacabada, com o lá lá lá na parte sem letra, e ligou para Chico Buarque. "Estou indo até aí para mostrar uma coisa a você." Chico ouviu e identificou: "Isto é meu com o Francis, mas não consegui acabar, só fiz a primeira parte." "Pois é, a gente quer gravar. Como faremos?", disse Menescal. Chico apanhou um pedaço de papel e escreveu a segunda parte, ali mesmo, na frente do amigo. "Toma, não quero nem ler de novo", disse. Estava pronta "Atrás da Porta", uma das paixões mais devastadoras do repertório de Elis Regina.

Desde que começou a gravá-la, Elis não parou de chorar. Um choro de misturar notas a soluços num desespero que ultrapassava a linha da interpretação e se tornava apenas a sua verdade. Elis chegou a parar a gravação para começar de novo. Ao falar com a voz das mulheres abandonadas, habilidade incomum entre compositores homens, Chico acertava o ventre de Elis. Era ela mesma aquela que ao ver no amante o seu olhar de adeus, se debruçava sobre o seu corpo, se arrastava, o arranhava e agarrava em seus cabelos, em seus pés e aos pés da cama. E que então havia dado para maldizê-lo, sujar seu nome e humilhá-lo, e se vingar a qualquer preço o adorando pelo avesso, tudo para mostrar que ainda era apenas e eternamente sua.

Se aquele homem era Ronaldo Bôscoli? Talvez. A gravação vinha no momento em que o pai de seu filho partia, deixando pela casa um garotinho de olhos grandes e cheio de alegria que a preenchia com paixão e sensibilidade. Mas tomar o que Elis cantava como reflexo literal do que ela vivia era um perigo. Nem tudo o que a fazia chorar no palco tinha uma carga biográfica palpável. Seus desgostos, muitas vezes, eram usados apenas como a faísca que acendia interpretações monumentais de uma alma sempre em conflito.

Ao parar no meio de uma gravação para fazê-la de novo, Elis quebrava uma invencibilidade que já virava mito entre os que trabalhavam com ela. Edu Lobo, Nelson Motta, Amilton Godoy, Cesar Camargo Mariano, ninguém jamais viu Elis gravar uma mesma música por duas vezes para acertar uma falha. Roberto Menescal era o único a viver tal experiência.

No dia em que foram gravar "Depois da Queda", uma música do próprio Menescal, criada em uma das viagens que fizeram juntos, Elis desafinou. Menescal captou primeiro a parte instrumental para que a voz fosse colocada depois, mas algo sempre saía errado. O produtor via Elis seguir a linha melódica da canção fora do tom, em um caminho que, de tão dissonante, não poderia ser decodificado nem como jazz. "Elis, você está me ouvindo bem?", quis saber ele, da sala de gravações. "Sim, por quê?", respondeu, impaciente. "Vamos fazer de novo, ok?" pediu. Na nova tentativa, tudo continuou fora de lugar. "Eu vou aí." Menescal vivia a estranha situação de ter de dizer a Elis que o que ela cantava estava errado. Havia alguns convidados no estúdio naquele dia, acompanhando as gravações, mas o produtor pediu que todos saíssem por um instante, menos Elis. O clima pesou. "O que é? Tem alguma coisa errada?", ela quis saber. "Você está cantando em outro tom." Sua reação veio no palavrão que mais gostava. "Ah, vai tomar atrás do seu saco. Eu não vou gravar mais nada." Quando sua cliente estava prestes a deixar o estúdio, Menescal teve um clique. "Algo não está batendo. Vamos tirar aquela flauta do arranjo."

Elis desafinava por um fenômeno que acontece a ouvidos extremamente sensíveis, mais comum a instrumentistas do que a cantores, casos do pianista João Donato e do baixista Bebeto Castilho, do Tamba Trio. Ao ouvir o som da flauta, a cantora embarcava em seus harmônicos – frequências que podem produzir outras notas musicais, mais perceptíveis em instrumentos como os de sopro. O problema era que Elis se agarrava a um dos harmônicos e o adotava inconscientemente como a tonalidade da canção. A questão era de superafinação, não de desafinação. Sem a flauta, voltava a ser Elis. E Menescal garantia o seu emprego.

Assim que saiu o disco de 1972, correram Menescal e Elis para ouvirem juntos, cheios de insegurança. Uma conjunção de astros que se forma em determinada posição, uma vez a cada dois séculos, parecia reger a reunião daquelas canções em um mesmo LP. Como o *show*, a abertura era feita com "20 Anos Blue", seguindo com "Bala com Bala", "Nada Será Como Antes", "Mucuripe" (de suas descobertas, Fagner e Belchior), "Olhos Abertos" (de Zé Rodrix e Guarabyra), "Vida de Bailarina" (Américo Seixas e Dorival Silva), "Cais" (Milton e Ronaldo Bastos), "Me Deixa em Paz" (Ivan Lins e Ronaldo Monteiro) e "Casa no Campo" (Zé Rodrix e Tavito), além de "Águas de Março", "Atrás da Porta" e "Boa Noite, Amor". Elis sentia que inaugurava um momento, que retomava a influência voltando a apostar em suas crias. A união com Cesar renovava suas forças e consagrava a vitória em duas frentes. Ela tinha nas mãos um grupo de músicas e um grupo de músicos dos sonhos.

O mais absoluto silêncio tomou a sala de Elis quando o lado A do LP chegou ao fim. Ela olhou para baixo, Menescal olhou para ela, e ninguém falou nada. O produtor se levantou, virou o disco, colocou a agulha na primeira faixa e voltou ao seu lugar. Entre uma oração e outra naquele templo, eles podiam ouvir suas próprias respirações. Elis de olhos fechados, Menescal apreensivo. Assim que a última nota da última canção terminou, o produtor, intrigado pela falta de reação da intérprete, ouviu dela uma frase com a qual criaria mais uma teoria sobre o que, afinal, poderia ser aquela mulher. "Eu sou foda escolhendo repertório."

Se quisesse fechar o tempo, Menescal tinha mil argumentos para despejar em Elis. Como assim ela era foda escolhendo o repertório? Afinal, quem havia cruzado o Rio atrás dos diamantes para sua rainha? Quem havia insistido para que ela gravasse canções como "Águas de Março", indevidamente apropriada de Tom Jobim? Sua resposta à frase de Elis, no entanto, foi apenas um subserviente "claro que é". Menescal sentiu que Elis usava a força de sua própria verdade, a mesma verdade que surgia em seu mundo particular quando cantava. E na loucura de todo artista, verdade é sempre algo relativo. Elis não deixava de ter razão. Se ela não havia encontrado as composições, tais composições haviam chegado até ela. E Menescal era apenas a ponte entre a poesia do mundo e sua voz.

Vivendo em ritmo alucinado, Elis seguia um novo roteiro embora sabendo que ele sempre poderia mudar. Seu disco do ano, em que aparecia na capa sentada em uma cadeira, com um sorriso sereno, produzido por Menescal e arranjado por Cesar, seria lançado no Teatro da Praia antes de seguir para outras cidades. Hélio Delmiro fazia sua estreia, sendo recebido pela bateria de Paulinho, por Cesar e pelo baixo de Luizão. Criavam, sob o comando de Cesar, um modelo que seria copiado em larga escala e entraria para a linha evolutiva da música brasileira. Uma simbiose acionada por um baixista que tocava a serviço da voz, usando o baixo como se fosse um surdo; um baterista que tocava a serviço do baixo, fazendo-o crescer em seu bumbo de dois tempos; um guitarrista que tocava a serviço do pianista, reforçando os acordes com discrição; e um pianista que trabalhava a serviço de todos.

Antes que o novo *show* seguisse para outras praças, o palco no Teatro da Praia seria usado em segredo por um homem chamado Odair José de Araújo. Odair José era um galo de ouro em 1972, uma usina de canções populares prestes a lançar mais um disco para vender 200 mil cópias e ajudar a gravadora a pagar a conta de artistas de renome da MPB que não chegavam nem à metade disso. Queria se libertar das influências dos produtores que o viam como um jovem-guardista genérico e investia em um som *folk* conduzido por um trio formado pelo tecladista José Roberto Bertrami, pelo baixista Alex Malheiros e pelo baterista Ivan "Mamão" Conti, que logo ganharia vida própria com o nome de Azymuth. Odair já tinha tudo, só não tinha a capa. Até que Bertrami, com acesso ao grupo de Elis, lembrou que a cantora fazia temporada no teatro. "E se a gente fizer a foto no palco deles?" Odair comprou a ideia e Bertrami conseguiu as chaves. Em uma tarde de casa vazia, subiram ao tablado montado com os instrumentos da banda de Elis para registrar um Odair sentado de olhos fechados e violão no colo, no centro de uma foto de fundo escuro. Elis, distante do universo de Odair, virou seu amuleto da sorte. O disco *Assim Sou Eu...* se tornou seu primeiro fenômeno de vendas.

Quando a turnê de 1972 estreou em Belo Horizonte, um homem foi visto chorando atrás do palco do Teatro Francisco Nunes. Era Hélio Delmiro, sem conseguir mais conter as lágrimas ao ouvir Elis e Cesar interpretando, só os dois, a música "Boa Noite, Amor", que Elis cantava lembrando dos anos em que a voz de Francisco Alves invadia sua sala em Porto Alegre, deixando a casa muda. Hélio sentia-se realizado ao lado da cantora que conhecera pela TV, no programa *O Fino da Bossa*. Beliscava-se para ter certeza de que não vivia um delírio. Soluçando atrás do palco, ouvia Elis lembrando de algo que ela lhe disse e que ele jamais se esqueceria: "Hélio, às vezes eu tenho vontade de refrear meus impulsos como cantora só para ninguém perder nenhuma nota que você toca."

A realidade de Hélio Delmiro voaria ainda mais alto do que seus sonhos no final de 1972, assim que Elis fosse convidada por uma emissora de TV da Alemanha para gravar um especial em coprodução com a TV Globo, por sugestão do maestro brasileiro Julio Medaglia, que vivia na cidade alemã de Baden-Baden. Solano Ribeiro, que já havia feito outros projetos de música brasileira para o Terceiro Canal da emissora Südwestrundfunk (SWR), que detinha também o Primeiro Canal na TV alemã, foi nomeado por Boni, diretor da Globo, para supervisionar o projeto. Assim que chegou com Elis e mais Cesar, Luizão e Paulinho aos estúdios, Hélio percebeu o tamanho do investimento. Os alemães haviam despejado milhões de marcos em uma produção de arrojo impressionante, dirigida pelo holandês Rob Touber, um ás nos efeitos especiais. Elis começava cantando "Samba do Avião" em inglês, montada em uma borboleta gigante que sobrevoava o mapa do Brasil, um país que a Europa mal sabia em que canto do mundo ficava. E seguia com "Roda", de Gil, colocando os bailarinos de cintura presa do coreógrafo neozelandês Jimmy James para dançar samba, um gênero que a Europa ainda pensava se tratar de um primo da salsa. Era o encontro – ou a colisão – de dois mundos. De um lado, o estilo "deixa que a gente faz na hora" dos brasileiros e, do outro, o "vamos fazer o que foi combinado" dos alemães. O problema era que o talento dos brasileiros, que nunca combinavam nada, parecia morar em seus instintos. E era aí que os músicos da terra de Bach patinavam.

Quando o baterista do maestro Rolf-Hans Müller tentou pegar a levada de um dos sambas de Elis, imprimindo uma contagem para o tempo marcado pelo teclado de Cesar Camargo Mariano, suas baquetas travaram e a música não saiu do lugar. Várias tentativas e nada. O baterista de Elis, Paulo Braga, ofereceu ajuda e o alemão, constrangido, aceitou. Paulinho assumiu a bateria e resolveu o problema em dois segundos. Hélio então sentou-se e começou a passar o som do violão tocando o que viesse à cabeça. Os músicos alemães se aproximaram em silêncio para ouvi-lo ao seu redor. Ao terminar, o maestro Müller comentou com Julio Medaglia, que acompanhava as gravações e servia de tradutor: "Eu não sabia que um violão tinha essas sonoridades."

A tensão estava no ar. Cesar estranhava os arranjos quando se deparava com as partituras escritas pelos alemães e Elis já começava a sentir saudades do filho João, que a esperava no Brasil. Mas os produtores queriam mais. Gravaram em uma sequência "Cinema Olympia", com a cantora à frente de uma fachada de cinema pornô, e "Bala com Bala", com a divisão de João Bosco entortando o que havia sobrado de lógica nos neurônios alemães.

O cantor germânico negro Roberto Blanco, filho de pais cubanos, aparecia cantando em alemão "Pedro Pedreiro", de Chico Buarque, e Elis voltava em *close* pronunciando os versos de "Roda", desta vez também em alemão. Cantava então "Comunicação", "Me Deixa em Paz" e, sentada em uma cadeira de balanço, "Casa no Campo". Rodeada por nove crianças negras, interpretava duas canções de temática racial que à época não seriam vistas como politicamente incorretas: "Upa Neguinho" e "Nega do Cabelo Duro", além de "Black is Beautiful", que ela faria na sequência, em outro cenário. "Upa Neguinho" causou mais um choque quando o maestro Rolf-Hans Müller tentou contar seu tempo. Sua mão subia no fraco e descia no forte até ser atropelada por uma paradinha que lhe dava nos nervos. Os músicos voltavam àquela parte para que ele desvendasse o mistério, mas era inútil. Depois de um tempo, Müller deixou que a natureza cuidasse da canção e desistiu de entendê-la. Mas foi com o cantor francês Michel Legrand que Elis protagonizou os grandes momentos do especial. Uma das cenas mostrava os dois cantando "Summer of 42", com o francês ao piano. Depois do final de outro número, Legrand encarou uma das câmeras e falou de improviso: "Esta é a maior do mundo."

Havia ainda ajustes a serem feitos, cenas a serem retocadas, mas o prazo de validade da diplomacia de Elis venceu assim que ela se deu conta de que o Natal de 1972 se aproximava e que a última coisa que queria era ver o Papai Noel falando alemão. "Acabem logo com isso que eu vou embora amanhã", decretou aos produtores. Nem as idas ao cinema nas horas vagas para ver filmes em alemão como *Laranja Mecânica*, ao lado do tradutor em tempo real ao pé de seu ouvido, Julio Medaglia, a divertiam mais. Eles não acabaram e ela cumpriu a promessa, voltando com os músicos ao Brasil no dia seguinte. Na Globo, Boni teve o retorno de Solano sobre o especial e recebeu de Medaglia uma notícia que o irritou. O maestro, que já era contra a presença de Blanco no especial por achá-la descabida, sabia bem o idioma alemão e estranhou partes da letra que ouvira na versão germânica de "Pedro Pedreiro". Mas, mesmo com suas recomendações para que ela fosse vetada, a participação de Blanco foi mantida na edição final feita pelos produtores após a partida de Elis.

Elis já contava com novo marido, novo arranjador, novo disco e, agora, uma nova casa. A mansão da Niemeyer havia sido substituída por uma das moradias do Condomínio Joatinga, entre o mar e as montanhas de São Conrado, no Rio, com uma espécie de praia particular que se cruzava de ponta a ponta em dez minutos. Um refúgio de artistas em alta na época, como Aracy Balabanian, Betty Faria, Juca de Oliveira e Gracindo Júnior. João Marcello, três anos, fazia amizades na vizinhança com garotos como Daniel, filho do autor de novelas Walter Negrão e de sua mulher, Orphila. Nas idas e vindas para resgatar João da sala dos vizinhos, Elis começava a cultivar uma afetuosa relação com os amigos do acaso. Walter e Orphila passaram a ser pessoas nas quais ela confiava, sobretudo porque não a temiam e diziam exatamente o que pensavam.

Foi no Joá que Elis teve de se habituar ao procedimento legal de dividir João Marcello com o pai. Ronaldo, vivendo próximo ao condomínio, teve de brigar na Justiça para poder ver o filho nos finais de semana. Elis comunicou Orphila de que uma decisão judicial a tornava responsável pela entrega do garoto e por fazer valer os direitos de Ronaldo. A vizinha jamais viu o documento que comprovasse tal decisão, apenas confiou na amiga. Quando Ronaldo chegava para buscar João no horário marcado, Elis desaparecia. Orphila saía atrás dos dois pelo condomínio, descendo às pressas os degraus das escadas, para encontrá-los brincando escondidos em um canto da praia.

A Joatinga era também o novo Q.G. que Elis armou para fazer o que fez por toda a vida desde que saiu de Porto Alegre: receber pessoas que ninguém conhecia para ouvir as canções que elas eram capazes de fazer. O veredito saía no ato, dizendo se o material seria gravado ou não. Jamais ficava com algo por consideração. Em uma tarde de pouco ânimo, Elis chamou Walter e Orphila para ajudarem ela e Cesar com duas visitas que estavam prestes a chegar, indicadas com entusiasmo por André Midani. Elis combinou com Walter: se ela chutasse sua canela por baixo da mesa, era porque a coisa estava de uma chatice de dar sono e o que ele deveria fazer era dizer "Elis, o pessoal daquele encontro está esperando, vamos?" Elis despacharia as visitas e todos ficariam livres. Os rapazes chegaram cheios de prosa e confiança. Um mais alto e mais magro, ambos de barba. Conversaram com certo grau de intimidade e tiraram o violão do estojo. A primeira coisa que mostraram foi um bolero que pegou de jeito: "Dois Pra Lá, Dois Pra Cá". Elis não queria se livrar de Aldir Blanc e João Bosco nunca mais, enquanto Walter sorria, chutando sua canela debaixo da mesa.

Aquele não havia sido o primeiro encontro de Elis com João Bosco. Sexto filho de Dona Lilá e Seu Daniel, um ano mais novo que Elis, João fazia do violão um terceiro braço. Seu nome chegara soprado por Vinicius de Moraes, que o conhecia desde 1967. Depois de saber que amigos em comum já haviam marcado uma conversa com a cantora, João foi conhecê-la nos bastidores do espetáculo *É Elis*. Ainda estudava Engenharia com determinação na Universidade Federal de Ouro Preto, mas aproveitava as férias para levar suas canções aos ouvidos de Elis. Ao sentir o que saía de seu violão, sobretudo de músicas como "Agnus Sei" e "Bala com Bala", ela reagiu com um entusiasmo adolescente. "Outro mineiro, meu Deus, que sorte a minha." Sobre "Bala com Bala", decidiu no ato: "Vamos colocar no *show*."

Quando já cantava o samba quebrado e de personalidade forte que distanciava seus criadores João Bosco e Aldir Blanc de qualquer corrente naquele momento, Elis quis fazer uma surpresa. De passagem, com uma apresentação em Belo Horizonte, esticou até Ouro Preto levando o endereço da república em que o universitário João vivia com outros estudantes. Ao chegar, perguntou pelo músico. "Estão te chamando aí fora, parece a Elis Regina", avisou um amigo. João atendeu a porta e era mesmo. Ela e Cesar vinham buscá-lo para que ele visse o que haviam feito com o seu samba. João seguiu com o casal até Belo Horizonte e se comoveu ao assistir "Bala com Bala" no palco, gingando na voz de Elis. Era o que o estudante precisava para dar adeus à Engenharia. Antes de partir para o Rio, a madrinha lhe fez um pedido: "Nunca mais deixe de compor suas coisas estranhas."

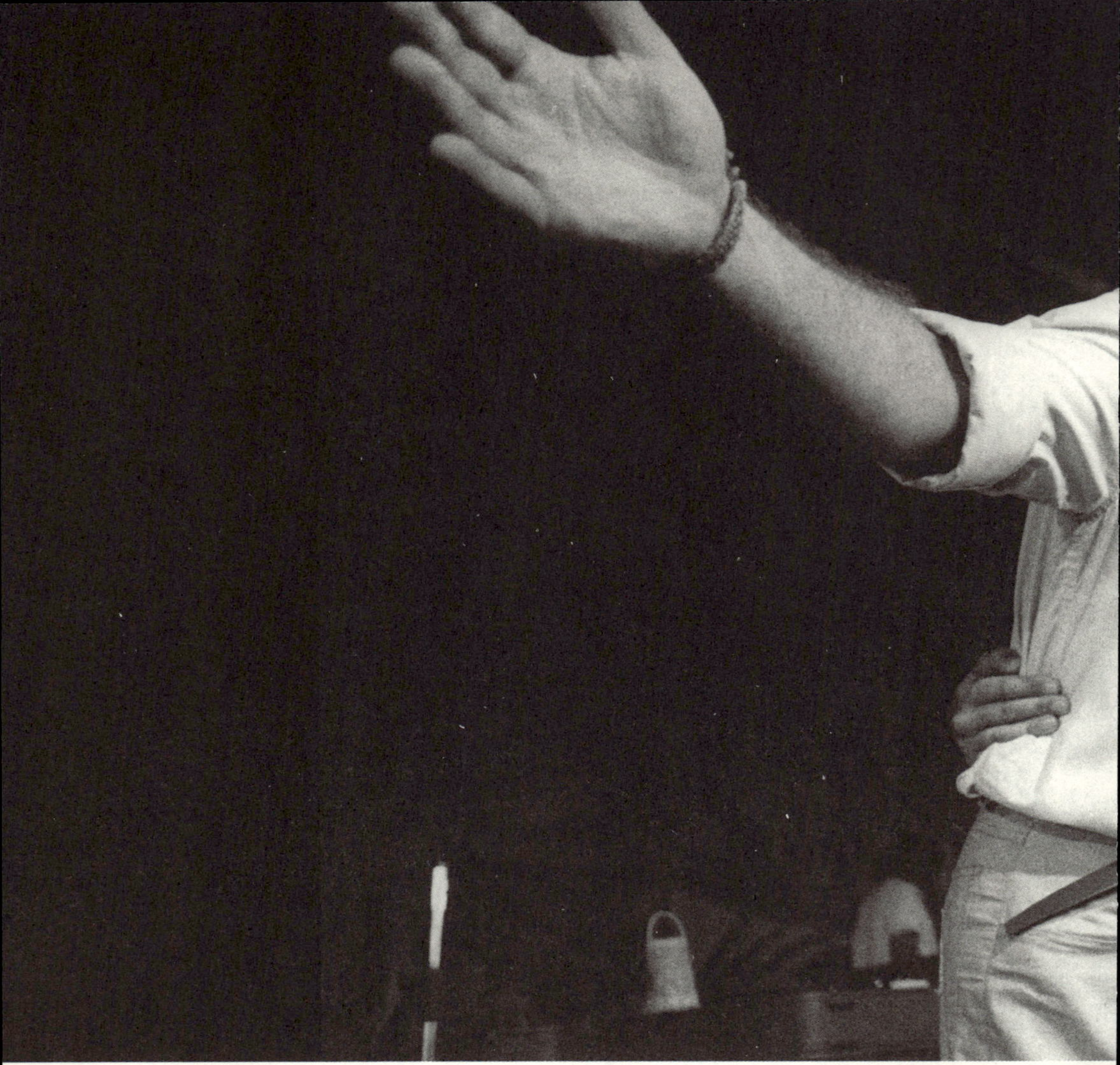

13.

O INÍCIO DA DÉCADA DE 1970 exigia uma dose extra de coragem a quem resolvesse ganhar a vida como cantor de música popular brasileira. O País andava no sufoco e cabia à classe artística atuar no *front* de uma resistência que só tinha como arma a metáfora das canções. Havia gente fora dessa, cantores que por suas naturezas apolíticas recebiam uma espécie de salvo-conduto. Nenhum militar bateria na porta de Roberto Carlos para interrogá-lo sobre o que poderia estar por trás dos detalhes tão pequenos que existiam entre ele e

sua amada na música estourada em 1971. Nenhum Jipe verde-oliva estacionaria em frente ao teatro Tereza Raquel, em Copacabana, para proibir Luiz Gonzaga de cantar "Qui Nem Jiló". Havia casos como os de Jair Rodrigues que, mesmo caminhando entre nomes combativos, não se engajava por uma questão de aptidão. Ele até tentou ir a encontros para falar de política, mas os próprios companheiros resolveram lhe dar baixa quando perceberam que o moço não havia nascido pra fazer cara feia.

Desde que os militares haviam se ungido de superpoderes nas águas turvas do Ato Institucional Número 5, em 13 de dezembro de 1968, toda atividade que dependesse do pensamento livre para existir de forma plena ficaria sob a mira da suspeita. Um dos artigos do documento era claro: qualquer ideia expressa por meio da imprensa, da música, do teatro ou do cinema deveria ser avaliada previamente por um agente do departamento de cultura do Serviço Nacional de Informações – agente para o regime, censor para os artistas. As perseguições aos infratores eram implacáveis, com interdição de canções e prisão de intérpretes e autores que instigassem a revolta popular ou tentassem driblar a inteligência da censura com figuras de linguagem subversivas, sempre segundo a interpretação dos agentes.

Ao mesmo tempo em que apertava o cerco, jogando desafetos no cárcere ou pressionando para que saíssem do País, a censura inspirava e capacitava às avessas uma geração inteira de autores jovens, talentosos e donos de uma argumentação crítica e poética que jamais existira. A qualidade das composições atingia seus melhores níveis também graças, ironia histórica do destino, ao terror militar.

João Bosco e Aldir Blanc já eram protagonistas nos discos de Elis quando a linha de tiro começou a passar mais perto de suas cabeças. Depois de "Bala com Bala", em 1972, marcaram presença em 1973 com "O Caçador de Esmeralda", "Agnus Sei", "Cabaré" e "Comadre" e voltariam em 1974 com "Dois Pra lá, Dois Pra Cá", "Caça à Raposa" e outra canção ainda sem nome definido, chamada ora de "Navegante Negro", ora de "Almirante Negro". Os militares ouviram o material e resolveram encrespar, fazendo com que os autores mudassem algumas palavras. Um experiente funcionário da gravadora RCA, amigo de Aldir, sugeriu o truque: "Deve ser por causa do título. Coloquem um nome genérico que eles nem vão ler a letra". Assim, trocaram "Almirante" e "Navegante Negro" por "O Mestre Sala dos Mares". Começou a dar certo.

Aldir Blanc foi chamado para olhar o diabo nos olhos no Palácio do Catete, no Rio. Sentado em uma cadeira do tipo carteira escolar, aguardava enquanto ouvia gritos vindos de outra sala: "Precisamos matar o Ney Matogrosso, precisamos matar aquele cara!" Algum tempo depois, um oficial se aproximou a ponto de deixar o coldre da arma encostar em seu nariz para dizer que ele e João Bosco estavam errados em fazer uma música exaltando a raça negra.

"O Mestre Sala dos Mares" era uma homenagem a João Cândido Felisberto, o Almirante Negro, herói de um episódio conhecido como A Revolta da Chibata, de 1910, quando os marinheiros negros brasileiros sofriam os resquícios dos tempos da escravatura sendo segregados e maltratados, muitos até a morte, nos porões dos navios ancorados na Baía de Guanabara. Na livre interpretação de um censor, preparado para interceptar truques linguísticos, os marinheiros negros eram o povo oprimido e os oficiais repressores, uma representação dos militares. Depois de Aldir dar uma rápida aula de História e explicar quem era o Almirante Negro, o interrogador aceitou a gravação mas avisou com ameaça: "De negro não se fala nem bem nem mal. Simplesmente, não se fala." Assim como Cândido Felisberto, o oficial também era negro.

O laço ajustado no pescoço da classe artística por Costa e Silva seria mais apertado por Emílio Garrastazu Médici – que deixaria o posto com uma ficha corrida de exílios, prisões, mortes, torturas e desaparecimentos. As ruas começavam a ser tomadas por ações paramilitares de grupos classificados como terroristas, que praticavam sobretudo sequestros para forçar a libertação de companheiros e assaltos a bancos, a principal receita no financiamento das operações. Elis Regina, assim como Chico, Gil, Caetano, Vandré e Edu Lobo, tinha sua ficha devidamente preenchida no Dops, o Departamento de Ordem Política e Social que vigiava os passos das possíveis mentes contaminantes.

Foi nesse cenário que Elis cometeu seu maior e mais caro delito aos olhos dos oficiais. Durante a turnê pela Europa com o time de Roberto Menescal, em 1968, a cantora concedeu inúmeras entrevistas nas quais os jornalistas sempre perguntavam sobre a situação política do Brasil. Ao comentar o fato, ela não poupava os militares. Desde uma entrevista para a revista *Visão*, em 1966, seus verbos caminhavam sobre os arames farpados da zona proibida. Depois de ouvir sua entrevistada dizer que investia tudo o que ganhava comprando dólares e joias, o repórter quis saber se aquilo não era o mesmo que declarar falta de confiança na política econômica do governo. "Só acredito em meus dentes. E, de vez em quando, eles me mordem a língua", respondeu.

Menescal sabia que aquilo não acabaria bem. Quando a cantora começava a desancar a censura e os dirigentes de seu país, ele discretamente lhe dava um esbarrão. "É melhor você parar de falar essas coisas. Eles vão acabar indo atrás de você." Mas Elis não se intimidava. "E quem disse que eu tenho medo?" Até que um jornalista da revista holandesa *Tros-Nederland* quis saber mais do mesmo. "E como está a situação política em seu país?". Em uma frase, Elis se deu mal: "O Brasil de hoje é governado por um bando de gorilas." A revista vibrou com a falta de freios da entrevistada e publicou uma matéria com o título "A Primavera Impetuosa de Elis Regina".

Avisada pelo diretor de jornalismo da Globo, Armando Nogueira, de que os casacas estavam à sua procura, a cantora teve medo. Os militares a convocaram para prestar depoimento no Centro de Relações Públicas do Exército e Elis ligou para Midani. "E aí, o que eu faço? Eles querem falar comigo." A resposta do diretor não foi das mais reconfortantes: "Vai logo antes que eles venham buscar você." A cantora entrou no CRPE de nuca fria e saiu de boca fechada. Só em 1979, daria mais detalhes do encontro. Havia sido uma tormenta, com horas de tensão psicológica que ela gostaria de enterrar. O fato de não saber o que iria encontrar fazia tudo passar por sua cabeça. "Eu estava louca de medo. Um medo muito mais de uma coisa que eu não sabia o que era do que o medo de uma coisa que era perigosa."

Ao entrar no prédio da Avenida Presidente Vargas, observou um homem fardado e três à paisana, um deles lendo jornal. Por quatro horas responderia detalhes de sua vida de mãe, mulher, cantora e amiga de músicos. O fardado lhe mostrava fotos em que ela aparecia em um palco cantando com os braços estendidos. Queriam saber se aquilo era um sinal. "Não, sou eu cantando 'Arrastão'", respondeu. Antes de deixarem Elis sair, os homens fizeram duas "sugestões": que não cantasse mais nem "Black is Beautiful" nem "Upa Neguinho" e que não comentasse com ninguém o que havia se passado ali. "Eu estava atônita, sabiam tudo da minha vida. Tudo, sabe o que é tudo? Dia tal, lugar tal, tal hora, você conversou com fulano... Até os números de cheques que eu mandava para minha mãe em Porto Alegre, o número da conta." Além de observá-la de perto, algumas vezes como espiões de óculos escuros em carros parados nas esquinas, como lembraria o filho João Marcello, as Forças Armadas já faziam relatórios sobre seu modo de vida.

Um documento preparado pelo Centro de Informações do Exército (CIE) dissecava Elis: "A cantora esteve na Holanda no início de 1969, ocasião em que concedeu entrevista coletiva à imprensa, em ambiente formal e seguindo as normas desse tipo de relacionamento. Viajou para a Itália e Inglaterra no princípio de 1971, não tendo feito declarações à imprensa. No Brasil, jamais concedeu entrevista a qualquer órgão de imprensa estrangeiro. Nos anos de 1966 e 1967, atuou ao lado de alguns cantores de esquerda considerados subversivos após as agitações de 1968, destacando-se, entre eles, Caetano Veloso, Gilberto Gil, Geraldo Vandré e Edu Lobo. É muito afeita a gravar músicas de protesto, inclusive ligadas ao movimento Poder Negro norte-americano, apesar de não demonstrar ligação com o mesmo." Ser apontada em um paredão ao lado de Gil, Caetano e Edu Lobo não era novidade. Mas, pela primeira vez, seu nome aparecia associado à luta de grupos raciais, ainda que o relatório afirmasse não ter comprovação de uma participação efetiva em tais movimentos. A paranoia do regime havia colocado Elis em observação no quesito ameaça nacional também por causa de um homem negro com quase dois metros de altura, cabelo *black power* e calça boca de sino que respondia por Toni Tornado.

Antônio Viana Gomes já tinha 40 anos quando alguma boa notícia chegou. Antes disso, viveu o roteiro de um filme barra pesada com episódios proibidos para menores. Toni não era nem vento no dia em que saiu da casa dos pais em Mirante do Paranapanema, interior de São Paulo, para viver pelas ruas do Rio engraxando sapatos e vendendo saquinhos de amendoim. Quando o estoque acabou, alistou-se como paraquedista do Exército para servir na mesma turma do cabo Abravanel, conhecido à época por sua habilidade em fazer dinheiro vendendo carnaúba para os soldados limparem os coturnos e, anos depois, por seu dom diante das câmeras sob o nome de Silvio Santos. Sem futuro no meio militar, e sem desconfiar de que um dia seria perseguido por ele, Toni saiu do Brasil farejando os palcos do mundo mas só achou um muquifo do Harlem, em Nova York, dominado pelo tráfico e pela prostituição.

Chegou manso, foi batizado de Comfort e ganhou a rara simpatia tanto dos latinos quanto dos negros, que começaram a usá-lo como negociador nas transações. Sua influência aumentou e Toni passou a investir em mulheres. Chegou a tomar conta de vinte profissionais, que lhe pagavam uma porcentagem do que recebiam em troca de proteção. Quando já levava a vida dentro de seu Cadillac, fruto do suor como distribuidor de tapas e pontapés em clientes mal-intencionados, a polícia o agarrou. Seu disfarce de lavador de carros, emprego que arrumou como fachada, durou até o dia em que lhe deram duas horas para recolher seus pertences antes de o escoltarem até um avião de malote que partiria para a América do Sul.

Pouca gente no Brasil sabia dos apuros de Toni até 1970, quando o vento virou furacão. Tibério Gaspar e Antonio Adolfo haviam feito letra e música de "BR-3" para inscreverem no V FIC, Festival Internacional da Canção, da Globo. Tibério chamou primeiro Wilson Simonal, que não podia por ser ele uma das atrações do evento. Bateu então na porta de Tim Maia, impedido de aparecer para não queimar o lançamento de seu primeiro disco. E, indicado pelo cantor Orlandivo, seguiu para uma boate de má fama, a New Holiday, antigo Porão 73, onde teve a visão. Toni construía naquele inferninho carioca seu Apollo Theater, provando que havia feito mais do que cuidar de mulheres em Nova York. Dos *shows* que assistia nas horas vagas, um deles mudaria sua vida. Suas roupas, sua dança e seu cabelo armado para a batalha atestavam a existência de um James Brown brasileiro.

Toni virou Tornado assim, ao vencer a etapa nacional do V FIC defendendo "BR-3" com o quarteto de Osmar Milito e os vocais do Trio Ternura. Sem saber, já fazia a inteligência do regime militar coçar o queixo. Ainda que não tivesse a poesia perigosa e bem informada de um Chico Buarque, sua afirmação racial, confirmada orgulhosamente todas as vezes em que subia a um palco, incomodava e o classificava, na caneta da censura, como uma ameaça ao bem-estar da família brasileira.

Ele ainda era um furacão em 1971, quando Elis Regina assumiu a presidência do júri do conturbado VI FIC. Dori Caymmi, Taiguara, Milton Nascimento, Ivan Lins, Baden Powell, Os Mutantes e Caetano Veloso se recusaram a participar logo de início. Um pouco depois, Paulinho da Viola, Sérgio Ricardo, Ruy Guerra, Tom Jobim, Capinan, Chico Buarque, Vinicius de Moraes, Toquinho, Edu Lobo, Egberto Gismonti e os irmãos Marcos e Paulo Sérgio Valle revogaram suas próprias inscrições. O ar havia acabado. Os artistas não aceitavam mais a polícia fichando-os e vasculhando seus versos antes de liberar suas participações. Ao final do processo de seleção com o que havia restado para selecionar, poucos participantes se sobressaíam, tornando o FIC o festival que anunciava o fim de uma era. Ainda assim, Elis aceitou o posto de líder do júri, que tinha na bancada nomes como o do compositor João de Barro, o Braguinha, Dom Salvador e Tibério Gaspar.

Elis subiu ao palco do Maracanãzinho no dia da final, 26 de setembro de 1971, diante de 20 mil pessoas, para cantar "Black is Beautiful", de Marcos e Paulo Sérgio Valle, enquanto os votos eram contabilizados. Ao final, eles dariam a vitória ao Trio Ternura que concorria com "Kyrie", canção que o tempo apagaria facilmente, e deixariam "Desacato", de Antonio Carlos e

Jocafi, em segundo lugar, e "Dia de Verão", de Eumir Deodato, em terceiro. "Casa no Campo", de Tavito e Zé Rodrix, seria esquecida em 9º lugar mas imortalizada pela voz de Elis, que a garimparia naquele festival para lançá-la no ano seguinte.

"Black is Beautiful", que Elis havia lançado no disco *Ela*, vinha cheia de provocações implícitas, talvez as únicas que sobreviveram naquele festival. Como uma infiltrada no júri, subiu ao palco levando uma metralhadora escondida no casaco. Sem a necessidade de passar pelo processo de análise dos censores, já que não se tratava de uma concorrente, conseguia contrabandear uma canção de protesto racial com uma letra sem metáforas: "Hoje cedo, na Rua do Ouvidor / quantos brancos horríveis eu vi / Eu quero um homem de cor / Um deus negro / do Congo ou daqui / que se integre no meu sangue europeu." Sua voz obedecia um crescendo, reforçava o "horríveis" e chegava ao refrão rasgada, como a de uma cantora negra norte-americana: "Black is beautiful, black is beautiful / Black beauty so peaceful / I wanna a black, I wanna a beautiful."

A música havia passado pelo facão uma vez, assim que Marcos e Paulo Valle a concluíram. A original dizia "um deus negro, do Congo ou daqui, que melhore o meu sangue europeu." Mas a ideia do sangue negro correndo nas veias de um branco para torná-lo melhor apavorou os militares. "O que é que vocês querem? Trazer música de protesto racial para o Brasil?", perguntou o censor. Sentindo que estava prestes a perder a canção, Paulo foi rápido no gatilho: "Ok, e se trocarmos 'que melhore' por 'que se integre no meu sangue europeu'?" Ainda meio a contragosto, a censura carimbou "liberado" e a música foi lançada. Elis não havia tido problema algum com ela até o momento em que Toni Tornado, que assistia ao festival dos bastidores, subiu ao palco sem avisar.

Ao ouvir Elis cantar "eu quero um homem de cor" pela segunda vez, Toni partiu para os holofotes, abraçou a cantora e ergueu o braço para o alto com o punho fechado diante das 20 mil pessoas. Era tudo o que os agentes precisavam para pegá-lo. O movimento que Toni fazia era exatamente o mesmo dos Panteras Negras, um partido radical norte-americano, criado em 1966, que defendia a luta armada contra os brancos opressores e o pagamento de indenização aos negros pelos séculos de escravidão. Toni não havia pensado em tudo isso quando levantou o braço no Maracanãzinho, surpreendendo

Elis e deixando a plateia em delírio. Mas, ao abaixá-lo, já estava na mira. Os fardados foram ao camarim para ouvir explicações. "Quer dizer que você tem ligações com os Panteras Negras?" "Que é isso, doutor, quem compôs essa música foram dois loiros."

Os minutos de empolgação de Toni ao lado de Elis custaram caro. Conduzido à delegacia, foi colocado diante das autoridades. "Então, você é o negrão da 'BR-3'?" perguntou o delegado. "Aquele que dança dando giro?" "Sim, sou eu mesmo." "Então dança um pouco aí pra gente." Toni cantava e fazia todos os passos que sabia. Quando parava, um novo policial aparecia. "Olha só, esse aqui é o Toni Tornado, dança aí pra ele ver", pedia o mesmo delegado. Diante do terror psicológico daquela situação vivida por quase 12 horas, ele recebia um recado: ou baixava a bola ou raspariam seu *black power*. Anos depois, soube dos próprios autores de "Black is Beautiful", Marcos e Paulo Sérgio Valle, que seus instintos não o traíram quando o mandaram subir naquele palco. Apesar de não citar nomes, o "homem de cor" da canção era ele mesmo, Toni Tornado.

Os militares tinham Elis Regina como um alvo iminente desde os anos de casamento com Bôscoli. O mesmo documento que a associava aos "movimentos negros norte-americanos" descrevia detalhes de sua então conturbada vida conjugal: "Atravessa, no momento, uma fase bastante difícil de sua vida particular com o marido, o compositor e produtor de TV Ronaldo Bôscoli, doente e necessitando de tratamento psiquiátrico. Seu genitor (Romeu) tornou-se inimigo do marido, chegando ao ponto de ameaçar a vida do genro." Os oficiais se referiam aos tempos de guerra – e mais especificamente ao dia em que Romeu Costa fez uma visita ao genro com um revólver calibre 38 em punho.

Elis havia acabado de ter uma séria discussão com Ronaldo, ameaçando deixar a casa. No auge das emoções, sacou as unhas e voou sobre o marido para ser contida com um empurrão. Ergueu-se e, ainda chorando, ligou para o pai, com a denúncia da qual se arrependeria de fazer. "Pai, o Ronaldo me bateu." Seu Romeu era de poucas palavras e quase nenhuma ação até que mexessem com seus filhos. Pois naquela noite, chegou à casa de Elis armado, sem nenhuma dúvida do que deveria fazer. Bôscoli estava no banheiro e, de lá, sentiu o cheiro da morte. "O que é isso, pelo amor de Deus." Romeu dizia que homem nenhum batia em sua filha, que se preparasse para o cano que ia ferver.

Ronaldo gritava e Elis implorava para que o pai parasse. Um casal de tios que assistia a cena fez a sugestão não menos cinematográfica. Chamar a polícia seria escândalo demais, a garantia das manchetes de jornais do dia seguinte e, de quebra, a prisão de Romeu por tentativa de homicídio e porte ilegal de arma. Um pacote completo. A ideia era chamar os médicos para que resgatassem Ronaldo do banheiro como se ele estivesse com os nervos em crise. Elis ligou para a Clínica São Vicente e pediu uma ambulância. Seu marido, segundo ela, estava a ponto de demolir a casa. Assim que os homens chegaram, Romeu já estava contido, mas Bôscoli não deixava o banheiro. Os enfermeiros o acalmaram, ajustaram seus braços em uma camisa de força e o conduziram para fora pela mesma sala em que estava Romeu. Algumas horas de repouso no hospital fariam a poeira baixar.

O olho da ditadura parecia ver tudo: as brigas de Elis, quem eram e como viviam seus amigos, como caminhava a relação com os pais. Mais assustadora era a constatação de que ele podia ver Elis Regina também por dentro, como descrevia um dos trechos do mesmo documento: "Mostra-se retraída, não participante de grupos, mesmo em festas ou reuniões sociais." E até reconhecia qualidades: "Cumpre seus contratos e compromissos corretamente, aceitando programas não remunerados, quando para fins filantrópicos, ou solicitados por órgãos públicos."

A vigília dos fardados sobre Elis ia além, a ponto de recair sobre aqueles que ouviam seus discos. O diplomata da Embaixada da Suécia, Bo Lolgren, estava na Cinelândia durante o confronto entre militares e oficiais do Dops e estudantes que pediam por liberdade de expressão em abril de 1968 quando foi abordado por um soldado da PM. Apesar das imunidades do cargo, foi revistado e considerado suspeito de subversão por levar na bolsa dois objetos de alta periculosidade: um gravador e um LP de Elis Regina. Lolgren foi preso e entregue a um pelotão do Exército. Ao perceber a enrascada do colega, o deputado federal do Movimento Democrático Brasileiro, Hermano Alves, correu em socorro do diplomata, mas foi cercado por seis baionetas apontadas na direção de seu peito. "Ouçam o material, vejam se há algo suspeito", pediu Alves. Os oficiais fecharam a cara ao analisar o LP de Elis e, pior, ao ouvir a fita que estava no gravador. Lolgren havia registrado os gritos dos manifestantes diante da truculência dos soldados. Os argumentos de Alves foram fortes e os militares decidiram liberar o sueco, mas só depois que ele apagasse a fita que levava, segundo um oficial, "gritos ofensivos às forças armadas".

Elis seria solicitada pelo pior órgão público que poderia bater em sua porta tempos depois de passar pela sala do medo. Agentes do departamento de propaganda ligaram para sua casa, pedindo que colaborasse com uma chamada que gostariam de fazer para divulgar na televisão a Semana da Pátria. De novo, ela decidiu ligar para Midani: "Vai cozinhando eles que daqui a pouco passa a Semana da Pátria e você não fez", aconselhou o executivo. Mas não seria tão simples. Depois de um dos espetáculos que fazia à época no Teatro da Praia, com Miele e Bôscoli, Elis foi procurada no camarim por um homem fardado. "Nós viemos aqui para gravar com você e trouxemos os artistas", disse ele, de filmadora em punho e texto pronto. O clima era de constrangimento explícito e indignação silenciosa. Alguns artistas à época contratados pela Globo foram colocados atrás de Elis. Ao final de um trecho do Hino Nacional, a câmera fechava na cantora e ela dizia uma frase com um sorriso pela metade: "Salve a Semana da Pátria." Isso depois de conclamar a audiência a participar das festividades. "Nesta festa, todos nós vamos cantar juntos a música de maior sucesso neste País: o nosso hino. Pense na vibração que vai ser você e 90 milhões de brasileiros cantando juntos, à mesma hora, em todos os pontos do País", dizia a peça do governo que batia recordes em gastos com propaganda.

Elis não esperava que justamente 1972 lhe reservaria um golpe ainda maior. Além de ter gravado a chamada para a Semana da Pátria, ela também estava na lista para cantar nas comemorações do Sesquicentenário da Independência, o aniversário dos 150 anos da Independência do Brasil que o governo arquitetava com ambição. Ser patriota, para Médici, era apoiar o regime militar. E era esta a ideia que sua agressiva comunicação sedimentava ao criar o *slogan* "Brasil, Ame-o ou Deixe-o". Seu governo era marcado pelo fim de uma fase de avanços econômicos, com um considerável crescimento da classe média, aumento do consumo de bens duráveis e a popularização de geladeiras e televisores coloridos que haviam chegado em 1972, o "milagre brasileiro" que o tempo provaria não ser tão generoso assim. O homem que havia endurecido as bases da repressão não medindo esforços para exterminar as organizações de esquerda e seus supostos envolvidos, e que não cumpria a promessa de restituir a democracia até o fim de seu mandato, via na data a oportunidade de elevar sua aura e unir o povo com uma série de festejos realizados em todo o País.

A maior cerimônia foi para receber do governo português também ditatorial de Américo Tomás os restos mortais do imperador Dom Pedro I, até então reservados no Convento de São Vicente de Fora, no Porto, ao norte de Portugal. Viriam direto para a Baía de Guanabara, no Rio, depois de 12 dias de viagem nas dependências do suntuoso navio Funchal. Após uma cerimônia acompanhada por uma multidão que tomava a Avenida Rio Branco, Médici ordenou que a urna real passasse por várias capitais do País antes de ser acomodada no Monumento do Ipiranga, em São Paulo. Maior visibilidade, impossível. Havia ainda outras frentes a servirem de *outdoor* para um povo que celebrava a independência da exploração dos colonizadores sem conseguir liberdades fundamentais dentro da própria casa. Nos esportes, a grande investida foi a organização da Taça Independência, disputada por 20 equipes da América do Sul, Europa e África. A simbólica final entre Brasil e Portugal foi vencida no Estádio do Maracanã pela seleção canarinho, com um gol de Jairzinho aos 44 minutos do segundo tempo. Só faltava a música.

A banda de *rock* Os Incríveis, que um dia tocou no mesmo palco de Elis ainda quando se chamava The Clevers, gravou um compacto interpretando os hinos Nacional e da Independência com baixo, guitarra e bateria. O disco vinha como brinde a quem comprasse uma caixa do sabão em pó Rinso, o primeiro comercializado no País, em 1950. As vendas do Rinso estouraram, os discos voaram alto, mas a banda teria de responder para sempre sobre a ação vista na época pela imprensa combativa e pelos artistas politizados como um ato pró-regime. Uma barra aos jovens que já faziam seus protestos no momento em que ligavam uma guitarra. A retaliação moral que sofreriam da classe musical seria apenas tira-gosto perto do que estava para acontecer com Elis Regina.

O início das Olimpíadas do Exército daquele ano seria celebrado com um *show* em um ginásio militar de Belo Horizonte, aberto ao público. Marcos Lázaro, que detinha sob suas asas alguns dos maiores artistas da época, foi procurado meses antes da festa por contratantes do regime que queriam alguns de seus cantores em troca de cachês de mercado, para que aquela fosse configurada como uma simples apresentação de carreira. Depois de cercar todos os "nãos", disseram, com um sorriso de vingança, que esperavam sobretudo por uma apresentação de Elis Regina. Era a hora de Elis pagar as contas acumuladas desde o dia em que os comparou a primatas na imprensa internacional.

Lázaro foi checar com a cliente se poderia dar um ok, sabendo da resposta, mas a certeza do não de Elis acabou assim que ela pensou em João Marcello. Não havia saída, os militares a tinham nas mãos. Se corresse, os coturnos a alcançariam e deixariam o pequeno sem mãe – uma possibilidade que a apavorava, conforme revelaria anos depois. Se ficasse, seria decretada traidora. Entre as duas opções, ficou com a segunda. E seguiu para cantar para o Exército como quem junta os braços para ser amarrado no pau-de-arara.

Ivan Lins também foi contratado para se apresentar. Antes do *show*, sentia que as mensagens estavam no ar, não na boca dos militares. Aos músicos era entrar em cena, tocar e ir embora, sem discursos improvisados. Ivan fez a apresentação, recebeu o cachê de Lázaro e não se sentiu diretamente ameaçado em nenhum instante. Sobrinho do General Lauro Alves Filho, desconfiava de que tinha costas quentes, de que era protegido por alguma ordem que garantia sua paz. Mas sua crucificação, como a de Elis, seria providenciada por integrantes de uma vigília da esquerda que também tinha poderes para enterrar pessoas vivas em covas fundas.

O semanário *O Pasquim*, atuante desde 1969, de voz reconhecida por sua oposição perspicaz ao regime militar, vivia o auge, elevando sua tiragem inicial de 20 mil exemplares ao dia, no ano de sua criação, para 200 mil naquele início de década. Seu nome, sinônimo de jornal satírico e panfletário, havia sido sugestão do cartunista Jaguar, um dos fundadores ao lado dos jornalistas Tarso de Castro e Sérgio Cabral. Millôr Fernandes, Plínio Marcos, Ivan Lessa, Ziraldo, Paulo Francis e Henfil estavam no grupo de colaboradores hábeis em cutucar feridas com humor e profundidade, afirmando uma das maiores reações intelectuais à ditadura. Sua ferocidade aumentava na mesma proporção em que os militares apertavam o cerco, o que lhes rendia crédito entre os leitores e inúmeras ordens de prisão.

O Pasquim observava o comportamento da classe artística com uma sanha censora às avessas. Sobretudo aos que não aparentavam estar alinhados nas fileiras da contestação, reservava uma lápide no Cemitério dos Mortos Vivos do Cabôco Mamadô, uma das seções de maior leitura da publicação, feita por Henfil em forma de história em quadrinhos. Cabôco Mamadô era implacável em suas execuções. Certo dia, cismou que Hebe Camargo estava indo longe demais em sua alienação como apresentadora de TV amiga de todos e saiu em sua captura. "Onde encontrá-la? Basta apurar o ouvido escutando alguém bater palmas", dizia o personagem. Ao ser capturada, Hebe tentava se desvencilhar: "Vai implicar com o Silvio Santos, seu malvado!" E Cabôco Mamadô respondia: "Ele está no nosso plano de expansão." Hebe entrou no túmulo, cabisbaixa, mas saiu logo depois cheia da mesma animação com a qual apresentava seus programas: "Palmas para o poderoso sol, palmas para as nuvens, palmas para os dirigentes dos ventos...", dizia ela, no meio de um cemitério que já tinha covas para Nelson Rodrigues, Flavio Cavalcanti e Wilson Simonal.

Simonal havia começado a ser enterrado um ano antes de Elis se apresentar nas Olimpíadas do Exército, e não só pelas tiras de Henfil. Muitas páginas de *O Pasquim* foram dedicadas ao velório artístico do Rei da Pilantragem depois que viera à tona uma história sinistra. Inconformado com o lucro que não vinha de sua empresa, a Simonal Produções Artísticas, o cantor percebeu que havia um desfalque nas finanças e logo apontou o dedo para seu contador, Raphael Viviani. Humilhado e demitido, Viviani enfureceu o ex-patrão contra-atacando-o com uma ação trabalhista por falta de pagamento de 13° salário e férias. Disposto a parir uma confissão a fórceps, cego de ira, Simonal pediu a seu motorista e dois amigos que trabalhavam no Dops que fizessem o serviço sujo. Os homens apanharam Viviani em seu apartamento e o conduziram sem delicadeza ao escritório do cantor para que abrisse o bico. Sem resultado, seguiram com o contador, sem Simonal, para um porão do Dops de onde os gritos não poderiam vazar e ajustaram a seu lado uma espécie de aparelho de telefone movido a manivela. Enquanto Viviani segurava as pontas descascadas de dois fios, um dos homens girava o instrumento. O corpo de Viviani se contorcia e sua boca espumava. Quando não suportava mais, escreveu uma carta dizendo que havia torrado o dinheiro desviado do cantor com bebidas e mulheres.

Ao voltar para casa, Viviani seguiu logo com a mulher Jacira ao 13° DP de Copacabana para prestar queixa. A notícia chegou aos jornais e o que era um episódio policial começou a se transformar em uma aberração política. Simonal seria transformado em uma espécie de íntimo e frequente colaborador do Dops, um alcaguete, a ponto de receber favores pessoais de seus amigos torturadores. O veredito da Justiça, cinco anos e quatro meses de prisão por extorsão, e não por tortura, que acabaram sendo cumpridos com Simonal em liberdade, não foi maior do que a condenação da patrulha ideológica. A partir do dia em que seu nome apareceu associado aos milicos, começou a ser jogado como indigente na cova do Cabôco Mamadô. Ainda que as tais colaborações jamais houvessem sido comprovadas e que nenhum artista aparecesse para dizer que foi entregue por Simonal, o estrago estava feito. Sem empresários para comprarem *shows*, sem programas de TV que o chamassem, sua carreira terminava ali.

Existisse ou não ditadura, Simonal perderia a graça assim que descobrissem que ele era capaz de mandar prender e bater em um homem para tirar-lhe uma confissão. Por si só, esta seria uma acusação digna de enterrar qualquer artista em qualquer época. Mas o fato de mandar que amigos do Dops fizessem isso em anos de chumbo o obrigava imediatamente a pagar uma sobretaxa pelo erro. Seu pecado mortal, aos olhos da esquerda, era colaborar com os militares. Ninguém estava nem aí para as dores de Viviani. Curiosamente, uma migração de culpa que o tempo provaria ser benéfica à memória de Wilson Simonal. Quarenta anos depois, ninguém se referiria a ele como o artista que mandou espancar um homem, mas como uma vítima decepada pela esquerda.

Henfil enterrou Elis Regina no Cemitério dos Mortos Vivos com requintes de crueldade, ao lado de Marília Pêra, Pelé e Hebe. Se não chegou a abalar as estruturas de sua carreira, banindo-a da mídia e dos palcos, fez dois estragos que se tornariam mais visíveis com o tempo. Do lado de fora, um mal-estar velado se estabeleceu em seu próprio meio. Do lado de dentro, Elis se sentia devastada. Em entrevista à revista *Veja*, seis anos depois, ela estava mais à vontade para falar do assunto. "Eu cantei nessas Olimpíadas e o pessoal da Globo também cantou. Todos foram obrigados a fazer. E você vai dizer não? Eu tive exemplos muito recentes de pessoas que disseram não e se lascaram, então eu disse sim." E seguia: "Quando apareceu isso, eu procurei o Aldir Blanc e disse: 'Poxa, que sacanagem.' E ele falou: 'Você cedeu como cederam os 90 milhões [de brasileiros na época]. Agora é fácil acusar'." Na mesma resposta, mostrava arrependimento. "E tem mais: numa situação excepcional, idêntica, eu não sei se faria de novo. Mas eu morro de medo. Faço todos os espetáculos me borrando de medo todos os dias. E se mandar parar eu paro porque medo eu tenho."

Ivan Lins era visto como simpatizante da ditadura antes de sua presença nas Olimpíadas, logo depois da gravação de uma música que tinha como único problema o nome: "O Amor é o Meu País". Assim como os censores interditavam palavras, expressões e músicas inteiras, os formadores de opinião da esquerda censuravam termos interpretados como acenos de gentileza ao regime. "País" era um deles. Qualquer declaração de amor ao Brasil estava suspensa pelos intelectuais, a não ser que viesse em forma de abraço mandado por alguém que estivesse de partida para o exílio, como havia feito Gilberto Gil. Ivan foi execrado pela esquerda e cumprimentado pela direita, duas reações que lhe davam calafrios. Ao andar na rua, coronéis vinham parabenizá-lo pela parceria com Ronaldo Monteiro, que havia levado o segundo lugar no V Festival da Canção. Só Elis Regina saiu em sua defesa, escrevendo um manifesto de duas páginas pedindo justiça.

A malhação de Elis ameaçou se dar em praça pública pela primeira vez em um *show* do projeto Phono 73, que a gravadora Philips realizava com seus artistas no Centro de Convenções do Anhembi, em São Paulo, fazendo-os se apresentar em números solo e em parcerias inusitadas para uma plateia sobretudo formada por estudantes universitários. Já bem passada dos dois lados no óleo esquentado pelo *Pasquim*, ela apareceu de cabelos curtos e vestido preto, reto e comprido, ligeiramente rodado, com gola a la Mao Tse-tung, um visual que a aproximava de um seminarista, como lembraria Caetano Veloso.

Havia tensão no ar. Enquanto ela cantava "Cabaré", um jovem se ergueu na plateia com um grito: "Paraíba!" Alguns riram, outros vaiaram. Menos por seu visual e mais por uma hostilidade preconcebida por alguns setores da plateia, Elis era alvo de uma manifestação política que começava a virar esculacho. Caetano Veloso estava no Anhembi e ficou indignado. Ele já havia escutado a cantora dizer que os tropicalistas não tinham nada de artístico, que eram só espuma e autopromoção. Mas também havia escutado a mesma Elis reconhecer que era ele, Caetano, a personalidade mais importante de sua geração no *show* do Teatro da Praia que virou disco. Ali, de qualquer forma, o baiano estava para assistir à apresentação daquela que consideraria para sempre a maior cantora do País. Quando o insulto ecoou pela plateia, o sangue subiu e o baiano virou bicho. "Respeitem Elis Regina! Esta é a maior cantora do Brasil! Vocês não sabem o que estão dizendo!" Caetano, de volta ao País no ano anterior mas ainda mordido pelo exílio londrino, foi contido pelos vizinhos. A produção acionou a segurança para localizar o causador do distúrbio, mas a reação do baiano o fez sumir. Depois do discurso de Caetano, Elis cantou e, da plateia, não se ouviu mais um pio.

Caetano esteve com Elis no dia seguinte, em um evento da imprensa cheio de vestidos longos e ternos bem-cortados que faziam o *hippie* cabeludo se coçar de alergia. Sua casa mesmo nem sofá tinha, era almofada no chão e rede nas paredes. E sua má vontade para com o povo empinado o fez se largar ali mesmo, no chão, sentado de pernas cruzadas, como se estivesse em uma calçada de Santo Amaro da Purificação. Ao olhar para o lado, viu Elis e Cesar se aproximarem sorrindo. Eles o cumprimentaram e sentaram ao seu lado, também no chão. Falavam sobre a noite anterior e sorriam quando Caetano fez um comentário. "Elis, adorei você cantando 'Nega do Cabelo Duro'." Elis ficou vesga no ato, olhou firme para Caetano e perguntou desafiadora: "Por quê?" Caetano não entendeu a afronta. "Como, por quê? Eu disse que achei lindo ver você cantando essa música."

Depois de contornado o estranho mal-estar, ficaram os três ali como bons amigos, até que chegou José Ramos Tinhorão, o implacável crítico de música brasileira à época. "Oi Caetano, eu sou o Tinhorão, como vai?" "Sei quem é você", disse Caetano. "Eu discuto com você desde que eu tinha 18 anos", lembrou o músico, a respeito do artigo que escreveu contra suas ideias quando ainda morava na Bahia. "Eu sei", respondeu o crítico. "Eu acompanho tudo, mas vou lhe dizer uma coisa: eu respeito você. Você briga comigo, mas eu respeito você." A essa altura, Caetano já havia suspeitado qual era a de Tinhorão. Ele parecia tratar Elis e Cesar com certo descaso, sem maiores atenções. Tinhorão seguia, segundo as memórias de Caetano: "Eu respeito mais você do que esse povo aí, do que Antonio Carlos Jobim." Os olhos de Elis já emitiam sinais de fúria quando o baiano reagiu. "Ah, Tinhorão, para com isso, você é errado demais." E ali do chão, sem se levantar, passou a ignorar o jornalista até que ele se foi.

Aos olhos da crítica, Elis não parecia mais uma unanimidade. O disco com Cesar era uma obra de arte inquestionável, com "Águas de Março", "Atrás da Porta" e "Bala com Bala" passando o recado de tudo o que sua voz era capaz de fazer, e sua vendagem logo chegaria às 100 mil cópias, bem mais que a média das 20 mil atingida até ali. Mas a aproximação definitiva com o grande público pensada desde sua temporada com Nelson Motta ainda lhe parecia um desafio. Depois de dizer que ela se tratava de uma simpatizante dos militares, parte da imprensa começou a tecer comentários desagradáveis, como se ela maquiasse certa frieza de interpretação esbanjando técnica. Sua insegurança tratada em psicanálise ia às alturas, aumentando a necessidade de provar que era a melhor, ainda que, para isso, tivesse de se tornar um trator.

"Águas de Março" não seria o único delito de Roberto Menescal em nome de Elis. A máxima do produtor para justificar qualquer procedimento era bem objetiva: "Quando estou fazendo um disco de alguém, é tudo para esse alguém." E quando esse alguém era Elis Regina, esse tudo era tudo mesmo. Se o papa Paulo VI cantarolasse algo que seus ouvidos percebessem ficar bem na voz de sua cliente, ele pedia perdão a Deus e saía com a canção debaixo do braço.

Quando fechava o repertório de Elis para o novo disco de 1973, ouviu uma fita mostrada por Cesar. A melodia e a letra entraram por seus poros e atingiram a corrente sanguínea, fazendo suas mãos ganharem garras. "Quando eu piso em folhas secas / caídas de uma mangueira / penso na minha escola / E nos poetas da minha Estação Primeira / Não sei quantas vezes / Subi o morro cantando / Sempre o sol me queimando / E assim vou me acabando." A decisão de Menescal estava tomada antes que a gravação acabasse. Ainda que os bons modos não aconselhassem a um produtor usurpar uma canção já gravada de uma cantora prestes a lançá-la em seu disco, era exatamente isto o que ele iria fazer. A fita que Cesar mostrou a Menescal era de Beth Carvalho cantando "Folhas Secas", de Nelson Cavaquinho e Guilherme de Brito. E por que é que uma fita dessas dormia no aparelho de som de Cesar Camargo e Elis Regina? A resposta deixava a situação mais delicada.

Beth Carvalho conhecia Cesar Camargo Mariano desde os tempos em que o músico era casado com a cantora Marisa Gata Mansa e tocava no Som 3, que ele formava com dois ex-integrantes do Jongo Trio – o baixista Sabá e o baterista Toninho Pinheiro. Aos 26 anos, a carioca morena, filha de um advogado cassado pelo regime militar, convidou Cesar para fazer teclados em seu disco *Andança*, de 1969, com a música título que havia lhe dado o terceiro lugar no Festival Internacional da Canção do ano anterior e que logo a empossaria como a rainha do samba. Até ali, Beth equilibrava-se com um pé no tamborim e outro na MPB. A partir dali, pularia no rio de Cartola e Nelson Cavaquinho para não mais sair.

Quando começava a preparar seu primeiro disco de samba, Beth perguntou a Cesar o que ele fazia da vida naquele momento. Ficou sabendo que namorava e tocava com Elis, mas quis se certificar de tudo antes de lhe fazer um convite: "Você é músico exclusivo da Elis?" "Imagina, faço discos com todos", ele respondeu. "Quer fazer os arranjos do meu próximo LP?" Cesar não só topou como entrou em estúdio com a cantora para fazer *Canto Para Um Novo Dia*, que sairia pela pequena gravadora Tapecar, arrastando consigo o baterista Paulinho Braga e o baixista Luizão Maia, núcleo rítmico que também gravava o novo disco de Elis.

"Folhas Secas" havia sido garimpada do repertório de Nelson Cavaquinho e Guilherme de Brito para ser uma das canções mais fortes do álbum. De quebra, a sambista levava para o estúdio o próprio Nelson, que tocaria a música com seu inconfundível violão de pegada rústica. Beth apresentou Cesar à lenda do Morro da Mangueira e o disco foi feito em clima de roda, com Dino 7 Cordas, Luis Claudio, Mestre Marçal e Martinho da Vila na percussão. Quando as músicas já estavam prontas, aguardando o lançamento do álbum, Cesar levou uma fita com todas elas para ouvir em casa e acabou mostrando-a a Menescal. Mais do que a contestável decisão do produtor, havia antes a traição de um amigo.

Beth não acreditou quando ouviu os primeiros rumores de que Elis iria lançar "Folhas Secas". De qualquer forma, ligou para Cesar. "Pois é, estão falando por aí que a Elis gravou 'Folhas Secas', pode?" "Ah, Beth, e você vai ligar para o que dizem?", respondeu Cesar. Mas os boatos aumentaram a ponto de levar Beth a voltar ao assunto com o pianista. Ao vê-lo no trânsito, ela emparelhou seu carro ao dele com um tom de voz mais grave, jogando verde para colher seja lá o que fosse: "Cesar, qual é o nome da música do Nelson Cavaquinho que a Elis vai gravar?" "Ah, eu me esqueci." Uma prima jornalista de Beth, que estava prestes a entrevistar Elis, prometeu desembrulhar aquele pacote para ver o bicho que havia dentro. "Deixa que eu pergunto. Assim que a entrevista acabar, eu te ligo", acertou. No meio da tarde, o telefone de Beth tocou para despertar seus piores demônios. "Gravou, sim."

A frase soou como um alarme de incêndio e Beth colocou imediatamente em prática um plano que amadurecia desde que pressentiu Elis rondando seu galinheiro. Ligou para Manolo Camero, espanhol proprietário da Tapecar, com uma ordem que não deixava brechas para ponderações. "Solta um compacto de divulgação agora mesmo com 'Folhas Secas'. A Elis quer sair na frente." Manolo correu para produzir o que podia de discos, apenas para fazer "Folhas Secas" chegar às rádios o mais rápido possível, mas a Tapecar não tinha o mesmo poder de fogo da Philips e a música não tocava. De um disc-jóquei de São Paulo, Beth ouviu uma história sem confirmação nem detalhes, que mais parecia teoria da conspiração. "Eles amassaram os discos. Não dá para tocar", disse o rapaz. "Eles" deveria ser qualquer um da gravadora concorrente. Ou ninguém. Os discos poderiam estar danificados por um erro na fabricação relâmpago. Beth ligou de novo para Manolo. "Faz um novo lote."

A música de Elis acabou chegando na frente. Mais sofisticada nos arranjos, e com os mesmos músicos que haviam acabado de gravar com Beth – além de Cesar, Luizão no baixo, Paulinho na bateria e Chico Batera na percussão – "Folhas Secas" deixava o morro vestindo esporte fino. Cesar entrava com um órgão Hammond e um teclado de efeitos modernos na introdução enquanto Elis acomodava a voz com delicadeza sobre o violão estudado nas harmonias da bossa-nova de Menescal – muito diferente do dedilhado duro de Nelson Cavaquinho.

A gravação de Beth veio logo depois, sambando sem roupa alguma. Sua voz doce dava um giro inteiro só com pandeiro e violão e, quando retornava para começar tudo de novo, a entrada de cuíca, bateria, chocalho, tamborim e cavaquinho criava uma verdade que parecia carregar nas costas um século de samba. Apesar da gravação de Elis, a versão de "Folhas Secas" que venceu o tempo foi a de Beth Carvalho. Mesmo depois da morte de Nelson Cavaquinho, em 1986, ela jamais faria um *show* sem cantá-la. Beth não foi tirar satisfações com Elis, mas ficaria sem falar com Cesar pelos próximos 20 anos.

A dependência que Elis sentia do estrelato parecia ter nascido com a própria carreira. Já havia se manifestado lá pelos anos de 1966, quando ninguém suspeitou que ela via com olhos grandes a cantora Maria Odette, Mariô, levar um discreto 5° lugar no II Festival Nacional de Música Popular Brasileira da TV Excelsior defendendo a música "Boa Palavra", feita por Caetano Veloso nos moldes das canções encomendadas para festivais. Mariô foi uma das primeiras amigas de Elis em São Paulo. Sua casa no bairro do Ipiranga, sua família e seu carro Gordini estavam à disposição da gaúcha. Quando Elis decidiu aprender a dirigir, foi o pobre Gordini que virou cobaia. "Você precisa pisar na embreagem antes de frear senão o carro morre, Elis", dizia Mariô. "Mas morre por quê?" "Eu sei lá, Elis, não sou mecânico." E, assim, seguiam pelo Ipiranga.

Mariô dizia à amiga que já havia tido um flerte com o cantor Roberto Carlos. Um namorico da época, de trocar olhares e pegar nas mãos, nada além disso. Pois em uma noite, quando as duas estavam no apartamento de Elis, na Avenida São João, foi a gaúcha quem disse que iria se encontrar com o cantor. "Mariô, ele me chamou para jantar, mas não sei se vou." Mariô insistiu que a amiga fosse. Elis topou mas, antes de sair, pediu que a amiga a esperasse lá mesmo, em seu apartamento. Poucas horas depois, por volta da 1 hora da manhã, Elis retornou. "E, então, como foi?", quis saber Mariô. "Ah, amanhã eu te conto", encerrou Elis, que continuou evasiva no dia seguinte. "Achei ele prepotente. Sei lá, deixa pra lá." Mariô parou de perguntar e Elis jamais voltou a tocar no assunto. Mais de 50 anos depois deste episódio, em entrevista para este livro, Mariô refletiu sobre algo que nunca havia pensado. Elis pode simplesmente não ter ido ao encontro de Roberto e criado um *affaire* imaginário para empatar o jogo com a amiga. Um fato seguinte na vida das duas mostraria que Elis não suportava a ideia de ficar para trás, nem com homens nem com canções.

Elis fez a Mariô um convite simpático até a página dois. "Estou gravando um disco e queria muito que você passasse pelo estúdio amanhã, pode ser?" "Claro que sim", aceitou a colega, cheia de orgulho por poder testemunhar um momento tão especial. Ao chegar no estúdio, Mariô sentou-se na sala dos técnicos para aguardar a amiga colocar voz em outra canção. Ao final, Elis foi até ela e pediu ao técnico que soltasse a música que havia sido gravada no dia anterior. A introdução entregava que era "Boa Palavra", o mimo de Maria Odette, a única com a qual ela havia ficado conhecida. Elis arrasava, passando como um tanque por cima de sua interpretação, que agora soava insignificante. Assim que a gravação acabou, Mariô estava destruída. "Elis, você vai mesmo lançar esta música? Você poderia gravar tantas outras, por que logo esta?" E Elis respondeu: "Escuta, Mariô, não se preocupe. Quando ouvirem 'Boa Palavra' vão lembrar de você, não de mim. Ela vai ser sempre sua." Elis chamava Maria Odette para dizer, em outras palavras, algo como: "Minha querida, se é para fazer isso bem feito, deixa que eu faço."

14.

A ERA MARCOS LÁZARO TINHA OS SEUS DIAS CONTADOS no novo pacote de transformações reginianas. Havia sido, até ali, quase dez anos de um relacionamento sem grandes atritos, a não ser pelas últimas declarações à imprensa de Elis, "cansada de financiar o caviar do senhor Lázaro", e por contestações de acertos financeiros levantadas pelo marido Cesar. Elis ainda era a "moedinha da sorte nº 1 do Tio Patinhas", a galinha dos ovos de ouro dentre os quase 50 artistas que o império de Lázaro chegou a ter, para os quais vendia *shows*

e negociava contratos. Assim que o filho de poloneses judeus, crescido na Argentina, chegou ao Brasil, em 1962, sentiu que Elis o completava em suas necessidades. A união paterna do início, com Lázaro espantando os gaviões que sobrevoavam seu ninho, começara com um contrato milionário negociado para Elis na TV Record, mas terminava com rancores de ambos os lados.

Cesar Camargo passou a se ressentir da partilha dos cachês nos *shows* vendidos por Lázaro. Depois de um ano rodando o Brasil, percebeu que, por suas contas, não ganhava o que deveria. Ou melhor, reproduzindo as palavras que usa em seu livro de memórias, não ganhava "dinheiro algum" com as apresentações que fazia com Elis. O casal passou a contestar aquela administração. Ao falar com Lázaro, Cesar conta a resposta que teve: "Mas você não é o marido dela? Então o seu dinheiro está incluído no cachê dela." "Como incluído, Marcos? Elis trabalha como intérprete e eu como acompanhante, arranjador e produtor musical. São funções diferentes. Se eu não estivesse aqui, você teria de pagar outra pessoa por esse trabalho, certo?" "Cesar, vocês são marido e mulher. Resolva isso com ela."

Elis comprou as dores de Cesar e partiu pra cima do empresário. Uma auditoria foi aberta no escritório da cantora e, segundo Cesar, constatou-se que Lázaro devia muito mais do que o casal imaginava. Marcos Lázaro alegou que fazia investimentos com a receita dos *shows* e que não poderia pagar nada do que pediam. Não havia mais razão para continuarem juntos. Elis, por carta, rompeu com o empresário. O irmão de Marcos, José Lázaro, trabalhou em algumas viagens de Elis em apresentações na América Latina. Sua versão do desgaste entre empresário e artistas repudia o calote do irmão e aponta casos de ciúmes profissionais entre marido e mulher. "Em uma viagem ao México, por exemplo, o nome de Elis aparecia grande no letreiro do teatro e o de Cesar pequeno. Isto era um problema para ele."

Os tempos difíceis trouxeram Elis e Cesar para São Paulo, uma mudança que atingia Ronaldo Bôscoli por tabela. Se antes suas visitas ao filho já eram complicadas, agora seria pior. Elis argumentava que Bôscoli não cumpria o prazo para devolver a criança e que, por isso, não se via obrigada a entregá-la nas datas preestabelecidas. A troca de praça dificultava também as ações judiciais contra a ex-mulher, que deveriam ser procedidas em São Paulo. João ficava no meio do fogo cruzado.

Cesar e Elis, morando em São Paulo, procuravam um caminho para estabelecer e basear suas carreiras na nova cidade quando os ventos lhes trouxeram Roberto de Oliveira, um garoto de 22 anos cheio de energia, ideias inovadoras e uma veia para projetos de deixar André Midani surpreso. Ainda quando estava nas garras de Marcos Lázaro, Elis disse ao amigo Fernando Faro, da TV Cultura, que estava farta de fazer apresentações naqueles moldes, que não via a hora de se livrar dos bailes caretas de debutantes e das plateias mal-educadas. Um giro pelo circuito de *shows* daqueles primeiros anos da década de 1970 explicava seu mal-estar. Nem São Paulo nem Rio de Janeiro sabiam exatamente o que era uma grande casa de espetáculos estruturada para essa finalidade. O Rio tinha o Canecão e São Paulo contava com poucos teatros de porte médio, como o Maria Della Costa e o Tuca, da Pontifícia Universidade Católica, nas Perdizes. Para conseguir uma frequência maior de *shows*, os empresários vendiam seus artistas para clubes como o Círculo Militar e o Sírio-Libanês, que programavam apresentações no meio de festas do tipo Baile do Havaí ou almoços beneficentes – ambientes que nem sempre estavam preparados para Elis Regina, e vice-versa. Em um deles, Elis se descontrolou a tal ponto com o ruído de gente embriagada e garçons batendo copos que arremessou o microfone em direção à plateia, saindo para não voltar mais. Com muito músico para pouco palco, era preciso pensar em novas estratégias.

O jovem Roberto tinha a saída. Sua sacada foi olhar para uma rota que só crescia desde o final dos anos 1960, aberta pelo aumento das faculdades paulistas, sobretudo no interior de São Paulo. André Midani o conheceu em uma reunião de negócios que fazia com o compositor Renato Teixeira, irmão de Roberto, quando avistou um empreendedor no rapaz de 19 anos. Midani sugeriu que ele começasse a vender LPs de sua gravadora, em barracas, durante os intervalos das aulas – um negócio com tudo para ser rentável, inspirado em uma experiência que o executivo vira na Holanda.

Os discos começaram a sair como água e o sucesso do negócio despertou outra vontade em Roberto: a de vender *shows*. "Deixe que eu arrumo isso pra você. Mas, primeiro, venda os discos", prometeu Midani. A estratégia com *shows*, baseada no comportamento dos compradores de LPs, era colocar o artista para se apresentar ao meio-dia nos auditórios das universidades, quando a turma da manhã saía e a da tarde chegava. Algum tempo depois, e os pátios estavam pequenos para tanto aluno. Roberto arquitetou a proposta e o projeto cresceu. Uma negociação com os centros acadêmicos dividia as obrigações. A faculdade ficava com 10% da bilheteria em troca do espaço e da divulgação enquanto o empresário providenciava os ingressos, os cartazes, o equipamento de som, o artista e o pagamento dos impostos. Um negócio em que todos saíam ganhando e que servia de ponte entre um público jovem, respeitoso e carente por *shows*, e o artista de grife, ávido por espaços maiores. Vinicius de Moraes, Toquinho, Marília Medalha, Trio Mocotó, Chico Buarque sozinho e com o MPB 4, Paulinho da Viola com o Época de Ouro, Luiz Gonzaga com Gonzaguinha, Quarteto em Cy, todos embarcariam nos ônibus de Roberto de Oliveira.

Em entrevista à revista *Veja*, Roberto usou a expressão "circuito universitário" ao falar de sua empreitada e o nome pegou. De São Paulo, saíam para campus de universidades em Lins, Tupã, Limeira, São José do Rio Preto – turnês que chegaram a passar por 40 regiões, uma por dia. Iam em dois caminhões, uma logística impressionante para a época, que garantia a montagem da estrutura em duas localidades ao mesmo tempo, uma para o *show* de hoje, outra para o *show* de amanhã. Cidades com 50 mil habitantes lotavam teatros com capacidade para 5 mil pessoas. "A gente colocava 10% da população local na plateia. Imagine se fizéssemos isso em São Paulo", lembraria Roberto. Os artistas, mesmo os consagrados, começaram a aderir ao formato e a querer participar daquela sensação de cantarem para os estudantes em uma época em que, mesmo não tocando em assuntos políticos, pegava sempre bem estar ao lado dos universitários.

Vinicius se encheu de energia para seguir em uma temporada pelo interior paulista. Com dores no joelho, foi examinado por um médico de Lins, no centro-oeste paulista. Sua conclusão foi a de que o poeta deveria ficar de molho na cidade por tempo indeterminado, sem se locomover, até que as dores passassem. *Shows* foram cancelados e jornais de São Paulo noticiaram o fato com gravidade. Vinicius ficou lá, de pernas para cima, até um novo exame ser feito. Preocupado, Roberto procurou um segundo especialista para ter outra opinião e logo descobriu que não havia nada com o que se alarmar. O motivo da internação era outro. Se dependesse do médico, fã patológico de Vinicius e dono do hospital que atendera seu ídolo, o poeta ficaria na cidade pelos próximos 120 anos. Seu joelho estava ótimo, era o doutor quem não queria deixá-lo partir.

As histórias da caravana universitária chegavam como estimulantes aos ouvidos de Elis Regina. Ela mesma havia feito apresentações no formato itinerante com Marcos Lázaro, inspirados no projeto de Roberto, mas nada que chegasse perto da vibração das histórias que ouvia. Era a oportunidade que sentia para levar sua música a um público maior e interessante, decretando sua alforria definitiva dos *shows* vendidos em clubes. Roberto lhe parecia um rapaz confiável, empreendedor e que, apesar da pouca idade, já respondia por uma bem estruturada empresa de produções chamada Clack. Elis procurou Roberto disposta a entrar naquela dança e logo saiu, com o filho João, o marido Cesar e a banda toda rumo às cidades do interior de São Paulo e do Brasil.

O peso e as glórias da estrada eram sentidos logo nas primeiras apresentações. Quando a universidade não tinha teatro, tocava-se até dentro de cinemas, equilibrando-se no palco com menos de um metro de largura e com a bateria reduzida por falta de espaço. O camarim era o ônibus e os restaurantes, postos de gasolina. Havia vantagens e desvantagens no deslumbramento dos fãs. Ao chegarem a uma das cidades, Elis e Cesar receberam das mãos de um mensageiro um convite formal do prefeito para que fossem jantar em um dos melhores restaurantes locais. Aceitaram, agradeceram a lembrança e correram para o *show*. Depois da apresentação, quatro carros que esperavam os músicos partiram para o local marcado. Antes que parassem na porta, viram uma faixa estendida na fachada dizendo: "Hoje Elis Regina janta aqui." O casal, que ia no carro da frente, pediu ao motorista que não parasse, que tocasse de volta para o ônibus. A noite acabou com os músicos em um posto de gasolina se reabastecendo com guaraná e sanduíche de mortadela. O restaurante do qual fugiram, souberam no dia seguinte, era do próprio prefeito.

Quando percebia que um tédio se instalava nas viagens, sobretudo no pequeno João, Cesar colocava botas, luvas, camiseta preta, sunga vermelha por cima de uma meia-calça emprestada de Elis, óculos escuros e o capacete da moto que ele levava em um reboque puxado pelo ônibus. Estava criado o Capitão Bolinha, um super-herói que vinha para salvar a trupe dos momentos de desgaste nas longas viagens. João vibrava. Nos hotéis, entravam os dois nos quartos dos outros músicos chutando a porta atrás dos inimigos vindos de outras galáxias, prontos para defender o universo.

Mais do que um vendedor de *shows*, Roberto era visto cada vez mais por Elis como seu norte. Carente da locomotiva que puxasse seus vagões desde o divórcio com Marcos Lázaro, ela começava a sentir os dissabores de uma carreira sem rumo. Dos discos transbordavam técnica e bom repertório e, de suas apresentações, uma arrebatadora entrega. Mas sua imagem sofrera arranhões profundos com o episódio das Olimpíadas do Exército. Aos formadores de opinião, Elis era dúbia. Suas entrevistas vinham com forte carga contestatória, comportamental e política, mas suas atitudes deixavam a desejar. Após sua recente aproximação com o público estudantil nos *shows* do Circuito Universitário, Roberto era o homem de quem ela precisava. E, assim, foi a ele pedir para ser, de fato, seu novo empresário.

Governar os passos de artistas-problema não era exatamente o sonho de Roberto de Oliveira, mas de Elis Regina, pensou ele, não se negava convite. Ele aceitou o desafio, desde que ela seguisse suas orientações. O plano de resgate da imagem levaria um ano e Elis teria de ser paciente. E só abrir a boca no palco para dizer os textos que Roberto elaborava previamente. Fora de cena também era preciso ter cautela. Elis deveria valorizar mais a mulher e a cantora sofisticada que era. A primeira conversa foi neste tom: "Elis, o problema é o seguinte: você faz sucesso, tem qualidade, mas não tem prestígio. Primeiro precisa se recompor com esse público que você quer alcançar, mais politizado, formador de opinião, estudantes. Esses caras ainda estão grilados com você. Você vai fazer tudo o que eu falar?", quis saber Roberto. Elis concordou com o diagnóstico e aceitou o tratamento. A estratégia começava com um acaso dos céus. Ao fazer dez anos de carreira, Elis ganharia da Philips de André Midani um presente que lhe serviria como a pá de cal para jogar sobre os fantasmas que a perseguiam.

A efeméride dos dez anos em 1974 era uma conta que não fechava. Se fosse calcular pelo seu primeiro disco lançado pela Philips, *Samba, Eu Canto Assim!*, Elis teria de esperar um ano para abrir a champanhe, já que a data de lançamento era janeiro de 1965. Se preferisse levar em conta a data de seu primeiro contrato assinado em carteira, poderia até falar em 15 anos, já que ele se dera em 1959, no departamento de Recursos Humanos da Rádio Farroupilha, em Porto Alegre. E seu primeiro disco de fato, *Viva a Brotolândia*, saíra em 1961, portanto 13 anos atrás. Mas, deste, Elis queria distância e não o usaria jamais como divisor de águas. O que restou para fazer de 1964 a pedra inaugural de algo em sua trajetória foi a chegada ao Rio e sua estreia no Beco das Garrafas. Ao pensar em carreira, Elis passava uma borracha em seus primórdios vividos no Rio Grande do Sul.

Roberto de Oliveira foi atrás de um parceiro de peso que celebrasse a data ao lado de Elis em forma de dueto. Um grande disco a duas vozes deveria ser lançado para festejar uma década de Elis Regina e o primeiro a ser convidado por Roberto, segundo suas memórias, foi Caetano Veloso, que negou a parceria. Caetano, procurado para este livro, diz não se lembrar do convite. O segundo, outra vez de acordo com o empresário, foi Chico Buarque, que também disse não. Roberto não se lembra dos motivos das recusas – elas nunca eram detalhadas pelos artistas –, mas sentia que poderiam ter a ver com uma certa indisposição em relação ao nome de Elis. O terceiro da lista, até por estar menos acessível, morando nos Estados Unidos, foi o de Antonio Carlos Jobim.

Apesar dos primórdios turbulentos de sua relação com o maestro – Elis não esquecera do dia em que fora reprovada no teste para cantar as músicas de *Pobre Menina Rica* na casa de Carlos Lyra – o tempo fizera da cantora uma fã confessa da obra de Jobim. Já havia lançado "Águas de Março" com grande sucesso em 1972 e, agora, recebia a oportunidade de estar a seu lado para gravar um LP como uma honra dos deuses. Midani aprovou a sugestão e acionou Aloysio de Oliveira, criador do selo Elenco, produtor dos mais competentes, ex-marido de Carmen Miranda, a quem conheceu tocando no Bando da Lua, ex-tradutor e narrador dos filmes de Walt Disney para o Brasil, que havia passado uma longa temporada vivendo em Los Angeles. Aloysio faria a ponte com Jobim e cuidaria da produção. Roberto ajudaria no que fosse preciso, começando com uma parceria com a TV Bandeirantes, que pagaria parte das passagens de avião. As filmagens dos bastidores do encontro também seriam de sua responsabilidade. Estava tudo desenhado, só faltava combinar com Tom Jobim. Elis, Cesar e os músicos esperavam aflitos pelo sinal verde de Aloysio, mas ele nunca vinha.

A estratégia do produtor era pegar Tom pessoalmente. Uma vez que visse todos à sua frente, prontos para gravar com ele, seria impossível recusar. Em uma breve conversa com o amigo por telefone, Aloysio avisou que a turma de Elis, com João Marcello a tiracolo, chegaria às 7 horas da manhã do dia seguinte em Los Angeles. Sem os músicos Luizão, Paulinho Braga e Hélio Delmiro, que iriam depois que o terreno estivesse ajeitado, Elis, Cesar, João, Roberto e Aloysio chegaram sob a chuva fina e encontraram uma espécie de Humphrey Bogart na área do desembarque. De sobretudo, guarda-chuva e uma rosa vermelha para receber a gaúcha que ainda preferia chamar de "Élis", Tom os aguardava com charme e simpatia. Seguiram de carro para sua casa onde Thereza, mulher do compositor, esperava com o café da manhã. Até ali, ninguém havia conseguido tocar no assunto do disco.

O café seguiu com *bacon*, omelete, torradas e todas as amenidades que poderiam digerir até que alguém se encorajasse para abrir o jogo. Elis havia sido alarmada de que o maestro não era fácil. Antes de sair do Brasil, só para garantir que seus lábios não se colariam no momento do convite, decorou um texto que agora repassava em silêncio. "Olha, Tom, eu queria que você entendesse. Eu gosto muito de suas músicas. Não vim para Los Angeles com a intenção de atrapalhar a sua vida, muito pelo contrário." Era introdução demais, e Elis preferiu ficar calada. Como não houve voluntários, o próprio Tom deu o primeiro passo. "E então, pessoal? Vieram fazer algum *show* por aqui?".

A pedreira seria mais dura do que imaginaram. Tom não desconfiava de nada. Aloysio tomou a dianteira: "Eles querem gravar um disco com músicas suas e com a sua participação." A cena seguinte se deu sob silêncio. Tom se levantou da mesa e passou a andar preocupado pela cozinha, cada vez mais perto de dizer algo que acabaria com o sonho dos convidados: "Puxa, espera um pouco... Um disco com a 'Élis' Regina... E quais músicas seriam? Quais músicas a gente iria cantar, Aloysio?", perguntava, ainda sem convicção. Elis disse que havia pensado em umas quinze. "Ô, Aloysio, e quem vai fazer os arranjos?", dirigiu-se ao produtor. A resposta quase o enfartou: "O Cesar."

"Você?", disse Tom, com uma incredulidade de fazer Cesar ter vontade de chorar no banheiro. "Isto é loucura, você com suas pobres notinhas brasileiras no meio dos feras daqui? Não dá. Thereza, ligue para o Claus Ogerman urgente!" Claus Ogerman era para triturar os egos que poderiam ter sobrado naquela casa. O arranjador e compositor alemão tinha em sua lista, além de Tom Jobim, trabalhos com Stan Getz, João Gilberto, Oscar Peterson, Stanley Turrentine e Cal Tjader. Thereza ligou, mas ele não estava. "Então ligue para o Johnny Mendel." Johnny Mendel sugaria o pó das pretensões que ainda poderiam restar por ali. Frank Sinatra, Peggy Lee e Shirley Horn eram nomes que estavam em sua ficha. Thereza ligou, mas ele também não foi encontrado. Elis se segurava e Cesar já pensava em voltar para São Paulo no próximo avião. A pedido de Tom, as ligações de Thereza continuavam, uma a uma, como se Cesar fosse uma das almofadas do sofá. "Tom, meu caro, Cesar é o arranjador da Elis e do projeto...", interferiu Aloysio. "Eu sei. Thereza, liga para o Don Sebesky." "Tom, meu querido, sente-se aqui", seguiu Aloysio. "Este é um trabalho muito importante para eles, você já ouviu os discos da Elis?" A tranquilidade de Aloysio vencia a parada, duas horas depois, com um Tom mais relaxado.

Dois mundos se chocavam naquela manhã. Ao contrário das experimentações de Cesar, Tom só tinha olhos e mãos para o piano. E poucas palavras o assustavam mais do que "teclado". Quando ouvia timbres como os que Cesar fazia chegar à música brasileira pelos arranjos de Elis, Tom desdenhava chamando-os de "aporrinholas". De qualquer forma, a brecha estava aberta e cabia a Cesar aproveitá-la. Encorajado por uma repentina mudança de humor do maestro, ele tirou o paletó e se sentou ao piano. Tom pegou o violão. E ali, com a voz de Elis, passaram a fazer música brasileira em um momento de aproximação e intimidade. Ao final, o repertório do disco estava quase todo acertado.

As dissonâncias voltaram a soar assim que Cesar começou a trabalhar nos arranjos. Sozinho no quarto do hotel, depois de despachar Elis com João Marcello para a Disneylândia para que pudesse pensar só em música, Cesar não podia errar. Mas, antes de escrever a primeira nota, o telefone do quarto tocou. Cesar lembraria dos diálogos em seu livro de memórias: "Oi, Mariano." "Olá, Tom." "Bem, como anda o trabalho?" "Nem comecei ainda, Tom. Estou fazendo isto agora." "Ah, bom trabalho então." Alguns minutos depois, o telefone voltou a tocar. "Mariano?" "Oi, Tom." "Olha, com qual música você vai começar?" "Pois é, estou pensando em 'Corcovado'." "Ah, perfeito, bom trabalho." E cinco minutos depois: "Mariano." "Oi, Tom." "Como é que você sabe que sou eu, Mariano? Bem, você pode me dizer em que compasso está?" Seriam dias assim. Em uma das ligações, Tom pediu para ouvir um dos arranjos que estavam sendo feitos. "Mariano, Mariano! Pelo amor de Deus, você está maluco usando esses acordes americanos, rapaz."

Cesar engoliria sapos em nome de Elis. Em outros casos, já teria deixado o barco. Mas a cantora queria muito aquele disco, era seu presente e, apesar do mal-estar, Cesar também queria. Afinal, tocavam com um compositor que tinha créditos de sobra para cultivar excentricidades. Ainda assim, Cesar ensaiou uma resposta para a próxima manifestação de desconfiança de Tom. Quando ela veio, ele atirou: "Maestro, eu estou aqui fazendo esses arranjos com a sonoridade mais apropriada para a Elis. É a minha personalidade musical amparada à dela. Se um dia você me convidar para fazer arranjos para um trabalho seu, vou fazer do jeitinho que você está pensando, adequando o meu estilo à sua personalidade musical." Era a filosofia que Cesar levaria para sua carreira, a mesma que o consagraria como um dos grandes músicos do País. Sua frase saiu com tanta verdade que Tom resolveu baixar a guarda: "Tem razão, Mariano, tem razão."

O destino havia levado Wanderléa para a mesma Los Angeles onde estava Elis durante os preparativos para a gravação do disco. Quem via as duas nos anos de Jovem Guarda contra *Fino da Bossa* poderia até imaginá-las em um ringue, mas jamais dividindo a mesma piscina, a mesma refeição, a mesma casa. Wanderléa passava uma temporada nos Estados Unidos para acompanhar o tratamento do marido Zé Renato, filho de Chacrinha, que tentava se recuperar de um acidente que o deixara em uma cadeira de rodas. Elis já havia iniciado uma relação afetuosa com Wanderléa quando ainda morava na casa da Niemeyer, e aproveitou um dia de folga do estúdio para visitar a amiga. "Elis, a casa é grande. Se quiser deixar o João aqui para vocês trabalharem em paz, nós cuidaremos dele", sugeriu Wanderléa. Elis aceitou e passou a levar e buscar João todos os dias na casa de Tia Wandeca. Curiosamente, Tom também fez da casa de Wanderléa um refúgio, sem jamais aparecer por lá com Cesar ou Elis. Usava o piano de cauda da sala para tocar "Águas de Março" tomando cerveja Tuborg e comendo caranguejo em frente a uma plateia formada por Wanderléa, seu irmão Bill, Zé Renato, a enfermeira Creuza, a secretária Heloísa e o chofer Severino.

As gravações começaram com um Tom Jobim não menos assustado. Era chegada a hora em que ele poderia perder definitivamente o comando de suas canções. "Só Tinha de Ser Com Você", "Triste", "Corcovado", "Retrato em Branco e Preto", "Fotografia", "Inútil Paisagem", "Chovendo na Roseira", tudo o que fizera de melhor estava ali, entregue a uma voz que seguia os caminhos traçados por um homem no qual ele não conseguia confiar. "Águas de Março" abria o disco, com a participação de Tom. As outras viriam com arranjos pensados por Cesar, exceto "Soneto da Separação", que teve total envolvimento do maestro. Às vésperas de entrarem no estúdio, Tom quis saber: "Mariano, como será agora?" E Cesar respondeu: "Amanhã chegam os músicos do Brasil pra gente gravar." A reação do maestro lembrou o dia em que ele ouviu que Cesar seria o arranjador. "O quê? Músicos brasileiros na terra que tem os melhores músicos do mundo? Não, Aloysio, parem esse avião no ar!" "Qual era o problema de Tom Jobim?", perguntava Cesar. Seriam eles o problema? A insegurança de Tom ganhava dos medos de Elis. E olha que o páreo era duro.

Os músicos chegaram a Los Angeles coçando as mãos. Ao ver o baixo de Luizão Maia, Tom Jobim grudou no braço de Cesar. "Rapaz, o que é isso? Uma guitarra de quatro cordas? Estou vendo tudo elétrico, baixo, guitarra, teclado..." Ainda paciente, Cesar explicou. "Calma, Tom, já gravamos a parte acústica com o piano de pau." O termo "piano de pau" transfigurou o maestro. "Aloysio, me socorre. Aquele instrumento maravilhoso virou piano de pau, meu Deus!" Cesar deu uma dica: do outro lado da rua, bem perto do estúdio, havia um chope fantástico. E se ele fosse até lá? Jobim sentiu o convite para sair e saiu. As gravações iriam começar.

A força de Elis parecia redobrada pela vontade de dar a resposta que Tom merecia. "Águas de Março" se tornava mais envolvente, com Tom e Elis em estado de graça dividindo as frases, brincando com os tempos, ativando uma reação química de entorpecer os técnicos do estúdio. "Modinha" tinha arranjos orquestrais envolvendo uma voz que saía de um canto escuro da alma. O samba "Triste" consagrava a base que Cesar criara, um suingue que poderia ser percebido no todo ou nos detalhes sem que nenhuma nota entrasse em colisão com outra. O segredo parecia estar em sua mão esquerda, que fazia os acordes se movimentarem nunca abertos demais, e no contratempo com relação à cabeça do ritmo da direita. A guitarra de raros solos reforçava os acordes com o piano e o baixo colava no grave da bateria, criando um efeito que os músicos chamavam de "bumbo de corda".

Luizão brincava com os parceiros: "Aqui, se tirar a mão fica bom também", falava sobre o som redondo que sentia chegar antes mesmo que seu instrumento entrasse na brincadeira. Quando alguém dizia a Hélio Delmiro que não estava ouvindo a guitarra, ele respondia: "É assim mesmo. Se ouvir, tá errado." O grupo só queria servir às vozes de Elis e Tom com uma estrutura de marcações socadas e bem distribuídas, sem uma nota a mais que pudesse fazê-los aparecer mais do que o necessário. Tom sentia que nem tudo seria uma catástrofe, e confidenciou a Hélio Delmiro logo depois de ouvir o solo que ele fez para "Fotografia". "Quando soube que vinha guitarra, eu quase mandei parar o avião. Agora, estou mais aliviado."

E foi assim, mais aliviado, que Tom se sentou com Elis e César, entre uma e outra gravação, para cantar o que viesse à cabeça. Tom ao violão e Cesar no teclado deixavam Elis solta e sorridente. "Céu e Mar", de Johnny Alf, foi uma das canções ensaiadas de improviso que não entraram no disco. Com o poder de ver belezas que sempre estiveram por perto mas que poucos perceberam, Tom chegou uma tarde falando de um de seus mestres, Ary Barroso, e das maravilhas que ele havia feito ao compor "Na Batucada da Vida". Elis aprendeu com o maestro como deveria cantá-la e assim faria, não no disco que gravavam, mas em seu próximo álbum, que sairia ainda em 1974.

No Brasil, André Midani e Roberto Menescal roíam as unhas e os dedos para saber que bicho saíra do encontro às cegas com Mr. Jobim. Menescal ligou para Elis em uma manhã. “O que é que você quer, Menescal?” “E aí, Elis, como as coisas estão indo?” “Como estão indo? Estão uma merda. O Tom está com má vontade, ninguém está tocando bem. Esse disco vai ser uma merda.” Menescal, que conhecia bem os arroubos de Elis, usou a estratégia de um pai paciente e desviou o assunto. “E como foi a Disney com o João? “Ah, foi ótimo, a gente se divertiu muito.” Depois de dar uma volta no quarteirão, o produtor retornava à rua principal. “E então, sobre a gravação, alguma música ficou boa?” “Ah, sim”, surgia a nova Elis. “‘Brigas Nunca Mais’ ficou ótima.” E em mais dois minutos, já estava assim: “Menescal, você tem que ouvir umas coisas que estamos fazendo, pegue um avião e venha, o disco está maravilhoso.” Se Bôscoli ouvisse, a chamaria de seu adjetivo preferido: ciclotímica.

Enquanto os músicos trabalhavam, Roberto de Oliveira também voltou ao Brasil esperando para retornar a Los Angeles no final das gravações. E também ouviu muitas queixas de Elis por telefone. “Roberto, eu vou voltar. Isto aqui não vai dar certo, o Tom não gosta dos teclados do Cesar, só quer saber de piano, você tem de vir pra cá.” Roberto, sem a mesma experiência de Menescal, adiantou a passagem em um dia e seguiu para Los Angeles.

Roberto havia contratado uma equipe para filmar o encontro. Fazia parte de seu projeto para levantar a imagem de Elis mostrá-la em Los Angeles soberana ao lado do maestro. Durante um dos intervalos, Elis e Tom foram levados ao aeroporto para refazerem, diante das câmeras, o momento da chegada aos Estados Unidos. Imagens de gravação do LP e dos bastidores renderam horas de registros que não haviam sido lançados comercialmente até a conclusão deste livro. Em um dos ensaios de “Chovendo na Roseira”, com o trio e mais Luizão no baixo sentados no estúdio, Tom corrige Elis quando ela canta que o tico-tico “vai chovendo no molhado”. “Não!”, diz Tom. “É passeando no molhado!” Elis sorri e segue em frente. Quando vem o solo do piano de Cesar, Tom diz alto, lambendo a cria: “Ih, mas olha que música bonita, porra. Esta música é bonita, sabia?” Cesar sola e Tom fala por cima. “O mundo era bom, né? Ah, quando tinha sapos, passarinhos...” Elis sorri, tira um cigarro do maço e volta a cantar.

As câmeras de Roberto flagraram também o momento em que todos foram ouvir o resultado de “Chovendo na Roseira”. Ao contrário de Tom, satisfeito, Elis queria recolocar a voz. O problema era um trecho da letra que ela havia cantado de forma errada. Em vez de “pétalas de rosa carregadas pelo vento" seria "pétalas de rosa espalhadas pelo vento". "Vou fazer agora", decidiu, roendo as unhas, sabendo que teria de enfrentar o maestro. Jobim percebeu o que Elis queria e, espertamente, tomou a dianteira. "Ó... está bonito... Você quer mudar... Não é por causa de letra não, né?", tentou fechar a questão. Mas Elis não desistiu: "É por causa da letra." "Está muito bom", disse o maestro. "Mas eu preferia que saísse direito", retomou Elis. Para não bater de frente, Jobim mudou de rumo: "Escuta, e como é que ficou o órgão do César?", perguntou aos técnicos. Elis respondeu duas vezes apenas com os lábios, sorrindo com malícia: "Está ótimo." Desta vez, Elis não fez o que queria e a gravação de "Chovendo na Roseira" que ficou para a posteridade foi a que Tom Jobim aprovou.

Assim que as gravações acabaram, vinte dias após o início, Tom não guardava mais desconfianças. Depois do último compasso gravado, o maestro seguiu para casa e Elis, Roberto, Aloysio e os músicos voltaram para o hotel. Cesar ficou para a mixagem, já que o aluguel do estúdio não previa mais nenhum dia para finalizações. O tecladista havia se dado bem com o técnico, Humberto Gatica, um sobrinho do cantor de boleros chileno Lucho Gatica. O trabalho entrou pela madrugada e seguiu até às 5 horas da manhã, quando o último reparo foi feito. Ainda dava tempo de fazer uma audição geral. Gatica apagou as luzes, deixando apenas a claridade que vinha da mesa de som, e soltou as gravações. Sentado em uma almofada, no meio dos instrumentos, Cesar ouvia e chorava.

Tom só conheceu o resultado da mixagem no dia seguinte, em uma fita levada por Cesar logo pela manhã. À tarde, o telefone da casa de Elis tocou. "Cesar, o Tom quer falar com você." Cesar pegou o aparelho e ouviu a voz rouca: "Olha aqui, ô Mariano, eu queria dizer um negócio pra você. Eu estou acostumado a tomar banho de banheira, com aquela água parada, a sujeira do meu corpo em volta, aquela mesma temperatura. E vocês estão acostumados a tomar banho de chuveiro, com a água fresca caindo na cabeça o tempo todo. Entendeu, Mariano?" Cesar Mariano entendeu. Tom não pedia desculpas, mas tentava redimir-se de suas desconfianças explicando os medos de um homem que só queria viver da contemplação.

Elis & Tom era um diamante esculpido com talento e paciência. A inspiração havia sido o LP *Por Toda a Minha Vida*, que a cantora de formação lírica Lenita Bruno havia gravado em 1959 só com obras de Jobim, quando tornou-se uma das primeiras intérpretes de "Eu Sei que Vou Te Amar", "Sem Você", "Soneto da Separação" e da própria "Por Toda a Minha Vida". A obra já era ali reforçada pelos arranjos de cordas mas Elis, agora com mais recursos técnicos do estúdio de Los Angeles, superava qualquer registro. O disco saía no momento certo, com Elis em pleno projeto de expansão de público e em busca de prestígio definitivo. Só faltava a *Elis & Tom* um lançamento à altura.

Depois que todos voltaram ao Brasil, Roberto ficou por mais dois meses nos Estados Unidos sondando um mercado que, imaginava, tinha tudo para ser definitivamente conquistado por Elis. Das informações que obteve com profissionais do meio artístico, o empresário extraiu as duas condições indispensáveis para que uma cantora brasileira acontecesse nos Estados Unidos: começar de baixo e cantar em inglês. Elis não gostou nem de uma nem de outra. O público com o qual se preocupava era o brasileiro e o idioma, por mais que seus dotes para aprender outras línguas a permitissem cantar até em tcheco, era o português. Elis sabia que a língua inglesa não era seu forte, não por uma deficiência técnica, mas por uma inexorável falta de vontade. A canção "Bonita", de Tom Jobim, havia acabado de ser exemplo disso. Ao ouvir o resultado de sua interpretação em inglês, preferiu que ela não entrasse no LP. Sem se animar com o projeto de internacionalização proposto por Roberto, que incluía uma dinâmica de seis meses morando nos Estados Unidos e seis meses no Brasil, ela apenas respondeu: "Como vou cantar em inglês? Eu sou uma artista brasileira."

Antes de idealizar os *shows* de lançamento do álbum, Roberto deu sequência à sua estratégia. Com o amigo jornalista Silvio Lancellotti, da revista *Veja*, negociou uma entrevista na seção Páginas Amarelas para dar o tom das mudanças que marcariam a "nova Elis". A cantora começava derrapando para explicar a fama de mau-caráter a ela impregnada desde a primeira metade da década anterior. Elis dava voltas para achar, diante do repórter, alguma explicação plausível. "Primeiro, eu não tinha a mesma estrutura emocional de um Chico Buarque de Hollanda ou de um Gilberto Gil. Era somente uma gauchinha com um curso normal e algumas ideias na cabeça. E, segundo, exatamente por minhas origens, eu não tinha tempo a perder." E daí? "Se Chico não alcançasse o sucesso que teve, poderia continuar a praticar sua arquitetura. Gil acabaria se tornando um respeitável executivo. E eu? O que eu iria fazer?"

Um pouco mais objetiva, Elis lembrou que o boato havia surgido durante sua passagem pelo comando de *O Fino da Bossa*, na Record, quando diziam que ela estava sempre pronta para derrubar cantoras que ameaçassem sua soberania. "Eu nunca derrubei ninguém", defendia-se. Seu maior erro? Não ter gravado Chico Buarque antes de Nara Leão. Ao lembrar do apelido de Eliscóptero, que ganhou após seguir as orientações de Lennie Dale, soltando os braços para o alto como se cantasse praticando um nado de costas, confessou que as críticas a seu gestual a traumatizaram e a fizeram por anos se apresentar com os músculos enrijecidos e as mãos coladas na cintura, angustiada a ponto de sentir dores pelo corpo no dia seguinte. Elis fazia vários elogios a Roberto de Oliveira, seu novo empresário, e terminava dizendo que "o Circuito Universitário é o fato mais importante da história da música popular brasileira na década de 70."

Em maio de 1974, Roberto agendou para Elis uma minitemporada de dois *shows* – chamados convenientemente de recitais – no Teatro Maria Della Costa, em São Paulo. A cozinha da cantora, com mais Hélio Delmiro na guitarra, seria acompanhada por um quarteto de cordas, reforçando o tom camerístico da noite. O preço dos ingressos foi colocado de novo nas alturas para criar na plateia um sentimento de exclusividade, uma jogada perigosa mas vital para responder, naquele momento, o quanto as pessoas estavam dispostas a pagar para ver Elis. O teatro lotou nas duas noites, sábado e domingo. Elis apareceu vestida com sobriedade em um palco cru, de fundo neutro e luzes discretas. Sua fala era contida, evitando piadas e maiores aproximações do público. O que importava era a cantora e nada mais. A crítica a elogiou com superlativos e a plateia *vip* espalhou os detalhes da noite pelo País. Outro ponto para Roberto de Oliveira.

Depois da pequena temporada no Maria Della Costa, Elis caiu novamente na estrada com o Circuito Universitário para cidades do Sul que ainda não havia visitado. Ao retornar, fez uma apresentação para inaugurar o Teatro Bandeirantes, em São Paulo, ao lado de Rita Lee, Tim Maia, Maria Bethânia e Chico Buarque. Uma noite daquelas, com Elis cantando músicas de Milton Nascimento ("Conversando no Bar" e "Travessia") João Bosco e Aldir Blanc ("O Mestre Sala dos Mares"), Jobim e Aloysio de Oliveira ("Só Tinha de Ser Com Você") e se unindo a Chico Buarque para fazer "Pois É". Chegava a hora, enfim, de colocar no palco o encontro com Tom Jobim.

O LP seria lançado com apenas três *shows*, dois no Teatro Bandeirantes, de São Paulo, e um no teatro do Hotel Nacional, no Rio. A imprensa fez o estardalhaço previsto e Roberto estabeleceu novamente altos preços de ingressos, 150 cruzeiros por uma cadeira na plateia A e 100 na B. Além das intenções de embrulhar Elis como produto de luxo, a alta dos bilhetes era justificada também por ser aquela a primeira aparição de Tom nos palcos paulistas em uma década. Aos 47 anos, o compositor quebrava o silêncio que adotara também fora de cena. "Se eu não falar agora com as pessoas, quando é que eu vou falar?", dizia aos repórteres, em uma coletiva de imprensa realizada um dia antes do primeiro *show*. Tom, por suas próprias contas, já devia duas à gaúcha. Além de fazê-lo sentir de novo a adrenalina dos grandes palcos, seu nome voltava a surgir nas rádios com a execução de "Águas de Março". Era a volta de Tom Jobim ao *hit parade*. Ou, como ele dizia, ao "*hate parade*" – a parada do ódio.

A imprensa também sofreu restrições com os planos de tornar Elis mais inatingível. As TVs foram proibidas de filmar as apresentações e os pedidos de gravações com a dupla foram negados. A Globo não se conformou com o não de Roberto e continuou insistindo. Quando soube que ninguém teria as imagens do dueto, a emissora passou a querer em dobro, mas Roberto se mostrou irredutível. Até que Boni, diretor geral da Globo, chamou o empresário para uma conversa. Sua alma já estava armada, pronta para dizer não, mas foi surpreendida. "Não, Boni, não vamos fazer nada para a TV mesmo, já estava em nosso projeto." Boni, então, despejou um caminhão de dinheiro na mesa. "Ok, eu pago isso." Os zeros eram tantos que o empresário não teve como não ceder – uma quantia que arcava com sobra todas as dívidas que os produtores haviam acumulado para fazer o disco e as apresentações. Elis e Tom gravaram algumas passagens para a TV no estúdio e um clipe para "Águas de Março", um dueto que deixava os artistas frente a frente, mas com um ajuste técnico de dar arrepios em Roberto. Elis, colocada sobre um praticável, aparecia quase que da mesma altura de Tom. Uma heresia a Roberto, que considerava o dueto charmoso exatamente pelas particularidades da dupla, com Elis olhando para o alto, Tom olhando para baixo, e os dois parecendo flutuar acima de todos.

O *show* foi feito em três partes, amparado pelo quinteto de Cesar e pelas cordas do maestro Leo Peracchi, que havia feito os arranjos para o disco de Lenita Bruno. Elis primeiro cantava "Conversando no Bar", "Caça à Raposa", "Ponta de Areia" e outras cinco músicas de seu repertório. Tom surgia, era ovacionado e, imediatamente, erguido do solo pelos arranjos de

Peracchi em "Chovendo na Roseira", "Modinha" e "Corcovado". Elis voltava para cantar com o maestro "Soneto da Separação", "Inútil Paisagem", "Dindi" e, apoteoticamente, "Águas de Março". E o público percebia a história acontecer diante dos seus olhos.

15.

Os olhos do jovem Natan Marques brilhavam a cada virada de bateria de Paulinho, a cada solo de Hélio Delmiro, a cada investida de Elis. A plateia do Maria Della Costa era o melhor lugar do mundo para um músico como ele estar. Ver o time de Cesar em ação proporcionava uma experiência sensorial, tamanho o grau de entendimento dos músicos no palco. Natan era mais um guitarrista a tocar pelos inferninhos de São Paulo, que investia boa parte do que recebia nas aulas de música que tinha no Clam, o centro de aprendizagem

dirigido pelos integrantes do Zimbo Trio. Depois da noite no Maria Della Costa, ele inspirou-se nos músicos que acompanhavam Elis e seguiu direto com seu instrumento para a boate La Licorne, seu principal ganha-pão, no centro de São Paulo. Que viesse o pedido que fosse, de Vicente Celestino a Raul Seixas, Natan tocaria tudo em estado de graça.

Na quarta-feira da mesma semana, seu telefone tocou. "Oi, Natan, é o Luis Chaves." Chaves, baixista do Zimbo, era professor no Clam. "Rapaz, pega esse endereço que eu vou te passar, é da casa de Elis Regina. Vai pra lá com o instrumento e, quando chegar, diga que é o aluno do Clam." A voz de

Natan tremeu e o telefone bambeou em sua mão. "O quê?" "É isso Natan, eles querem um guitarrista e eu indiquei você", insistiu Chaves. "Eu não vou professor, não tenho capacidade nenhuma pra isso, sou só um músico de boate", respondeu o guitarrista. Chaves teve de caprichar na profecia: "Natan, escuta: eu tenho certeza de que Elis nunca mais vai te largar depois que vocês se conhecerem."

No ônibus que seguia para a Rua Califórnia, no Brooklin, o endereço de Elis e Cesar em São Paulo, Natan era movido mais por um sentimento de retribuição ao carinho do mestre Luis Chaves do que por alguma pretensão de se tornar integrante do grupo que viu quatro dias antes no Maria Della Costa. Ao chegar, tocou a campainha e Elis atendeu com um sorriso de desmantelar qualquer sombra de coragem. A cantora o conduziu ao local onde iriam ensaiar, uma garagem na parte da frente da casa, espaçosa, cheia de instrumentos e aparelhagens de som. Cesar, sentado em um canto, apenas o estudava.

O teste correu bem, com músicas que Natan conhecia, muitas gravadas no *Elis & Tom* e outras de fases diversas. Natan sentiu que havia um clima de mudança no ar. Se tudo corresse bem, ele iria entrar no lugar de Hélio Delmiro, que acabara de fazer o disco com Tom e os *shows* do Maria Della Costa. Os motivos da troca não ficaram claros. O desafio imediato do grupo era seguir em mais uma etapa de Circuito Universitário começando por cidades do Sul, saindo de Porto Alegre, passando por Caxias do Sul, Curitiba, Londrina e retornando pelo interior de São Paulo. Antes da partida, Cesar teve uma conversa com o novo guitarrista. "Natan, eu já falei com os outros músicos. Vamos sair para esta viagem depois de ensaiarmos por duas semanas. Sem desmerecer ninguém, vamos usar esta temporada para fazer um teste. Se não der, se não houver um entrosamento, vou ser obrigado a dizer na volta, ok?" Durante a temporada, Natan tentaria aprender o que pudesse com os toques que chegavam a ele de todas as formas. Por ora, já sabia que Elis não suportava músico que tentasse aparecer mais do que ela. E de Cesar, ouvia sempre a frase que definia o seu conceito de grupo: "Acompanhar é uma arte."

Ao chegarem a Porto Alegre, Elis passou por Natan instantes antes de entrar em cena. Percebeu a tremedeira do guitarrista e perguntou como ele se sentia. "Eu? Como se estivesse no corredor da morte" respondeu. "Que nada, depois da primeira música tudo passa, você vai ver", consolou. Elis e

Porto Alegre também tinham seus dilemas, mas aquele *show* realizado nas dependências de um antigo cinema seria de reconhecimento e ovações. Antes de irem para o espetáculo, uma cena apontada por Elis chamou a atenção dos músicos. Quando passavam o som, um fiscal chegou para saber se estavam em dia com suas obrigações perante a Ordem dos Músicos do Brasil. Elis chamou o percussionista Chico Batera de lado para apontar uma suspeita. "Você viu quem era o fiscal da Ordem? Caramba, era o Lupicínio Rodrigues."

Assim que a temporada chegou a Londrina, no norte do Paraná, Cesar chamou Natan para uma conversa em particular. Pediu que falassem em um lugar reservado, no ônibus da banda, já que a conversa era delicada. Um suor brotou na testa de Natan. Havia chegado a hora de sua prestação de contas, de ouvir do chefão os erros que o impediriam de seguir em frente. "Pois é, Natan, lembra aquele papo do começo?" Natan se afundou no banco: "Cesar, para mim foi uma honra estar com vocês, só tenho a agradecer", respondeu o guitarrista. "Rapaz, quero lhe dizer que, de todos que estão aqui, você é o único que vai continuar com a gente." A respiração profunda de Natan voltou com um choro. E Cesar seguiu: "A gente só precisava de uma pessoa sem vícios que aceitasse nossa forma de tocar."

A Philips queria, além do projeto especial com Jobim, ter um segundo álbum de Elis ainda naquele ano de trabalhos que não acabavam mais. Havia sido a mudança do Rio para São Paulo, o encontro com Tom Jobim em Los Angeles, o *show* no Maria Della Costa, o Circuito Universitário de Roberto de Oliveira. E ainda restava o álbum que traria a quase censurada "O Mestre Sala dos Mares", de João Bosco e Aldir Blanc, e a quebra do jejum de Milton Nascimento, com "Travessia", "Ponta de Areia" e "Saudades dos Aviões da Pan Air", que Elis trocou o nome para "Conversando no Bar" por temer represálias dos milicos que haviam determinado o fechamento da empresa de aviação de origem norte-americana, deixando livres os céus do País para os voos da concorrente nacional Varig.

Milton voltava em forma, cheio de inspirações e amores represados por Elis Regina. A criação de "Conversando no Bar" era uma dessas provas de carinho, que havia ganhado forma de canção após infinitas tentativas que quase o levaram à loucura. Seu trabalho começou às 9 horas da manhã e seguiu até as 18 horas, sem respiros, sem tirar as mãos do violão. Milton, acostumado a compor rápido, sentiu o corpo tremer depois de nove horas de transpiração e resolveu jogar a toalha, deixando o instrumento na sala para descansar. Ao passar pela porta do quarto em que ficava o piano, sentiu que algo o puxava para o instrumento. Colocou as mãos nas teclas e uma música veio inteira, com começo, meio e fim, como se estivesse só esperando que alguém a trouxesse ao mundo. "Ponta de Areia" nasceu em menos de 15 minutos e seguiu direto para as mãos de Elis.

Quem não só pilotava a técnica como assinava a direção de produção do novo disco era um garoto que já havia despertado a curiosidade de Elis, em 1973, chamado Marco Mazzola, um técnico de som dedicado que ajustava cada microfone como se estivesse trabalhando sempre para uma orquestra sinfônica. Mazza ganhou as atenções de Elis no dia em que perdeu o medo de dar palpites e se meteu na condução que o baterista Paulinho Braga fazia na música "Nada Será Como Antes". "Cesar, posso falar uma coisa?" "Claro, garotão, diz aí." "Dá um toque pro batera fazer uma virada naquela passagem, acho que vai ficar legal." Cesar e Elis abriram bem os olhos e decidiram levar a sugestão a Paulinho. "Ou vai ser meu *upgrade* ou a minha condenação", pensou Mazza. A sugestão emplacou e o garoto ganhou moral. Quando chegou a fase de mixagem, Cesar pediu que Mazza fizesse tudo sozinho. Era o *upgrade*. Elis também se interessou ao saber que Mazzola havia trabalhado no lançamento do primeiro disco de Raul Seixas. Ela jamais gravaria um daqueles *rocks* de Raul – não tinham sua linguagem –, mas seus olhos brilharam quando Mazzola colocou para tocar "Trem das Sete" e "Let Me Sing, Let Me Sing". Aos olhos de Elis, Raul era um mestre em compor letras que davam o recado de maneira direta e profunda.

Assim como acontecia a todos aqueles que Elis deixava que se aproximassem um pouco mais, Mazzola percebeu os sinais de seu gene possessivo assim que conheceu uma bela garota de Ipanema. Marina era uma cantora de 24 anos de idade que havia acabado de ser apresentada aos executivos da gravadora como uma promessa. Mazzola ouvia as músicas trazidas pela novata, mais empolgado com o par de pernas cruzado à sua frente do que com o potencial de suas canções. Já com poderes de mandos e desmandos, sugeriu à companhia que a contratasse, mas caiu na armadilha de levar o assunto para Elis durante um trajeto que faziam de carro pelo Rio. Mazza colocou a fita cassete de Marina no aparelho do carro e Elis percebeu sua empolgação. "Quem é que está cantando aí?", quis saber. "Ah, é a Marina, não é ótima?"

"Porra, Mazza, tu tá comendo essa mulher?" "Que é isso, Elis? Claro que não." E Elis continuava. "Tá comendo, só pode estar comendo. Ah, Mazza, faça-me o favor, tira essa merda dessa fita." A reação assustava Mazzola, um disparo de ciúme pessoal misturado a algum desconforto profissional diante de uma jovem cantora em início de carreira.

Milton foi ao estúdio a convite de Elis ouvir suas canções ganhando forma com os arranjos de Cesar Mariano, que liderava um conjunto que já era uma mescla entre o grupo de Los Angeles, com Chico Batera e Luizão Maia, e integrantes da nova geração, como Natan Marques e o baterista Toninho Pinheiro. Milton se emocionou com "Conversando no Bar", mas algo o incomodou em "Ponta de Areia". Havia algo ali que não estava sendo entendido por Elis, uma parte da música que desvirtuava a proposta que a composição sugeria. Milton foi falar com Elis. "Olha, Elis, tem alguma coisa errada, a original não é assim como você está fazendo." Os olhos da cantora se cruzaram, o sinal que Milton conhecia bem. "Não tem nada errado aqui. E, se tiver, foi você quem errou na hora de fazer a música", disse ela antes de sair batendo as tamancas, fechando a porta com força e deixando Milton com vontade de rebobinar as palavras que haviam acabado de sair de sua boca. Milton se arrependeu. "Caramba, será que esta vai ser nossa primeira briga?" Depois de algum tempo, Elis voltou e, sem falar com ninguém, pediu que o técnico recolocasse a parte de "Ponta de Areia" contestada por Milton para cantar exatamente como o compositor queria. Elis havia entendido onde estava o seu erro, só não o assumiria jamais. Nem a Milton Nascimento.

Gilberto Gil, outro caído de amores pela madrinha desde sua mutação de aprendiz de executivo na Gessy Lever para músico, sentiu que a relação poderia sofrer tremores assim que ouviu o resultado de "O Compositor Me Disse". A ideia de Gil era tirar Elis da zona de tensão em que ela parecia habitar em discos anteriores, cinzas como chumbo, e lhe dar um momento de respiro com uma canção que serviria para fazê-la esquecer das assombrações que a perseguiam, fossem os críticos, os milicos de direita ou os patrulheiros da esquerda. A letra era um recado direto que Elis não seguia, um pedido para que "cantasse distraidamente, como bate o coração". Ao ouvir o resultado, Gil sentiu angústia demais em uma interpretação que andava na mão contrária ao que sugeria a letra, e falou com amigos de sua insatisfação. Se seus comentários chegaram ou não aos ouvidos de Elis, o baiano nunca soube, mas desconfiou. Assim que mandou sua nova colaboração à cantora, "Rebento", Gil recebeu de volta um bilhete de poucas e enigmáticas palavras: "Não entendi a harmonia." Havia uma ferida no peito de Elis. Mais tarde, ela não só entenderia a harmonia como faria de "Rebento" uma de suas grandes interpretações.

Ser gravado por Elis Regina era o céu para compositores que, depois de jogados ao alto pela voz da madrinha, estavam prontos para colher os louros lançando as mesmas composições em seus próprios discos. Os que ainda engatinhavam sairiam do berço em poucos dias, assim que um novo LP de Elis trouxesse seus nomes na contracapa. A cantora, naquele momento, era o aval de que precisavam, o selo que indicava qualidade de versos e harmonia, carimbado por uma mulher que, sabia o mercado, tinha como ideal jamais ceder a propósitos que não fossem artísticos. Mesmo em suas inclinações para registros mais *pop*, como as investidas ao lado de Nelson Motta, ela não baixava a exigência. Mais do que ter o passe valorizado, o artista que passasse por sua voz dificilmente voltaria às sombras. O "efeito Elis" atiçava a cobiça de compositores que mandavam mensalmente centenas de fitas para a casa da cantora à espera de seu toque de Midas. Muitos já criavam músicas para a voz de Elis, nos moldes de Elis, em busca do perfil poético que agradava à cantora e da linguagem musical que só Elis e Cesar desenvolviam naquele momento.

Mesmo artistas que jamais seriam gravados por ela fizeram suas composições darem saltos de qualidade pela simples possibilidade de um dia serem descobertos. Hyldon, que pertencia à cena do *soul* brasileiro dos anos 1970, foi à luta após vê-la cantar "These are the Songs" com "Tim Cachorro", como o grupo chamava Tim Maia. Gravou uma fita cassete com seis músicas e a entregou a Nelson Motta. Sem resposta, cercou o jornalista cheio de ansiedade na saída da TV Globo, onde Motta apresentava um programa com notícias do mundo musical. Hyldon queria saber se ainda poderia sonhar com uma gravação de Elis. Motta deu a notícia ruim e a boa na mesma frase: "A Elis não vai gravar suas músicas porque achou que não estão dentro do estilo de que ela gosta, mas adorou o que você faz, sua batida de violão, seu jeito de cantar. Só acha que é você mesmo quem deve gravá-las." A partir deste dia, Hyldon perdeu o medo de registrar suas canções com a própria voz. Uma Elis que ele só havia conhecido por discos passou a exercer sobre sua produção um controle de qualidade à distância que o tornou um criador exigente. Sempre que terminasse uma nova composição, pensaria, para sempre, a mesma frase: "Será que a Elis gravaria?"

Alceu Valença e Geraldo Azevedo chegaram ao lugar certo na hora errada. Amigos de longa data das ruas do Recife, se encontraram no Rio em 1971 dispostos a colocar suas carreiras nos trilhos. Com uma coleção de canções na cabeça e o violão de Geraldo Azevedo debaixo do braço, entraram ressabiados no camarim do Teatro da Praia para falarem com Elis durante o intervalo de um ensaio. Alceu tremia de timidez, Geraldo tomava a frente. Elis os recebeu simpática, sentou-se diante dos dois com as pernas cruzadas sobre o sofá e se preparou para ouvi-los quando chegou Milton Nascimento. "E aí, Milton? O que você tem de novo", pediu Elis, enterrando o sonho dos pernambucanos em dois segundos. De candidatos, Alceu e Geraldo se tornavam, no máximo, plateia de uma força contra a qual frevo nenhum teria chance. Milton cantava, Elis sorria e os amigos saíam à francesa sem terem tocado nenhuma das músicas que queriam mostrar.

João Donato foi outro peregrino a sentar-se no sofá de Elis. Os dois estiveram juntos uma única vez para falar sobre repertório, por intermédio do amigo em comum Paulo Cesar Pinheiro, que fazia letras para o disco "Quem é Quem", de 1973. Elis ouviu quase tudo deste álbum em primeira mão. "Chorou Chorou", "Terremoto", "Mentiras", "A Rã". Mas foi com "Cadê Jodel", na letra de Marcos Valle, que suas pernas balançaram. O pianista voltou para casa com a certeza de que os olhos cheios de lágrimas de Elis eram sinal de que, em breve, "Cadê Jodel" seria coberto por seu manto sagrado. Mais por sorte do que por azar de João Donato, não foi o que aconteceu. Elis teria certamente consagrado muitas canções daquele lote, tornando-as registros definitivos a ponto de ofuscar o lançamento do disco do próprio compositor. *Quem é Quem* entraria para a discografia de João Donato – e da música brasileira – como uma pedra preciosa.

Alguns criadores poderiam ver nas músicas gravadas por Elis o surgimento de uma séria concorrente. Era o efeito Elis ao contrário. As pulgas pulavam atrás da orelha de Gilberto Gil sempre que Elis surgia com a gravação de uma de suas canções. Era um sentimento difícil de ser codificado, dúbio, em que conviviam o prazer de ser lembrado por sua musa e o desconforto por ver suas criações embaladas nos braços de outra mãe. E Elis era mãe zelosa, que jamais colocaria uma boa canção no mau caminho. Mas Gil nascera como um compositor de apego fisiológico ao que fazia. Quando ouviu a gravação de "Oriente", do LP de 1973, sentiu o gelo na espinha ao perceber o que, na época, considerou um erro brutal de Elis. Em vez de cantar "se oriente rapaz, pela constatação de que a aranha vive do que tece" ela dizia "de que a aranha duvido que tece." Uma falha que doeria no peito de Gil.

Gil jamais disse a Elis que ser gravado por ela poderia ser também um problema, uma vez que ele mesmo teria de fazer melhor quando fosse cantar sua própria canção. Elis sabia que tinha tal poder e, quando sentia que seria um entrave a um fornecedor pelo qual guardava apreço especial, preferia poupá-lo do constrangimento. Após decidir gravar "Abre Alas", de Ivan e Vitor Martins, ficou sabendo que a música estaria no próximo álbum de Ivan Lins, *Modo Livre*, de 1974, e voltou atrás para não se tornar a aranha que devora os próprios filhotes. "Grave você, Ivan, esta é sua."

16.

HAVIA UM ABISMO CULTURAL E DE COSTUMES entre o passado em Porto Alegre e tudo o que Elis conhecera pelo mundo até então. Os tapetes vermelhos que eram estendidos agora contrastavam com a infância e a adolescência carentes de pai e de luxos na Vila do IAPI. Elis atravessava uma ponte para não voltar mais, ainda que guardasse um grande carinho pela mãe, Dona Ercy, e pelo irmão, Géio. Desde a frustrante tentativa de unir a família no Rio, quando todos se espremeram no pardieiro da Rua Barata Ribeiro, pai, mãe e irmão passaram a ter presenças intermitentes e a contarem com humores oscilantes de Elis em suas relações. Ora o pai era a questão – bebedor dos ganhos da filha, jogador de cartas e apostador das boas vontades da mulher – ora a mãe era quem ficava na mira, passiva diante do marido e resistente a qualquer fagulha de mudança sugerida por Elis. Muitas vezes, depois de ajudá-los, Elis rompia com todos, sem piedade, decretando sua independência até que o coração apertasse de novo. Ao pai, reservou por anos o cargo de empresário, até porque não havia outras opções a uma menina de 19 anos de idade recém-saída do Rio Grande do Sul. Antes de Marcos Lázaro, era Seu Romeu quem cuidava da receita dos primeiros *shows*, convertendo vencimentos e cachês em doses de cachaça e maços de cigarros que acendia até debaixo do chuveiro. Ao irmão, coube a função de técnico de som, piloto de uma mesa de oito canais e duas colunas de caixas Shure, algo que aproximaria Elis de seu vínculo familiar mais habitável.

A casa na qual Elis vivia com Cesar, no Brooklin, em São Paulo, havia sido alugada também para recolocar a família em sua órbita. O irmão Rogério chegou a morar por algum tempo com ela e Cesar, alimentando um triângulo de sentimentos nem sempre fácil de ser decodificado. Desde a infância, Elis tinha com Rogério uma ligação profunda e espiritual, de abismar a própria mãe. Quando Elis partiu de Porto Alegre para o Rio, Géio sofreu como um cão. Mas a relação, mesmo distante, parecia segura por cabos de aço, a ponto de Elis e Géio, nos momentos que passavam juntos, entrarem em uma bolha protegida por uma camada de ciúmes impenetrável aos simples mortais. As brigas, por sua vez, também pareciam ter razões e desenlaces só entendidos por eles mesmos. Desavenças surgiam com a mesma rapidez com a qual poderiam desaparecer antes de qualquer interferência externa. Um ano antes de morrer, Elis deixou ao irmão uma carta com passagens, como uma provável desavença, que só os dois sabiam exatamente do que se tratava:

"Géio, meu primeiro grande amor:

Antes de qualquer coisa quero que mais uma vez fique registrado meu profundo e desmesurado amor por você. Primeiro homem que tomou meu coração de assalto. É bem verdade que era um projeto de homem, quatro quilos e pouco de mau humor e choro que iluminaram minha vida. Também um projeto de vida essa cortiça, trabalhada com competência e paciência chinesa, é uma mistura do que eu vou ser, sempre e sempre, capaz de fazer por você, por sua felicidade, por sua paz e seu sorriso. Que Deus nos proteja irmãos, que a gente sempre esteja próximos, mais que fisicamente juntos, espiritualmente juntos, e que seja restabelecido nosso sistema de trocas, tragicamente interrompido. Mas espero, possível de ser reatado. Na paz, na concórdia e na certeza do amor que sempre nos rodeia.

Te amo loucamente, sempre e sempre, beijos e mais beijos."

Mais próxima da família, com todas as angústias que isso poderia significar, Elis vivia dias de estrela fora de casa e se realizava dentro dela como uma irretocável administradora do lar. Antes de um próximo *show*, recém-chegada de viagem, ela seria uma fracassada se não arranjasse tempo para algo que parecia lhe dar tantas alegrias quanto o palco: o fogão. Aos que aceitavam seus convites, demonstrava o prazer que sentia em cozinhar o prato que fosse seguindo uma espécie de ritual doméstico, pilotando as panelas e as conversas com um copo de cerveja nas mãos. Quem experimentou de sua peixada não esqueceu. Márcio Moreira, publicitário amigo de Cesar, foi uma das visitas que caiu na armadilha de elogiar seus dotes gastronômicos. "Elis, você está de parabéns. Cozinha muito bem." E Elis, bem menos formal, devolvia: "É porque você ainda não me viu cantar."

Anos depois de ter se tornado grande demais para andar pelas ruas com a mesma tranquilidade dos anônimos, Elis ainda fazia feira, sacolão, mercado, açougue, banco e levava o filho na escola. Se esquecesse o dinheiro, pedia ao dono da barraca de alface que pendurasse a conta. Só não admitia tietagens de fãs enquanto queria viver sua vida de gente. Considerava pedidos de autógrafos, nestes momentos, uma invasão. Café da manhã, por mais que as noites pudessem ser agitadas, ela gostava de tomar com os filhos. E comprar carne era uma especialidade de, muitas vezes, corar açougueiros. Um deles não se conformava com a cena em seu estabelecimento, quando Elis se colocava ao seu lado no balcão para cortar ela mesma o bife em tiras finas e sem gordura, do jeito que a família gostava.

Em casa, Elis nunca ouvia seus próprios discos. Quando não eram as fitas cassete que colocava para escolher repertório, enchia a casa de Ray Charles; Aretha Franklin; Herbie Hancock; Earth, Wind and Fire; John Lennon; Singers Unlimited; Bill Evans; Chicago; Gino Vanelli e Nat King Cole. Se tivesse nascido nos Estados Unidos, sem dúvida seria uma cantora de *soul*. Em 1979, ela chegou do trabalho com um LP no plástico. "João, sabe o Michael Jackson, aquele menino dos Jackson Five? O Quincy Jones produziu. Olha aqui." Mãe e filho conheciam bem o produtor Quincy Jones de outros álbuns, mas, como todo o mundo, só faziam uma vaga ideia de quem era o garoto que havia começado a vida cantando com os irmãos, aos cinco anos de idade. João colocou o álbum no toca-discos e ouviu atento até chegar à introdução de "Don't Stop 'Til You Get Enough". Aí sua espinha gelou, o tempo parou e a criança de Elis cresceu, adotando Michael como referência para a vida. *Off The Wall*, o disco que João ganhou de presente da mãe, venderia em 15 anos mais de 20 milhões de cópias e abriria o caminho para a consagração do astro com *Thriller*, lançado dez meses após a morte de Elis.

Ainda que se alimentasse dos pequenos prazeres do lar, Elis tinha as viagens internacionais como um mal necessário. Assim como o francês, treinado de ouvido em semanas pelas ruas de Paris, o espanhol para entrevistas e diálogos com a plateia estava garantido, ainda que não houvesse tempo para aulas. Quando a oportunidade de partir para uma curta temporada no México apareceu, Elis só juntou os escudeiros e, de novo, se foi. Quem não ia desta vez por razões profissionais era Toninho Pinheiro, sucessor de Paulo Braga, deixando o banco da bateria vago mais uma vez, mas por pouco tempo. Até então baterista de Luis Carlos Vinhas, Nenê, gaúcho e pavio curto como Elis, assumia o posto depois de uma indicação do também baterista amigo Rubinho Barsotti, do Zimbo Trio.

Antes de embarcar com o grupo para o México, Nenê passaria por um teste de sobrevivência em um *show* nos moldes das apresentações que Elis tanto abominava, em um clube de Santos. Logo após a apresentação, Elis foi para o camarim deixando na porta, como era de costume, o irmão Rogério para controlar a entrada e a saída de fãs. Impacientes com a demora, jovens usando camisas de torcidas organizadas do Santos começaram a forçar a entrada. Rogério segurou o que pode até que um provável líder do grupo pediu para passar. "Vai deixar a gente entrar ou não?", deu o ultimato a Géio, estufando o peito e contraindo o bíceps. "Agora não dá, só mais um minuto", respondeu o guardião. O santista desferiu um direto no rosto de Rogério que o desnorteou por algum tempo e armou um fuzuê com músicos e seguranças da casa, de um lado, e fãs e torcedores do Santos, do outro. Ao ver que seu irmão havia sido atingido, Elis saiu do camarim como a galinha que vê o filhote em perigo. Encarava um por um querendo saber quem havia feito aquilo com Géio. "Seus filhos da puta!" Os fortões recuaram com Elis, mas a banda sentiu que o clima de revanche estava armado do lado de fora. Elis e os músicos saíram às pressas antes que viesse o pior. No dia seguinte, a imprensa local já tinha a manchete: "*Show* de música e de confusão."

Sobrevivente da fúria santista, nada mais parecia poder derrotar Nenê. E, assim, o baterista seguiu Elis junto com Natan, Luizão e Cesar Mariano para uma temporada mexicana de 20 dias, com *shows* previstos para uma universidade na Cidade do México e outros agendados para uma rede de hotéis onde a língua que menos se ouvia era o espanhol e a bebida mais pedida era o uísque escocês. Com um repertório de Tom Jobim e Edu Lobo, que sempre funcionava bem em apresentações fora do Brasil, Elis percebeu em uma das noites que não conseguia convencer um homem de cara amarrada e tronco de boxeador sentado sozinho.

Música a música, vinham da plateia aplausos efusivos e o sujeito seguia de cara fechada. Mais da metade do *show* havia passado quando o cidadão decidiu chamar o garçom. Falou com ele ao pé do ouvido e lhe entregou um bilhete com o nome de uma música que gostaria de ouvir na voz da cantora. Assim que teve a primeira oportunidade, Elis respondeu rápido com outro bilhete dizendo que, lamentavelmente, o pedido não estava no repertório da noite. O grandalhão resolveu estender o assunto dando a entender, por mais um bilhete e pelo mesmo garçom, que Elis se tratava de uma péssima cantora. A primeira entrada acabou e Elis não disse nada aos seus músicos. Foi ao camarim, conversou amenidades com os parceiros e voltou ao palco. Enquanto a banda fazia o prefixo que costumava fazer como introdução à segunda parte do *show*, Elis se armou. Posicionou o microfone na mão direita como se fosse um torpedo e o arremessou em direção à cabeça do cliente. Os cinco metros de distância que parecia haver entre o palco e a mesa foram traçados com precisão e o alvo atingido. O homem se levantou como um lutador que não quer perder a briga, soltou as cobras e lagartos que sabia dizer em portunhol e desapareceu do hotel.

A temporada mexicana estava a todo vapor, rendendo cenas com estudantes subindo ao palco em êxtase para cumprimentar a cantora. Depois de uma das apresentações, Elis estava reunida com os músicos quando tocou em um assunto que iria separar os homens dos meninos que ainda poderiam cercá-la. Ao voltar para o Brasil, ela e Cesar iriam concentrar seus esforços na montagem de um novo espetáculo, algo que exigiria uma nova postura dos músicos e dela própria e que resultaria em um conceito inédito de musical brasileiro.

Antes de se jogar na nova investida, Elis havia feito uma visita à casa de João Bosco e de sua mulher, Angela, no Rio de Janeiro. João estava com o filho Francisco, recém-nascido, e Elis foi logo pegando a criança nos braços assim que chegou, cheia de ternura e escolada nos mimos treinados com João Marcello. Alguns minutos depois, Chico banhou Elis com o vômito do leite que havia acabado de mamar – nada que ela já não conhecesse bem. Mesmo depois de se limpar, o azedo não saía da roupa e Elis sentiu-se inspirada: "Isto me deu uma vontade danada de ser mãe de novo." Algum tempo depois, vinha a notícia de que Elis estava grávida de seu segundo filho. João Bosco brincava: "Elis, você ficou grávida do vômito do Chico."

Pedro Camargo Mariano e o espetáculo *Falso Brilhante* eram gerados pelo mesmo ventre naquele início de 1975. Pedro veio primeiro. Ao ler uma reportagem no *Jornal da Tarde* que levava o título de "Nasceu", com a qual seu autor, o repórter Marcos Faerman, ganharia um Prêmio Esso de jornalismo, Mônica Figueiredo pensou em Elis. A matéria falava de um tal método Leboyer, criado pelo francês Frédérick Leboyer e trazido ao Brasil em 1974 pelo doutor Claudio Basbaum, no qual a criança vinha ao mundo sem sofrer a suposta violência dos métodos convencionais. O texto brilhante de Faerman descrevia os partos de Basbaum e fazia crer que Elis poderia ser poupada dos traumas de sua primeira gravidez.

Além do *Jornal da Tarde*, uma matéria do programa *Fantástico*, na Globo, ajudava a fazer de Basbaum uma celebridade de dar autógrafos pelas ruas. A cantora Baby Consuelo correu a ele assim que ficou grávida de sua primeira filha. "Oi, Seu Basbaum, quem tá falando é a Baby. Doutor, eu estou parindo, doutor. Venha fazer meu parto", pedia ela, por telefone, a um médico que nunca ouvira falar em Baby Consuelo. "Dona Baby, fique calma. Desculpe, mas se a senhora vier ao Hospital São Luis, aqui em São Paulo, terei o maior prazer em atendê-la." Baby tomou o primeiro avião levando todos os parceiros do grupo Novos Baianos a tiracolo, além de uma sacola de frutas. Quando preparava-se para um parto corriqueiro, Basbaum foi procurado por uma enfermeira. "Doutor, a senhora Baby está aí com todos os amigos dela. Estão fazendo um piquenique na recepção."

Elis chegou curiosa ao consultório de Basbaum. Além de querer saber tudo sobre suas formas humanizadas de trazer os bebês ao mundo, falava de política com um surpreendente conhecimento histórico. "O que o senhor é do Leôncio Basbaum?", ela perguntou, referindo-se ao tio de Claudio, o importante escritor e historiador comunista que havia escondido Luís Carlos Prestes por dois anos em sua casa. Era nas consultas que Basbaum conhecia melhor sua paciente. Soube o quão difícil era sua relação com os pais, do quanto eles dependiam financeiramente da filha e do peso que isso acarretava naquela conflituosa relação. Como as conversas se estendiam sempre mais do que o previsto, o ginecologista começou a marcar os horários dos encontros sempre para o final do dia, reservando não menos de duas horas para cada sessão. Quinze minutos sobre gravidez, o resto sobre vida. Rápida, desbocada, de humor imprevisível, Elis ouvia atenta às instruções de Basbaum. Se Pedro não viesse pelo método Leboyer, o máximo que poderia acontecer era partirem para a cesárea convencional.

Elis chamava Basbaum de "Doutor Cegonha" quando chegou com cólicas ao Hospital São Luis, em 18 de abril de 1975. Os princípios do Leboyer estavam claros: as dores das contrações seriam vividas no início, antes de qualquer anestesia ser administrada. A iluminação da sala seria abaixada e nenhuma conversa permitida. O ambiente deveria ser de paz e tranquilidade – a não ser que a própria parturiente resolvesse soltar o verbo. Assim que as dores chegaram, Elis desandou a xingar o doutor e tudo o que via pela frente. "Puta que o pariu, como é que o senhor me coloca numa merda dessa?" "Calma, Elis, nós vamos parir juntos", dizia Basbaum, adaptando para a obstetrícia a lógica dos psiquiatras que enlouquecem com seus pacientes. As salas ao lado ouviam os gritos de Elis. "Caralho!" "Puta que o pariu!" Quando as dores ficaram insuportáveis e o nascimento se aproximou, Basbaum chamou o anestesista – que Elis batizou de mágico – para aplicar a peridural. As dores foram se apaziguando e Pedro começou a nascer, fazendo Elis se emocionar com algo que não havia experimentado na cesárea de João. Depois de analisar a criança, Basbaum a colocou no colo da mãe antes mesmo de romper o cordão umbilical. Pelo Leboyer, o cordão deveria ser mantido para que a criança tivesse tempo de aprender a respirar enquanto recebesse o sangue oxigenado da mãe. Segundo Basbaum, forçar a respiração extirpando o cordão no momento do nascimento era submeter os pequenos a uma espécie de aprendizado por sufocamento.

Dias depois do nascimento de seu "segundo primogênito", como gostava de brincar, Elis arquitetava algo que extrapolaria os limites de um *show* de música convencional. Sem mais a direção de Roberto de Oliveira, de quem havia se distanciado naturalmente depois de quase dois anos de trabalhos, ela queria narrar com interpretação musical e cênica a vida de um artista em sua plenitude, com começo poético, meio consagrador e fim traumático. Mais do que sentar e tocar seus instrumentos, os músicos teriam de se encher de técnica em dramaturgia para encenar situações na pele de personagens com vida própria – seres presentes no palco o tempo todo enquanto ela estivesse à frente. A ideia original era conseguirem com a Prefeitura de São Paulo um terreno para fazerem a estreia em um grande circo que a própria trupe armaria. Logo depois, sairiam por regiões nobres e periféricas de várias cidades do País, erguendo lonas e tablados.

Mas as negociações com o poder público não avançaram e Elis cansou de esperar. Se era para ter sede, que fosse o Teatro Bandeirantes, com uma extensa boca de palco que permitiria manter o conceito circense da apresentação. O nome *Falso Brilhante* vinha do pouco otimismo com a trajetória de um artista. O espetáculo teria sua origem na descoberta do dom, passaria pelas graças do sucesso e terminaria em um massacre assim que surgisse a esteira da máquina comercial na qual o músico seria fatalmente despejado. Um conceito contestador que, paradoxalmente, não tinha reflexos visíveis na própria carreira de Elis, uma cantora que, havia dez anos, só parecia gravar aquilo que desejava. A rebeldia contra a indústria que era colocada em cena, no entanto, seria também produto da própria indústria assim que *Falso Brilhante* saísse em LP pela multinacional Philips, pronta para vender muitas cópias.

Elis precisava de estratégia. Se fosse pensar em missões para colocar seu circo de pé, elas seriam basicamente três: checar quem da trupe seguiria no projeto, recolher um novo repertório e delegar as funções ligadas à dramaturgia a quem melhor pudesse lidar com elas. Assim, *Falso Brilhante* começava com uma chamada: Natan Marques? "Tô dentro." Nenê? "Vai ter que interpretar, é? Ok." Luizão Maia? "É um conceito que não tem nada a ver com o que eu gosto de fazer. Não posso." Antes de chamar Natan, no entanto, Cesar teria convidado Hélio Delmiro e Paulo Braga, conforme conta em seu livro de memórias *Solo*. Mas os músicos também alegaram incompatibilidade de propostas. Aos novos tripulantes, juntou-se Crispin Del Cistia, músico de várias frentes que Cesar conhecia de outros trabalhos. Só faltava o baixista. A saída de Luizão deixava uma cratera no som de baixo seguro, mas Natan conhecia Wilson Gomes, um sujeito bom e aguerrido que, como ele, batalhava o almoço do dia seguinte tocando nos jantares da boate La Licorne. Um dia, dois homens bateram à sua porta. Wilson olhou pelo olho mágico e avistou Natan e Nenê. "Wilson, coloca a roupa, vamos ensaiar", disseram os amigos. Sem perguntar com quem, Wilson foi.

Um espetáculo daquele tamanho só com músicas inéditas seria indigesto e não combinaria com a proposta autobiográfica do *show*. O garimpo de Elis resultou em uma epopeia de 46 canções que se agrupavam em duas partes, 29 na primeira e 17 na segunda, e que simbolizavam um passeio por sua carreira – com "Arrastão", "Upa Neguinho", "Aquarela do Brasil" e "Canto de Ossanha" – combinado com músicas que refletiam seu incansável estado de alerta para identificar novidades, algo que a levava em direção a "Velha Roupa Colorida" e "Como Nossos Pais", de Belchior. Os sempre presentes João Bosco e Aldir Blanc voltavam com "O Cavaleiro e os Moinhos" e "Um Por Todos", e Chico Buarque colaborava com "Tatuagem", canção que renderia um dos momentos mais fortes do espetáculo. Na versão de Armando Louzada,

"Fascinação", que Elis cantara na adolescência sentada com uma amiga no pátio do colégio, em Porto Alegre, seria outro grande sucesso.

Antes de fecharem o pacote, Elis ligou para a casa de Milton Nascimento em busca de uma nova composição. Em vez de optar por alguma regravação, ela queria algo inédito, de impacto, para algum momento forte do *show*. O telefone chamou algumas vezes antes de ser atendido. "Oi, Milton, é a Elis. Estou montando um espetáculo novo. Queria saber se tem algo pra mim." O homem que se identificou como Milton Nascimento respondeu rouco, tenso, cheio de mistérios. "Elis Regina? Oi, Elis, não tenho nada pra você não, não quero saber de fazer música nova pra você tão cedo. E não precisa me ligar mais, tá? Tchau." E desligou. Algo não ia bem com o seu maior compositor. E que tom era aquele que nem nos piores pesadelos Elis imaginaria ouvir de seu criador mais sensível? Ela não teve tempo de ir aos detalhes. *Falso Brilhante* seria realizado como um raro espetáculo de Elis sem nenhuma canção de Milton Nascimento.

O próximo passo era reunir as pessoas que fariam a proposta sair do papel. Por mais empreendedores que fossem os espíritos de Elis e Cesar, eles nada entendiam do universo teatral, não tinham condições técnicas para transformar homens que passaram a vida fazendo sentimentos virar sons em atores de falas e gestos. Nomeada produtora executiva, Orphila Negrão ajudava a identificar um diretor para aquele perfil de espetáculo. A primeira tentativa foi Ademar Guerra, de *Marat/Sade* e *Oh, Que Delícia de Guerra!*, especialista em montagens populosas, ex-assistente de Antunes Filho. "Um novo espetáculo de Elis Regina? Sei." A ardência que o nome de Elis provocava nos olhos de alguns interlocutores que o ouviam podia ser um entrave. Ademar, temendo desgastes, não quis a empreitada e indicou Chico de Assis, experiente figura criado no Teatro de Arena. Mas Chico sentiu a mesma fisgada e passou a bola para Silnei Siqueira, outro gigante com uma ficha de óperas e montagens que o habilitariam com folga a dar forma ao delírio criativo. Mas Silnei alegou impedimento de agenda e o nome que restou foi o de Myriam Muniz.

Myriam não tinha um currículo de direção tão extenso; na verdade, assinara apenas uma preparação de atores, antes do convite de *Falso Brilhante*, para a montagem *Cândido, ou o Melhor dos Mundos*, de Voltaire, dirigido e adaptado por seu marido, Sylvio Zilber. Mas, como fundadora do Teatro Escola Macunaíma, professora de dramaturgia e com atuações de peso desde 1961 no Teatro Oficina, poderia ser a peça que procuravam. Era só marcar os ensaios.

Elis entrava em uma encrenca. Aos olhos de Myriam, ensaiar com a banda não bastava. Era preciso tirar de cada músico o máximo de uma interpretação que nem eles sabiam se eram capazes de executar. Uma viagem seria feita ao centro de cada um, trabalhando nos limites de seus autoconhecimentos. A sede do Macunaíma foi o primeiro laboratório, onde eram dadas aulas de linguagem corporal com o bailarino José Carlos Viola e assistência psicológica com um extintor de incêndio chamado Roberto Freire, médico psicanalista que intervinha sempre que os músicos se estranhavam ou quando os gênios de Myriam e Elis resolviam esticar o cabo de guerra. O grupo precisava de mais espaço para trazer os instrumentos e juntar as técnicas de interpretação que aprendiam com aquilo que de fato tinham certeza de que sabiam fazer bem: música. Muitos suspiraram aliviados quando Elis chegou com a notícia de que a Prefeitura de São Paulo havia acabado de liberar uma grande sala para a trupe, em um lugar que só tinha de charmoso a aura: embaixo do Viaduto do Chá, no centro de São Paulo.

Os ratos saíram às pressas assim que Elis abriu a porta. A sala era em um porão abandonado, ao lado do Teatro Municipal, um depósito de material orgânico em decomposição, um refeitório de baratas, bem em frente ao mictório a céu aberto que os andarilhos haviam demarcado na região. Sem verba para terceirizar a pré-produção, os próprios músicos dobraram as mangas e se jogaram na faxina, exterminando roedores, carregando entulho e levantando poeira com vassouras. Depois de colocar ordem no barracão, Elis providenciou um fogão para cozinhar. Se não parecia nenhum anexo do Carnegie Hall, aquele treme-treme teria história pra contar. Ali, debaixo dos ônibus municipais da CMTC e dos carros que passavam no estreito Viaduto do Chá, bem ao lado do Mappin, a mulher que já havia deixado o Olympia de Paris de quatro descia ao pó para se reinventar.

Ao mesmo tempo em que os músicos pensavam nos arranjos em grupo, Myriam começava a costurar sons a expressões faciais propondo que, literalmente, soltassem suas feras. Não era fácil segurar o riso. Nenê, fortão, cara fechada, tinha de imitar um leão ou uma raposa. Natan, um poço de timidez, rugia na pele de um tigre. Myriam queria liberar o grupo e proporcionar a cada um a possibilidade de ser outra coisa que não eles mesmos.

Uma das atividades consistia em interpretar fisicamente a sensação que os sons sugeriam. Quando Cesar tocava no teclado algo prazeroso, Crispim devia fazer o mesmo com sua expressão. Natan ligava o pedal de distorção de sua guitarra para um solo raivoso enquanto Wilson tentava materializar aquela sensação. Myriam tirava leite de pedras brutas, sentindo que a lapidação só viria com muita prática. Sugeriu então que cada músico usasse uma maquiagem facial. Se os corpos não seguissem o combinado, a expressão do rosto estava garantida.

Myriam Muniz e Elis Regina eram dois fios desencapados que produziam faíscas sempre que se encostavam. Mulheres fortes em suas opiniões, decididas em seus destinos, olhavam-se como se olhassem no espelho. Ao mesmo tempo em que se respeitavam, temiam-se, e era daí que saíam suas maiores conquistas. Os primeiros ruídos soaram quando Elis percebeu que havia naquela preparação teatro demais e música de menos. "E quando é que eu vou cantar?", alfinetava. Os músicos também levantavam a bola. "Elis, está tudo legal pra caramba, mas você está virando mais atriz do que cantora. Não é melhor falar com a Myriam?", dizia Nenê. Elis ia para o embate e, muitas vezes, voltava com a vitória.

Os meses de ensaio chegavam ao fim e, entre mortos e feridos, a estreia de *Falso Brilhante* era uma realidade. O artista plástico Naum Alves de Souza foi convidado a fazer a cenografia; Lu Martin, os figurinos; o irmão Rogério cuidava do som e a Trama, a produtora que Elis criara com Cesar para gerenciar seus próprios espetáculos, já que ela mesma os financiava, abria o guarda-chuva jurídico das burocracias. Era 17 de dezembro de 1975 quando os ônibus de excursão vindos de cidades do interior e de outros estados começaram a se enfileirar em frente ao Teatro Bandeirantes, na Avenida Brigadeiro Luís Antônio. "Vai ser o espetáculo mais popular que já fiz, acessível a todas as pessoas. E, para isso, cobraremos o mínimo indispensável para a sobrevivência da equipe", disse Elis em entrevista ao jornal *Última Hora*. Os ingressos eram vendidos a razoáveis 40 cruzeiros, com direito a meia-entrada para estudantes. Comparados aos bilhetes de 150 cruzeiros cobrados para o *show* com Tom Jobim no mesmo Bandeirantes, em 1974, saía bem mais em conta.

Apesar de as filas darem a entender que os 1.200 lugares para aquele dia estavam tomados, mais gente chegava, o trânsito era interrompido e os cambistas ofereciam bilhetes pelo triplo do preço normal. O barulho vindo do teatro era grande, provocado por uma plateia que parecia aguardar por uma final do Campeonato Paulista. Os que não tinham assentos ficavam de pé, em filas sobrepostas nas laterais.

Um facho de luz iluminava os músicos que chegavam caracterizados como personagens que eles mesmos escolheram representar – super-heróis, caubói, vampiro, palhaço e espantalho – caminhando pelas fileiras da plateia em direção à passarela que se estendia do palco até quase metade da pista. Apanharam seus instrumentos, entoaram um tema de circo e receberam a menina de cachos loiros, bochechas rosas e olhos grandes em um vestido colorido e cheio de laços. Elis Regina se unia aos amigos ao som de cantigas de infância que a levavam para o lugar onde o gigante despertou, no Clube do Guri. A plateia que esperava por mais um *show* convencional de Elis e banda – mesmo porque não conhecia outra forma de espetáculo musical até o início daquela noite – se entregou ao desconhecido. Aplaudiu com entusiasmo sem saber direito o que estava aplaudindo, tomada por uma expectativa pelo próximo quadro.

Elis surgia na sequência mais próxima da menina que os fãs conheceram em 1965, nas asas de "Arrastão". A era dos festivais era seguida pela fase da TV Record, com "Upa Neguinho" e "Canto de Ossanha". Um pouco mais adiante e a representação do primeiro dissabor. Assim que se tornava uma estrela, a força da indústria era representada por duas mãos gigantes que surgiam de cima, despencando sobre os sonhos de Elis. Angustiada, ela perdia-se em um palco mal iluminado para logo depois renascer, vestida de branco, de rosto limpo e sentada em um balanço sustentado por um trapézio. Elis cantava em italiano, francês, espanhol, português. Era Carmen Miranda, Violeta Parra, Frank Sinatra, cantora de bolero, sambista, roqueira, ufanista e militante de esquerda. Sorria dos próprios percalços, sofria com as conquistas e, a cada figurino, mudava de rosto e de voz, virando uma chave na própria alma para desfilar todos os recursos que havia aprimorado até ali, submetendo a plateia por mais de duas horas a um tratamento de choque incessante.

Antes de deixarem o palco, ao final de dois atos, os músicos ouviram uma massa ruidosa de aplausos que chegava do público. Alguns não seguraram a emoção e deixaram que ela se manifestasse ali mesmo, em choros e abraços entre os amigos. Elis seguiu para o camarim com a sensação de jogo ganho.

Ao entrar, viu a mãe à sua espera e correu para os seus braços. "Bendita a hora em que eu deixei você cantar no Clube do Guri, minha filha", soluçava Dona Ercy. As pessoas não queriam ir embora. Gritavam por Elis, mas ela não voltava ao palco. A plateia, no dia seguinte, iria voltar.

"Vale a pena comprar esse *Falso Brilhante*, mesmo que no câmbio negro", noticiava o *Jornal da Tarde*. O câmbio negro era o nome que a repórter Regina Guerreiro usava para se referir aos cambistas, que cobravam até 70 cruzeiros por um lugar no teatro, 30 a mais do que o preço oficial. Ao seu estilo, carregado nas cores quentes, Walter Silva começava assim a detalhada crítica que fez para o jornal *Folha de S.Paulo*: "O que dizer de um espetáculo que, logo no primeiro número, põe a plateia de pé e em estado de semidelírio? Um espetáculo que, ao final do primeiro ato, faz com que os espectadores se abracem e chorem juntos?" Com ou sem a mulher Deia ou a filha Celina, Walter era um exemplar do sequestro emocional que *Falso Brilhante* provocava. Viver aquele conjunto de sensações por apenas uma vez não parecia suficiente. O corpo e a cabeça pediam mais. Walter Silva voltaria ao Bandeirantes para sorver "o maior espetáculo do ano", como escrevera, por 32 vezes.

Milton Nascimento esteve na plateia logo nas primeiras sessões de *Falso Brilhante*. Em uma delas, encorajou-se e foi falar com Elis. Queria saber, afinal, por que ela não incluiu nenhuma de suas músicas no espetáculo. Milton não batia bem, concluiu Elis. Pois não foi ele mesmo quem disse que não faria música alguma para ela dias antes da estreia? "Milton, eu te liguei e você disse que não queria mais fazer música pra mim, você estava bêbado?" "Não, Elis, nem bêbado eu diria uma coisa dessas. Não pode ser, eu não iria negar." Elis estranhou e chamou Cesar para confirmar a história. "É verdade, Milton, ela te ligou." Desolado, Milton falou do caso com um grupo de amigos e ouviu de um deles uma revelação que o destruiu. Quando Elis ligou para sua casa, um colega que estava por lá durante uma festa atendeu ao telefone e se fez passar por Milton Nascimento, divertindo-se com a situação. Depois de descobrir a farsa, Milton enterraria o colega para sempre, prometendo nunca mais pronunciar seu nome.

17.

Até o dia 18 de fevereiro de 1977, *Falso Brilhante*, nome retirado do bolero "Dois pra lá, Dois pra Cá", seria apresentado por mais de 300 vezes, visto por um público estimado em 280 mil pessoas, cumprindo, religiosamente, uma dinâmica de cinco *shows* por semana, de quarta a domingo, sempre no mesmo teatro. Sinal de um dia fraco era quando havia "apenas" 30 cadeiras extras na plateia. O comércio de bares e restaurantes da região entrou com pedidos na prefeitura para que fossem autorizados a funcionar até mais tarde nos dias de *show*. As limitações de uma época ainda despreparada para grandes produções deixavam tudo mais heroico. Sem a ajuda dos microfones sem fio, inexistentes até então, Elis rebolava para cantar, dançar, chorar, correr, subir e descer de balanços passando os cabos entre as próprias pernas e entre os músicos, com cuidado para não rompê-los. Além da inesgotável energia que a temporada sem fim exigia, ela pedia aos músicos que chegassem duas horas antes ao teatro para passarem o espetáculo inteiro nos primeiros meses. Uma *overdose* de convivência que cobraria seu preço.

A bilheteria sempre esgotada e as críticas inebriadas inspiraram a gravadora a registrar parte daquele repertório em LP – uma ousadia que, àquela altura, só parecia ser possível por intervenção divina. Com a agenda tomada por *Falso Brilhante* de quarta em diante, sobravam segunda e terça para descansarem e serem algo na vida além de músicos. Ninguém quis decretar licença dos palcos para a gravação do disco – a produção cara precisava da receita de bilheteria. O jeito foi prepararem a forca. Se fosse para existir, *Falso Brilhante* deveria ser gravado em apenas dois dias, em um novo estúdio da Phonogram, no Rio, justamente no tempo que teriam de folga. Era pegar ou largar. Mesmo sabendo dos riscos que a loucura trazia, eles pegaram. E seguiram de São Paulo para a Barra da Tijuca em uma manhã de segunda-feira.

Com o tempo jogando contra, Cesar, Elis e os músicos eram assistidos de novo por Mazzola, que pilotava a mesa com agilidade. Havia um dia de gravação e outro para mixagem. Ao perceber o potencial de "Como Nossos Pais",

Mazza sugeriu que a pegada inicial de samba pensada por Cesar virasse um *rock* mais agressivo, com guitarras distorcidas e bateria mais pesada, uma pista em que Elis dançava com folga quando a deixavam dançar. O arranjo foi aprovado. Outras nove canções criavam um panorama de uma espécie de melhores momentos do *show*, com "Tatuagem", "Fascinação" e "Jardins de Infância". Incluir "Gracias a la Vida", da chilena Violeta Parra, valeu ao disco a proibição de vendas na Argentina, mergulhada no caos político com a morte do presidente Juan Perón.

Com as passagens das músicas debaixo dos dedos, o grupo se posicionou no estúdio preparado por Mazzola ciente de que não teria segunda chance. Elis chegou de voz rouca dos espetáculos do fim de semana. Aos que tentavam alertá-la dos perigos de se forçar tanto as cordas vocais, ela tranquilizava: "Não se preocupe, não é a voz que canta." Como seria tudo registrado ao vivo, sem tempo para gravações separadas, Mazza a posicionou em um canto estratégico da sala para que os sons dos outros instrumentos não vazassem em seu microfone. As músicas saíam de primeira, mas a voz de Elis acusava o sofrimento. Cada vez mais rouca, já andava pela zona que antecede o sumiço.

A próxima música seria o *rock* mais pegado do disco, de notas mais altas. "Velha Roupa Colorida", de Belchior, tinha a primeira parte quente e acelerada com uma segunda em andamento *blues* e vocal rasgado. Elis fazia todos os contorcionismos possíveis mas, exausta, já não chegava onde queria. Depois de Menescal, era Mazza quem estava prestes a testemunhar a rara cena de Elis sendo derrotada por uma nota. A voz dava seus últimos arranques com a bateria prestes a arriar e o que existia só estava ali por uma força que saía do peito da cantora. Mazzola sugeriu que gravassem o que faltava, faixas mais tranquilas, e que deixassem "Velha Roupa Colorida" por último.

A apreensão sobrevoava a sala quando todos sentiram que tinham de voltar à canção, pela última e definitiva vez. Aos músicos, Mazzola, sabendo que usaria as últimas forças de Elis, aumentou a pressão com jeito: "Gente, tem que ser de primeira, ok?" Ao rapaz da técnica, apontou uma flecha: "Meu irmão, solta essa merda aí na hora, não vai errar essa porra!" Antes de dar ok, percebeu as luzes do letreiro que indicava "gravando" apagadas no lado de fora da sala. "Rapaz, liga essas luzes todas aí", ordenou. Cesar fez a contagem e Elis entrou: "Você não sente nem vê, mas eu não posso deixar de dizer meu amigo, que uma nova mudança em breve vai acontecer..." A rouquidão virava timbre de cantora de *blues* norte-americana, no limite do suportável, com uma convicção tamanha que parecia estar prestes a virar choro. Assim que a viu chegar ao fim com um tiro só, que se não matasse a música mataria a cantora, Mazzola ficou petrificado: "Não pode ser, a mulher cantou tudo de primeira." Exausta, Elis sentou-se em uma almofada, absorta, se recuperando em silêncio do último gás. Mazzola se aproximou com cuidado. "Tudo bem, Elis?" "Tudo, você gostou?" "Achei demais." Ela então subiu o olhar para Mazzola e só fez uma pergunta com o fôlego que restava: "Você acha que alguém vai gravar isso melhor do que eu?"

O estúdio ficava em uma Barra da Tijuca ainda despovoada, de muitas pistas para automóveis e poucos pedestres. Elis, Natan e Wilson saíram tarde da noite em busca de um táxi que os levasse até o hotel, deixando os outros para a mixagem com Mazzola. Mas táxi também era artigo raro naquela noite e Natan sugeriu que pegassem um ônibus. Elis topou e entrou no primeiro que apareceu, com destino a Copacabana. Ônibus lotado, os músicos resolveram ficar de pé. E o que Natan imaginava começou a acontecer, as pessoas se cutucando e apontando para Elis. "É ela? Será? Parece..." Natan já tinha uma estratégia. Assim que percebeu muitos passageiros prestes a iniciarem um tumulto, disse em voz alta: "Pois é, Baixinha, daqui a pouco vai acontecer aquele negócio de novo." "Acontecer o quê?", Elis respondeu. "Vão começar a dizer que você é a Elis Regina." Uma mulher que estava próxima se virou. "E não é?" "Minha senhora", falou Natan. "A senhora acha mesmo que Elis Regina estaria aqui a essa hora andando de ônibus com a gente?" Ninguém mais falou no assunto.

Assim que *Falso Brilhante* foi lançado, um mês depois, Elis decidiu que os músicos, em vez de cachês, ganhariam *royalties*, porcentagens sobre a vendagem. "Todo mundo se matou pra fazer isso, não é justo ganharem só cachê", disse. Pouco depois, Cesar se reuniu com os colegas com outra sugestão. "Eu estive pensando sobre aquele negócio dos *royalties*, é melhor a gente pegar o dinheiro do disco mesmo, o cachê. Esse disco não vai vender nada." Nenê contestou. "Bicho, vamos arriscar ir na porcentagem, já estamos ganhando bem no *show*." Mas Cesar insistiu que a gravadora havia decidido assim e o pagamento saiu em valor fixo.

Cachês de músicos nunca foram um dilema para Elis. Sua lógica era a de que quanto mais valorizasse seus seguidores, mais eles a respeitariam.

A disputa entre os artistas que pagavam melhor naqueles tempos se dava entre Elis e Roberto Carlos. O que se ganhava em uma noite tocando com Elis era algo em torno de, transformando em reais, R$ 1 mil. Isso, de quarta a domingo, garantia uma receita digna. Nas internas, ela sempre procurava saber quanto os outros nomes ofereciam. Dependendo dos valores do mercado, fazia seus reajustes. "Que Roberto Carlos que nada. Nem que for por um centavo, eu vou pagar mais", dizia. Tocar com Elis não significava abrir mão de suas influências, que neste momento iam de Chick Corea e Herbie Hancok, em Cesar; a Led Zeppelin e Eric Clapton, em Crispin. O extenso raio de atuação que amparava seu repertório suportava quase tudo naqueles compassos, desde que viessem a serviço de sua voz. A diferença era que sua voz também saía com uma intenção mais instrumental do que vocal. Mais que cantora, repetiam os instrumentistas, Elis era um músico.

Suas brigas pela classe talvez tenham origem aí, em um instinto de sobrevivência da própria espécie. Indignada com questões ligadas à arrecadação e distribuição do direito autoral, chegou a presidir a Assim, Associação dos Intérpretes e Músicos, para fazer frente à Socimpro, Sociedade de Intérpretes e Produtores Fonográficos, na distribuição dos direitos arrecadados. Elis acusava a Socimpro, o Ecad – Escritório Central de Arrecadação e Distribuição dos Direitos Autorais – e a Ordem dos Músicos do Brasil de não zelarem por repasses mais justos aos profissionais.

Claro que era também uma luta em causa própria. Elis afirmava receber por trimestre um cheque no valor de 1.500 cruzeiros pelos direitos de execução em rádio de todas as suas músicas gravadas até ali. "Mil e quinhentos cruzeiros, menos do que um salário mínimo", disse em entrevista ao suplemento Folhetim, da *Folha de S.Paulo.* Ela batia de frente e sem medo com o presidente Wilson Sandoli, da Ordem dos Músicos. Chegou a apoiar uma manifestação de instrumentistas de São Paulo que queriam mudanças na política de arrecadação, uma alteração que garantiria o recebimento dos chamados direitos conexos. Com eles, os músicos passariam a ganhar cada vez que alguma faixa da qual tivessem participado, mesmo como acompanhantes, fosse executada em rádios ou *shows*. Bateristas e baixistas se uniram em uma greve de som, se recusando a fazer gravações até que a situação fosse resolvida. A época não dispunha de recursos tecnológicos que substituíssem esses profissionais, e muitos discos ficariam na gaveta se eles cruzassem os braços. Um grupo foi entregar suas carteiras da Ordem na sede da entidade, em uma afronta direta ao presidente. Elis, apoiando e chamando a atenção para os manifestantes, era uma pedra no sapato de Sandoli. Acuado, o lobo daria o troco.

Quando estavam posicionados para fazer uma apresentação diante de oito mil pessoas em um ginásio de Ribeirão Preto, no interior de São Paulo, Elis e sua banda foram surpreendidos pela presença de fiscais da Ordem dos Músicos na beira do palco, que queriam checar se estava tudo em dia, se todos estavam com suas carteiras em ordem, se havia alguma mensalidade atrasada. Um vacilo apontado e a apresentação seria cancelada. Elis se aproximou dos fiscais matreira, cheia de conversa. "Meu senhor, veja bem, meus músicos estão aqui para trabalhar..." Enquanto falava, levava os fiscais para o centro do palco sem que eles percebessem. Quando chegou perto do pedestal, pegou o microfone e jogou as visitas aos leões: "Pessoal, o negócio é o seguinte", disse para o público. "Esses senhores aqui acham que meus músicos não estão capacitados para tocar para vocês porque eles não têm a famigerada carteirinha azul. Agora, eu acho que eles estão aptos a tocar. Vocês é que decidem." Faltou pouco para a plateia pular o alambrado. A segurança entrou em ação e os fiscais desapareceram antes que uma tragédia se consumasse. Elis contou até três e o *show* começou.

Apoiada pela classe artística, admirada pelos músicos, Elis vivia a época da colheita com *Falso Brilhante*. Muitos críticos, que anos antes diziam que seu talento estava sendo enterrado por discos técnicos e *performances* distantes do grande público, tiveram de redigir matérias de capa que a chamavam agora de "a maior", "a porta-estandarte". Elis e Cesar conseguiam vingar o sonho de narrarem a vida de um artista do começo ao fim sem falsa glamourização. Mas só quem armava aquela lona sabia o peso que ela tinha.

Ao deixar o Teatro Bandeirantes, depois de uma sessão do espetáculo, o baixista Wilson Gomes marcou de pegar um amigo, também músico, para darem uma canja em um bar que costumavam frequentar em Osasco, na Grande São Paulo. Os dois andavam tranquilos no Fusca de Wilson até que o amigo acendeu um cigarro de maconha sem saber que colocava fogo no pavio de uma dinamite. "Fica tranquilo, Wilson, a área tá limpa", disse. A fumaça já havia transformado o Fusca em uma câmera de gás quando um camburão da Polícia Militar sinalizou para que os dois parassem e descessem do carro. Wilson viu o fim. Era 1975, época em que o respeito aos direitos humanos não era exatamente uma coqueluche no País. A falta de sorte do baixista, que nem gostava de fumar, era selada por outro detalhe. No carro dos policiais havia uma mulher que acabara de ter seu Fusca roubado, um Fusca de cor e modelo idênticos ao de Wilson. Provar que o automóvel não era produto de furto foi bem mais fácil do que justificar seu interior aromatizado. "Mão na cabeça!", ordenaram os policiais para fazerem a revista. Wilson ficou de costas enquanto o amigo foi revistado. Depois, seria sua vez. Conduzido com o colega ao distrito, o músico não deixava de argumentar. Era trabalhador, tocava com Elis Regina, o instrumento estava no banco de trás para comprovar. "Podem levar o rapaz para a carceragem", decidiu o delegado. O baixista de Elis estava preso.

Nenê saiu de casa na manhã seguinte, na Avenida São João, seguindo o roteiro que já era seu costume em dias de *show*, pronto para dar uma calibrada etílica na casa de Wilson e, juntos, seguirem para o teatro. Assim que chegou, percebeu a porta fechada. Chamou, e nada. A vizinha ao lado parecia dar a notícia com prazer. "Wilson? O Wilson é maconheiro, meu filho. Ele foi preso", disse, mostrando um exemplar de jornal com a foto do parceiro e a notícia em destaque: "Baixista de Elis Regina é preso em Osasco." "Meu Deus, o Wilson rodou", pensou Nenê. O baterista voltou para casa preocupado, mas em silêncio. Não seria de sua boca que Elis saberia daquele episódio. Natan chegou logo depois: "Nenê, aconteceu um problema com o Wilson." "Que problema?", Nenê se fazia de sonso. "Um negócio chato. O pessoal quer fazer uma reunião."

Os músicos se reuniram no teatro. Sem a presença de Elis, Cesar explicava o incidente com Wilson e mencionava que um advogado conhecido poderia resolver o problema. Havia um temor de que o episódio voltasse a arranhar a imagem de Elis e uma dúvida se ela deveria ou não sair em socorro de seu baixista. Como não prejudicar uma carreira que acabara de voltar aos trilhos? E como deixar Wilson sem assistência? Para prosseguir com o espetáculo, já havia até um substituto, um baixista que apareceu com boas intenções. Nenê se rebelou: "Eu sou contra. Rapaz, pelo que sei você sabe é arrumar televisão. Desculpe, mas tocar baixo e arrumar televisão são coisas diferentes."

Ao sentir que Wilson poderia mofar na delegacia, Nenê decidiu falar com a patroa. "Elis, desculpe incomodar mas eu acho que essa história do Wilson vai ficar péssima se a gente não fizer nada. Os jornais vão cair matando, dizer que abandonamos o cara lá." Elis respondeu no ato: "Vamos tirar ele agora." Chamou um advogado da Trama e pediu que providenciasse a fiança que fosse necessária. Em um dia, Wilson estava de volta, após uma noite em claro contando aos parceiros de cela como era a vida de um baixista de Elis Regina. "Pô, velho, não acredito, Elis Regina? Minha mulher adora", disse um preso. "E te jogaram aqui por causa de uma bagana?", falou outro.

Wilson sentiu os ares mudarem assim que voltou ao grupo. Percebia que o tratavam com reservas e sentia-se isolado, com uma sensação de estar mais só do que nunca, pagando por um erro que nem havia sido seu. "Tem gente atrás dele aí", ouvia colegas falarem. Elis jamais cobrou de Wilson o valor da fiança nem o descontou de seus vencimentos. Ela também não o enquadraria com lições de moral, como era esperado em episódios desta natureza. Simplesmente tocou o barco dos *shows* quando percebeu que o ambiente do grupo pesara para cima do baixista. Assim que a temporada chegasse ao fim, ela ligaria para seus conhecidos em busca de um novo emprego para o funcionário. A primeira ligação foi para Roberto Carlos, que aceitou a indicação e levou Wilson para integrar sua orquestra. Wilson Gomes caiu para cima.

A temática de *Falso Brilhante* – o monstro que cedo ou tarde surgia para cobrar os louros do sucesso – parecia cada vez mais encenada na vida real. Um mês depois da estreia do espetáculo, a diretora Myriam Muniz e o cenógrafo Naum Alves de Sousa se sentiram financeiramente prejudicados. Alegavam que Elis e Cesar haviam contratado verbalmente a dupla, prometendo pagar 40 mil cruzeiros a cada um – 10 mil cruzeiros por mês referentes aos quatros meses de ensaio. E ainda segundo Myriam e Naum, mais uma quantia de 16,66% sobre a renda bruta do espetáculo, justificada da seguinte forma: 6,66% pelos direitos autorais de ambos em suas alegadas participações na criação de texto e roteiro; 5% pelos direitos autorais relativos à direção de Myriam Muniz; e mais 5% para cobrir os direitos autorais relativos à cenografia e programação visual feitos por Naum. Myriam e Naum procuraram a SBAT, Sociedade Brasileira de Autores Teatrais, para serem representados por ela em uma ação contra a Trama, a empresa de Elis responsável pela produção. Começava uma desgastante batalha jurídica.

O advogado Luciano Teixeira Pinto assinou o processo encaminhado à 23ª Vara Civil de São Paulo que representava Naum e Myriam pedindo o "sequestro de 16,66% da renda bruta do espetáculo teatral *Falso Brilhante* desde a sua estreia, em 17 de dezembro de 1975, até sua última apresentação em São Paulo ou qualquer outra localidade do território nacional." O texto afirmava que "apesar de o espetáculo já se encontrar em cartaz há mais de um mês, os representantes da suplicante (a SBAT) apenas receberam a parte fixa." E trazia a informação de que, até aquele momento, a renda bruta do espetáculo era "superior a 1 milhão de cruzeiros". Teixeira Pinto pediu ainda ao juiz que tomasse sua decisão o mais breve e independentemente de qualquer audiência posterior para evitar que Elis tirasse o musical de cartaz e frustrasse a ação. Para ganhar força, os advogados da SBAT anexaram ao processo recortes de jornais que citavam Myriam e Naum na produção. "Elis, Myriam e Naum, o casamento feliz", era uma das manchetes. "Não dá para não tirar o chapéu para a maravilhosa Myriam Muniz, que dirigiu tudo aquilo", escrevia o *Diário de S.Paulo*. Cesar e Elis começaram a perder o sono.

O juiz Carlos Osório de Andrade Cavalcanti analisou o processo e deu ganho imediato à SBAT, ordenando o sequestro dos 16,66% sobre a renda bruta a partir do dia 10 daquele mês de fevereiro, que deveria ser depositado em conta com correção monetária na Caixa Econômica do Estado de São Paulo, e determinando a nomeação de alguém por parte de Elis para fazer os depósitos dos montantes calculados de acordo com o borderô de cada apresentação. A tensão se instalou no Teatro Bandeirantes. Um oficial de justiça ia à bilheteria acompanhar as contas e Seu Romeu, pai de Elis, foi designado pela Trama para ser o depositário. Agora, Elis precisava dar uma resposta.

O caldo engrossava no caldeirão levado ao forno pela imprensa, que passou a cobrir a disputa como uma espécie de Fla-Flu: Elis e Cesar *versus* Myriam e Naum. Sentindo o rombo aumentar, Elis procurou o escritório de um advogado paulista de 36 anos chamado Michel Temer. Mas, em meio a outros casos importantes, Temer passou a bola para seu aprendiz, o jovem Edgard Silveira Bueno Filho, formado havia apenas cinco anos.

Edgard entrou na história ciente do tamanho da oportunidade que lhe caía nas mãos. Estudou cada palavra da acusação e percebeu um escorregão logo de imediato. Myriam e Naum haviam cometido o erro de serem representados por terceiros. Se a SBAT conferia maior legitimidade à causa perante o juiz, ela também a inviabilizava, segundo a defesa de Edgard. Antes da Constituição de 1988, um código do Processo Civil sedimentava que ninguém poderia pleitear direito alheio em nome próprio. "Parte em juízo são os autores ou compositores (da SBAT) e não a sociedade que os representa." Em outro momento, abria uma ferida contestando o direito de autor a diretores e cenógrafos. "Os supostos associados não poderiam sequer se filiarem à Sociedade porque não são titulares legais de direito de autor. Diretor e cenógrafo têm suas atribuições definidas em lei." E citava textualmente as tais leis. Por isso, concluía que Myriam e Naum já haviam recebido "pelo desempenho reconhecidamente brilhante de suas atividades" a não menos gratificante remuneração de 40 mil cruzeiros cada um, "inédita em espetáculos dessa natureza". Escavava um pouco mais, citando o artigo 14 da Nova Lei de Direito do Autor: "Não considera colaborador para fins de direito autoral quem simplesmente auxiliou o autor na produção dirigindo sua apresentação pelo teatro." "Nestas condições", escrevia Edgard, "aguarda-se a extinção do processo."

Nem precisava de tanta lábia. Quando o mesmo juiz Carlos Osório de Andrade Cavalcanti, que havia determinado o sequestro de renda, retomou o caso, agora com a defesa de Elis em mãos, identificou o calcanhar de Aquiles da acusação. "Tem inteira razão a requerida (Elis) quando pede a extinção do processo. Realmente, é o Supremo Tribunal Federal quem diz: 'o representante não é parte na relação jurídica processual; ele tão-somente age em nome do representado...'" Cavalcanti determinava agora: "A extinção do processo, desse modo, é indeclinável." Ainda dizia que havia sido convencido de que a SBAT não deveria cuidar de direitos autorais regulados e protegidos pela lei 5.988 de 14/12/1973. "A atividade dos sócios da requerente (SBAT), no meu entender, é de produção artística, nada tendo a ver com direitos autorais."

A nova decisão fez a SBAT espumar. Agora com dois advogados – além de Luciano Teixeira Pinto também Gastone Righi –, apelaram ao tribunal dizendo-se inconformados com a sentença. "A SBAT não propôs a medida cautelar em seu próprio nome e sim como representante legal de seus associados e em nome destes." "A ordem dos fatores não altera o produto, e isto é válido também na ciência jurídica", escreveram. Diziam que as afirmações do juiz eram escandalosas e disparatadas de qualquer realidade, sem nenhum elemento nos autos que as amparasse. "Ignorar que o apelante Naum Alves de Souza é um autor e criador é realmente ignorar que existe um meio teatral e cultural no Brasil. Quem ainda não assistiu ou ignora o famoso Vila Sésamo, com bonecos, personagens e textos de criação de Naum? E sobre

Myriam Muniz? Quem pode ignorar sua longa carreira e a sua escola de arte dramática Macunaíma, marco do teatro nacional?" A dupla terminava sua apelação pedindo justiça, palavra que escreviam em letras maiúsculas e com um ponto de exclamação no final.

O caso parava agora na mesa da 6ª Câmara Civil do Tribunal de Justiça sob a forma de exceção de suspeição, a ferramenta jurídica usada para solicitar um novo julgamento quando um juiz é considerado suspeito para analisar o processo. A manobra, no entanto, seria derrotada com folga. "Por unanimidade, julga-se improcedente a suspeição e determina-se o arquivamento do processo", sentenciaram os juízes. A SBAT entrou então com uma apelação e o processo seguiu para a 1ª Câmara Civil do Tribunal de Justiça de São Paulo. Os juízes analisaram de novo o histórico e decidiriam, enfim, quem caminhava com a razão: "Acordam, por votação unânime, negar provimento ao recurso." O tribunal, presidido pelo desembargador Andrade Junqueira, entendia que a SBAT não poderia ter ajuizado a ação em seu próprio nome, SBAT, mas sim em nome de seus representados Myriam e Naum. As partes, desta vez com os autores da ação Myriam e Naum citados diretamente, firmaram um acordo com Elis homologado em juízo no dia 25 de outubro de 1976, no qual os direitos de Myriam e Naum encontravam-se devidamente reconhecidos desde a estreia do espetáculo até sua última apresentação. A peça movida pelo advogado de Elis havia sido certeira. Sem entrar nas constrangedoras discussões do quem fez mais para o espetáculo, ela enterrava seus adversários jurídicos evocando um erro de conduta na representação da parte que se dizia lesada. Edgard Bueno ganhava seu primeiro grande caso.

A guerra de *Falso Brilhante* foi parar nas páginas dos jornais. Walter Silva publicou uma nota na coluna que assinava no jornal *Folha de S.Paulo* chamando Myriam e Naum de "chantagistas". Myriam respondeu publicamente dizendo que a informação era "sacana" e anexou o recorte junto aos documentos que seus advogados juntavam para tomarem as medidas legais. A atriz calculava que chegava a perder 40 mil cruzeiros por fim de semana de casa lotada. O médico terapeuta Roberto Freire, que estava na equipe de preparação do espetáculo, tomou as dores de Myriam e descarregou seus cartuchos contra a cantora em uma carta publicada pelo jornal *Aqui São Paulo*, em 27 de maio de 1976. Seu título: "O problema de Elis não é de terapia: mau-caráter não tem cura." Freire se mostrava indignado com uma entrevista dada por Elis ao *Jornal da Tarde*, na qual ela se referia às preparações psicológicas de Freire como uma "terapia do Macunaíma". "A terapia do Macunaíma quase nos enlouqueceu. Nós demoramos um pouco para perceber o processo de envolvimento e dependência que estava sendo montado em torno de nós", dizia Elis. Sobre o fato de Myriam fazer cobranças na Justiça, a cantora sugeria que ela estava sendo usada por mentes diabólicas. "A Myriam segurou a bandeira de outra pessoa, inocentemente. Ela foi envolvida e nem percebeu."

Ao escrever sua carta-resposta, o psicanalista começou falando como se vestisse a carapuça. "Todo mau-caráter é dedo-duro, intrigante e covarde. Quem você está entregando, Elis? De que bandeira você fala?". Ao *Jornal da Tarde*, Elis havia dito mais sobre as sessões com Freire: "Nós ficamos muito mal, o grupo inteiro. Um rapaz do conjunto quis se suicidar, eu perdi o controle a ponto de precisar de ludoterapia (...) Teve um momento em que eu compreendi não ser possível um psicodrama por noite. Não tinha sentido subir ao palco junto com o pessoal e levar as coisas tão a sério a ponto de, em vez de representar, viver sofridamente cada segundo do espetáculo."

Freire esquentou mais quando leu aquelas palavras. Agora, também no *Jornal da Tarde*, desferia um direto no fígado: "Elis, você sabe que ficou famosa também pela inexpressividade fisionômica e pela estereotipia gestual. Essa é a razão pela qual seus *shows* fracassaram e porque você não teve mais convites para fazer televisão. Não foi mesmo fácil fazê-la adquirir postura de palco, sinceridade interpretativa, liberdade de movimentos e, sobretudo, fazer você parecer simpática ao público. Essa luta foi o que você chamou de 'quase ficar louca', de 'alucinações'." Freire finalizava a adversária com o que chamava de revelação: "Daquele monstro que tenta abraçá-la e engoli-la em certo momento do espetáculo é como eu vejo o mau-caratismo tentando destruir o que de honesto e verdadeiro existe nas pessoas. Essa não é a concepção de quem dirigiu o espetáculo, mas é exatamente como eu vejo a sua vida de artista depois de *Falso Brilhante*."

A briga podia ficar pior. Duas semanas depois da publicação da ira de Roberto Freire, uma carta-resposta da resposta ganhava espaço de quase uma página no *Jornal da Tarde*, assinada pela jornalista e musicóloga Maria Luiza Amaral Kfouri. "Me admira você, sendo terapeuta e dizendo que está farto de saber que o caso de Elis é de mau-caratismo, tenha (conhecendo Elis desde 1965) se enganado durante tanto tempo ou, então, se prestado a trabalhar com tão horripilante criatura (...). Sabe o que eu acho que aconteceu? Que a Elis foi um achado na vida de vocês. Nunca, como agora, se falou tanto em Myriam, em Macunaíma, em você. Se vocês toparam trabalhar com Elis foi porque foram espertos o suficiente para ver que estavam à frente de uma pessoa inteligente e com condições e coragem para fazer o espetáculo que fez (...). Só que eu queria ver vocês conseguirem fazer um *show* tipo *Falso Brilhante* com a Martinha." Sobrou até para a cantora da Jovem Guarda. Um pouco mais à frente, Maria Luiza dava outro significado ao gigante que aparecia no espetáculo. "O monstro que tenta abraçar Elis no *show* é, entre outras coisas que ficam bem mais claras, a soma dos mais diversos interesses que as mais diversas pessoas têm para cima dela."

Justamente por suas vitórias na batalha de *Falso Brilhante*, Edgard foi eleito o novo homem de confiança de Elis – daqueles raros exemplares a quem ela concedia o direito de emitir opiniões sobre sua vida pessoal. As brigas sobre os dias em que João Marcello passaria com o pai seguiam quentes, com Ronaldo pressionando cada vez mais na Justiça para fazer valer seus direitos. Por mais de uma vez, Elis se negou a deixar João nas mãos de Bôscoli em datas predefinidas. Em uma delas, disse que o ex-marido havia ficado com o filho por mais tempo, devolvendo o menino um dia depois do acertado. "E eu passei a noite toda chorando", reclamou. Ela não gostava do estilo de vida boêmio de Ronaldo e queria a morte quando João ficava com o pai.

Edgard via aquilo com tristeza. Seu instinto dizia que Ronaldo queria mais era atiçar a ira da ex-mulher levando as brigas pelo filho às últimas consequências. Resolveu então emitir seu parecer: "Elis, ele está querendo perturbar você. Deixe o João ir sem resistir que você vai ver. A mulher com quem ele está vai ver você na figura do João e logo o Ronaldo vai deixar de querer ver o filho tantas vezes." Elis aceitou a proposta de Edgard com uma condição: que ele mesmo levasse João para o pai, no Rio. O advogado partiu com o garoto de avião. Depois de algumas visitas pacíficas, sem a necessidade de oficiais de justiça na história, as brigas por João, como previra Edgard, acabaram.

18.

As garras do sucesso eram longas. Agora, era o baterista quem se incomodava com a falta de reajustes durante a temporada de *Falso Brilhante*. Nenê chamou Cesar para uma conversa. "Não estou entendendo. Todo mundo recebe aumento e a gente nada?" "Mas o que você ganha não está legal?", perguntou Cesar. "Mas mesmo se eu ganhasse duzentos mil por mês. E daí? Você diz isso porque tem direito a 5% como diretor artístico." Foi um desgaste que Nenê assumiu sozinho. Natan não concordava com essa postura. Para

ele, todos ali haviam entrado no barco conhecendo as regras, não era justo querer mudá-las no meio do jogo.

A frigideira de Nenê vinha sendo aquecida por ele mesmo, com episódios que aumentavam gradativamente a tensão entre o baterista, Cesar e Elis. Quando tinha pouco mais de três meses de temporada, Nenê saiu de casa crente de que aquele era um dia de folga. Passou à tarde no amigo Zeca Assumpção para uns goles de vodca. De lá, foi ver outro parceiro, Hermeto Pascoal, e logo vidrou no litro de uísque na estante. Tomava umas, outras e mais outras até a bochecha adormecer quando sua mulher chegou: "O que é que você está fazendo aqui, homem de Deus? E o *show*?" Nenê ficou desnorteado: "Que *show*?" "O *show* da Elis, criatura!" "Que dia é hoje?" "Domingo." "Puta que o pariu." Nenê pensou que era segunda. Ciente do próprio estado de embriaguez, calculou os prejuízos das duas opções que lhe restavam, ir para o teatro ou sumir do planeta. Decidiu escolher a primeira. "Vou encarar essa." Os amigos o levaram até o Bandeirantes e o deixaram lá, cambaleante. Sua aparição naquela noite seria apoteótica.

"Senhoras, senhores, gostaria de dizer a vocês que estamos com um problema", falava Elis diante da casa lotada. "Nosso baterista não apareceu, estamos preocupados e vamos esperá-lo mais um pouco, mas, infelizmente, não vamos poder fazer o *show* de hoje se ele não..." Antes que as vaias começassem, a porta do teatro se abriu. Nenê, ancorado por dois seguranças, vinha aos tropeços em direção ao palco. "Eu estou aqui." Sem tempo para levar as duras da chefe, seguiu para fazer a maquiagem no camarim e, em tempo, estava pronto para o início da apresentação. Não foi uma noite fácil. As viradas saíam duras, os pratos pesados, mas o ritmo estava seguro, às vezes com um ligeiro retardo, mas seguro. Mesmo "Tatuagem", em que ele tocava piano, saiu, segundo a calorosa percepção do público, com dignidade.

O dia seguinte foi de discutir a relação, com Nenê aos farrapos olhando para baixo e Elis no papel de dragão: "Pô, Nenê, a gente vai te internar cara, para de beber essa merda!" E Nenê saindo por onde podia. "Eu inverti tudo, Elis. Pensei que era um dia e era outro." As coisas foram se acalmando e Nenê seguiu na trupe, seguro só por um fio. Um ensaio que não estava nos planos seria o pivô de mais um episódio de desgaste. Elis queria trocar algumas músicas do repertório, provavelmente para se livrar de qualquer ligação que poderia haver com as sugestões de Myriam, e baixou a ordem justamente num dia em que Nenê não estava para conversa. "Vamos ter um ensaio amanhã", disse. Nenê não deixou barato: "Por quê?" Elis cortou: "Porque eu quero." Nenê foi buscar: "Quer por quê?" Elis levantou de novo: "Vou trocar uma das músicas do *show*." Nenê bloqueou: "Mas está bacana assim." E Elis definiu: "Vamos mudar porque aqui quem manda sou eu e eu quero mudar uma música do *show*." Nenê perguntou o horário. "Duas e meia."

Às duas e meia do dia seguinte, o baterista estava lá. Natan chegou um pouco depois. "Nada ainda dos caras?", estranhou Nenê, impaciente. "Vou no bar tomar uma e já venho", disse o baterista e saiu. Ao voltar, já eram

15h30 e nada. Quatro da tarde, ninguém. Às 17h30 chegaram Elis e Cesar com semblantes fechados. Nenê, esquentado no uísque, não tinha mais filtro de bom senso que o protegesse. "E aí? Quando vai ser o ensaio das 14h30?", provocou. Elis virou no mesmo pé que ia. "E o que é que você tem a ver com isso?" Cesar intercedeu. "Você está bêbado!", disse para o baterista. E Nenê chutou o último toco que restava da barraca. "Eu bebo é com o meu dinheiro, não devo nada pra você. Parei com essa merda." E saiu para desmontar a bateria enquanto o pessoal da banda veio com uma pilha de panos quentes. Um limite havia sido ultrapassado, não havia mais remédio. Nenê marcou com Cesar uma conversa particular em território neutro, ou quase: o bar da esquina. Assim, pediu demissão de seu emprego, disposto a cumprir o aviso prévio de 30 dias. Em respeito a Elis, colocou cada nota em seu devido lugar enquanto esperou que arrumassem outro baterista, sem levar à boca nenhuma gota de uísque. Faltando cinco dias para vencer o aviso, Elis entrou em seu camarim: "Você vai se foder, seu vadio irresponsável. Nunca deveria ter feito isso comigo. Está despedido." "Mas eu já me despedi, Elis." Não importava. Se era para perder um amigo, que Elis também desse a última palavra.

As águas que conduziam aquela embarcação de nome *Falso Brilhante* nunca avisavam sobre a maré do dia seguinte. Aos navegantes, o amanhã era uma incógnita entregue às condições climáticas de Elis Regina – por sua vez, um reflexo da relação entre quatro paredes com Cesar Camargo Mariano. Aos poucos, as crises conjugais começaram, repetindo o filme estrelado pela esposa imprevisível e tempestuosa. Melhor meio para se tirar a temperatura do casal sem indiscrições estava na observação do jeito com que interpretavam "Tatuagem". Nenê deixava a bateria e ocupava o piano enquanto Wilson Gomes trocava o baixo elétrico pelo acústico. Um refletor conduzia Elis solitária pelo palco ao mesmo tempo em que ela se preparava para entrar ouvindo uma comovente introdução, rápida, mas que a levava a se transformar. Ao lado de Nenê, Elis cantava olhando para algum ponto no fundo do teatro que parecia atingir todos os olhos, fazendo-a chegar à alma de sua plateia. Ao dizer que queria ficar no corpo de seu homem feito tatuagem pra lhe dar coragem em seguir viagem quando a noite vem, Elis falava com uma verdade mais do que simbólica, transferindo a cena da poesia para a vida. Assim que se preparava para repetir a canção, virava-se para Cesar, que já a acompanhava ao teclado, olhando-o como se fizesse sua última declaração de amor.

No dia em que Elis não se virou para Cesar, os termômetros registraram dez graus negativos. Nenê logo percebeu. "Deu barraco", pensou. E não deu outra. A indisposição intermitente entre marido e mulher era sentida pelos músicos e por plateias mais observadoras, encenada, às vezes, em plena Avenida Brigadeiro Luís Antônio, como no dia em que, logo depois de um espetáculo, Elis esbravejava às lágrimas enquanto Cesar saía do teatro de moto com uma moça na garupa. Em outra, Elis e os músicos estavam em uma churrascaria quando ela disse. "Parei com o Cesar na cama e no chope. A partir de hoje, vocês são os chefes do conjunto." O choque sarou a bebedeira. "Ela não está falando sério, né?", perguntavam-se. Elis chegou a dizer que seu diretor artístico já cumpria aviso prévio de 30 dias e que, agora, ao contrário das outras vezes, seria definitivo. Elis cantou "Tatuagem" pulando Cesar por quatro noites, com os músicos se perguntando o que seria deles naquela insana proposta de gestão coletiva. Na quinta, virou-se em lágrimas para o marido com uma interpretação marcada para Nenê como uma das mais impactantes que presenciou em toda a sua carreira. A verdade de Elis agora parecia ainda maior ao dizer que queria brincar no corpo de Cesar feito bailarina, aquela que logo te alucina, salta e te ilumina quando a noite vem. Seus olhos brilhavam mais e seus lábios tremiam na angústia da confissão. Sendo Elis, aquilo não poderia ser apenas encenação. Nenê respirou fundo. "Acho que agora a gente pode ficar tranquilo." E a plateia levou o teatro abaixo.

Caladão que inspirava confiança, Cesar era o oposto de Ronaldo, que nada tinha do baixinho Nelson Motta, que pouco lembrava o sofisticado Edu Lobo, que passava longe de Solano Ribeiro. Os relacionamentos de Elis Regina vinham em uma esteira que contrapunha personalidades de homens interessantes e com fortes incidências sobre sua carreira. Sempre foi assim. Quando começaram a chegar, Elis os observava com olhos de lince, tirando-lhes o que poderia valer de bom, conhecendo os LPs dos músicos que mencionavam e aprimorando uma técnica de defesa necessária à sua sobrevivência desde a chegada ao Rio: ao ouvir ideias que julgava coerentes, se apoderava de suas essências como se fossem frutos de sua própria reflexão, e as tornavam prontas para serem usadas no dia seguinte.

Com a inquietude da alma, ela abominaria os defeitos desses homens com todas as suas forças e buscaria sempre um novo ciclo para sua vida. Elis crescia mais e mais com cada um deles, criando uma linha do tempo de feitos influenciados pelos perfis de seus cônjuges. O jazz das maiores feras foi sua descoberta quando esteve ao lado dos bateristas Rubinho Barsotti, do Zimbo Trio, e José Roberto Sarsano, do Bossa Jazz Trio. Ao lado de Solano Ribeiro, flertaria com a música de protesto e ficaria atenta quanto às prováveis superficialidades da Bossa Nova. Edu Lobo ditaria algo que Elis assumiria para sempre: "Não se preocupe em ser uma estrela, seja uma cantora", disse a ela, ao perceber seu deslumbramento no momento em que ganhava o festival com "Arrastão". Com Ronaldo Bôscoli seria a mudança de visual mais radical, a iniciação ao formato espetáculo e a sofisticação embalada por um cancioneiro norte-americano obrigatório. E Nelson Motta injetaria *rock* e leveza em suas veias, fazendo-a sorrir mais. Cesar pegou uma Elis em pleno vapor, pronta para ser tudo o que havia respirado até ali.

Quando não havia microfone, no entanto, a simbiose Elis-Cesar poderia não se completar com tanto sucesso, sobretudo por uma razão traumática também adquirida no histórico de Elis. Não importava o nome do homem com quem estava. Para ela, todos eram Ronaldo Bôscoli quando o assunto era fidelidade. Cesar, mais do que os outros, estava na mira da concorrência também por ser o mais bonito, uma virtude que atraía garotas mais jovens e levava Elis ao inferno. Em um encontro na casa de Laura Figueiredo, nem o estilista Clodovil Hernandez escapou. Assim que Cesar deixou a mesa de jantar, Elis foi saber do amigo porque tantos olhares em direção ao marido. "Ele é um gato", disse Clodovil, fazendo biquinho. Cesar era bem mais discreto em suas crises de ciúmes, mas, ao menos por uma vez, elas colocaram uma grande amizade na corda bamba.

Dos fiéis escudeiros de Elis, Natan Marques foi o maior. Sempre a postos para fazer as vontades profissionais de sua madrinha, era ele o parceiro de vitórias e derrotas, ouvidos de saber tudo e voz de se calar quando o assunto poderia colocar a amiga em perigo. Elis o havia ensinado a tocar melhor. Uma de suas lições se deu na gravação do disco de 1974, antes de *Falso Brilhante*. Natan, substituto de Hélio Delmiro, estava tímido, sem saber se tocava com timbre de guitarra limpo ou distorcido, se descia a mão ou acariciava. Estavam passando o som para a gravação da primeira faixa quando Elis sentiu que deveria interceder. "Natan, vou te falar uma coisa: esquece quem tocava guitarra para mim. Eu chamei você porque quero que você faça isso. Então, toque o que você sentir." Natan respirou fundo. Quando chegou a hora do solo, pisou no pedal *overdrive* para dar mais agressividade, fechou os olhos e soltou as feras. Enquanto tocava, ouvia de Elis: "Boa, Natan. Demais!"

A ligação de Natan com Elis extrapolava *shows* e ensaios, algo comum a poucas pessoas da equipe de *Falso Brilhante*. Mas em uma das fases em que Cesar estava brigado com Elis, chegou aos ouvidos do tecladista que ele andava próximo demais de sua mulher, dirigindo seu carro por São Paulo. Cesar deixou transparecer em um ensaio que algo não ia bem e Natan foi saber se era com ele. Ao notar que Cesar estava com ciúme, Natan ficou estarrecido. Iniciar um romance com Elis jamais, nem em sonhos. Havia admiração, sim, mas com um respeito triplicado. O carro de Elis que ele dirigiu havia sido oferecido pela amiga numa tarde para que ele resolvesse um problema pessoal e nada mais, e agora aquilo virava uma fofoca de sujar seu nome e o nome de sua melhor amiga. Quantas vezes Elis pediu que Natan ficasse em sua casa quando iam fazer *shows* no Rio de Janeiro? Quantos filmes assistiram juntos com as crianças? Natan indignou-se a tal ponto de se trancar para Cesar. A partir dali, era tocar nas apresentações e falar só o necessário. Até João Marcello sentiu o baque: "Puxa, Natan, fala com ele." "Não quero, João. Não tenho mais o que falar com ele."

Natan foi acordado em um domingo de manhã por sua sogra. Era Cesar chamando no portão, cansado de tentar contato por telefone. Ali, pessoalmente, não haveria como o guitarrista fugir. Cesar o procurava para acertar os ponteiros, mas quem desabafou foi Natan. Depois de dizer que se sentia usado para uma reconciliação do casal, o guitarrista deixou claro que seu respeito aos dois, estivessem eles brigados ou não, estava acima de suspeitas. A discussão ganhava outras frentes que talvez pegassem Cesar de surpresa. "Pô, Cesar, desculpe mas você é um cara muito difícil, a ponto de a gente ter vontade de te abraçar e nunca conseguir", dizia Natan, às lágrimas. "Cara, eu me sinto sempre um soldado raso falando com um general, como se eu tivesse quase que prestar continência. Será que tem de ser assim mesmo?" Cesar ouvia e também chorava, entendendo exatamente o que o amigo dizia e respondendo com um tom conciliador para zerar as rusgas.

Sensibilidades e egos em ebulição eram uma rotina na vida da cantora. Por mais que se sentisse respeitada, Elis administrava os funcionários de sua empresa com mãos firmes, deixando o coração para o palco. Dudu Portes foi o baterista que entrou no lugar de Nenê para dar sequência a *Falso Bri-*

lhante. Sua presença ali não era novidade. Antes de substituir Nenê, já havia feito uma temporada no lugar de Paulo Braga, apagando um incêndio que ameaçava se alastrar com a saída repentina do baterista. Até então, Dudu era o rapaz que fazia a iluminação dos espetáculos de Elis. Ele trabalhava na empresa de Roberto de Oliveira, a Clack Produções, e se envolveu tanto com o som de Elis que se propôs a fazer a luz dos *shows* no Teatro Maria Della Costa. Havia sido tanto empenho na marcação dos refletores que o repertório de Elis, sem ensaio, estava na ponta dos dedos. Para Dudu, naquele momento, a possibilidade de tocar chocalho já seria o ápice de um sonho que começou assim que ouviu o disco *Samba, Eu Canto Assim!* "Um dia eu vou tocar com essa mulher", prometeu a si mesmo.

Depois de seguir com a trupe por um tempo pelo Circuito Universitário de Roberto de Oliveira, Dudu tinha sido dispensado sem afagos assim que Elis pensou em dar mais substância ao som que fazia. Havia um detalhe em sua relação com o grupo que poderia ser o real motivo da dispensa. Amigo do empresário Roberto, Dudu ouvia comentários de que ele poderia ser uma espécie de espião do patrão, um leva-e-traz infiltrado na equipe. A situação desconfortável não foi usada oficialmente para sua saída, mas Dudu se ressentiu. Chateado, sentindo-se usado e machucado pelo tombo que levava depois da glória, lambeu as feridas, montou um grupo de música brasileira progressiva chamado Mahuaca e voltou a despertar as atenções de Elis. A agora empresária decidida a bancar outros artistas investiu no grupo para que ele acontecesse mas, por falta de gerência, o Mahuaca acabou, assim como as intenções de Elis em produzir outros artistas.

Enquanto Nenê cumpria aviso prévio, Elis e Cesar, mais uma vez, procuravam por um baterista, perguntando aos amigos: Afinal, quem poderia estar no palco fantasiado para a substituição? Quem pegaria o repertório em tempo recorde? Quem, como Nenê, tocaria outros instrumentos além da própria bateria? "Eu posso", respondeu Dudu Portes, oferecendo a outra face. Assim que chegou para o primeiro ensaio, recebeu um bilhete de Elis: *"Te amo. Nunca ninguém esteve tão certa de que aqui era seu lugar. Demorou mas chegou o seu dia. Não nos deixe mais. Beijos. Elis"*

Os bilhetes voavam das mãos de Elis Regina como aviões de papel. Sabendo da força que tinham, ela se dedicava a fazê-los com carinho para reatar amizades e declarar paixões. Um deles decolou em direção à carceragem do

Presídio do Hipódromo de São Paulo direto para as mãos de uma detenta que ela nem conhecia pessoalmente, mas que parecia precisar de ajuda.

A Delegacia de Entorpecentes de São Paulo estava à caça de Rita Lee naquele agosto de 1976. Depois de uma investigação no Teatro Aquarius, onde a roqueira fazia uma temporada, os policiais conseguiram informações suficientes que justificassem um mandado de busca e apreensão no sobrado de Rita. Os homens chegaram à Rua Pelotas, na Vila Mariana, sedentos por um flagrante. Um mês e meio antes, policiais de Florianópolis haviam ganhado fama e reverências com a prisão de Gilberto Gil, acusado de fumar maconha. Agora, Rita daria o que dizer assim que colocassem as mãos naquela erva toda e tudo o mais que ela e seus amigos poderiam estar usando. Ao final da visita, os policiais reuniram o material apreendido com certa frustração: dez gramas de haxixe em uma caixa e restos de cigarros de maconha em outra, além de um narguilé. Pouco, mas o bastante. Aos 28 anos, grávida de três meses de Beto Lee, Rita disse ao juiz que algum amigo poderia ter deixado aqueles vestígios em sua casa depois de uma festa, mas que desde o início de sua gestação não caía nas tentações do mal justamente para preservar o filho. Depois de dormir algumas noites no prédio do Deic, Rita seguiu para a carceragem do Hipódromo.

Se queria o caso para cortar as asas de uma classe que marchava cada vez mais na contramão da ordem unida militar, a Justiça que condenaria Rita a um ano de prisão, cumprido em regime domiciliar, sofreria pressões de um Brasil que começava a respirar fora do saco. O caminho ainda seria longo, mas Ernesto Geisel já soprava a batata que Médici lhe jogara e, aos poucos, afrouxava a corda do AI-5. Ao saber da prisão de Rita, Elis apanhou João Marcello e seguiu para o Hipódromo. Aqueles gorilas – claro que, de novo, ela não precisava usar este termo – deviam explicações que a convencessem de que não se tratava de um caso forjado contra uma mulher grávida para se obter prestígio público. Elis chegou ao Hipódromo querendo ver Rita. Ao ser informada de que seria impossível, aprontou um escândalo ameaçando chamar a imprensa. O acordo foi de que ela poderia escrever um bilhete para a amiga, que seria imediatamente entregue. E Elis escreveu:

"Rita
Beijos. Beijos. Beijos.
Tô aporrinhada. Gosto muito de você. Desde muito tempo.
Não quero falar muito que a gente nunca sabe.
Mas, dentro do possível, queria que você continuasse pensando em altos níveis.
Que você se mantivesse calma. Muito calma.
Que ninguém é bobo e todo mundo saca tudo.
Te vi ontem, de passagem. Cabelos vermelhos. Olhos idem, de choro.
Chorei junto porque te gosto, te saco, e porque me lembrei do inverso.
Você rindo, dançando, robertocarleando, dando tudo de si, amando.
Tudo igual, que nem nós todos. Amando. E nos danando porque amamos.
Somos de paz, somos de riso, somos de sossego.
Vou te ver, juro!
Fui hoje e João, meu pequeno, se grilou.
Por isso me mandei.
Amanhã, depois, qualquer hora, a gente vai se encontrar.
Dentro ou fora, sempre a gente vai se encontrar!
Até já! Nós todos te amamos. E estaremos com vocês todos.
Beijos. Beijos. Beijos
Elis

Difícil saber se as palavras de Elis confortavam ou surpreendiam mais. Por alguns minutos, enquanto lia o bilhete levado por uma carcereira, o pavor de viver em clausura por tempo indeterminado dava lugar a algum outro sentimento que ainda ganhava forma. Aquelas palavras eram de Elis Regina, a única manifestação de solidariedade que recebia de todo o meio artístico. Nem Gil, nem Caetano, nem Tom Zé. Quem vinha estender a mão não tinha uma gota de sangue tropicalista nas veias. Quem baixava na delegacia armando o fuzuê era uma mulher que mal olhava em seus olhos quando as duas se cruzavam nos corredores da TV Record. Em dias de festival, era Elis de um lado e Rita de outro. Como dizia mesmo o bilhete? "Gosto muito de você, desde muito tempo." Estava lá, com assinatura. "Dentro ou fora, a gente vai sempre se encontrar." Seria mesmo? "A Elis Regina esteve aí atrás de você", confirmou uma agente penitenciária. Só poderia ser. Nos anos de afirmação da música popular brasileira, com direito a passeata contra a guitarra elétrica e desforras na imprensa, Rita era o demônio de saias aos olhos da turma de Elis. Com paixão pela causa, à frente da MPB, queria banir tudo o que não soasse genuinamente brasileiro. Agora, a inimiga estava lá, rasgando códigos de conduta para oferecer a maior prova de amor que Rita Lee poderia ter.

A promessa de Elis se cumpriu assim que Rita deixou a penitenciária. As duas se falavam todos os dias até que uma colaboração de repertório ficou óbvia. Ao ser convidada para participar do especial de fim de ano de Elis na TV Bandeirantes, Rita e seu marido, Roberto de Carvalho, retribuíram com uma música que era Elis escrita: "Doce de Pimenta". Seus versos, nas entrelinhas, eram o agradecimento de Rita à coragem da amiga. "Quando alguém precisa de um carinho meu, não há nada que me prenda / Mas se eu sentir que um bicho me mordeu, sou mais ardida que pimenta." As memórias de Rita guardam uma imagem de Cesar recluso no dia da gravação enquanto Elis era só festa. O dueto raro que criava a ponte entre dois mundos a trazia solta e graciosa, feliz por estar ao lado de alguém que lhe fazia bem. Seu dia de roqueira era vivido cheio de despretensão. Ao saber que Rita saíra da prisão de bolsos vazios, devendo até as cordas da guitarra, Elis passou a insistir mais por lançar uma canção da parceira, algo que, sendo um sucesso, poderia render à amiga um bom cascalho.

Rita e Roberto criaram "Alô, Alô Marciano", um *rock* acelerado e cheio de malandrices que, nas mãos de Cesar, ganharia um andamento mais lento com doses de suingue latino nos arranjos e uma segunda parte que surpreendeu a própria criadora. Ao cantar "down, down, down no high society", Elis afrouxava a melodia e deixava-se levar por um instinto de deboche, com um improviso que jogava seus timbres em lugares diferentes sempre que passavam por ali. O que era brincadeira se tornou uma de suas grandes interpretações. Confidentes de risos e de lágrimas, mães e mais recentes amigas de infância que se completavam nas piadas e nos palcos, Rita Lee e Elis Regina alimentavam a ideia de reunirem músicas para um projeto conjunto chamado As Irmãs Sisters, que nunca saiu do papel.

Quem não achou graça alguma na cena de Elis na delegacia, quando ela esbravejou em nome de Rita Lee, foram os policiais. A espinha do peixe estava entalada em suas gargantas e uma afronta que os desmoralizasse era um risco que não podiam correr. Uma porteira que, em nome da ordem estabelecida, jamais deveria ser aberta. Elis, devidamente fichada e perfilada nos relatórios do Dops, não havia saído da lista das ameaças em potencial. Ao compositor mineiro Ronaldo Bastos, dois agentes do regime deixaram claro que só esperavam uma oportunidade para agarrá-la: "Você conhece a Elis, não é? Então, rapaz, diz a ela que ela vai se ver com a gente." A vontade de Ronaldo era sair correndo para avisar a amiga de que algo de ruim poderia acontecer com ela. Só não fez isso porque, naquele mesmo instante, algo de ruim estava acontecendo com ele mesmo.

Ronaldo Ribeiro Bastos havia conhecido Elis Regina pela televisão, nos tempos de *Fino da Bossa*. Quando saiu o álbum *Elis*, de 1966, só parou de recolocar a agulha da vitrola sobre a "Canção do Sal" ao perceber que poderia danificar o LP. A voz de Elis o hipnotizava e a música assinada por um certo Milton Nascimento o levava a um lugar em que ele nunca havia estado. "Quem será esse cara?", perguntava-se, sem desconfiar de que um dia colocaria sua poesia a serviço do mesmo homem e, como compositor, entraria para o movimento mineiro de música chamado Clube da Esquina.

Dez anos depois de sofrer o impacto com "Canção do Sal", Ronaldo estava terminando as gravações de um disco que começara a fazer nos Estados Unidos com o guitarrista Toninho Horta. Ao voltar de uma breve temporada no litoral de São Paulo, Ronaldo passou no estúdio Vice-Versa para trabalhar no álbum e percebeu que não havia ninguém. Estranhou o silêncio e seguiu para a casa de um engenheiro de som do estúdio na qual moravam muitos dos músicos que estavam envolvidos no projeto, incluindo Ronaldo e Toninho Horta. Uma casa no bairro dos Jardins, com uma tenda marroquina armada na sala. Antes de entrar, Ronaldo viu alguns homens de terno nas imediações, mas não se intimidou. Gente que ele não conhecia era o que mais aparecia na espécie de comunidade *hippie*.

Assim que colocou os pés na sala, foi revistado e ouviu a voz de prisão sob a acusação de porte de drogas. Outros de seus amigos que moravam na casa, incluindo Toninho, já estavam presos. Um interrogatório começou. "Só estou gravando um disco com meu amigo Toninho Horta", respondeu Ronaldo. "Não adianta querer vender essa ideia porque sabemos que você é um cara que articula. Sabemos tudo de você", disseram os agentes. Um deles ligou o equipamento de som para que Ronaldo explicasse que trabalho era aquele que dizia estar fazendo. E um outro disse as frases que arderam mais em seus ouvidos. "Você conhece a Elis?" "Não", despistou. "Como não? Ela não é sua amiga?", ironizou o policial, com aparente conhecimento de causa, uma vez que, de fato, Elis e Ronaldo já haviam estreitado relações artísticas. "Olha aqui, avisa a Elis que ela vai se ver com a gente. Ela não perde por esperar." Antes que pudesse chegar a um aparelho de telefone para avisar alguém próximo a Elis, Ronaldo foi conduzido à delegacia, onde ficaria preso por uma semana. Não houve tortura nem agressões físicas, mas as celas superlotadas e os banhos involuntários de mangueira nas madrugadas de inverno de São Paulo foram o suficiente para, ao sair do cárcere, sentir-se deixando o inferno. Ao colocar os pés na rua, encontrou um orelhão e ligou para Milton Nascimento. Explicou o episódio com detalhes e fez o recado chegar: "Bituca, eles disseram que querem pegar a Elis. Ela tem que tomar cuidado."

Assim que chegou 1977, a primeira grande notícia a Elis veio no resultado de um exame que confirmaria uma nova gravidez. Elis seria mãe pela terceira vez. Ao ser procurado novamente, o doutor Claudio Basbaum percebeu que não haveria mais segurança para Elis seguir com a temporada do *show* que ainda fazia, *Falso Brilhante*, uma epopeia de malabarismos físicos e emocionais com direito a danças, rodopios e balanços em trapézio. Apesar da postura guerreira da paciente, que queria levar o espetáculo no peito até as primeiras contrações, sua ordem foi clara: "Elis, quem manda sou eu. E eu digo que você não pode mais fazer esse *show*. A não ser que você queira dar à luz no palco." Basbaum chegou a escrever um atestado médico para Elis apresentar a ela mesma, chefe da própria vida, como forma de convencê-la a aquietar o facho para deixar a filha viver seus últimos dias no ventre da mãe em segurança. Convencida da gravidade, Elis comunicou os músicos e anunciou melancólica que *Falso Brilhante* chegava ao fim. Em seu mundo dominado por homens, uma menina era aguardada com esperanças de lhe trazer mais graça e leveza, mais poesia e menos porrada. Seu nome: Maria Rita, exatamente como Elis se referia a Rita Lee.

"Você parece uma locomotiva!", dizia Basbaum. Ao contrário de muitas artistas que haviam entrado naquele consultório, ela não propunha vender sua imagem fazendo propaganda para o médico em troca de serviços gratuitos. Muitas grávidas famosas ou mulheres de políticos chegavam ao Doutor Cegonha sugerindo um escambo: davam o prestígio de seus nomes em troca de um parto "na faixa", de graça. "Se você é estrela em seu negócio, eu sou no meu", irritava-se Basbaum. Diante de Elis, Doutor Cegonha não se incomodava com a condição de confidente para assuntos que nada tinham a ver com a gravidez – assim como já havia sido durante as consultas para o parto de Pedro. Elis falava de seu relacionamento conturbado com o marido e com a família, muitas vezes, aos prantos.

Basbaum estava confiante para trazer Maria Rita ao mundo, tanto que propôs a Elis um pouco mais de ousadia naturalista. Em vez de esperar deitada, Elis andaria pela sala do hospital sentindo as contrações, sem o alívio da anestesia. Quando as dores da expulsão apertaram, o médico ordenou. "Agora você vai parir como uma índia. Agacha!" Sua experiência com a observação de nascimentos em tribos indígenas lhe credenciava para afirmar que aquilo era não apenas possível como saudável. Segurando em duas barras de ferro como se fosse arrancá-las, Elis gritava sem poupar Basbaum de sua fúria: "Puta que o pariu, você tinha que me colocar aqui de novo!", dizia ao médico. Maria Rita nasceu tranquila, indo para o seio da mãe segundos depois de ver a luz fraquinha preparada na sala de parto. Com a filha no colo, Elis sorria e cantava. Doutor Cegonha ficou tão entusiasmado que chegou a propor as condições para um próximo parto, caso ela voltasse a engravidar. "Eu vou te mandar para uma floresta e você vai ter seu filho como se fosse uma índia. Vou colocar um cesto de palha no chão e você vai se agachar como se estivesse botando um ovo." Elis gargalhava tão alto quanto os gritos de dor que, pouco antes, soavam por uma ala inteira do Hospital São Luiz.

19.

O TELEFONE DE RENATO TEIXEIRA TOCOU EM UMA MANHÃ como todas, sem um pio diferente que lhe indicasse que, desta vez, era só atender para sua vida mudar. "Oi Renato, é Elis. Passa amanhã no estúdio que eu quero te mostrar uma coisa." Elis Regina ligando já o desequilibrava. A primeira coisa que a rara espécie de caipira do litoral, nascido em Santos e crescido em Taubaté, fez ao chegar em São Paulo nos anos 1960 foi acompanhar o entusiasmado Walter Silva à casa da artista que ele só conhecia pela televisão. Renato queria mostrar umas músicas e, quem sabe, receber a bênção de uma gravação. Mas a porta da casa de Elis estava trancada e Renato não voltou mais. Ficou dez anos sem mostrar canção a intérprete alguma, tocando sua carreira com uma paciência de boiadeiro até que a estrada fez uma curva que ele não esperava. Irmão de Roberto de Oliveira, Renato trabalhava com publicidade e tocava no grupo Água, que tinha como baterista Dudu Portes. A conversa teve início com Dudu dizendo "Renato, a Elis vai começar a gravar um disco novo. Sinto muito, mas vou ter de sair do Água." Aquilo soou como uma despedida do amigo, mas a parte que falava em "disco novo" ficou em sua cabeça. Era Elis, de certa forma, quem batia à sua porta. E ele só precisava abrir. Renato encheu o peito de coragem e foi à casa da cantora pela segunda vez mostrar o que tinha feito de melhor até ali. Elis arregalou os olhos e os ouvidos assim que percebeu estar diante de alguém diferente da turma que costumava gravar.

Agora, Elis ligava chamando Renato para ir até o estúdio onde gravava o disco novo. Sem adiantar nada, passou o endereço e desligou o telefone. Renato chegou de coração palpitando forte, reconhecendo o piano de Cesar na introdução quase religiosa de "Sentimental Eu Fico", sua canção de versos que não desperdiçavam palavras. Quando a letra desabafava ser seu autor um lobo cansado sentado à mesa de um bar, carente de cerveja e de velhos amigos, Elis deixava sua voz ser envolvida pela tristeza inconsolável do piano. E ao partir para a segunda parte, concluindo que "amar não lhe competia", que só queria "mesmo era destilar as emoções", Elis passava a ser abraçada pelos outros instrumentos que chegavam aos poucos, escalando uma montanha de emoções até o cume, onde pareciam se encontrar de novo com a solidão. As pernas de Renato bambearam ainda mais quando ele percebeu que o guitarrista Natan Marques gravava a música chorando.

O telefone de Renato voltou a tocar no dia seguinte. "Oi, Renato, é Elis. Passa amanhã no estúdio que eu quero lhe mostrar uma outra coisa." Nem nas maiores lendas do caipirismo fantástico, história igual acontecia. Elis Regina o chamava pela segunda vez, um dia depois de levá-lo a outra dimensão e devolvê-lo em transe. Renato seguiu para o estúdio. Ao chegar, Elis gravava "Romaria". Além de ser a canção que lhe tocara fundo desde que a ouviu de Renato pela primeira vez, era também a preferida do pequeno Pedro, que pedia mil vezes ao dia para ouvir a "música do pirapora". Agora, o impacto era ainda maior. Mais que uma canção, "Romaria" constituía um ideal estético e cultural traçado por Renato – uma forma de fazer justiça ao sertanejo que ainda sofria preconceitos na MPB.

A música caipira começou a virar pó na virada para os anos 1960, com a entrada das gravadoras multinacionais e com a chegada da televisão, fatores impiedosos na eleição e na exclusão dos fenômenos culturais de massa. A linha do tempo oficial que mostrava a evolução da música brasileira começava com a Bossa Nova, passava pela MPB, Jovem Guarda e Tropicália e desaguava na música popular moderna dos anos 1970. Mais da metade de um país era deixada de fora da brincadeira. O monumento erguido com ritmo, poesia e comportamento nordestino de Luiz Gonzaga, por exemplo, praticamente evaporava para ser resgatado mais tarde por Gilberto Gil. O choro do início do século ia parar na vala comum das músicas folclóricas e a música caipira era rebaixada para as últimas divisões do regionalismo. Ao criar "Romaria", Renato Teixeira usava uma nova embalagem para fazer as pessoas sentirem de novo a força daquela cultura.

Renato foi fundo. Envolvido até os tubos com a poesia concreta de Haroldo de Campos e Décio Pignatari, libertou-se das convenções para criar versos que se quebravam fora de hora, abrindo sentidos paralelos e enriquecendo a interpretação. "Sou caipira pira pora nossa / Senhora de Aparecida / ilumina a mina escura e funda / o trem da minha vida." "Romaria", um hino sertanejo, fez o disco de Elis de 1977 ganhar as rádios sem que ninguém precisasse conhecer a linguagem dos concretistas para gostar da canção. O raro olhar da cantora para este universo que quase nunca visitou traria a reboque um novo *status* à música regional. Várias duplas passaram a incluir a canção em sua lista. No repertório de Elis, já havia se tornado um clássico, até o dia em que uma fã a fez aposentá-la. Logo depois de um *show*, uma senhora se aproximou chorando com um santinho de Nossa Senhora Aparecida nas mãos. Queria apenas um autógrafo da cantora, mas pedia como se fosse receber uma bênção. Elis se apavorou com a cena, desconversou e saiu sem assinar o papel. Assim que viu Renato pela primeira vez, contou o episódio e fez um desabafo. "Desculpe, Renato, mas eu não vou mais cantar sua música. Ela não pode ficar maior do que eu."

O universo das inseguranças de Elis incluía a própria Elis. Nada, nem o seu repertório, deveria ganhar mais estatura do que ela mesma. Uma quase paranoia que consistia em, ao contrário da praxe no meio, colocar na geladeira ou eliminar definitivamente qualquer canção que ameaçasse suas outras canções. As apresentações de Elis não cediam ao formato *greatest hits* e só existiam porque havia discos novos, recém-lançados ou prestes a sair. Para não se tornar cantora de uma música só, um de seus pavores, Elis a sufocava muitas vezes no berço. Depois de gravada e aprovada, "Romaria", assim como havia sido com "Arrastão", "Menino das Laranjas", "O Morro Não Tem Vez", "Nega do Cabelo Duro" ou "Fascinação", seria página virada.

Sem turma que o protegesse, Renato Teixeira temeu sair de moda na vida de Elis Regina até o dia em que percebeu que já eram amigos. Ele, ela e Cesar passeavam juntos, viajavam para o litoral de São Paulo, iam a *shows*. Aos poucos, Renato desconstruía a imagem da mulher-problema que todos diziam para erguer a da amiga de posturas fortes mas, essencialmente, feliz. Em um dia cinza de garoa fria, o trio resolveu comer peixe frito em uma barraca de praia em Ubatuba. Antes que o pedido chegasse, um bêbado que andava pela chuva os avistou. Veio encarando mais e mais até parar ao lado da mesa. "Ei, você não é Elis, a cantora?" "Isto, sou eu mesma." Aparentemente intimidado, o homem seguiu seu caminho cambaleante, deixando os amigos continuarem a conversa. O peixe chegou. Eles comeram, beberam, conversaram e nem perceberam quando o bêbado voltou, desta vez, com um violão nas mãos. "Ei, canta pra mim?", pediu, olhando só para Elis. "Não, meu senhor, nem estou trabalhando", despistou ela. "Canta pra mim, vai?", insistiu. "Ah, por favor, estou aqui com os meus amigos, não quero cantar agora." Mas o homem não arredou pé. "Você não é a Elis Regina?", aumentou o volume. "Sou, mas estou comendo." "Então, se você é a Elis Regina, canta! Você não é cantora? Então canta!" Essa última frase pareceu pegar Elis. Seu olhar se fixou no homem. Não importava o que ela fazia naquele momento, era uma cantora quem estava ali. "Cesar, pega o violão dele", pediu. Cesar apanhou o instrumento, o afinou e, ali mesmo, Renato e o bêbado assistiram a um inspirado recital de Elis Regina.

Cantar era mais fácil do que ouvir os outros cantando. Assim que começou a se tornar referência, a própria Elis chegou a se deparar com cantoras *cover* que tentavam imitá-la aos montes pela noite de São Paulo, uma experiência que a deixava mais incomodada do que lisonjeada. Foi em uma dessas noites que o trio entrou na boate Baiúca, em São Paulo, para tomar um chope. Assim que a cantora da casa subiu ao palco, percebeu a visita na plateia e passou, a partir daí, a imitar Elis em timbres e gestos com a clara intenção de homenageá-la. Mas Elis sorria nervosa, sem jeito, e, na primeira oportunidade, abaixou na mesa para desabafar ao pé do ouvido de Renato: "Eu não sei se amo ou se odeio essa mulher."

Elis recebeu um convite de Zuza Homem de Mello assim que o disco de 1977 ficou pronto. Apresentador da Rádio Jovem Pan, Zuza estava à frente de uma empreitada movida por Antônio Augusto Amaral de Carvalho, o Tuta, filho de Paulo Machado de Carvalho e presidente da emissora. Incrédulo com os índices do Ibope, que teimavam em colocar sua empresa fora das cinco mais ouvidas de São Paulo, Tuta decidiu desafiar o gigante. Para provar o alcance de seus tentáculos e desqualificar a medição do Ibope, que ignorava a audiência dos rádios ligados em automóveis, por exemplo, o presidente da emissora chamou Zuza e armou sua vingança. Qual gênero era considerado de entrada difícil nas massas? O choro. Qual seria o espaço de *shows* de localização das menos estimulantes? Palácio de Convenções do Anhembi, na zona norte de São Paulo. Qual o pior dia da semana para fazê-los? Segunda-feira. Tuta ordenou a Zuza que montasse uma série de apresentações nesta terra arrasada com o selo da Jovem Pan e deu o pulo do gato. Em vez de *outdoors*, TVs e jornais, os anúncios seriam feitos apenas durante a programação da Jovem Pan. Se os 3.500 lugares do Anhembi fossem ocupados por moscas, o Ibope teria razão.

Os ingressos vendidos pela recepcionista da emissora, no 24º andar de um prédio da Avenida Paulista, esgotaram em oito horas. Inspirado pelos anos de Record, Zuza batizou a série de *O Fino da Música* e trouxe, logo na primeira noite, em 26 de maio de 1977, os integrantes cariocas do Regional do Canhoto, reunindo-os depois de 20 anos de inatividade, além do saxofonista Paulo Moura e o conjunto Fina Flor do Samba, os paulistanos do Conjunto Atlântico, de Antonio D'Áuria, e a orquestra do trombonista Raul de Barros. Com moral para seguir adiante, fez a segunda edição, um mês depois, com Severino Araújo e Orquestra Tabajara, Elizeth Cardoso, Caçulinha e seu regional, Waldir Azevedo e, de novo, Paulo Moura. E elevou ainda mais suas ambições para a terceira. Elis Regina estava com o disco pronto. Era uma possibilidade remota diante do cachê pouco atraente que poderia ser pago pela emissora, mas não custava tentar. Uma reunião foi feita com Tuta, Zuza, Elis e Cesar, além de Nilton Travesso, diretor dos espetáculos que seriam televisionados pela Record.

As ideias de Cesar ferviam para transformar o encontro em um grande evento, mas o bolso de Tuta era raso. Para as edições anteriores, orquestras inteiras, como a Tabajara, haviam sido trazidas do Rio de ônibus. Elis percebeu a saia justa e decidiu resolver a questão com um raciocínio de dez segundos. "Quanto é o cachê?", perguntou a Tuta. "Quantos somos no grupo?", perguntou a Cesar. "Então, divide esse valor pelo número de músicos e está fechado, vamos fazer o *show*." A rádio vibrou e Zuza conseguiu ainda trazer, com exceção de Milton Nascimento, todos os convidados que tinham seus nomes assinando canções do disco. Renato Teixeira, Ivan Lins, João Bosco e Cláudio Lucci. Milton só não estava presente por um ruído de comunicação. Seu empresário não repassou a ele o convite feito por Zuza.

Quando havia se despedido de *Falso Brilhante* para ser mãe, no ano anterior, Elis agiu rápido para não deixar os músicos sem trabalho. Falou com Cesar sobre criarem no mesmo espaço do Teatro Bandeirantes algo menos audacioso em tamanho, mas com um alto grau de surpresa numa frente em que nunca haviam investido. Com temas instrumentais de Cesar, iriam conceber uma crônica musical de São Paulo com todos os dilemas e belezas que a vida em uma grande cidade reservava. *São Paulo-Brasil*, o espetáculo, era erguido sobre uma trilha que se tornaria referência entre os músicos e, de quebra, manteria o time unido, mesmo sem Elis em cena.

Elis conhecia Oswaldo Mendes de outros tempos. Homem que andava alternando pegadas no jornalismo e no teatro, Oswaldo, como jornalista, havia entrevistado Elis e, a partir de então, estabelecido com ela uma boa relação. Era comum, ao final de algumas sessões de *Falso Brilhante*, saírem juntos para ter ideias enquanto dividiam fatias de *pizza* na noite de São Paulo. Assim que foi convidado a fazer a direção da empreitada instrumental de Cesar, em que a dramaturgia seria amparada por uma trilha sonora sem verbo, Oswaldo recusou por uma simples razão: ele não sabia nada de música. Cesar insistiu que ele escrevesse o roteiro e apresentou os temas que já eram motivos de alerta: poluição, trânsito, violência urbana, caos. Oswaldo cedeu e chamou a atriz Ligia de Paula para fazer as interferências necessárias. Antes da estreia, Elis mandou um bilhete ao amigo. Pedia desculpas pela ausência em um dos ensaios dizendo que tinha de fazer o supermercado do mês, já que a despensa estava vazia. O público era orientado sobre as intenções de cada quadro com imagens que desciam em painéis ao fundo do palco e em áudio, com depoimentos gravados de paulistanos famosos e anônimos. Oswaldo, além de criar o roteiro e dirigir o espetáculo, assumiu as funções de Ligia no dia em que ela precisou se ausentar também por causa de uma gravidez. *São Paulo-Brasil* não foi nenhum sucesso de bilheteria e logo saiu de cena, mas deixou um LP que seria cultuado como peça de colecionador.

Havia mais um novo ciclo despontando naquela entressafra de espetáculos. Em sintonia com o próprio conceito de *São Paulo-Brasil*, a vida no campo virou uma moda que levou muita gente a migrar para os arredores dos grandes centros, mantendo uma distância saudável do progresso selvagem. Elis Regina se encantou com a Serra da Cantareira, na zona norte de São Paulo, para onde muitos músicos se mudavam em busca do sonho cantado pela própria Elis na música "Casa no Campo", de Zé Rodrix e Tavito. A vida no verde lhe traria a paz que procurava, em uma casa de madeira sem linha telefônica e sob medida para sua família. Depois de vender a residência da Rua Califórnia, Elis partiu para o novo endereço com um importante detalhe: sem os pais. Sua temporada de socorros a Romeu e Ercy também terminava ali. A partir daquele instante, eles viveriam com o que ganhassem da renda de um bar que Elis arrendou no bairro de Indianópolis, bem longe da Cantareira, mais precisamente no extremo oposto da cidade. O preço a pagar do sonho ecológico de Elis era apenas um: chegar até ele. Subir as estreitas e traiçoeiras estradas de mão única que levavam à Serra, muitas vezes tarde da noite, a bordo da garupa da moto de Cesar nem sempre era um charme. Quando a hora avançava e a insanidade parecia demais, o casal dormia na casa de Rogério ou de Orphila, a amiga da Joatinga que agora também vivia em São Paulo com o marido Walter.

Elis e Cesar aceitaram a oportunidade que surgiu para uma breve turnê pela Europa. Enquanto Biba, mulher de Rogério, acertaria os trâmites legais para a estreia do próximo *show*, Orphila e Walter cuidariam dos pequenos para que Elis embarcasse. Depois de um ano e dois meses tocando o mesmo repertório no mesmo palco, com hora marcada, respirar outros ares era quase vital para a sobrevivência daquele grupo. Ao chegarem à Itália, onde fariam *shows* no Teatro Sistina, em Roma, e no Teatro Lírico, de Milão, foram pegos por uma dúvida momentos antes do início da apresentação. No meio da correria, não haviam ensaiado nem pensado em uma forma impactante para abrir as noites. Em uma reunião informal feita às pressas, Elis tomou a frente. "Já sei, a gente abre só meia cortina e deixa o canhão iluminar só o Dudu. Ele faz um solo de bateria. Na hora em que pegar na veia, puxa uma batucada de escola de samba e a gente entra com 'País do Futebol'."

Ninguém percebeu, mas Dudu começou a tremer. Aquele palco era justamente o que havia sido ocupado uma semana antes pela banda do grande baixista norte-americano Stanley Clark, entre outras feras do jazz. "Onde você quer que monte sua bateria?", perguntou um auxiliar ao brasileiro. "Em qualquer lugar, por quê?", respondeu. "Ah, porque ontem o Billy Cobham gostou muito daquele canto." Era peso demais nas costas de Dudu saber que o gigante Cobham havia pisado naquelas madeiras. E agora, ele deveria fazer um solo de bateria para abrir o *show*. "Pessoal", resolveu dividir sua angústia. "É o seguinte: bateria é igual planador: pra sair do chão alguém tem que puxar. Como é que vocês querem que eu comece um solo do zero?" Elis acreditava na ideia. "Vai arrasar, Dudu." "Mas, Elis, imagine a cena. 'Boa noite plateia. Bum, bum, bum.' O que é isso? Não vai funcionar." Antes que entrasse em pânico, Elis se aproximou com uma expressão mais dura. "Peraí, Dudu, você está com medo? Afinal, o que você veio fazer aqui na Europa?" "Sei que viemos tocar", ele disse, para Elis arrematar: "Então senta e toca!"

Dudu tocou muito. A lógica da bateria planador era invertida por uma energia que transformava seu instrumento em um propulsor rítmico com força para jogar a banda inteira no alto logo nos primeiros momentos. O risco existia, era verdade. Se entrasse vacilante, enterraria a apresentação no terceiro compasso, deixando o abacaxi para Elis descascar com sua interpretação. Mas Dudu se superou. A plateia foi convencida de que estava diante de um grande *performer* e os jornais italianos do dia seguinte falavam com grande destaque de Dudu Portes. O *La Notte* dizia que "Dudu Portes tira solos destemidos e ganha o espetáculo." E enfatizava: "A bateria é a espinha dorsal da noite." A imprensa especializada chamava o músico de "genio de la batteria" e uma piada interna começava a pegar. Sempre que reclamava de qualquer assunto, Elis e os músicos usavam a mesma frase: "Ah, senta e toca."

Colocado em cena apenas dois meses depois do nascimento de Maria Rita, *Transversal do Tempo* estava praticamente na contramão dos sentimentos maternos. Contestador e pesado, não parecia ser concebido pela mesma mulher que se derretia ao falar de sua menina. O congestionamento de homens em casa – dois filhos mais o marido –, e na rua – ex-marido, produtores de disco, músicos e uma geração de compositores, raramente mulheres –, ganhava equilíbrio. "Quero que ela ria muito, que não fique pesada nunca. Mas também não sei o que é legal. O legal meu pode não ser o legal dela", diria mais tarde, às lágrimas, em entrevista ao diretor de TV Daniel Filho para o especial *Mulher 80*. Elis chamava Maria Rita de seu "pequeno samurai", a quem recorria em desabafos e em busca de um consolo de mulher – nem que esse consolo se resumisse a um sorriso. Assim como Pedro e João, Maria Rita aprendeu cedo que a mãe não estaria a seu lado todas as noites, e que essas noites poderiam ser muitas. Se sentia culpa, Elis não deixava aparentar. "Filho de artista já vem com essa estrutura. O cara já sai do nascedouro sabendo a barra que vai enfrentar", disse em entrevista ao programa *Vox Populi*, da TV Cultura.

Transversal do Tempo nascia da revolta. Elis explicaria sua origem com duas versões do mesmo episódio. A primeira era real. Ela mesma havia se sentido aprisionada dentro de um táxi, em meio a um congestionamento sufocante no centro de São Paulo. Uma manifestação estudantil passava pela Avenida 23 de Maio quando ela estava a caminho de um estúdio de gravação. A segunda, poética, metafórica. Uma cena parecida era retratada na música "Transversal do Tempo", de João Bosco e Aldir Blanc. A única canção de João gravada por ele mesmo antes de ganhar um registro de Elis havia se tornado pública no disco *Galos de Briga*, de 1976, um ano antes do espetáculo e de Elis gravá-la no mesmo LP de "Romaria". O importante era sua sensação e o que a imagem queria dizer naqueles dias de pouca liberdade. "As coisas que eu sei de mim / São pivetes da cidade / Pedem, insistem e eu / Me sinto pouco à vontade / Fechada dentro de um táxi / Numa transversal do tempo / Acho que o amor / É a ausência de engarrafamento." Sequestrada de seu direito de ir e vir, Elis sentia que o terror parecia ainda maior fora do carro, com helicópteros e cavalos da polícia tentando dispersar a multidão. Por mais que imaginasse saídas, tinha de esperar o guarda mudar a cor do sinal.

A tensão parecia espalhada pelos quatro cantos do palco quando *Transversal do Tempo* fez sua estreia no Teatro Leopoldina, em Porto Alegre. Apesar de Aldir Blanc assinar a direção com Mauricio Tapajós, sua participação foi quase nula. O compositor mais gravado por Elis depois de Tom Jobim havia escrito um roteiro com Tapajós mas, sofrendo de sua segunda hepatite, só emprestava o nome como codiretor. O *show* trazia como cenário armações que sugeriam andaimes de obras em construção e ruas engarrafadas com faróis vermelhos e amarelos, mas nunca verdes. Sua proposta de estresse urbano não aparentava temor em soar anticomercial, conforme avisava Elis em suas entrevistas concedidas antes da estreia, nem medo de fazer inimigos. Ela logo seria acusada de zombar de Caetano Veloso, imitando-o com trejeitos exagerados. Agora, os bailarinos que pendurassem suas sapatilhas, a hora era de falar sério. Elis queria ser um jornal aberto nas páginas policiais, uma colagem de denúncias e reportagens sobre as condições de vida de um brasileiro periférico, migrante, nordestino e boia-fria que caminhava por uma transversal fatal: ou lutava pela liberdade ou morria de asfixia. Uma ferida mais social do que política que tinha como personagem central o trabalhador. Sua escolha não deixava de ser uma habilidosa manobra para não entregar o *show* de bandeja aos cortes da censura e, ao mesmo tempo, reafirmar nas entrelinhas que aquela ditadura militar não servira para absolutamente nada, mesmo 14 anos depois de ser instaurada no País. Elis estava pronta para apresentar suas armas.

A mãe de Aldir Blanc, Helena Aguiar Mendes, havia sido internada com um quadro de pancreatite aguda. Um cálculo biliar obstruía seu pâncreas e provocava uma inflamação grave. Dona Helena recebia soro por acesso na artéria subclávia quando os médicos resolveram preparar a família para o risco de morte. Elis decidiu vê-la no hospital Beneficência Portuguesa momentos antes da estreia no Teatro Ginástico, no Rio de Janeiro, com um grupo de amigos e músicos que compartilhavam de suas crenças espíritas. Ao lado do leito da senhora Blanc, ela e o grupo rezaram por algum tempo, se despediram e correram para o teatro. A mãe de Aldir, conta o próprio, morreria em 2002, 24 anos depois, em decorrência de uma parada cardíaca.

Ateu praticante, Aldir Blanc se submeteria, ele mesmo, às rezas de Elis. Na primeira vez, em sua casa, não se lembra de ter sentido nada de especial. Na segunda, em um apartamento em que a cantora vivia provisoriamente, entre as praias de Ipanema e Leblon, esteve com ela e Cesar para tratar da hepatite que o impediu de trabalhar mais por *Transversal do Tempo*. Elis colocou a mão na altura de seu fígado para gemer com ele de uma dor intensa. Ao abrir seus próximos exames de sangue, Aldir sentiu o ateísmo cutucado de novo. Alterados havia oito meses, os resultados chegavam normalizados. Aldir seguiria ateu e fazendo do álcool sua água até 2010, quando uma diabetes o impediria de continuar erguendo copos.

As costuras de Tapajós tentavam unir as transversais naquele engarrafamento de protestos. De "Saudosa Maloca", tirava o humor de Adoniran Barbosa para fazer Elis lamentar cada passagem da trágica história do homem que vê seu barraco ser demolido. "Sinal Fechado", de Paulinho da Viola, vinha com o diálogo de alta carga dramática entre dois amigos tentando trocar palavras em meio às loucuras da metrópole. "Me perdoe a pressa, é a alma dos nossos negócios", resumia um deles. Chico Buarque dava a Elis a interpretação mais rasgada de "Deus lhe Pague" e a crônica mais engajada com "Construção". João Bosco e Aldir Blanc reapareciam com "Rancho da Goiabada", outra narrativa forte sustentada por personagens urbanos, e com "Querelas do Brasil", aquela que poderia ser a síntese do que se passava no íntimo de Elis ao dizer que "o Brasil não conhece o Brazil" e vice-versa, decretando mais adiante que "o Brazil tá matando o Brasil". Ivan Lins e Vitor Martins cediam "Cartomante", um desmetaforizado sinal de alerta. "Não ande nos bares, esqueça os amigos. Não pare nas praças, não corra perigo." Cesar investia em arranjos com mais timbres de teclados e Elis chegava a pular a cerca que delimitava o território harmônico das afinações quando sua indignação fosse maior do que a própria canção.

Ao contrário do gesso de *Falso Brilhante*, *Transversal* nascia para ser itinerante. Depois de Porto Alegre, seguiria para Lisboa, Roma, Milão, Paris, Barcelona, Rio de Janeiro, Fortaleza, Recife, Salvador, Belo Horizonte, Curitiba e São Paulo. Ao passar pelo Teatro Ginástico, no Rio, mobilizou uma operação de guerra encampada por sua gravadora para registrar quatro noites, de 6 a 9 de abril de 1978, que virariam um LP ao vivo. A companhia anunciava com orgulho que levava toneladas de equipamentos desmontados do novo estúdio da Barra para o local, mas o resultado técnico ainda não seria comparável ao que se obtinha em estúdio. Além de massacrar o disco, a crítica fez várias ressalvas às interpretações de Elis, chamando atenção para a forma como o exagero de suas indignações prejudicava algumas canções, ganhando berros em momentos de maior convicção, e o classificava de panfletário tardio, já que o mundo estava agora em 1978, não mais em 1968. "Não tenho culpa se quem diz isso mora em um bairro diferente do meu em que não acontecem essas coisas. Então os jornais estão mentindo?", rebateu em entrevista à *Veja*, fazendo defesa de sua crítica social que a imprensa teimava em ver como política. Ainda com traumas do episódio dos gorilas, as contestações de Elis não batiam diretamente na porta das casernas. Quando sentia que poderia perder o controle, puxava o freio. "Ah, se eu dissesse tudo o que eu queria... Não posso, tenho três filhos pra criar." Mas o Brasil de 1978 tinha mais do que um sistema político a ser malhado. Entre os inimigos preferidos de Elis Regina, os executivos das gravadoras vinham nos primeiros lugares da lista.

"O artista leva 10% enquanto a gravadora 90%. Vocês acham isso bonito?" Elis abria o jogo, contestando a lógica da partilha do bolo. Para ela, nem os gastos de gravação e produção justificavam um acerto tão desequilibrado. A situação só piorava quando o LP chegava às lojas ao preço médio de mil cruzeiros, considerado um abuso que implodia a estratégia de qualquer artista que, como ela, sonhava em se aproximar do grande público. Elis soltou as feras em uma passagem por Recife. Antes de fazer um *show*, disse aos jornalistas que executivos de gravadoras eram pessoas insensíveis sentadas em seus escritórios bolando a próxima estratégia de *marketing*. O grande equívoco da indústria, para ela, era cuidar do disco e não do artista. Na prática, a opção criava músicas em série para tocar nas rádios e deixava de produzir material humano de qualidade. O que vendia no final era o LP que trazia tal canção, não o LP que trazia determinado cantor. "O produto final é o artista, não o disco."

Um dos altos postos da Philips no Brasil era ocupado por um músico que conhecia Elis Regina pelo avesso: Roberto Menescal. Dois anos antes, em 1976, o empresário André Midani havia saído da companhia depois de receber um convite do turco Nesuhi Ertegun para fundar a Warner no Brasil. Menescal não gostou das declarações de Elis nos jornais e, desta vez, resolveu dar uma resposta à altura e ao vivo. Voou do Rio para Recife e foi ao encontro da cantora. "Elis, o que foi esta história?", questionou, assim que chegou ao hotel. "Eu falei isso mesmo, acho uma sacanagem o que fazem comigo e com outros artistas." Menescal convocou uma coletiva de imprensa, preparou um quadro cheio de números e pediu que Elis estivesse presente para não ficar nenhum mal-entendido. Quando a sala estava cheia, começou a rebater as acusações da cantora, mostrando item por item de custos e receitas. Explicava que, além do preço das gravações, havia gastos com divulgação, anúncios em rádios, revistas, passagens aéreas para *shows*. "Alguma dúvida, Elis?", quis saber durante a explanação. "Mas nunca ninguém me disse isso", respondeu Elis. Pelas contas de Menescal, a companhia ficava com um lucro de 1% do valor bruto contra os 10% que pagava ao artista. O executivo não resistiu em fazer uma proposta à cantora com um sorriso de canto de boca. "Acho que a imprensa entendeu. Mas, antes de terminar, eu gostaria de fazer uma proposta a Elis. A companhia gostaria de trocar os 10% que vão para ela pelos 90% que ficam para a companhia. Que tal Elis?" Ela respondeu que depois conversariam sobre aquilo.

A ira de Elis não cessou. Seus últimos discos, para ela, haviam tido uma péssima divulgação. Sem amenizar para ninguém, dizia que os principais postos da companhia eram ocupados por "bundões" que pensavam saber muito para brincarem de Deus decretando aleatoriamente nascimentos e mortes de cantores e cantoras. Menescal se indignava cada vez mais, até que chamou Elis para mais um olho no olho. "Puxa, Elis, como é que você consegue trabalhar em uma gravadora em que todo mundo é bundão? Não fica ruim pra você?" As pupilas se encontraram de raiva. "Você está me botando na rua?" "Não, Elis, não sou louco de fazer isso." "Sim, você está me colocando na rua." "Elis, eu só estou dizendo a você que deve ser ruim estar em uma gravadora assim. Você poderia acreditar mais nas pessoas que trabalham com você." Elis não quis conversa: "Eu também não preciso mais dessa merda."

Menescal soube, dias depois, que Elis havia assinado um contrato com a EMI Odeon e decidiu ligar para alertar a direção da companhia concorrente. Elis, por contrato, ainda deveria lançar um disco pela Philips, mas o diretor que atendeu Menescal resolveu ter um lapso de memória e negou que Elis estivesse nos planos da gravadora. Surpreso com a traição de um colega, discou para o número de André Midani, agora chefão na Warner do Brasil, com um plano em mente. Se o contrato com a Philips deveria seguir por mais três meses, aquele documento assinado com a EMI não tinha validade. "Midani, você gostaria de voltar a trabalhar com a Elis Regina?", perguntou. "Claro que sim, por quê?" "Então corre porque ela assinou com a EMI. Mas o contrato só vale para daqui a três meses." Midani agradeceu e disparou atrás de Elis, só apontando para o xis onde ela deveria autografar. Em 15 dias, Elis Regina assinava dois contratos com gravadoras diferentes e deixava um por cumprir. Um pecado ético do qual, esperava ela, seria compensado pelos anos que julgava ter sido injustiçada pelos executivos. Warner e EMI que se resolvessem entre eles. E a Philips? Nessa, ela não colocaria mais os pés.

Mas a Philips colocaria as mãos em Elis. O disco que seu contrato ainda previa foi lançado com o nome de *Elis Especial*, um produto feito à revelia de suas sugestões, de dar agulhadas na espinha da cantora. O acabamento gráfico ficava aquém de seus outros trabalhos e o repertório trazia músicas descartadas em outros álbuns justamente por não terem passado pelo controle de qualidade. Havia pérolas de composições ali, com "Valsa Rancho" (de Chico e Francis Hime), "Bonita" (Jobim) e "Dinorah, Dinorah" (Ivan e Vitor Martins), mas o arremate deixava a desejar. Ainda assim, muitos críticos aprovaram. "Mesmo defeituoso, não deixa de ser um disco interessante", avaliava o *Jornal da Tarde*, que terminava assim sua apreciação: "O pior de Elis ainda é melhor do que muito disco bem cuidado." Elis até pensaria em entrar com um processo contra a Philips para pedir a retirada do LP das lojas, alegando que as gravações haviam sido feitas com vozes-guia, sem a intenção de se tornarem definitivas. Mas desistiu da briga e o disco continuou nas prateleiras.

A Warner, a nova casa de Elis, se beneficiaria da inspiração de uma dupla arrebatadora. João Bosco e Aldir Blanc seguiam na linha das crônicas de contestação conduzidas pelo violão de João e pela prosa urbana de Aldir, muitas delas com o povo brasileiro no centro das ideias. Era 25 de dezembro, Natal de 1977, quando as televisões começaram a noticiar a morte, na Suíça, do cineasta Charlie Chaplin, aos 88 anos, vítima de um derrame cerebral enquanto dormia. João, um devoto de Chaplin, compôs neste mesmo dia "O Bêbado e a Equilibrista" com o pensamento no cineasta – o que explica a citação de

"Smile", de autoria de Chaplin, no início da música. Elis já havia homenageado o ator antes, vestida de Carlitos, seu maior personagem, durante o *show* que fez com Miele no Teatro da Praia. Mas o samba iria além do universo chapliniano. Quem Aldir Blanc colocaria para andar na corda bamba erguida pelo samba de João era o próprio Brasil.

João chegou com a música pronta e acabada para mostrar a Elis, pouco antes da gravação de um especial dirigido por Roberto de Oliveira para a TV Bandeirantes, em que os dois cantariam a música "Plataforma", também de João e Aldir. A cantora entrou em um estado eufórico, beirando o descontrole, assim que o violonista acabou de tocar sua nova criação. "Eu quero cantar essa música agora!" Ali mesmo, sem saber a letra, envolveu-se a tal ponto que não admitia um "não" como resposta. "Vamos lá, João, vamos fazer agora mesmo." João não acreditava que seria um bom negócio, sobretudo por não ter feito ainda uma introdução à altura. "Vou fazer primeiro um começo, depois a gente mostra, melhor assim." Elis topou, mas ficou com "O Bêbado e a Equilibrista" na cabeça até o dia de lançá-la.

Para João, nenhum momento era mais especial do que os dias que antecediam o lançamento de uma de suas músicas por Elis Regina. Ao contrário de Gilberto Gil, que se angustiava ao ouvir suas criações na voz da madrinha por temer que, de tão definitivas, inviabilizassem suas gravações posteriores, João curtia cada instante como um momento mágico. O jovem fornecedor dava à sua descobridora a primazia de seus biscoitos mais finos sem se importar com o que viria depois. Sem se considerar um cantor no sentido técnico da expressão, o sambista conseguiria relaxar até mesmo quando gravava um disco como *Caça à Raposa*, de 1975, tendo como plateia, dentro do estúdio, a própria Elis Regina. A cada audição de uma canção sua recriada pela interpretação de Elis, João refazia a certeza de estar diante de uma das maiores vozes que ouvira. Agora, com uma pérola nas mãos, teria motivos para achá-la a maior de todas.

Quando Aldir foi colocar a letra, expressões e rimas como "Brasil" com "irmão do Henfil" pareciam se encaixar naturalmente. Metáforas e recados diretos engrossavam um caldo que ganhava vida própria. Ao final, o que se tinha era um hino sem cara de hino, uma comovente canção de saudade das pessoas obrigadas a saírem do País por pensamentos e posturas. Cabeças que faziam falta não só por aquilo que diziam, mas pelo que representavam. "O

Bêbado e a Equilibrista" sairia para dois destinos: um compacto de Elis Regina, seu primeiro pela Warner, pouco antes do LP *Essa Mulher* (que também trazia a música), e para o disco *Linha de Passe*, lançado por João.

A voz de Elis definia dias de sensibilidades afloradas e choros na garganta. Uma gente engajada liderava pelo País campanhas de anistia irrestrita aos presos políticos e pedia pela volta dos exilados com garantias de que não sofressem represálias quando chegassem ao Brasil. Elis estava mais politizada do que nunca. Havia acabado de participar do *Show de Maio*, junto a Fagner, João Bosco, Gonzaguinha, Dominguinhos e Carlinhos Vergueiro, para levantar verbas para o fundo de greve do Sindicato dos Metalúrgicos de São Paulo, liderado por um homem habilidoso diante das massas chamado Luiz Inácio da Silva, que toda São Bernardo do Campo conhecia como Lula. O poder da figura de Lula sobre Elis foi tamanho que ela passaria a sacolinha em prol de suas lutas sindicais até na casa de André Midani. Ao chefão da Warner, discursava citando os feitos do sindicalista em nome dos trabalhadores. Depois, pedia dinheiro. Midani contribuía abrindo a carteira, preocupado mais em não desagradar sua contratada do que em apoiar causas sociais de quem ele mal conhecia. "Se eu não desse a grana, ela poderia ir embora da companhia", diria o empresário anos mais tarde.

Elis havia se encontrado com Lula no *Show de Maio*. Ao suplemento Folhetim, da *Folha de S.Paulo*, ela descreveu suas impressões. "Ele é uma pessoa baixinha, troncudinha, fala olhando dentro do olho, tem uma cara ótima. Mas aquele cara deve saber tudo." No rápido diálogo que tiveram, Elis perguntou a Lula: "Então é você, rapaz, que está aprontando tudo isso?" "Eu, aprontando?", retrucou o sindicalista. "Sou apenas um trabalhador." E Elis seguiu, advertindo. "Você não tem tamanho pra folgar desse jeito não, você é muito pequenininho." Lula sorriu.

Ao passar pelo Recife com *Transversal do Tempo*, em 1978, Elis perdeu os traumas que a calaram por algum tempo ao conhecer a história do líder estudantil Edval Nunes da Silva, o Cajá, sequestrado e preso meses antes pelo regime do então presidente Ernesto Geisel, acusado de ligações com o Partido Comunista Revolucionário, o PCR. Um dos últimos presos políticos torturados do País, Cajá estava no inferno no momento em que Elis se preparava para o primeiro dos dois *shows* que faria no Teatro Santa Isabel. Aos 28 anos, o seminarista identificado com o marxismo, atuante em passeatas e protestos contra as opressões sociais desde 1967, trabalhava com o arcebispo Dom Helder Câmara como integrante da Comissão de Justiça e Paz da Arquidiocese de Olinda e Recife quando o pior aconteceu.

Cajá sentiu ser o próximo da fila no dia em que estava reunido com a Comissão na cúria diocesana, no bairro do Recife Antigo. Havia sido um dia estranho aquela sexta-feira, com homens perguntando por ele na entrada do prédio e outros reunidos na calçada em frente. Até as sombras pareciam observá-lo. Depois de passar o dia sem almoçar para não precisar sair da cúria, Cajá deixou o prédio para voltar para casa às 20h. Certo de que estava sendo perseguido, apertou o passo até chegar ao ponto de ônibus em frente ao Bar Mustang, na Avenida Conde da Boa Vista. Ali, pensou, estaria protegido, camuflado entre as outras pessoas. Mas, cinco minutos depois, um Fuscão branco sem identificação e com placa fria parou perto com uma manobra brusca, deixando duas rodas sobre a calçada. "São eles", pensou Cajá. Dois homens desceram e um gritou: "Tá em cana, comunista safado!" Mesmo em desvantagem, Cajá não se entregou, reagindo com socos e chutes. Ao sentir que estava sendo levado para o carro, apoiava os dois pés na lataria e fazia os agentes que o seguravam perder o equilíbrio com um empurrão para trás. Depois de resistir por cerca de cinco minutos, perdeu as forças e foi imobilizado, mas conseguiu gritar antes de ser jogado no banco de trás: "Eu sou Cajá! Digam a Dom Helder que estou sendo sequestrado!" O carro saiu cantando pneus e os policiais começaram, ali mesmo, uma sessão de terror.

Enquanto o motorista, de codinome Alexandre, dirigia pelas ruas do Recife, Cajá levava socos nas regiões do fígado e no estômago, um espancamento que durou 40 minutos até o grupo chegar à sede da Polícia Federal. O prisioneiro foi arrastado para uma sala para ser interrogado por um coronel que usava o nome de João Carlos. "Quem são os outros?", perguntava ao prisioneiro. Mas Cajá já havia trancado em seu próprio calabouço qualquer verdade que poderiam conseguir por ele sobre seus companheiros de PCR. Sairia de lá morto e calado. "Não sei do que o senhor está falando, eu trabalho para Dom Helder." Os torturadores, com a ficha de Cajá em mãos, deram início aos trabalhos. Os primeiros golpes foram nos ouvidos. Quando menos esperava, um dos homens vinha por trás e desferia tapas em suas orelhas. O barulho o desorientava, mas valia ainda, naquele estágio, como intimidação psicológica. Assim que uma sessão de perguntas era esgotada, retomavam a pancadaria. Cajá apanhava até cair no chão. Então, o erguiam e mandavam que ele assobiasse.

Nenhum nome havia sido revelado quando os torturadores decidiram iniciar a fase mais drástica. Os policiais amarraram braços e pernas do prisioneiro e o deixaram nu, encostado à parede. Um agente trouxe um grampeador, abriu suas hastes ao máximo e passou a fechar o aparelho com força, acertando seus testículos. Cajá urrava apoiando-se na ponta dos pés. Segunda pela manhã, quando completavam dois dias e três noites do sequestro, sem refeições, o estudante foi informado de que seria levado a outra sala. "Agora, você vai tomar o café da manhã." Ao entrar, percebeu se tratar de uma nova arena de tortura. O oficial que o entrevistava ouvia pelo rádio um agente que dizia que estava prestes a sequestrar a noiva de Cajá. "Ela vai entrar na paróquia, quer que eu a pegue agora?", dizia. Cajá pedia que parassem com aquilo, que estavam prestes a cometer mais uma injustiça. O policial, furioso, espatifou o rádio na cabeça do prisioneiro. "Esses merdas de comunistas são frios mesmo. Isso nem deve ser mulher dele, deve ter caso com os outros do partido", gritava. Os oficiais amarraram e vendaram Cajá, deixando-o deitado no chão, de barriga para cima. As luzes foram apagadas e um homem ficou a seu lado esperando o momento de agir. Quando sentiu que o torturado havia pegado no sono, o policial deu um salto com os pés sobre seu abdômen e testículos. "Filho da puta! Vamos acabar com você!"

A primeira notícia sobre o sequestro de Cajá, com suposições de que deveria ser obra da Polícia Federal, circulou naquela mesma segunda, no momento em que o pau-de-arara era preparado para recebê-lo. Foi provavelmente o que o livrou de mais tortura, mas não da cadeia. Depois da temporada na sede da PF, ele ainda passaria pelos presídios Mourão Filho, Professor Barreto Campelo, novamente pela Polícia Federal e, enfim, para uma solitária no Batalhão Dias Cardoso.

Quando chegou ao Recife, Elis já sabia da prisão de Cajá, tinha informações da tortura que sofria, e dedicou a ele seu primeiro *show* no Santa Isabel. A plateia vibrou ao ouvir o nome do estudante lembrado pela cantora que vinha justamente com o combativo *Transversal do Tempo*. A Polícia Federal ameaçou acabar com a festa e avisou que se o nome do preso voltasse a ser mencionado, a próxima apresentação seria cancelada. No dia seguinte, Elis foi a uma celebração religiosa dirigida por Dom Helder Câmara chamada Via Sacra pela

Libertação de Cajá, na Igreja Matriz de São José. Comovida, foi autorizada a subir ao altar para cantar alguns hinos. Enquanto isso, dezenas de carros de fiéis tinham seus pneus furados no pátio da igreja, supostamente por simpatizantes ou integrantes do regime.

Elis resolveu dar um drible nos censores quando subiu ao palco para o segundo *show* no Santa Isabel. Prestes a começar, olhou para a plateia como se procurasse por um de seus músicos perdidos e, fingindo que o avistava, disse, definindo bem cada sílaba no final da frase: "E você, o que está fazendo aí? Vem pra cá, já!". Grande parte do público percebeu o "Cajá" e aplaudiu. Antes de partir do Recife, Elis tentou visitar o preso, mas não foi autorizada. Escreveu então uma carta com sentimentos de impotência e angústia, pedindo que o jovem não desanimasse de sua luta. O documento foi passado para uma amiga de Elis, a atriz Leda Alves, que o entregou nas mãos da noiva do prisioneiro.

"Cajá, estou por aqui, por sua terra forte e maravilhosa. Sabidamente mais forte do que eu. Me desculpe a ausência, embora ela seja somente física e determinada por uma covardia estúpida, gestos maiores e mais amplos. Isso tudo me faz sentir extremamente inferior perto de uma pessoa como você. Mas, já lhe disse, a ausência é só física. Cada momento de sua vida eu acompanho, num misto de admiração, respeito e sei lá mais quê. Que Deus e sua força nunca estejam ausentes. Que Ele sempre lhe proteja, que Ele sempre olhe por seus minutos. Estou rezando por você. E confio no futuro e na Justiça. Ainda iremos nos encontrar, esteja certo. Perdoe minha fraqueza. Muita perseverança, muita força, muita paciência, meu irmão. Elis Regina."

Cajá ficaria na prisão até o dia 1º de julho de 1979, quando a pressão popular tornou sua permanência no cárcere insustentável. Ele jamais conheceria Elis pessoalmente.

Os atos e protestos que se espalhavam pelas cidades passaram a contar com uma trilha sonora cheia de significados. "Meu Brasil que sonha com a volta do irmão do Henfil, com tanta gente que partiu num rabo de foguete. Chora a nossa pátria-mãe gentil, choram Marias e Clarices no solo do Brasil." O irmão de Henfil era Betinho, o sociólogo Herbert de Souza, que ouviu emocionado a canção de seu exílio no México. E Henfil era o cartunista que havia enterrado Elis Regina no Cemitério dos Mortos Vivos do jornal *O Pasquim* por considerá-la cupincha dos militares. Era simbologia demais em uma canção. Com um só tiro, Elis enterrava o que havia ainda de imagem de mulher apolítica em seu Cemitério dos Mortos Vivos e estreava em uma gravadora com um sucesso inquestionável. "O Bêbado e a Equilibrista" ficou por dez semanas como uma das cinco músicas mais tocadas nas rádios de São Paulo. Assim que Betinho colocou os pés no setor de desembarque do Aeroporto de Congonhas, em São Paulo, um dos estudantes que o esperava ligou um gravador portátil com a fita de "O Bêbado e a Equilibrista" no volume mais alto e Betinho chegou chorando. Ouvindo a voz de Elis nas rádios, centenas de presos políticos fizeram uma greve de fome dentro dos presídios entre os dias 22 de julho e 22 de agosto. Seis dias depois, a Lei da Anistia era assinada. João Bosco cantaria seu samba para sempre, mesmo depois que Elis partisse, imaginando cantar não com a sua, mas com a voz de Elis.

A equilibrista Elis Regina segurava o estandarte da anistia em uma das mãos e uma rosa na outra. Depois de combativa, cabelos curtos, discurso enrijecido pelo protesto de *Transversal do Tempo*, ela reaparecia leve, de cachos armados e maquiagem sutil para trabalhar o lançamento de seu novo LP: *Essa Mulher*. A nova paginação levava a assinatura de Leonardo Netto, um novato nas graças de André Midani, e as intenções da companhia eram ambiciosas. "Está na hora de darmos a Elis um disco que finalmente venda mais de 1 milhão de cópias", disse Midani ao agora diretor artístico da Warner, Marco Mazzola. Se o novo LP tinha algum conceito, era o de mostrar Elis mais mulher. A única estratégia de Elis, no entanto, continuava sendo a de fazer apenas o que bem entendesse.

Uma Elis estava serena, leve por acabar de conhecer as cores do mundo como mãe de uma menina. A outra trazia a faca afiada. Em entrevistas para duas emissoras de rádio, Elis bateu firme em teclas que não tocava havia tempo. A música brasileira, para ela, estava sem rumo. O discurso pela liberdade de expressão apresentava sinais de desgaste e nada de novo despontava. "Algumas músicas foram bem executadas, mas não teve uma grande música. Milton, Chico, João fizeram pouca coisa. E mesmo os que provaram algo no primeiro semestre fizeram de uma forma antiga de dizer as coisas. É mais difícil criar neste momento de transição do que em um momento mais estabelecido", disse ao radialista Walter Silva, do programa *Picape do Pica Pau*, da Rádio Globo, em entrevista concedida em sua casa, na Serra da Cantareira.

A Zuza Homem de Mello, da Jovem Pan, ela voltava a falar em "perda de força" de sua geração. "Com exceção do Chico, os outros ficaram no limbo." Depois de ter batido, durante a Tropicália, e assoprado logo depois, ao gravar "Irene", Elis voltava a castigar Caetano Veloso. "Não tem mais a força dos idos de 1970 e coisa. Caetano canta bem, tem bom gosto, mas aquela coisa catalisadora tipo ímã no palco está perdida e não vai mais se recuperar." Para Elis, a experiência do exílio de 1968 havia levado mais do que a liberdade temporária do baiano. "Acho que, na fase em que ele estava, no pique da potencialidade... Ele sofreu um grande baque, foi uma experiência muito difícil. E é difícil sair inteiro dessa."

Sem as grandes músicas dos velhos fornecedores nas mãos, algo que contaminava seus discursos de ressentimento, Elis foi a campo, mais uma vez, se juntar a homens para garimpar novidades. Saiu do Hotel Marina, na Rua Bartolomeu Mitre, onde passava uma temporada no Rio, andou um quarteirão, entrou na Rua João Lyra e tocou a campainha de Paulo Cesar Pinheiro com um saco de fitas nas mãos. Elis tinha um pedido a fazer, e pedido da madrinha era uma ordem. Paulo sempre a receberia com um sorriso e muitas lembranças de quando era apenas um garoto de 16 anos começando sua parceria com Baden Powell. Elis o remetia a "Lapinha". A música feita com Baden havia sido inscrita pelo parceiro e defendida pela cantora em 1968 na Bienal do Samba. Os jurados não queriam saber de novatos e quase barraram a composição, mas o violonista mandou avisar: "Se o Paulo não participar, eu também não participo." Como Baden já era Baden, os produtores engoliram seu protegido.

"Lapinha" foi parar nas mãos de Chiquinho de Moraes para receber arranjos de orquestra – tudo para que o samba de um letrista desconhecido penetrasse o salão nobre da realeza com dignidade. Cartola, Chico Buarque, Synval Silva, Billy Blanco, Paulinho da Viola, Pixinguinha, Elton Medeiros, Ismael Silva, Donga e João da Baiana estavam entre os concorrentes. Depois de escrever para os instrumentos de sopro e de cordas, Chiquinho chamou Baden e Elis para um primeiro ensaio e não gostou do que ouviu. Notas demais escondiam a verdade do samba. Ex-aluno do maestro Guerra-Peixe, Chiquinho lembrou de uma lição: "Quando fizer um arranjo que não soa bem, vá tirando notas que ele melhora." Os sopros foram eliminados. "Ainda não está bom", disse a si mesmo, depois de outro ensaio. Saíram os violinos. "É quase isso", repetiu. Decidiu então tirar tudo, deixando só a base de cuíca, pandeiro e cavaco do grupo Os Originais do Samba, mais o violão de Baden e a voz de Elis. "Agora, sim." "Lapinha" venceu, rendendo 20 mil cruzeiros novos e o troféu Roda de Samba aos autores. Paulo Cesar Pinheiro era promovido ao primeiro escalão.

Mais do que a chave para entrar na terra dos gigantes, Elis significava para Paulo um despertar. Antes mesmo de conhecer Baden no bairro de São Cristóvão, Paulo Cesar, com 14 anos, tremeu ao passar pela porta da Boate Zum Zum, em Copacabana, e ver a moça cantando os Afro Sambas com o futuro parceiro ao violão. De tão natural, o canto de Elis era como a fala. Garoto sem idade para a boêmia, era impedido de entrar todas as noites em que voltava para tentar ver o *show*, assistindo o que podia do lado de fora. Jamais poderia imaginar que, um dia, aquela mulher bateria à sua porta.

"Você pode me ajudar?", disse Elis ao chegar no apartamento de Paulo, sem Cesar, explicando que precisava escolher o repertório de seu novo disco. Ela entrou e, imediatamente, desalojou o compositor de seu escritório, criando no mesmo cômodo um estúdio particular. Ouvia as fitas que havia trazido e pedia sugestões de outros nomes. Quando gostava, queria conhecer os autores pessoalmente. Paulo, casado com Clara Nunes, resolveu fazer rodas de samba em casa para convidar João Nogueira, Guinga e Gonzaguinha, além do sempre presente Baden. "Eu Hein Rosa!", de Paulo com João Nogueira, surgiu na sala. "Bolero de Satã", parceria do anfitrião com Guinga, também. E o mesmo com "Velho Arvoredo", de Paulo e Hélio Delmiro. Por um mês, foi assim. Elis dormia no hotel, acordava, escovava os dentes e chegava muitas vezes para tomar o café da manhã, jamais acompanhada de Cesar Camargo. A amizade com Clara se deu como um contágio. Sempre que possível, saíam para fazer compras ou visitar centros espíritas. Elis com sua inclinação kardecista; Clara, com sua devoção umbandista, as duas unidas em corpo e alma. Elis passou a andar com um retrato da amiga, colocando sua imagem nos camarins dos *shows*.

Quando já havia um bom número de canções, a escolha entrou na reta final. Elis conseguiu que um amigo de Paulo, o pesquisador e jornalista Sérgio Cabral, a apresentasse a Cartola, em Jacarepaguá. Sérgio fez as ligações e agendou o encontro. Homem de fala e costumes simples, o sambista não cedeu aos encantos da visita no primeiro olhar e abriu o jogo sem que Elis ouvisse: "Eu não vou mostrar todas as minhas músicas pra ela, não. As melhores eu deixo ou pra Beth ou pra Clara", disse, referindo-se às suas clientes mais cativas. Mas a resistência durou até que Elis desse sua terceira gargalhada. Cartola acabou abrindo a guarda e deixando que a gaúcha enchesse uma fita cassete com aquilo que havia de melhor em sua safra.

Elis voltou encantada com Cartola, com sua mulher, Dona Zica, e com tudo o que havia trazido. Escolheu um samba, mas percebeu deslizes gramaticais que a incomodaram. Delitos do tipo "você viestes" que deveriam ter escapado à revisão. Ela ligou para Paulo Cesar: "Escuta, você pode dar uma mexida em uma música do Cartola pra eu gravar?", quis saber de Paulo, que ouviu a proposta como uma afronta aos deuses: "Não posso, Elis. Estamos falando de uma música do Cartola! Por que você não fala com ele?" "Ah, eu não tenho essa intimidade, fala você." "Está bem, eu falo." Paulo ligou sem saber bem como entrar no assunto. "Sabe o que é Cartola, a Elis gostou muito de uma música sua, mas a letra tem uns probleminhas de português." Cartola ficou surpreso, talvez constrangido, mas não indignado. "Ah, é?" Era a primeira vez que ouvia algo do gênero. "Está bem, Paulo. Você pode fazer isso?", pediu. "Claro que sim", respondeu o parceiro. De luvas e bisturi, Paulo extirpou uma ou outra letra S com mãos de cirurgião para deixar "Basta de Clamares Inocência" pronta para ser gravada por Elis.

Quando *Essa Mulher* já estava com o repertório quase fechado, o telefone de Paulo voltou a tocar. "Paulo Cesar, é Elis. Seguinte: quero que você e o Aquino façam o samba mais difícil de cantar que vocês já fizeram na vida." Aquino era o jeito com que Elis chamava Baden, o Baden Powell de Aquino. O pedido quase assustador refletia, de novo, sua obsessão em ser a melhor. Elis disse a Paulo que estava incomodada com uma cantora que a imprensa dizia ser a rainha do samba. "Eu quero dar um banho nessa mulher para acabar com essa história", disse. Paulo jamais revelaria o nome da sambista, restando apenas a forte suposição: Beth Carvalho.

Paulo e Baden partiram para o samba dos sambas com um tema em mente: a letra falaria de um desafio e a melodia seria uma briga de foice no escuro da qual só os fortes de instinto sairiam vivos. Baden colocou em ação os quinze dedos de sua mão esquerda para desenhar um sobe e desce de muitas notas, conduzido por um ritmo quebrado e alucinante. A letra de Paulo era a mais pura provocação: "Até que eu vou gostar / se de repente combina da gente se cruzar / ora veja só pois é, pode apostar / se você gosta de samba, encosta e vê se dá." Ao ouvir, Elis aprovou no ato, mas não saiu cantando de primeira, como geralmente fazia. Estudou bastante, principalmente a segunda parte, quando o couro comia, até ter segurança para decidir que "Cai Dentro" iria abrir o disco. Assim que conseguiu gravá-la, não se conteve e ligou como uma criança para o amigo jornalista Oswaldo Mendes, de São Paulo: "Eu consegui, Oswaldo, eu consegui!"

Mais por um tabu de comportamento, e menos por seu grau de dificuldade técnica, outro desafio era "Bolero de Satã", de Paulo e Guinga. Elis fazia nesta faixa algo que raras vezes se permitiu: dividir uma canção com outra voz. Mas a situação era bem especial, já que a pessoa que cantaria a segunda parte seria o ídolo que andava de mãos dadas com Angela Maria em seus sonhos: Cauby Peixoto. O clássico bolero de pista, sem pressa e exalando maracas e bongôs, fazia um encontro festejado e efêmero. Além de registrar o dueto na memória de seus desejos impossíveis materializados, Elis tirava outra lição. No calor do Rio de Janeiro, as roupas da cantora eram as mais leves possíveis, camiseta, calça larga, sandália. Cauby não perdoou quando viu o estado da parceira: "Elis, o que é isso?" "Ah, Cauby, está muito calor." "Elis, uma estrela não pode andar desse jeito. Andar arrumada é algo que você deve fazer para o seu público, não para você."

Elis e Cauby iniciaram uma amizade na qual o cantor se viciou. Enfim, Cauby encontrava alguém que entendia suas angústias, ouvia seus dilemas e lhe dizia o que fazer. Era com Elis que ele filosofava sobre os caminhos para a felicidade pura e simples e também para se tornar um cantor melhor. Inebriado ao encontrar sua alma gêmea, começou a levar a sério a ideia de morar com ela. Sua paixão não passava por conquistas carnais, mas por uma união de pensamentos que jamais sentira ao lado de outra pessoa. O cantor criou coragem e fez o convite a Elis. "Você quer morar comigo?" Elis sorriu e decidiu deixar a resposta vagando no ar. "Vamos ver, Cauby, vamos ver."

Era da compositora Joyce a música que dava título ao disco *Essa Mulher*. Quando chegou o momento de Elis gravá-la, Joyce estava no estúdio. A letra pegava Elis em cheio por uma espécie de conteúdo biográfico e a fazia interpretar nos limites da emoção. "De manhã cedo essa senhora se conforma / bota a mesa, tira o pó, lava a roupa, seca os olhos / Ah, como essa santa não se esquece / De pedir pelas mulheres, pelos filhos, pelo pão." Havia um trecho do qual Elis não conseguia passar. "Ah, como essa coisa é tão bonita, ser cantora, ser artista, isso tudo é muito bom." Era cantar a frase e desandar a chorar antes mesmo que ela chegasse ao fim. Uma, duas, três vezes, a música tinha de ser sempre repetida. O choro vinha tão intenso que Elis não conseguia se manter afinada.

Joyce, íntima dos preceitos espíritas, começou a fazer uma oração silenciosa enquanto Elis recomeçava a canção às lágrimas. Assim que terminou, percebeu que Elis passou pelo trecho quase desabando e, mesmo deixando marcas de sua emoção impressas na gravação final, seguiu em frente até o fim. Mais tarde, as amigas foram conversar em particular e, sem que soubesse da oração da colega, Elis contou que só teve forças para não desistir depois que sentiu no estúdio a presença da cantora Sylvinha Telles, morta em 1966, aos 32 anos, vítima de um acidente de carro.

Ainda no Rio, de malas prontas para voltar com o marido Cesar para São Paulo, com disco gravado, Elis recebeu em seu apartamento um compositor mineiro cheio de boas intenções e uma mala de canções para mostrar. Tunai, que já havia sido apresentado a Elis pelo irmão João Bosco, chegou cedo, por volta das 11 horas, quando Elis ainda dormia. "Se quiser, pode começar", disse Cesar Camargo. Tunai tinha uma dúzia de músicas e tocava cada uma torcendo para que Elis acordasse. Quando estava lá pela quinta ou sexta canção, Elis surgiu com rosto de sono. "Você pode começar de novo?" Tunai sentiu que ao menos uma de suas 12 criações havia fisgado Elis quando ele saiu, deixando uma fita gravada.

Antes de embarcar, Elis voltou à casa de Paulo Cesar Pinheiro. "Paulinho, estou com uma dúvida danada aqui." Sem dizer mais nada, colocou uma fita no aparelho de som e ficou olhando para Paulo. "Bonito isso, o que é?", perguntou ele. "Recebi depois de estar com o disco pronto. Não sei o que eu faço", respondeu Elis. Paulo não teve dúvidas: "Se eu fosse você, tiraria qualquer música para colocar esta." "Você acha mesmo?", perguntou ela. "Acho, vale a pena." Elis falava de "As Aparências Enganam", uma das canções de Tunai, feita em parceria com Sérgio Natureza. Assim que *Essa Mulher* saiu, Paulo foi checar o nome das faixas e percebeu que, das quatro assinadas por ele e já escolhidas para o repertório, faltava uma, "Velho Arvoredo", que fizera com Hélio Delmiro. "Poxa, Elis, você tirou uma música minha do disco?" "Sim, você disse que eu poderia tirar qualquer uma para colocar a do Tunai." Pior para Hélio, que só veria sua composição arranjada por Dori Caymmi para grupo, e não mais em voz e violão, em um disco que sairia depois da morte da cantora.

As vendagens de Elis após *Dois na Bossa* nunca foram astronômicas e as de *Essa Mulher*, ainda que com a estrondosa "O Bêbado e a Equilibrista" de carro-chefe, também não seriam. Mas Elis vinha mais solta, cheia de boleros e convites à dança. Cesar recuperava a sonoridade limpa dos melhores discos com uma estratégia pouco popular. Saudoso pelo som da era pré-*Falso Brilhante*, dispensou o núcleo de Natan, Dudu Portes e Sizão Machado, substituto do baixista Wilson Gomes, e voltou a recrutar o quarteto fantástico que compunha com Luizão Maia, Paulinho Braga e Hélio Delmiro, além do percussionista Chico Batera. Um mal-estar se impôs entre alguns dos dispensados, mas o resultado de *Essa Mulher* justificava a escolha. Mais de 30 anos depois da morte de Elis, Paulo Cesar percebeu o pequeno texto escrito na contracapa do disco, quase uma mensagem cifrada deixada aos mais íntimos. "Agradeço fundo a Sérgio e Magaly, Dona Zica, Dona Tereza, Seu Lopes, Tia Clara, Dom Paulo e Seu Aquino." Com exceção de Dona Tereza e Seu Lopes, Paulo reconhecia Sérgio sendo Sérgio Cabral e Magaly, sua mulher; Dona Zica, mulher de Cartola; Tia Clara, Clara Nunes; e Dom Paulo e Seu Aquino, ele mesmo, Paulo Cesar, e Baden Powell. As palavras de Elis eram como um abraço apertado que só precisava ser sentido por quem o ganhou.

20.

A EFERVESCÊNCIA DAQUELES DIAS DE LANÇAMENTO de disco traria de volta um velho caso de Elis Regina. Era como colunista do jornal *O Globo* que Nelson Motta entrava na coletiva de imprensa com direito a coquetel e todos os mimos que a gravadora Warner havia preparado para mostrar à cantora que, ali, ela seria bem tratada. Nelsinho e Elis não se viam desde o trágico telefonema em que ela o colocara para correr dizendo na frente de seu então marido Bôscoli que as noites que passavam juntos eram invencionices de sua cabeça. Curado das feridas, Nelson era agora um solteirão convicto que sentia a brisa do mar em seu rosto já no café da manhã, no belo terraço na Avenida Atlântica, em Copacabana. Elis só estava no Rio para o lançamento do disco com passagem de volta marcada para o fim da noite. Nelson sentiu o *revival* bater. Enquanto a entrevistava, pensava nos tempos de leveza e descompromisso que o levavam a saborear da felicidade plena. Não sabia explicar a origem, mas percebia que não estava sozinho. A mesma vibração vinha do lado de lá.

Ao final do encontro, se despediram, trocaram beijos protocolares na frente dos outros jornalistas e seguiram seus caminhos. Ou pareceram seguir. Em mais algumas horas, Elis tocava a campainha de Nelson Motta. "Elis?" "Oi, Nelson, perdi o avião para São Paulo. Posso passar esta noite aqui?" Espaço era o que não faltava no terraço do jornalista. Por mais uma vez, depois do longo caso que tiveram quando Elis era casada com Ronaldo, os dois se trancaram do mundo. Antes de adormecer, Elis lembrou que estava sem dinheiro para ir de táxi até o aeroporto na manhã seguinte e Nelson lhe deu alguns trocados. Ao acordar pela manhã, o produtor sentiu o vazio na cama. Procurou Elis e encontrou apenas um bilhete de despedida carinhoso e um cheque de valor muito maior do que o dinheiro que ele havia emprestado. O cheque ele nunca descontou. O bilhete, guardou para sempre.

Antes que qualquer temporada de lançamento do novo LP fosse desenhada, um convite direto da Suíça queria Elis como uma das atrações no Festival de Jazz de Montreux, o maior do gênero desde sua nada humilde estreia em

1967, com Nina Simone, Ella Fitzgerald e Bill Evans. Seu poder de projeção equivalia a algo como cinco turnês pela Europa e seu efeito sobre a carreira dos artistas era imediato. Mais do que revelar, Montreux sedimentava, reconhecia e homenageava. Seria um alto posto atingido por Elis Regina, equivalente em repercussão e importância ao próprio Olympia de Paris. Aos 34 anos, Elis via a chance de se tornar a diva internacional que nunca havia sido de fato, em parte por falta de estratégias dos empresários, em parte por sua própria falta de interesse. Montreux era diferente, a começar pelos convidados que pisariam naquele palco: Chick Corea, Herbie Hancock, Ray Brown, Oscar Peterson, Wayne Shorter e Rick Wakeman. O *blues*, sempre representado em uma noite especial, teria na temporada o guitarrista irlandês Rory Gallagher e o bluesman Albert Collins, um texano cheio de apelidos superlativos que davam a dimensão da audácia de seus solos.

Elis e Cesar decidiram manter o grupo do álbum *Essa Mulher*. Não era uma opção técnica pelos melhores, mas por suas linguagens. Com Luizão e Paulo Braga, além da percussão de Chico Batera, o som de Cesar vinha mais compacto, definido, propício ao escoamento de uma estética jazzística bem-vinda a um festival como aquele. Natan e Dudu, dois dos dispensados, não eram de ferro. Depois de anos segurando todas as pontas, esperavam ser chamados para servirem Elis no Olimpo. A frustração por não estarem naquele barco foi inevitável.

Se a temporada de 6 a 22 de julho estava tomada de feras, a noite brasileira teria, além de Elis, um bruxo albino de nome Hermeto Pascoal. Como os ingressos para o *show* de Elis estavam esgotados havia dias, a direção do festival decidiu propor uma matinê, algo incomum no histórico do evento. Elis aceitou a proposta. Cantaria à tarde um repertório de 13 músicas e, à noite, repetiria a dose trocando apenas alguns números. Seus músicos estavam com o repertório nas mãos, estrategicamente pensado para dar o recado de forma rápida e cortante. Mesmo o europeu que não conhecesse Elis teria a chance de vê-la em sua plenitude, disposta nas mil faces que assumiria para cantar "Cobra Criada", "Cai Dentro", "Samba Dobrado", "Rebento", "Águas de Março" e "Madalena". O espetáculo da tarde tinha um *medley* de Milton Nascimento que engatava "Ponta de Areia", "Fé Cega", "Faca Amolada" e "Maria Maria", cheia das percussões afro-jazz de Chico Batera. Montreux tinha tudo para pavimentar o caminho da consagração no mundo do jazz.

Ainda pela tarde, quando chegaram ao teatro para a passagem de som, os músicos ficaram intrigados com uma equipe técnica francesa posicionando câmeras de TV e microfones no teatro do Cassino de Montreux. Ninguém havia sido informado de que o *show* seria gravado – aquilo não estava no contrato. Elis chamou André Midani para uma conversa no quarto do hotel em que estavam, em frente ao teatro. Sabendo agora que a apresentação seria registrada, o que significava comercializada, Elis pediu a Midani que fizesse um contrato para incluir seus músicos na divisão dos *royalties*. Para impedir que ficassem a ver navios em uma futura exploração comercial do trabalho, abriu mão de metade de sua porcentagem de 10% prevista em lei deixando os 5% restantes para serem divididos pelo quinteto, 1% para cada acompanhante. Não era uma montanha de dinheiro que mudaria a vida daqueles profissionais, mas reforçava sua indignação diante da política de direitos autorais que havia muito brigava para mudar.

As cortinas se abriram. Ainda com o percussionista Chico Batera levando as congas para o palco, Cesar puxou um solo do piano elétrico, de firulas ágeis e indefinidas, só para dar o recado. O sangue dos brasileiros estava quente. Quando voltou à Terra, Cesar encontrou o baixo de Luizão Maia quebrando no contratempo, pontuando mudanças de acordes e criando a introdução para "Cobra Criada", de João Bosco e Paulo Emílio. Hélio Delmiro entrou aos poucos dando corpo à harmonia com intervenções de improviso, sem colidir com o baixo. Assim que a bateria de Paulo Braga deu forma ao caos, a temperatura subiu com um suingue latino de balançar suíços. Aquilo girou pela cabeça da plateia por algum tempo até que o apresentador chamou Elis Regina. As palmas vieram quentes quando Elis surgiu por trás dos músicos, aos brilhos de um vestido longo vermelho e uma blusa azul sem manga, com leve maquiagem e os cabelos presos por uma flor. Era a Elis de *Essa Mulher* quem surgia na Suíça.

O *show* da tarde correu solto com a cantora descontraída, revisitando cantos que a Europa já conhecia em sua voz. Quando terminava a última música, "Maria Maria", sorriu ao sentir que tinha a plateia nas mãos. Segurou o "lele, arrele lele" até que o mais resistente espectador se rendesse, colocando as mãos para cima e acompanhando com palmas. Certo de que o espetáculo havia chegado ao fim após ver o teatro nesse transe por algum tempo, Claude Nobs, criador e diretor do festival, entrou em cena com um buquê de flores.

Elis o recebeu com um beijo, preparada para se despedir, até que a plateia voltou a puxar o refrão. Para não perder o bonde, foi rápida ao deixar as flores sobre um dos teclados de Cesar e voltar ao microfone. Ergueu as mãos emocionada em sua vez de render-se à plateia e voltou a cantar o "lele arrele lele" sem olhar para os músicos. Cesar martelou nove notas e o grupo voltou com a energia redobrada. Três pessoas da plateia se levantaram à sua esquerda, outros três à direita e mais gente se encorajou. Grupos dançavam nas laterais do teatro quando Elis se despediu em estado de graça, com um beijo em cada músico e um aceno para Cesar antes de deixar o palco com a alma eufórica.

A noite chegou e o esquema agora seria um pouco diferente, com Elis abrindo o *show* para Hermeto Pascoal, o alagoano de 43 anos que levava consigo uma forma de pensar música, fora de qualquer convenção, que o elevava à condição de mago. Ou, como preferiam os críticos, de bruxo. Na cabeça de Hermeto, se música é produzida por sons, tudo poderia ser música. Da queda de uma cachoeira ao apito de uma chaleira, do vento aos ruídos do intestino, bastava prestar atenção para encontrar a melodia.

Hermeto chegou à Suíça com cabelos esvoaçantes e óculos grossos olhando torto para as mesmas câmeras de TV que haviam incomodado os músicos de Elis. Inconformado com a falta de patrocínio para sua viagem, toda custeada pela gravadora Warner, sentiu que seria a hora de dar o troco às emissoras brasileiras que poderiam estar por trás daquilo e pediu que não filmassem nada enquanto tocasse. Os produtores se fingiram de surdos, mesmo porque nenhum deles era brasileiro ou falava português, e registraram a apresentação na íntegra. Hermeto vinha a Montreux já como um nome de peso, alguém que havia dito não a Miles Davis quando chamado a integrar sua banda, um homem que assombrava a Europa e os Estados Unidos com uma musicalidade complexa, mas livre de conceitos acadêmicos. Engoliria aquele festival com uma sequência de temas que falavam um "nordestinês" cativante e capturavam o coração da audiência a cada solo. Ao final, uma ovação de 15 minutos o faria voltar para um número arrasador. Mas a glória de Hermeto poderia ser também o calvário de Elis Regina.

Uma inquietação abateu a cantora no camarim, minutos antes de ela entrar em cena para fazer o *show* da noite. Como é que a filha de uma mulher tão simples como Dona Ercy poderia pisar no mesmo palco de Ella Fitzgerald? Elis começou a apresentação tensa e suando. Avisado por um produtor francês de que sua estrela estava prestes a desmaiar no palco, Midani apanhou um copo d'água e se dirigiu para o canto direito de Elis, esperando que ela o visse. Elis o viu logo, apanhou o copo, tomou a água com pressa e voltou a cantar. O espetáculo já assumia tons dramáticos com uma mulher visivelmente usando suas forças para chegar ao fim de uma epopeia. Sua entrada foi encerrada com palmas bem menos quentes do que as do *show* da tarde e bem mais econômicas do que as que se despediram de Hermeto Pascoal. E aquele era apenas o fim do primeiro ato.

Ao se despedir da plateia, Elis viu Hermeto subindo ao palco em sua direção. De improviso, Claude Nobs havia pedido que fizessem um número de encerramento com voz e piano. A cena que Montreux viu a partir desse instante se tornou uma das *performances* mais debatidas a respeito do encontro de dois gigantes da música brasileira. Dueto ou duelo? Improviso ou disputa? A primeira música que acertaram fazer ali, na hora, depois de alguns cochichos entre Elis e Hermeto, foi "Corcovado". Elis ouviu a introdução caótica uma, duas vezes e sentiu o sinal do bruxo, mas decidiu esperar que a poeira de dissonâncias baixasse para ter mais segurança. Quando achou o tom, o que não era fácil ao lado de Hermeto, entrou firme com "um cantinho um violão, esse amor uma canção" até que o terceiro acorde lhe deu um nó.

Em sua gana por liberdade, Hermeto não improvisava notas sobre campos harmônicos definidos, como fazem os jazzistas, mas alterava a própria harmonia trocando os acordes de lugar como se fossem peças de um jogo sem regras. Assim, sua base alternava a desconstrução total de sequências harmônicas com momentos de calmaria em raros trechos reconhecíveis da melodia. Isso até que o terremoto voltasse. Ao sentir a briga de foice que era cantar para Hermeto, Elis fechou os olhos e seguiu cantando. Segurava o tom com bravura e entrega enquanto o piano viajava pelas galáxias. "Corcovado" era executada em duas versões ao mesmo tempo, de uma forma que provavelmente jamais passara pelas ideias de Tom Jobim. Sem cair, Elis virava o jogo e começava a transformar o desafio em diversão. Os dois já sorriam quando Hermeto abriu espaço para ele mesmo fazer um solo no meio da música e a tensão voltou. O problema não era a entrada do improviso do bruxo, mas a saída dele. Elis não poderia vacilar assim que o piano reabrisse o portal para que ela voltasse a cantar, mas era difícil saber o que se passava pela cabeça de Hermeto. De olhos arregalados, Elis procurou o tom e não encontrou, até que percebeu duas notas familiares e as agarrou à unha. Mas aqui fez diferente, brincando de Billie Holiday nas subidas e descidas da melodia e soltando as próprias percepções para se jogar definitivamente em uma interpretação arrebatadora. O bruxo e a feiticeira começavam a fazer a plateia levitar.

Os músicos de Elis estavam na área privativa dos camarins, tomando vinho e conversando com convidados como o pianista Herbie Hancock e o baixista Ron Carter. Era ali que todos se conheciam antes e depois dos *shows* enquanto outros músicos se apresentavam. Às vezes, também tocavam em um pequeno palco reservado para *jam sessions*, em encontros divertidos e inspirados. Pois, enquanto Hermeto e Elis estiveram em ação, algo congelou a área *vip*. O barulho dos copos cessou e as conversas foram sendo interrompidas uma a uma pelas imagens que chegavam do palco através de um monitor e pelo som que saía das caixas acústicas. Hélio Delmiro via as estátuas que o rodeavam com um orgulho indisfarçável por ter saído da mesma terra que aqueles dois malucos que quebravam tempos e protocolos em Montreux. Elis e Hermeto parariam a Suíça inteira se quisessem.

Ao fim do encontro, Elis brincou como se estivesse dando um soco em Hermeto e os dois se abraçaram na parte do fundo do palco. Mas a plateia queria mais e o músico, num gesto inesperado, trouxe Elis de volta ao microfone e retomou seu lugar nas teclas. Usando o instrumento de forma percussiva, puxou a entrada de "Garota de Ipanema" em um tom baixo e pronto para fazer os mesmos malabarismos, mas desta vez encontrou a cantora que aprendia rápido. Elis e Hermeto demoliram e reconstruíram a canção que o mundo cantava mesmo sem falar português e que, curiosamente, Elis havia prometido a si mesma nunca cantar. Os dois se despediram novamente e deixaram o palco. Mas o público queria mais.

Seria o terceiro e último *round*. Diante de uma plateia sobretudo europeia, Hermeto deixava que saísse "Asa Branca", de Luiz Gonzaga e Humberto Teixeira, num piano cheio, criador de uma tensão galopante em batidas enérgicas que logo desabrochariam em uma bela melodia, simbolizando a passagem da aridez para a esperança do caboclo que sai de casa e deixa Rosinha guardando seu coração. Ao ouvir a palavra coração, Hermeto largou tudo o que fazia, respirou fundo e criou uma valsa de bailarina que pegava Elis de surpresa. Ao ouvir aquilo, ela deu um berro longe do microfone e um tapa com força na mesa do piano, vibrando por Hermeto e por Luiz Gonzaga. O abraço foi forte e demorado quando o último acorde soou. Elis sorria emocionada e dizia palavrões de felicidade nos ouvidos do pianista. "Seu filho da puta! Foi demais!" As memórias de Hermeto guardam o comentário de Elis que o desconcertou. Já atrás do palco, Cesar, nas memórias do bruxo, se aproximou para os cumprimentos e Elis não se conteve: "Viu isso, Cesar? É assim que eu gosto de cantar."

Hermeto havia colocado em prática com Elis o que poderia ser chamado de "método da surpresa", um contraponto ao ensino tradicional do improviso. "Escolas não ensinam palavras, ensinam frases prontas", diria. A música verdadeira, para ele, deveria ser criada com emoção e susto em um diálogo sem lugares comuns. Ao perceber que poderia "conversar com a mente" com Elis, decidiu voar alto. Anos depois, Hermeto responderia aos que o acusaram da tentativa de derrubar Elis em pleno palco. "Se é improviso, o músico jamais pode ter certezas. Se tem certeza, é algo decorado. Muitos músicos de jazz têm tudo decorado debaixo dos dedos, eles nem sentem mais a surpresa. Se fosse com outra, eu nunca faria o que fiz. Só fui por aqueles caminhos porque eu estava com Elis Regina."

Logo depois do *show*, um jantar reunia Elis, Midani e os músicos quando a cantora confessou ao patrão ter tremido na base ao se lembrar de suas origens e associá-las a Ella Fitzgerald. Sua intimidação poderia ter sido poupada se soubesse que Ella também não havia despencado naquele palco direto de um conto de fadas. Se Elis se julgava uma estranha no ninho das cobras por vir de uma periferia de Porto Alegre que nem era tão miserável assim, Ella era prova de que milagres existem. Ao perder a mãe, aos 15 anos, a garota de Newport News, Estados Unidos, ficou tão sem rumo que aceitou com gosto as farelas do pão que o diabo amassou. Virou figura carimbada na polícia depois de trabalhar em bordéis até o dia em que suas chances acabaram e ela foi mandada para um reformatório de onde fugiu para morar na rua. Sua biografia poderia ser aberta em qualquer página que as lágrimas viriam. Mas Ella agarrava as chances com força descomunal e jamais deixaria que algo a intimidasse quando estivesse sobre um palco. Elis titubeara no controle de suas emoções. Sua insegurança quase a vencera em boa parte da apresentação.

Aquela plateia não tinha só tubarões do jazz. Seguindo seu faro para marcar presença nos momentos sublimes da música desde que se inventara como compositor, jornalista e produtor, Nelson Motta via Elis novamente – agora na condição de repórter – e bem preocupado. O *show* da noite havia sido para ele de pouca energia, um preço pago por Elis ter deixado mais da metade de suas forças no tal concerto da tarde que inventaram às pressas. No dia seguinte, um almoço na casa de Claude Nobs reuniu os músicos da noite anterior para entrevistas e troca de experiências. Como enviado da Globo, Nelson sentava-se ao lado de Elis para fazer perguntas de microfone em punho e com a TV da sala de Nobs mostrando a gravação da apresentação. "Estava prevista essa sua participação com Hermeto?", quis saber Nelson. "Não, foi empurração, jazz puro. Dizem que o festival é de jazz, não é?", respondeu Elis, incluindo detalhes de bastidor que pouca gente sabia: "De repente o André (Midani) empurrou o Hermeto e disse que iríamos tocar juntos. Eu disse, 'mas o quê?'. E ele: 'sei lá, senta e toca'." O "senta e toca" era a piada interna criada com Dudu Portes que Nelsinho não entendeu, mas que fez a própria Elis rir enquanto falava. Antes da primeira música, Hermeto perguntou o tom. Elis respondeu que sua extensão era de contralto. "Então você vai daqui até aqui", disse o bruxo tocando o piano. "Não, bicho, se for em si, numa boa. Em dó já vai forçar, porque eu tô com a garganta cansada." Mas Elis chegava a uma conclusão ao falar do repertório que incluía Luiz Gonzaga. "É muito bom perceber que nós não somos colonizados. A gente tem um orgulho lascado de ser brasileiro. Não tem vergonha de fazer samba, não tem vergonha de tocar triângulo nem pandeiro." Elis falava enquanto o som de "Asa Branca" vinha com força da televisão, inflamando o que já era um discurso emocionado. "E pra que falar de jazz se um país como o nosso se dá ao luxo de botar na terra esse albino estrábico que deve ter problemas terríveis e que faz isso aí." Nesse momento, na TV, Hermeto dava os acordes finais e grandiosos de "Asa Branca". O texto de Elis saía como se preparado para ter a mesma duração do vídeo, com um ápice que coincidia com a dinâmica de "Asa Branca". Sua voz embargou antes da última frase: "Depois disso, vamos fazer o quê? Sentar e chorar, né, Nelson Motta?"

A crítica internacional se dividiu com relação às *performances* dos dois brasileiros. P.A. Luginbuhl, do jornal suíço *L'Est Vaudois*, foi mais contido com Elis. "Elis Regina não transcende, mas é sutilmente sedutora a respeito de suas concessões aos improvisos." Diante de Hermeto, porém, deslumbrou-se. "Já o efervescente Hermeto Pascoal é um autodidata que não deve nada a ninguém e que pode ir além de todo mundo."

Midani, filho de confeiteira, sírio de nascimento e francês de criação, que correu para o Brasil ao sentir que a Guerra da Argélia sobraria para ele, tinha histórias de superação de vida que poderiam reerguer o ânimo de um cachorro morto. Ele entendia Elis quando ela lamentava sobre a apresentação noturna e a consolava, elogiando a reviravolta que havia provocado no fim da noite, no encontro com Hermeto. Mas Elis lhe fez um pedido, a última coisa que ele gostaria de ouvir como presidente de gravadora: "Midani, eu quero que você jure nunca lançar um disco deste *show*." Era uma rara espécie de confissão da vergonha vinda por uma *performance* também prejudicada pelo peso da plateia. Ao ver Chick Corea, Wayne Shorter e executivos de gravadoras lendárias à sua frente, ela não cantaria uma nota sem pensar que estava sendo avaliada. Midani lamentou, mas concordou. E o pior: o pedido de Elis valia para o além-túmulo. Nem por cima de seu cadáver um álbum daquela experiência deveria sair em LP. Que as provas da derrota fossem queimadas, deixando apenas a plateia como testemunha. Anos depois, Midani perderia algumas noites de sono depois de ouvir as fitas originais novamente. Onde quer que Elis estivesse, ela teria que entender. "Desculpe, Elis, mas nem eu nem você temos o direito de não lançar esta gravação." E quebrou a promessa.

Um avião partiu da Suíça para o Japão levando as comitivas de Elis e Hermeto para seguirem com um *show* no Denen Colosseum de Tóquio, onde também se apresentariam Herbie Hancock, Wayne Shorter e Sadao Watanabe no evento anual *Live Under Sky*, quase uma réplica de Montreux com direito a noite brasileira. Ainda que no mesmo voo, Hermeto e Elis não se falaram por estarem em assentos distantes, mas tiveram notícias um do outro por recados que ela mandava pelo porta-voz Luizão Maia. "Pô, Hermeto, Elis disse que adorou o *show*." "Puxa, Luizão, diga que eu gostei também." Para Hermeto, um clima pesado entre Elis e Cesar havia embarcado com os passageiros no aeroporto de Genebra rumo a Tóquio. Ninguém havia armado barraco onde não devia, mas o comentário geral era de que as coisas não iam bem entre o casal. E, claro, não era Hermeto quem iria perguntar.

Montreux havia tido ainda outra serventia ao departamento pessoal de Elis Regina. Pois nas voltas que o mundo dá – e na música do final da década de 1970 o mundo parecia bem pequeno –, eis que Nenê reaparece na frente de Elis. Depois de ser desligado de sua banda no meio da temporada de *Falso Brilhante*, ele só não tomou água da sarjeta porque um amigo abriu a torneira.

Do Teatro Bandeirantes e dos vencimentos que somavam uma média de dez mil cruzeiros mensais, Nenê migrou para a boate do pai do guitarrista Lanny Gordin, no centro de São Paulo, para ganhar um cachê de dois mil. A família de Lanny via em Nenê uma alma decaída e em processo de autodestruição até que um tio do guitarrista fez a proposta: "Vai pra casa que eu toco no seu lugar e ainda lhe pago o salário." Nenê foi e se enterrou debaixo nos cobertores à espera de uma bênção. O telefone tocou: "Oi, Nenê, é o Milton Nascimento. Vamos gravar um disco novo?" O disco novo era *Clube da Esquina 2*.

Convidada por Milton Nascimento para participar, Elis foi ao estúdio com Cesar colocar voz na faixa "O Que Foi Feito Deverá". Ao cruzar com Nenê, fechou a cara, mas mandou um recado pelo marido. "Olha, Nenê, a Elis falou pra você fazer a bateria na faixa que ela vai cantar." O hasteamento da bandeira branca não o sensibilizou, e Nenê decidiu mostrar que ainda estava ferido. "Diz pra ela que eu não acompanho mais cantora. Só toco com cantor." Depois das gravações com Milton, Nenê seguiu para o grupo de Hermeto. E quando o mundo dava sua segunda volta, lá estavam ele e Elis, de novo, no mesmo avião, no mesmo hotel, no mesmo festival. Depois de evitar que seus olhos se encontrassem com os de Nenê durante todo o voo de ida, Elis chegava a Montreux disposta a dar fim ao clima pesado de uma história que insistia em juntar dois gaúchos legítimos condenados a se verem para sempre. Elis mandou um recado por seu relações-públicas Luizão Maia. "Nenê, a Elis quer te ver." Juntos, Elis e Nenê enterraram as mágoas no quarto do hotel com doses de risos e uísque.

"Ela é a nova Ella Fitzgerald." A frase que André Midani ouviu de mais de um chefão da indústria fonográfica que viu Elis em Montreux ficaria guardada em seus arquivos. Mas uma diva internacional se fazia com tempo, algo que eles não teriam, e investimento, algo que só viria depois do primeiro item. E nenhum ingrediente seria mágico se esse próprio artista não abraçasse a causa. Elis já havia chegado longe. Repetia em suas entrevistas o quanto sentia por ter tido sua infância violentada pelo sucesso e o quanto sofrera por ter aprendido na marra o que bem-nascidos como Chico e Gil sabiam de berço. A própria Elis não tinha tanta certeza assim de uma consagração internacional como objetivo de vida. Casada, mãe de três filhos, tinha boa parte de um país a reverenciando, mesmo que aos tapas e beijos. Bastava que seu trem não saísse dos trilhos.

Manter-se em evidência era um esforço dobrado quando não se tinha a televisão como aliada. Suas experiências em programas populares haviam rendido situações traumáticas. Era melhor voltar a cantar no *Clube do Guri* do que forjar uma *performance* dentro de um orelhão público, como havia feito para uma emissora de São Paulo. Havia uma crise também em sua relação com a Globo. Elis dizia que os programas por lá haviam se tornado "um esquema de plástico, impessoal, institucional, em que os números musicais entram para, quando muito, ilustrar o assunto anterior." Justificava sua ligação com a Bandeirantes como opção aos maus tratos que sentia na emissora carioca. Na última vez em que havia sido convidada para cantar no *Fantástico*, da Globo, que Elis chamava de "Fanplástico", um dos produtores quis saber: "O que você vai fazer?" "Cantar." "Só?", ele perguntou surpreso. "Eu ia cantar", disse Elis. "E ia cantar como só eu sei fazer." E partiu. Elis só tinha o palco e os estúdios a favor de sua carreira e, justamente por isso, não passava uma semana sem bater cartão em um deles.

Assim que voltou de viagem, mais um espetáculo deveria ser pensado para o lançamento do álbum *Essa Mulher*. A direção ficou nas mãos do amigo Oswaldo Mendes, que já havia segurado o rojão de *São Paulo-Brasil* e com quem a cantora havia estreitado relações em uma entrevista para o jornal *Folha de S.Paulo*. O curioso foi que, em vez de o jornalista ir a Elis, era ela quem vinha ao jornalista. Elis foi à redação da *Folha*, na Rua Barão de Limeira, nos Campos Elíseos, para a entrevista. Haviam combinado de saírem logo depois, mas Oswaldo precisava de mais tempo para resolver outros compromissos. "Vamos, Oswaldo, deixa esse negócio aí." "Que é isso, Elis? Eu tenho trabalho ainda." Sentada em uma das mesas dos repórteres, a cantora ficou lendo e fazendo ligações por mais ou menos uma hora. Mesmo os jornalistas mais experientes, acostumados a personalidades famosas, passavam pela redação incrédulos. Elis Regina, sem constrangimento naquele ambiente que muitas vezes significava o flanco oposto de suas batalhas, parecia mais uma repórter veterana.

Elis e Oswaldo saíram da *Folha* para um restaurante no Largo do Arouche. A cabeça que nunca parava estava agora às voltas com as ideias do que seria um lançamento digno para *Essa Mulher*. Entre os rascunhos do que deveria ser o novo *show*, o jornalista conhecia um pouco mais de Elis, surpreso com uma bagagem cultural que ia além do mundo musical. De Ademar Guerra, mestre de quem Oswaldo havia sido aprendiz, ela sabia, se não tudo, muito das principais montagens, *Oh, Que Delícia de Guerra!* e *Marat/Sade*. Havia sido como espectadora de teatro, e não de *shows*, que a cantora aprendera sobre seus conceitos de espaço no tablado. Suas referências musicais também eram mais elásticas do que aparentavam, testadas por Oswaldo na base da brincadeira do "cante uma canção que direis de quem é". Depois de escolher uma música como se retirasse um fóssil da camada mais profunda, o jornalista cantava e olhava para Elis esperando a resposta. Ela acertava todas. A convivência foi dando forma ao espetáculo de *Essa Mulher*, que começou a ser armado seguindo a espinha dorsal clássica, com início impactante, jogo de emoções no decorrer da história e desfecho comovente. Elis fazia questão de examinar as letras estudando seus versos e a intenção de cada interpretação para tecer uma colcha harmoniosa – um hábito que havia adquirido desde sua saída de Porto Alegre, quando passava horas estudando a dicção das palavras e fazendo observações a caneta sobre os versos com o pianista Amilton Godoy.

O vestido feito pelo estilista Clodovil Hernandez, que Elis usaria no primeiro espetáculo, chegou horas antes da estreia. Era uma peça lilás de tecido transparente e sem forro para deixá-lo ainda mais delicado. A música "As Aparências Enganam" era quase que um discurso, mais falado do que cantado, e a ideia de Oswaldo era usá-la com poucos movimentos de cena, deixando Elis estática diante do microfone para reforçar a poesia. Elis experimentou o vestido pouco antes de entrar em cena. Clodovil havia acertado, capturando a alma do espetáculo moldando a cantora com linhas de caimento perfeito sem deixá-la nem vulgar nem solene.

Oswaldo decidiu acompanhar o *show* da cabine de luz, ao lado do técnico. Assim que começou "As Aparências Enganam", apenas um refletor vindo de trás passou a iluminar Elis com uma penumbra que ia clareando com intensidade gradativa conforme a canção crescia. Era comovente vê-la solitária no palco, envolvida nos versos de uma canção de Tunai e Sérgio Natureza que começava afirmando que "as aparências enganam aos que odeiam e aos que amam porque o amor e o ódio se irmanam na fogueira das paixões". Oswaldo pedia que a luz subisse bem aos poucos, quando percebeu um efeito inesperado. Elis estava ficando nua. Sem forro, o vestido havia sumido naquele negócio de luz fraca que fica forte. Elis não tinha um corpo feio e ousadia era o que não lhe faltava, mas mostrá-la como uma dançarina da Rua Augusta não era exatamente a proposta da direção. "Joga a luz de frente!", ordenou o diretor. "Mas vai chapar", respondeu o técnico. "Chapa, mas tira aquela luz de lá", disse Oswaldo. Elis percebeu a lambança e veio saber ao final do *show* que refletor frontal era aquele furando seus olhos. "Fui eu Elis", disse Oswaldo. "Desculpe, mas não dava. Essa porra dessa roupa não tem forro e aquela luz estava fazendo você cantar de calcinha e sutiã."

21.

A TELEVISÃO ABRIU OS OLHOS PARA O SEXO FEMININO com um interesse inédito naquele final de década de 1970, até porque o IBGE já apontava um placar de 98,7 homens para cada 100 mulheres. Elas estavam vencendo. Bastava uma lente de médio alcance para identificar em qualquer classe figuras femininas de ideias, palavras e ações de dar nó nas cabeças machistas. Um dos primeiros homens a perceber a força daquela revolução sexual silenciosa estava na TV Globo. Filho de ator catalão e atriz argentina, João Carlos Daniel já era o diretor de programas Daniel Filho quando veio a vontade de captar o fenômeno de comportamento das ruas com um seriado semanal. *Malu Mulher* estreou em maio de 1979 criando bochicho e expectativa pelos novos capítulos das noites de quinta-feira. Tudo girava em torno da vida de Malu, interpretada por Regina Duarte, uma socióloga divorciada e independente, mãe de uma garota de 12 anos e com uma vida pós-conjugal e profissional de carga dramática suficiente para criar identificação imediata com o batalhão de saias vidrado na TV. Inquietas com a invisibilidade de suas condições de donas do lar, elas queriam voz e espaço fora de casa e em frentes que demorariam um pouco mais para se acostumarem com suas presenças. Desde que havia chegado à TV Record, em 1965, falando de igual para igual com os músicos do Zimbo Trio, Elis já era essa mulher.

Malu Mulher se tornou uma sensação internacional que, depois de ser vendida para emissoras de 50 países, recebeu prêmios em Portugal, Grécia, Estados Unidos e Espanha. Sua trilha seguia a lógica de ter cada música cantada por uma voz feminina diferente, o que logo fez nascer um LP e um novo especial. Entusiasmado com o produto que haviam criado em casa, João Araújo, da Som Livre, o braço fonográfico da Globo, sugeriu a Daniel que elaborasse um programa inspirado no seriado, só com mulheres cantoras. E foi assim que, da costela de Malu, nasceu *Mulher 80*, com entrevistas e *shows* de 11 cantoras lado a lado e em papos individuais sobre os dilemas da mulher que construiria a nova década, agora, sob o ponto de vista das divas.

Elis gostou do formato e decidiu quebrar o jejum de Rede Globo. Se tinha algum problema também com outras cantoras, chegava a hora de resolvê-lo. Além de seu nome, estavam no elenco Maria Bethânia, Fafá de Belém, Zezé Motta, Marina Lima, Simone, Rita Lee, Joanna e Gal Costa. Um nome natural para a apresentação da noite era o de Regina Duarte, a Malu do seriado. Mas Regina ficou grilada com a proposta. Entendeu que *Mulher 80* poderia embolar o meio de campo de *Malu Mulher* e relutou. Quando percebeu a segura diferença entre os projetos, topou, desde que usasse ao menos uns óculos para diferenciar-se da outra personagem e evitar confusões no espectador. Quem estava ali era Regina, não Malu, embora fosse esse um fato irrelevante, já que as duas acreditavam exatamente nos mesmos ideais. Outra participação especial era de Narjara Tureta, que interpretava a filha de Malu no seriado.

Antes de mostrá-las cantando, Daniel exibia entrevistas que questionavam mais a mulher e menos a artista. "A gente tá aprendendo a pensar com a nossa própria cabeça. Mas como fazer para equilibrar essa cabeça e esse coração?", perguntava Regina olhando para a câmera. Quando Daniel chegou à casa de Elis, em São Paulo, armando o equipamento para a filmagem, ela avisou: "Fiquei sabendo que tem umas cantoras chorando aí nas entrevistas que você está fazendo. Nem vem que aqui não vai ter choro, não." O diretor explicou que essa não era sua intenção, que não estava ali para arrancar lágrimas de suas convidadas. O choro de Zezé Motta, ao qual se referia Elis, havia saído no momento em que a cantora se lembrou de ter ganhado um prêmio importante no mesmo dia da morte de seu pai.

Elis começou rápida e de bom humor. Falou da mãe: "Ela esqueceu de contar pra gente como era o mundo. Saí de casa totalmente desequipada para a vida." De seus medos: "Eu não aguento a minha insegurança. Acha que sou homem o suficiente pra me encarar sozinha com o terapeuta?" E de sua fama de mau: "As pessoas acham que sou antipática, porque eu não as encaro. Mas isso é porque eu sou vesga mesmo e quando vejo que vou ficar vesga eu começo a disfarçar. Eu sou a rainha do disfarce." Quando entrou no assunto Maria Rita, sua pequena, Elis quebrou a promessa e a mulher durona desapareceu: "O que eu quero para ela? Eu quero que ela ria muito. E que não fique pesada nunca", disse, chorando.

No dia da gravação do especial em estúdio, com todas as convidadas, lá estavam suas amigas e, por mais velado que fosse, também suas concorrentes. Daniel complicou um pouco mais explorando os estereótipos físicos, colocando a magra Rita Lee ao lado da cheinha Fafá de Belém, as baianas Gal e Bethânia lado a lado e a grandalhona Simone cara a cara com a baixinha Elis Regina. Um dos problemas de Elis era seu 1 metro e 53 centímetros que não esticava nem com feitiço. "Se chegasse a 1,63 eu estaria feliz da vida", dizia. Ao olhar para o edifício à sua frente, Elis teria dito: "Puxa, quer dizer que você é a maior cantora do Brasil?" Outra anedota que ficou daquele dia, contada por Daniel Filho: quando o programa começou e as cantoras saíram de trás de um cenário caminhando todas para a frente do palco, Bethânia ouviu o barulho forte dos passos no piso de madeira e disse: "Meninas, pisem mais macio porque esse é um programa de mulheres." Muitos risos saíram daquela gravação, em causos reais ou fictícios.

Havia uma música que todas deveriam cantar juntas no fim do programa, mas sua escolha era delicada. A questão era de onde tirar uma canção emblemática que não fosse marca de nenhuma carreira das moças ali a postos. Caso contrário, o mal-estar se instalaria e a guerra de egos poderia colocar tudo a perder. Elas poderiam até cantar juntas, desde que não fosse um sucesso retumbante de uma "rival". Coisa de diva. Daniel foi ao território neutro de Carmen Miranda e trouxe "Cantoras do Rádio", uma manobra esperta e indolor. Ninguém torceu o nariz, todas sabiam a letra de cor, tudo certo.

Elis e Daniel se afeiçoaram com admiração profissional e empatia de amigos de bar, a ponto de o diretor conceber um especial para a cantora na sequência, dentro de uma série da Globo chamada *Grandes Nomes*. A produção de fôlego gravada no Teatro Globo Rio trazia 15 músicas interpretadas em um palco que imitava picadeiro, cheio de marcações para a entrada e a saída de Elis e seus convidados. Uma pedreira que não admitia vacilos, com seis câmeras e plateia de 800 convidados. Não por acaso, sua entrada simulava o andar por uma corda bamba. Era exatamente assim que Elis se sentia desde que topara encarar a parada de Daniel. Camisetas pretas com a bandeira do Brasil e os dizeres "Elis Regina" no lugar de "Ordem e Progresso", concebidas por Mário Monteiro, seriam distribuídas aos músicos e produtores. Considerando-se baixinha e sem o abdômen de Gal Costa, Elis era ainda uma mulher apaixonada pelo marido com o casamento correndo perigo. Todos os artistas que passavam pelo especial tinham o direito de convidar um nome que admiravam para uma participação. Mesmo em guerra com Cesar, Elis o chamou.

Os dias eram de turbulência entre os dois – na verdade, o que chegou a Daniel foi a notícia de que, sabe-se lá se temporariamente ou não, eles estavam rompidos. Antes de entrar em cena, Elis tomou dois dedos de uísque para domar as emoções e seguiu em frente. Daniel preparou um banquinho no centro do palco para dar apoio cênico ao bloco que chamou de Amor, uma sequência de machucar os corações que tinha "Essa Mulher", "Atrás da Porta" e "Cadeira Vazia". Seguindo as marcações com precisão, Elis começou a desabar já em "Essa Mulher", emitindo os primeiros sinais de que algo não estava bem. Entregas físicas não eram novidade em seus *shows*, mas desta vez ela se segurava para que a ameaça de choro não vencesse a afinação. Quando começou "Atrás da Porta", plateia e produtores prenderam a respiração para assistirem a uma impressionante cena de angústia e solidão. Sentada diante daquelas pessoas, Elis falava de si mesma rasgando o peito com uma angústia de derrota.

O choro intrigou Daniel. As raias que dividiam a interpretação da verdade eram rompidas, fazendo tudo se misturar. Ao mesmo tempo em que deixava lágrimas brotarem, Elis tinha consciência de que estava em cena e, por isso, não desafinava. A habilidade com as marcações de palco também deixava o diretor perplexo. Ali estava uma atriz profissional que o fazia lembrar de como era importante seguir as lições de Frank Sinatra, a quem cada palavra era dita com o seu peso certo de emoção, mesmo na milionésima vez em que era cantada.

Ao menos uma música mostrada por Elis havia entrado por acaso. Daniel não tinha uma lista fechada quando Cesar, depois de um ensaio cansativo, se sentou ao piano e começou a fazer os acordes de "Rebento", de Gilberto Gil. Os músicos já estavam guardando seus instrumentos quando perceberam que aquilo estava deixando de ser brincadeira. Elis se aproximou de Cesar e começou a cantar. Em silêncio, cada instrumentista se reposicionou para não perturbar uma mágica que sabiam estar sendo construída diante de seus olhos, um "Rebento" vindo ao mundo de parto normal. A música, com todos tocando, ficou girando pelo estúdio por 20 minutos até que Daniel decidiu incluí-la no repertório. Depois de cantar no *show*, Elis abraçou Cesar com força e lhe falou agrados nos ouvidos que sinalizavam uma reaproximação. Dias depois, sentados na sala da casa de Daniel para verem o material pronto, Elis e Cesar se beijaram.

Quando chegou a vez de Gal Costa ganhar seu *Grandes Nomes*, um programa batizado como "Maria da Graça Costa Penna Burgos", o real nome da cantora, Daniel perguntou quem ela desejaria que fosse seu convidado especial: "Elis Regina." Daniel ligou para o telefone que lhe passaram e a cantora atendeu em Los Angeles, onde estava com o saxofonista Wayne Shorter tratando dos detalhes de um disco que queriam fazer juntos. Naquele dia, o mundo ainda estava estarrecido com uma notícia dura de digerir: John Lennon havia acabado de ser assassinado em frente ao edifício Dakota, em Nova York, com cinco tiros disparados por um rapaz de 25 anos chamado Mark Chapman. Elis atendeu e respondeu no ato: "Claro que eu quero, estou indo agora." Aquele não era o melhor momento para se estar em um país que acabava de perder seu filho adotivo mais ilustre nem o melhor dia para se estar ao lado de Wayne Shorter, que nem Elis nem Cesar aturavam mais ouvir fazendo exigências para a gravação do projeto. Depois do convite, Daniel passou o telefone a Gal e as duas ficaram no papo de comadres por um bom tempo. Em três dias, a cantora estava de volta ao Brasil para saber o que deveria fazer.

Gal e Elis eram personagens saborosos de um ringue irresistível de não se criar, ainda que por força da imaginação da imprensa. Do lado direito, a baiana sensual, de voz límpida, extensa e graciosa. Do esquerdo, a gaúcha de energia inesgotável e interpretações inebriantes. Até Elis já havia entrado na anedota. Ao ver o resultado de uma avaliação entre as estreias dos *shows* de Gal, Elis e Maria Bethânia, em São Paulo, feita por uma revista semanal, ela vibrou como se tivesse feito um gol em final de Copa do Mundo ao ver que levava a melhor. Mas, de concreto, não havia nada que indicasse a fissura que os jornais alimentavam. Se procurassem mesmo, os repórteres achariam o contrário. Assim que estreasse o espetáculo *Fantasia*, em 1981, Gal seria espancada pela crítica e abraçada por Elis, que ligou para a baiana assim que leu o primeiro comentário negativo nos jornais. Quando descobria um belo músico que não poderia ter em seu conjunto por não haver vaga ou algum outro motivo, Elis também ligava passando a bola para a amiga. Ao receber Gal para cantar nos tempos de *O Fino da Bossa*, Elis percebeu a colega usando o camarim comunitário e a convidou para o seu particular. Se não havia intimidades exageradas, também não havia cara feia. E se fosse para olhar para alguém fazendo cara feia, Elis preferia nem olhar.

Seus olhos nunca se cruzaram com os de Gal Costa enquanto as duas cantavam no programa *Grandes Nomes*. Já na passagem de som, a baiana sentiu que Elis evitava o contato visual enquanto cantavam "Amor Até o Fim", um samba de Gil quente e desafiador. Gal buscava o tempo todo uma resposta de Elis, que nunca vinha. Chegou a comentar com o diretor: "Puxa, Daniel, eu olho pra ela, mas ela não olha pra mim, não tem jeito." Depois de quebrar o gelo com uma ou duas passadas, encorajou-se para falar com a própria cantora: "Puxa, Elis, olha no meu olho, eu estou olhando pra você!" O número começou com Gal cantando a primeira parte e chamando Elis na segunda. As duas cantavam a três metros de distância uma da outra, com Gal mostrando o colo até onde podia e Elis um pouco mais reservada, em um conjunto azul reluzente e uma maquiagem forte. O samba de Gil guardava o ápice para o final, quando o refrão seria repetido de forma circular fazendo a banda ir às alturas com seus músicos soltando a mão. Foi quando a dupla passou a viajar cada uma à sua maneira. Gal sorrindo e dançando, olhando sempre para Elis, e Elis gingando como malandro de pernas abertas e olhos fechados, nunca direcionados para Gal. O embate dos solos vocais crescia ao mesmo tempo em que as duas se aproximavam. Já lado a lado, como Dizzy Gillespie e Charlie Parker, aumentavam a potência de suas frases e passavam a dar saltos livres e envolventes de algo que já era mais jazz do que samba. A plateia levantou das cadeiras em delírio e a convidada trocou graças com a dona da festa. Ao final, Gal não resistiu em voltar ao assunto com a amiga nos bastidores: "Mas você não olha mesmo pra mim, né, Elis?" E Elis respondeu: "Sabe Gal, o problema é que eu sou vesga. Morro de vergonha."

Vergonha era a palavra para definir o que o Brasil sentia dele mesmo naquele início de nova década. Era como se as pessoas se esquecessem de que o país em que viviam, com cultura própria, bandeira e Hino Nacional, ainda era delas. O Brasil tinha como donos 120 milhões de brasileiros antes de qualquer marechal tomá-lo de assalto. "Mesmo estando aqui, tenho saudades do Brasil", dizia Elis em suas conversas com Cesar. Era como se os anos de chumbo tivessem sequestrado símbolos seculares de domínio público como o próprio Hino, que era escutado agora com um pé atrás e uma emoção contida mesmo em dias de jogos da Seleção Brasileira. Cidadão que se deixasse levar por ele poderia ser apontado como um entreguista, satisfeito com a política dos quartéis. Se emocionar com o Brasil havia se tornado um perigo.

Oswaldo Mendes e Ademar Guerra sentiam o mesmo e falavam sobre a "olimpíada da dor" que a condição de exilado criava entre os artistas. Ganhava o selo de herói quem comesse o pão mais sovado pelo diabo. Gil, Caetano e

Chico lideravam a frente dos nomes acima de suspeitas por terem saído para não serem presos. Elis, Simonal e Ivan Lins haviam se abaixado do tiroteio por aqui, ganhando balas perdidas e sem direito a medalha de honra. Oswaldo falava com Ademar: "A gente tem que recuperar esse país pra gente. Isso não é deles, é nosso! Como não podemos ser donos do chão em que pisamos? Não consigo nem torcer para a Seleção Brasileira." Um texto seu, *Carta ao Exilado*, inspirado na obra do dramaturgo Bertold Brecht, definia a situação. "O pior é aquele que se torna um exilado em seu próprio país." Quando Elis e Cesar se sentaram com Ademar e Oswaldo para rabiscarem as ideias de um novo espetáculo, foi como riscar o fósforo perto de uma bomba de gasolina. As saudades de um Brasil distante careciam de um descongestionante das vias respiratórias que viria em forma de *show*.

Inspirado no título do recém-lançado disco da pianista Eudóxia de Barros, e não em uma música de Tom Jobim, como acreditou-se, Oswaldo propôs *Saudade do Brasil* como nome. Baseado na ideia dos que viviam em um país roubado de seus habitantes, uma nova produção foi sendo desenhada. A bailarina Marika Gidali, húngara de berço e brasileira de adoção, fundadora da companhia de dança Ballet Stagium e de sólida filosofia de dança social e perturbadora, seria a responsável pela coreografia, um item que ganhava no espetáculo tanta importância quanto a música. Marika era amiga de Elis antes de qualquer montagem. Na verdade, dançar com a especialista era uma moda entre atrizes famosas da TV, como Regina Duarte e Sônia Braga, à qual Elis havia aderido com uma dedicação chinesa.

O espetáculo teria gente no palco com cara de Brasil, sem plumas, lantejoulas, fantasias nem *glamour*. Além dos músicos, onze pessoas formariam um corpo de baile que contracenaria com Elis o tempo todo. Um congestionamento de corpos que poderia provocar efeitos belíssimos ou trombadas homéricas. Ademar era um craque na direção de espetáculos populosos, e Marika uma especialista em tirar movimentos e expressões sem violentar personalidades. O time estava afiado no conceito do que queria, decidido depois de longas rodadas em mesas de restaurantes. A primeira dúvida veio logo. Quem vai formar o *chorus line*? "Que é isso?", pensou Cesar. "Vários elementos humanos dizendo textos e até mesmo cantando", explicou Ademar. Mas quem? Se era um espetáculo sobre a saudade de um Brasil puro, não faria sentido colocar ali bailarinos profissionais. Ademar propôs colocar um anúncio no jornal de forma a não atrair atenções de profissionais. Maldita a hora em que Marika consentiu. O jornal *O Estado de S. Paulo* trazia a notícia. "Elis escolhe elenco para novo *show*." E detalhava que, para a formação da trupe, "haverá hoje entrevistas com atores, cantores e bailarinos com idade acima de 18 anos, de ambos os sexos, e que tenham disponibilidade para viajar." Às 19 horas daquele dia, o mundo parecia que iria acabar em frente ao número 2.985 da Rua Augusta.

Era pior do que fila de desempregado na Caixa Econômica Federal no início de uma recessão que abria o que os economistas chamariam de "década perdida". No dia e hora marcados no anúncio, milhares de pessoas apareciam diante da estreita porta que dava acesso às dependências do Ballet Stagium, na Rua Augusta, sedentos por participarem de um musical fazendo sabe-se lá o quê. Se era o Brasil das ruas que Elis queria, ali estava ele todo com vendedores ambulantes, feirantes, comerciantes, bailarinos, músicos, enfermeiros, balconistas. Uma audição rápida faria a primeira peneira que escolheria os selecionados para as próximas fases. Ademar, Oswaldo, Cesar e Marika ficavam na bancada. Elis não podia aparecer para não matar o candidato de parada cardíaca. Enquanto os testes rolavam, ela se escondia em uma salinha nos fundos do Stagium lendo livros e revistas de dança.

Marika percebeu a dimensão da roubada quando viu que nem mais uma mosca conseguiria passar pelo corredor cheio de degraus que levava à grande sala da companhia. Miúda e elástica, a bailarina conseguiu sair da sede e descer até a entrada antes que a multidão despertasse as ganas da polícia. A fila que se alastrava no sentido da Avenida Paulista já tomava quarteirões quando ela começou a distribuir senhas para grupos de candidatos pedindo que voltassem nos dias marcados no papel. Ali mesmo, aproveitava para fazer algumas dispensas. Chegou a um ponto que era dizer "sorria". Se não tivesse dentes, o candidato nem precisava voltar. A esta altura, a pintura recém-terminada nas paredes do Stagium já havia sido carimbada com solas de tênis, mas um certo controle foi retomado e as audições começaram.

A ideia de identificar gente simples que representasse o Brasil não foi fácil. Havia candidatos excelentes, de belas estampas e técnica sofisticada, por exemplo, que não se conformavam em ser dispensados. Outros sem estampa alguma que seriam ideais se conseguissem cantar três notas afinadas. A garota bonita demais poderia ser ótima, mas era bonita demais. E o rapaz fortão não era exatamente a representação de um Brasil de números de crescimento raquíticos. Um a um, os candidatos iam sendo dispensados, ou não. Depois de algumas fases de testes, o *chorus line* ganhava forma. Um feirante da zona norte chamado Orlando Barros ficou com uma das vagas. A talentosa Brasília, com outra. Depois de 40 dias de convivência, com superações físicas e emocionais o tempo todo, as dispensas começaram a ficar mais dramáticas. Um rapaz em especial provocou um dos momentos mais comoventes da seleção.

Eram só Cesar, Marika e Ademar na sala quando o homem entrou, ainda sem saber que estava na lista dos descartados. Depois de ouvir a justificativa trêmula de Ademar, continuou ali, de pé, com uma falta de reação que dava a exata dimensão de sua tristeza. Cesar não olhava em seus olhos e um silêncio enorme se fez. O homem ajoelhou-se lentamente e abaixou a cabeça para chorar. Um choro religioso, sem escândalos nem desespero, mas com uma agonia que se espalhou pela sala. Os avaliadores deixaram que ele desabafasse. "Desculpem, mas eu queria agradecer a vocês. Passei 40 dias da minha vida aprendendo a ser gente. O que vocês me proporcionaram aqui, escola nenhuma vai me dar. Obrigado."

Daqueles mais de 700 candidatos, 11 foram escolhidos. Marika suou para ensaiar cada um, fazendo-os entender que nada poderia ser maior do que Elis Regina. Depois de conseguir traçar as linhas de movimentos de cada quadro, passou a lapidar outra pedreira: os músicos. Natan já vinha das aulas de andar e fazer acordes ao mesmo tempo ministradas na escola de *Falso Brilhante*. Mas os demais haviam sido recrutados por Cesar exclusivamente para o espetáculo. Em uma conversa com Walter Silva, Cesar falou de sua temporada de caça a novos músicos de São Paulo e ouviu quatro nomes: o trompetista Nonô Camargo, o clarinetista Paulo Garfunkel, o tecladista Sergio Henriquez e um jovem de 20 anos de São Bernardo do Campo que jantava um trombone que não era brincadeira. Seu nome: Itacyr Bocato Junior, uma cobra de asas que logo ganharia o mundo respondendo apenas por Bocato.

Antes que se concretizasse qualquer indicação, um sonho levaria Bocato a Elis. Aluno da Fundação das Artes de São Caetano, o garoto ficou sabendo que um pessoal ligado à cantora estava fazendo um teste com instrumentistas nas dependências da Fundação para o qual nem ele nem o amigo Nonô haviam sido convidados. Algo bateu no trombonista assim que o nome de

Elis acionou a lembrança de um sonho que tivera dias antes de saber do teste, no qual era ovacionado tocando "Eu Hein Rosa!" na banda da cantora. Depois de narrá-lo para Nonô, seguiram os dois para a Fundação. Ao chegar, encontraram outros dez aspirantes ao posto, além de Cesar e Rogério, irmão de Elis, ouvindo um a um. Bocato e Nonô impressionaram, exatamente como Walter Silva e também o baixista Sizão Machado haviam antecipado a Cesar. Rogério anotou o número do RG dos dois e pediu que não comentassem nada com os amigos. Eles estavam no time.

A rede das indicações começou a funcionar e logo Cesar tinha a seu dispor 13 instrumentistas cheios de talento para criar uma sonoridade cheia, preenchida por banda, sopros e vozes. O segundo passo seria definir os diálogos. Ademar pediu que Oswaldo adiantasse o roteiro com as falas de Elis, mas daí saiu faísca. "Ademar, quem fala no palco é a Maria Bethânia. A Elis, não." Puxa daqui, contorna dali, ficou definido que Elis não falaria, mas os personagens, sim. Oswaldo havia colhido histórias durante o processo de seleção e se inspirado nelas para montar os textos. No início dos ensaios no Teatro Procópio Ferreira, já com a marcação dos personagens e algum texto definido, Ademar virou-se para Oswaldo. "Mas agora os personagens estão falando mais que a Elis, estão ficando mais importantes que ela." Oswaldo se rebelou, para o deleite de quem passasse pela Rua Augusta naquele momento. "Ademar, esquece, eu estou fora. Não vou mais escrever texto nenhum. Primeiro ela fala, depois os outros falam demais. É impossível, Ademar. Faz o seguinte, resolve isso na base do corpo e da coreografia." Era o remédio amargo que Ademar precisava tomar. A solução estava à sua frente. As músicas e os corpos já tinham texto de sobra, mais palavras e o espetáculo cairia na redundância.

Marika e Elis se tornaram mais próximas do que simples aluna e professora durante a preparação do *show*. Em um ensaio, a coreógrafa fechou os olhos sentada e dobrou a cabeça para trás envolvida com a dança e a voz de Elis. Quando voltou a si, não conseguiu se levantar. Suas costas estavam travadas na região lombar por ter passado tanto tempo na mesma posição. Além de dar ombro e conselho nos momentos de solidão e angústia de Elis, Marika ouvia seus dramas. Um deles, recorrente aos ouvidos de outros confidentes: Elis se frustrava por não ser uma cantora popular. Popular, para ela, eram Maria Bethânia e Gal Costa. A intimidade acenderia ainda um novo projeto em Elis: fazerem juntas pelo Brasil espetáculos de música e dança usando as mesmas estruturas de palco e de transporte – uma ideia que não teriam tempo para tirar do papel.

Depois da fase de ensaios, toda a trupe saiu de carro pela Rio-Santos para a temporada de estreia de *Saudade do Brasil* no Rio de Janeiro. O percurso era uma festa, com os músicos parando de praia em praia, tomando banho de mar e trocando de carro para que cada um passasse um tempo com Elis. Ao olhar para a figura nada comum do grandalhão Bocato, Elis lhe adesivou um apelido: New Crazy. O mais novo louco da turma justificava o termo. Mas, em uma das apresentações, em que dançava ao lado de Paulo Garfunkel e Chiquinho Brandão durante a música "O Primeiro Jornal", Bocato foi pego de surpresa. Algum parceiro, que ele jamais soube quem, amassou papel higiênico, fez uma bola e colocou dentro da boca do seu instrumento. Quando dançava, foi dar uma nota e a bola de papel saiu como um torpedo do trombone em direção a Elis. Assim que o *show* terminou, Elis saiu do palco correndo atrás de Bocato, que se trancou no camarim. "Vai ter retaliação!", gritava Elis, sorrindo.

A chegada ao Canecão não foi uma tranquilidade. Ao saber que a temporada anterior havia sido da baiana Maria Bethânia, Elis pediu profundas alterações no camarim, redecorando o espaço e acendendo incensos durante a semana de ensaio. Os motivos de tantos cuidados ela não dizia a ninguém. A estreia, em 20 de março de 1980, estava definida, exceto por dois detalhes. Elis primeiro precisava de uma roupa sem brilho nem estampa, de uma simplicidade que dialogasse com a intenção do *show*. Saiu com Marika por Copacabana em busca da peça mais discreta que as barracas do Rio poderiam vender. O espetáculo precisava também de um final. Aquela história em quadrinhos merecia um desfecho pacificador e inteligível, que abraçasse cada esperança como uma possibilidade real. Sentado na plateia, assistindo ao penúltimo ensaio, o compositor Gonzaguinha escreveu os versos e criou a melodia para uma canção que ele chamaria de "Redescobrir", e que outros prefeririam "Brincadeira de Roda", uma espécie de jogo de palavras com perguntas de Elis sendo devolvidas em respostas pelos atores até soarem com uma energia só. "Como se fora brincadeira de roda – memória / Jogo do trabalho na dança das mãos – macias / O suor dos corpos na canção da vida – história / O suor da vida no calor de irmãos – magia." Nem sempre o resultado dos personagens cantando era um primor, até porque eles não eram profissionais.

Às vezes soava mesmo uma temeridade, com homens em busca de notas, inatingíveis para alguns, já que o tom era o de Elis. O uso de operários sem experiência, no entanto, assegurava um "seguro-perdão" contra este tipo de falha. Apesar do conceito politizado desde a medula, *Saudade do Brasil*, que havia ainda recrutado Marcos Flaksman para fazer o cenário, era recebido como um espetáculo enérgico e de canções vibrantes que tinham uma função de roteiro para um grande discurso. Contudo, entender a mensagem era opcional, não obrigatório. Os arranjos de Cesar estavam esquentados pelos sopros e imprimiam em Elis uma sonoridade grande e extrovertida.

Quando cantava "Moda de Sangue" e "As Aparências Enganam", Elis passava a Bocato algo que ele ainda não sabia que existia. Afinal, se tudo parecia tão bem havia menos de 15 minutos antes de o *show* começar, o que poderia fazer com que Elis chegasse tão perto de desabar no palco? O fenômeno começava segundos depois da entrada de Elis. Assim que a voz surgia, uma névoa descia ao palco, trazendo um mal-estar físico. Foi preciso tempo para Bocato entender que a interpretação de Elis não era pura e simplesmente reflexo daquilo que ela vivia em carne e osso. Sua tristeza vinha de um mundo interno e invisível tão verdadeiro quanto aquele que todos podiam ver.

As muitas horas vagas em uma cidade convidativa como o Rio de Janeiro – embora a temporada fosse longa, de quarta a domingo, com sessões duplas nos fins de semana – poderia não prestar aos bichos mais afoitos que haviam chegado de São Paulo. Um deles, o trompetista Luiz Claudio Faria, de 22 anos, saiu sem freios para a praia de Copacabana e entrou no mar subestimando a força das ondas. Abatido por uma delas, tombou, rolou, engoliu água e só voltou porque a maré o devolveu à areia. Faria passou mal à noite, foi ao hospital e saiu com uma cartela de Plasil. Uma semana depois, correu de novo em direção ao mar e se jogou nas águas de uma praia gelada no Recreio, quando sentiu choque térmico e desconforto no peito. De volta ao hospital, foi diagnosticado com pneumotórax, um problema pulmonar que, se não tratado, poderia levá-lo à morte.

Elis tirou Faria do hotel onde os músicos estavam hospedados e o levou para o grande apartamento no Arpoador, onde ficava com Cesar e os filhos Maria Rita, Pedro e João. Maria e Pedro ficavam em um quarto, Faria e João em outro. A cantora indicou o acupunturista japonês Yukio para acompanhar o paciente e ordenou aos empregados para fazerem uma dieta especial. Quando estava inspirada para preparar seu filé de peixe empanado com aveia, a própria Elis fazia o almoço. Após uma semana de *spa*, Faria estava de volta aos *shows*.

O álbum *Saudade do Brasil* se tornou o segundo LP de Elis da fase Warner, gravado em estúdio com toda a *big band* que participava do espetáculo. Apesar de colocado como ponto alto na carreira da cantora, suas vendas não foram expressivas e teve pouca repercussão nas rádios. A loba uivou de novo. Mudar era uma questão de sobrevivência. Se quisesse entrar em crise, bastava comparar-se a Roberto Carlos ou Tim Maia, nomes seguidos pelas massas, procurados por programas de TV, onipresentes em emissoras de rádio e vendedores de remessas de discos, tanto no atacado quanto no varejo. Era como se a grande cantora pagasse um preço por não ter arredado o pé da ideia de só cantar aquilo em que acreditava. Sua carreira, em rápido retrospecto, havia sido marcada por músicas de nível estratosférico e, ao mesmo tempo, com poucos refrões radiofônicos. Elis já havia deixado de gravar alguns compositores, como João Bosco e Aldir Blanc, em busca de uma ruptura com um momento de contestação e em direção a um trabalho mais *pop* e palatável. A base que Cesar havia criado vinha envernizada de uma sofisticação de dois gumes. Se por um lado a blindava no pedestal de diva, por outro ajudava a criar resistências de consumo em registros mais populares. O grau de dificuldade que procurava nas composições lhe daria vitórias entre os entendidos e derrotas entre os iniciantes. Gostar de Elis Regina não era tão simples quanto se apaixonar por Roberto Carlos.

Ganhar o mundo voltou a ser um desejo de Elis por aquele início de anos 1980. E, desta vez, seu alvo era o único lugar que ainda não conhecera seu potencial: os Estados Unidos. Wayne Shorter já era um titã quando conheceu Elis em uma viagem de férias pelo Rio de Janeiro. Se fosse para citar apenas dois de seus feitos como acompanhante, bastava lembrar de Miles Davis e do grupo Weather Report, usinas que ajudou a erguer nos anos 1960 e 1970. De repente, Elis e Cesar – também de forte formação jazzística – viram em Shorter uma porta para o exterior e passaram a sonhar com um disco em conjunto, arrebatador de público e crítica como fora o álbum com Tom Jobim. Shorter ficou pelo Rio por um mês com sua namorada portuguesa, Ana Maria, sendo ciceroneado por Elis e Cesar, passando tardes com o casal ou na casa de Daniel Filho. Aceitou a gravação com os brasileiros, sem avisar que seu conceito de disco a quatro mãos era algo, no mínimo, bastante peculiar.

Shorter partiu para compor os temas. Ao sentir que uma banda local era necessária, pediu a Cesar que deixasse Natan, Luizão Maia e o baterista Picolé a seu dispor, e assim foi feito. Suas esquisitices, como parar tudo o que fazia para rezar em um dialeto estranho, eram aceitas no início como exotismos de um gênio em criação. Mas os dias se passaram e a brincadeira começou a perder a graça. Elis e Cesar perceberam que, de coletivo, aquele disco não tinha nada. O saxofonista fechava temas sem espaço para voz, até que Cesar quis saber: "Então, onde é que a Elis vai entrar?" Shorter coçou a cabeça até encontrar uma resposta: "Bem, aqui tem uns oito compassos em que ela pode fazer um *vocalise*." E quem faria as letras? Quais músicas seriam? Ninguém, além de Cesar e Elis, parecia estar muito preocupado em responder.

O saxofonista tratou de reunir seu time para o primeiro dia das gravações, que seriam feitas no estúdio da Som Livre, no Rio. Músicos e técnicos norte-americanos, vindos especialmente para o projeto, dominavam os espaços com instrumentos e amplificadores espalhados pela sala. O clima foi pesando. Do escanteio em que foram jogados desde o início do projeto, Elis e César já haviam se tornado gandulas. Só faltava pedir para servirem o café. Quando Shorter abriu a mala de partituras, Cesar se viu em nova enroscada. Sua escrita era algo muito pessoal, quase indecifrável. Ao seu estilo, o saxofonista se aproximou com mais uma observação ao brasileiro: "Não precisa se preocupar. Só faz sua parte porque baixo e guitarra vamos fazer nos Estados Unidos. Vocês vão servir de guia." Elis não deve ter escutado. Ao contrário da passividade de Cesar, teria mandado Shorter às favas em dois segundos.

A batata do gringo assava sem ele perceber. Elis só esperava a deixa para chutar o último graveto que sustentava o circo. E ela veio logo. Assim que começaram a passar o som, Shorter se aproximou de Cesar, pegou suas mãos sobre o teclado do piano e as posicionou como queria, reforçando com uma frase: "Toque assim!" A casa caiu. Elis arremessou o caríssimo microfone Shure que segurava no chão, se virou para o saxofonista e gritou: "Tira a mão do meu homem!" Cesar fechou o piano e se levantou. "Não tem mais gravação." Shorter apenas agradeceu. "Thank you." Guardou seu instrumento, passou na Joatinga para pegar suas coisas e se mandou para os Estados Unidos.

22.

MANOEL POLADIAN TRABALHAVA COMO EMPRESÁRIO de Elis neste início de anos 1980. Em 1981, vendeu um *show* da cantora e de outros dois nomes fortes que também representava na época, Ney Matogrosso e Luiz Gonzaga. A apresentação, que contaria ainda com o sanfoneiro Dominguinhos, era para a 10ª edição do Festival Interno do Colégio Objetivo, o Fico, marcado para o dia 4 de outubro no Estádio Serejão, na cidade de Taguatinga, Distrito Federal.

Elis não era uma cantora para multidões em estádios, e Poladian sabia disso. Mas diva ela achava que deveria ser sempre, e aprendeu que valor também se conquista com atitude. Foi pensando assim que não se conformou em abrir o *show* de Ney naquela noite. Já no avião, grudou nos ouvidos de Poladian dizendo que não estava certo, que a ordem das atrações era um absurdo, que Ney era isso, Ney era aquilo. O empresário rebolava nas alturas, explicando a Elis que tudo seria solucionado assim que ele pedisse ao cantor uma inversão de entradas. Quando teve a primeira chance, se aproximou com habilidade. E sorte que o cantor, no caso, era Ney Matogrosso: "Ney, teria algum problema se colocássemos a Elis para fechar em vez de abrir?" "A Elis no final? Mas sem problema algum, para mim está ótimo", respondeu. Quando levou o recado de volta a Elis, com o problema solucionado, o empresário viu na cantora o rosto de uma criança ganhando um presente.

Enquanto Ney se apresentava, Poladian esperava Elis no hotel para seguirem de carro até o estádio. Quando estavam no caminho, nuvens carregadas que anunciavam um forte temporal fecharam o tempo e o humor de Elis. "Eu vou tomar um choque e vou morrer cantando naquela porra." Poladian só ouvia. "Quero ver quem vai ser o filho da puta que vai me colocar naquele palco", resmungava Elis. Até que ele resolveu tirar a dúvida: "Por acaso, Elis, você está falando de mim?" "Não, estou nervosa." Tendo feito tudo o que fez para que as coisas dessem certo, Poladian não acreditava naquele diálogo, ou monólogo.

A hora de Elis chegou e um locutor do Serejão a apresentou. A plateia, já incendiada pelas atrações anteriores, esperava ansiosa, mas Elis não aparecia. Ney, preocupado, correu para a lateral do palco e viu a cantora encostada em uma parede, imóvel e assustada, frágil como uma criança. "Eu não posso entrar", dizia com os olhos bem abertos, segurando uma garrafa de uísque. Ney não acreditou, não era Elis. "Como não? Você tem que entrar", insistia. "Não vou, não posso." Ney disse uma última frase que mudou tudo: "Você vai entrar e vai arrebentar." Elis destravou, seguiu para o palco e cantou "Se Eu Quiser Falar com Deus" com tamanha força que, 33 anos depois, o cantor diria jamais ter testemunhado nada parecido.

Por mais que ninguém assumisse, artista que quisesse estar com o povo nos anos 1980 tinha as emissoras de rádio FM como a terra prometida. Mais do que bater cartão nos programas de Chacrinha, Raul Gil ou *Clube do Bolinha*, semanais à base de muita farra e *playback* – um tipo de *show* circense com que Elis implicava – nada se comparava com o fato de ter uma música entre as dez mais nas grandes emissoras, um caminho que nem sempre tinha a ver com reconhecimento artístico ou clamor popular. Cantores estouravam quando suas gravadoras se submetiam a um esquema de pagamentos ou troca de favores que, apesar de ilegal, se oficializava em várias emissoras. Era o chamado "jabaculê", jabá para os íntimos, com retorno certo e satisfação quase sempre garantida. Depois de repetida 47 vezes por dia em cada uma das quatro ou cinco grandes emissoras da época, até "Atirei o Pau no Gato" se tornaria um fenômeno popular – algo que de fato aconteceu quando "Another Brick in the Wall", do Pink Floyd, teve sua letra adaptada com os versos da brincadeira. "Atirei o Pau no Gato", com David Gilmour na guitarra e Roger Waters no baixo, atingiu o posto de segunda música mais tocada nas rádios FM durante alguns meses de 1980.

Depois de "Alô, Alô Marciano", Elis queria saborear outra fatia daquele bolo com um novo sucesso. O pagamento do jabá não era uma decisão que os presidentes de gravadoras deixavam chegar a seus artistas. André Midani tentou negociar com as emissoras entre 1972 e 1974, defendendo uma política de execução por meritocracia, até que o deixaram falando sozinho e ele jogou a toalha. A partir de 1974, passou a pagar jabá para que todos os seus artistas tocassem nas rádios. Elis fazia o primeiro disco pela EMI seguindo o acordo que fora obrigada depois que lambuzou o coreto assinando contratos com duas multinacionais ao mesmo tempo.

Quando estava gravando o álbum chamado novamente *Elis*, sentiu que tinha um belo conjunto de canções nas mãos, mas nada com potencial comercial para se tornar *hit*. No estúdio da EMI Odeon, no Rio, ligou para o telefone do rapaz que lhe deram em um pedaço de papel em busca de salvação. "Olá, posso falar com Guilherme Arantes?" "É ele quem está falando?" "Oi, Guilherme, é Elis, como vai? Rapaz, estamos aqui gravando um disco novo agora e eu queria saber se você tem alguma música pra mostrar." "Quem tá falando mesmo?" "Elis, Elis Regina." Assim que se convenceu de que não era trote, Guilherme anotou o endereço do estúdio e seguiu de São Paulo para o Rio no primeiro voo. Elis o esperava. Quarenta e cinco minutos de viagem foi o tempo para Guilherme repassar na cabeça o curta-metragem da própria vida.

Ainda menino, 12, 13 anos, Guilherme saía do Bixiga para ver *shows* de Elis no Teatro Record nos tempos de *O Fino da Bossa* graças aos ingressos que o tio Ciro conseguia com o patrão Marcos Lázaro, com quem trabalhava elaborando contratos de artistas. A imagem que tinha de Elis era a da deusa intocável que um dia chamava ao palco Chico Buarque e no outro Milton Nascimento. Mesmo quando já tocava no grupo de *rock* Moto Perpétuo, Guilherme estaria sempre na plateia de Elis na condição de fã. O que agora sua musa queria? Casada com um músico excepcional como Cesar, ela não parecia carente de arranjadores.

Os paulistas estavam em alta com Elis. Depois de descobrir e gravar Claudio Lucci e Thomas Roth, ficou sabendo da existência de Arrigo Barnabé e Itamar Assumpção. Elis ouviu "Sabor de Veneno", que Arrigo lançou em seu primeiro álbum, *Clara Crocodilo*, em 1980. Músicos que estavam com Elis haviam tocado também com Arrigo em um LP da TV Cultura que trazia "Diversões Eletrônicas", vencedora do I Festival Universitário de MPB da emissora, de 1979. A cantora pediu para conhecê-lo e Arrigo foi até ela. Elis falou com muito interesse sobre o que sabia do compositor, mas disse que não queria cantar sobre harmonias complicadas, como as que Hermeto Pascoal havia feito no Festival de Montreux.

Ao inscrever a música "Londrina" ("Uma Valsa para Londrina") no Festival MPB Shell, de 1981, transmitido pela Globo, Arrigo pensou em convidar Elis para defendê-la. Mas sua lealdade aos novos nomes que surgiam no movimento Vanguarda Paulista foi maior que suas ambições pessoais e a convidada foi Tetê Espíndola. A canção levou o prêmio de melhor arranjo, feito por Claudio Leal Ferreira. A parceria entre Elis e Arrigo não teria tempo para ser consumada.

Elis chegava a Guilherme Arantes por indicação, além de ter gostado do que ouviu em *Coração Paulista*, o LP que o cantor e pianista acabava de lançar. Casado, 27 anos, pai de uma garotinha recém-nascida, Guilherme saiu direto da Vila Mariana para a sede da EMI. Apresentou-se aos músicos, conheceu Elis e se dirigiu ao piano de armário no canto do estúdio. A primeira coisa que mostrou foi "Só Deus é Quem Sabe", uma canção de amor perdido inspirada no discreto episódio de separação entre Roberto Carlos e sua mulher Nice, em 1979.

Elis cresceu os olhos quando Guilherme disse a parte do "Roberto jamais gravou". "Ele não gravou uma música dessas? Eu vou gravar", decidiu. Os arranjos que começavam a ser preparados eram sintomas dos novos tempos. A guitarra dava um passo à frente aumentando o volume e trazendo um suingue funkeado. Os teclados apareciam com mais carga romântica do que jazzística, com timbres que também seriam amaldiçoados pelos detratores como "som de boate". A fórmula do *pop* romântico que garantiria o ingresso às rádios chegaria ao auge cinco anos depois com Gal Costa e Tim Maia cantando "Um Dia de Domingo" mil vezes ao dia em qualquer estação FM. Ser retrô estava por fora, o negócio era ser *funky* e se embriagar nas notas de um teclado. "Só Deus é Quem Sabe" virou a segunda música do lado B, mas ainda faltava um sucesso. "Guilherme, seguinte, sua música é muito boa, mas vamos combinar uma coisa", chamou Elis. "Você vai pra casa e faz um *hit* pra mim. Eu quero tocar no rádio, entrar na FM", encomendou. Guilherme tinha dez dias para concluir a missão.

Conhecer Elis havia sido inspirador, sobretudo uma Elis que ele não imaginava existir. Uma das brincadeiras da cantora no estúdio era inventar seus próprios ditados fazendo trocadilhos sobre outros trocadilhos. "Água mole em pedra dura mais vale que dois voando" e "em casa de ferreiro quem com ferro se fere é bobo" eram construções nas quais Guilherme se inspiraria para fazer a música pedida pela cantora. Se era para entrar na FM, a canção deveria ter levada de guitarra e sopros com muito *groove*, além de um refrão de grudar nos neurônios. No prazo estipulado, Guilherme voltava para o Rio com a promessa gravada em uma fita cassete: um *pop* de pista com refrão repetido aos montes chamado "Aprendendo a Jogar".

A música cumpriu sua função, levando Elis para o topo das FMs. Com um sorriso de rosto inteiro, a cantora foi falar com Guilherme sem a presença de Cesar. Queria que ele assumisse o comando de sua carreira para modernizar sua linguagem. Em outras palavras, que não foram ditas assim, que tomasse o lugar de Cesar Camargo Mariano. Guilherme teve sua ponta de orgulho, mas não se deixou levar por ela. Caiu em si e, imediatamente, tentou fazer Elis enxergar o absurdo que propunha. Cesar era a peça perfeita na condução daquela sonoridade única e classuda, com estofo de samba, jazz e bossa-nova. Já ele, Guilherme, era, até então, um cantor de programa de auditório. E, além de Cesar, Tom Jobim também havia passado por ali. Era demais, Guilherme não poderia se sentar no mesmo banco de piano que já fora, ainda que por uma única temporada, ocupado por Jobim. "Esquece, Elis, não tenho nenhuma competência para isso." A cantora não se conformou e fez tromba. O que ela queria agora não era estofo de bossa-nova nem cancha de jazz, mas alguém disposto a encontrar a linguagem moderna e acessível dos novos tempos.

O jovem produtor Mayrton Bahia, 25 anos, que havia acabado de trabalhar em um disco de Cesar chamado *Cesar Camargo Mariano e Cia*, foi convidado para estar à frente do álbum com a orientação de fazê-lo tocar nas rádios. Antes de entrarem em estúdio, haviam escutado muitas fitas na casa da Serra da Cantareira. Por mais bela que fosse uma canção, Elis se preocupava em como se apropriar daquilo: "Eu sei que é linda, mas o que eu vou fazer com esta música?".

No dia das gravações, Elis foi para a sala dos técnicos cantar com a voz guia para os músicos registrarem suas partes. Guia é o canto usado apenas para orientar os instrumentistas por meio de fones de ouvido, sem maiores recursos nem preocupações com qualidade de microfone. Quando chegou sua vez de colocar a voz definitiva, Elis passou a investir em interpretações totalmente diferentes das que haviam sido acertadas com Mayrton nas audições da Cantareira. Conseguia bons resultados, mas algo incomodava o produtor.

Elis percebeu o mal-estar e provocou: "Só o chato do Mayrton que não está gostando de nada." Ele seguia quieto. Depois que os músicos se foram, ela voltou ao assunto: "Você não está gostando, Mayrton?". E ele se explicou: "Elis, eu vi você cantar tudo isso de outra forma em sua casa, muito mais natural. Desculpe, acho que sou eu que tenho de mudar minha cabeça, todos estão gostando." A resposta de Elis foi uma surpresa: "Então amanhã você não deixa ninguém entrar no estúdio. Eu quero fazer tudo de novo." No dia seguinte, ela refez a voz de quatro ou cinco canções, buscando o mesmo sentimento dos dias em que procurava repertório. Mayrton mostrou a voz guia de outras três músicas gravadas pelo grupo que ele havia gostado muito: "Nova Estação", de Luiz Guedes e Thomas Roth; "Só Deus é Quem Sabe", de Guilherme Arantes; e uma terceira da qual não se lembra o nome. Elis ouviu e pediu que o produtor colocasse aquelas músicas no disco exatamente como estavam, como voz guia.

Uma canção que já havia sido gravada ficou de fora. Era o xote "Afufe o Fole", de Jean Garfunkel, que seria logo inscrita no Festival MPB Shell, de 1981, sem conquistar os primeiros lugares. Mayrton lembra que Cesar considerou a letra inapropriada. Seu refrão dizia: "Afufe o fole da sanfona, sanfoneiro / Dá-lhe marafa e marafona o tempo inteiro / Eu sempre quis morar na zona e o meu dinheiro / É feito pra gastar." Um dos significados de marafa é maconha e de marafona, prostituta. Para que ninguém usasse a faixa em discos futuros, a voz de Elis foi apagada da gravação.

A EMI caprichou no lançamento do primeiro disco de Elis. Aos músicos, um generoso jantar no Bar Lagoa, em Ipanema, para que todos brindassem o início da parceria que colocava para tocar em larga escala não só Elis como também Guilherme Arantes. Natan Marques, Dudu Portes, Cesar, a cantora Marisa Fossa, Pedro Baldanza – muita gente apareceu. À mesa, estavam sentados Elis, com Cesar à sua frente, e Guilherme ao lado. Depois dos primeiros goles de uísque, a cantora deu um toque de perna no compositor por debaixo da mesa para passar um bilhete sem que o marido visse. Guilherme apanhou o papel e o fez sumir entre os dedos para ler na primeira oportunidade. Disfarçou, foi ao banheiro e leu. A mensagem era clara: "Eu quero ficar com você." O músico bambeou por um instante tentando entender. Ao que tudo parecia, Elis e Cesar não andavam bem e aquilo não deveria passar de uma provocação. Ou seria mesmo alguma atração que a impulsionava? De qualquer forma, não deixava de ser um excitante convite de uma mulher com a qual muitos homens sonhavam ter por dois minutos. Guilherme resolveu atender ao chamado.

Guilherme Arantes entrava nas frestas da vida de Elis abertas sempre que havia algum desentendimento com Cesar. Eram momentos rápidos, vividos no Rio e em São Paulo, que tinham início assim que a cantora emitia seus sinais. No Rio, conheceu a coleção de vídeos e LPs de Vinicius de Moraes guardada com carinho de fã por Elis. Guilherme sentia-se flutuar ao ouvir a maior cantora do País declamar seu amor ao compositor. A morte de Vinicius, ocorrida em julho de 1980, a havia afundado em uma crise depressiva da qual, por pouco, não saiu. Assim que soube da notícia, trancou-se até para os amigos, comeu mal por dias e dormiu no chão por noites. A ideia de gravar um disco só com letras do poeta passou a ser outro plano que ela não teria tempo de realizar.

Ao lado de Guilherme, Elis pegou a Rodovia Rio-Santos dirigindo seu jipe Bandeirantes e parando nos lugares mais agradáveis. Ao trocar confidências e falar sobre os prós e os contras da carreira que haviam escolhido, Guilherme ouviu de Elis uma frase que não saiu de sua cabeça: "Eu queria morrer como a Janis Joplin", disse, referindo-se à roqueira norte-americana morta por *overdose* de heroína em 1970. Ao chegar a São Paulo, combinaram de se ver sempre que possível. Guilherme ligava para Elis de um orelhão para ninguém ouvir. Quando a barra estava limpa, marcavam o encontro. Quando não, Elis dizia frases que destruíam seus sentimentos. "Hoje, não, a creche está fechada." Guilherme percebia uma superficialidade na relação, algo que gradativamente aumentava a distância entre eles. Até o dia em que cruzou com Elis em um coquetel na casa da mãe de dois músicos amigos, na Avenida Faria Lima, uma senhora que se dizia vidente. A mulher olhou bem nos olhos de Guilherme e disse que ele deveria trocar de nome, já que aquele que usava trazia mau agouro. Ele nunca acatou a sugestão. Quando o cantor Fábio Jr. chegou mostrando ter com Elis uma intimidade maior que a de amigo, Guilherme percebeu que a laranja já tinha outra metade e se despediu para não ver mais a amante.

Fábio Jr. havia conhecido Elis em outra reunião de amigos, na casa de uma senhora que dizia psicografar mensagens do além. A crença de Elis também era a crença de Fábio e as energias começaram a se encontrar. Ao final da reunião, Elis convidou o cantor, que era também ator em novelas da Globo, para tomar um chope. Ele aceitou e um namoro de frequência inconstante se configurou a partir daquele dia. Fábio via à sua frente uma criatura doce, alegre e uma "dona de casa fantástica". Elis, sem Cesar, decidiu fazer uma viagem aos Estados Unidos e convidou Fábio para acompanhá-la. Seguiram os dois para uma rápida estada em Nova York na qual chegariam de mãos dadas e sairiam separados.

Ao saber da viagem, Cesar desabou. O maestro Chiquinho de Moraes lembra que, por esta época, vivia no Rio. Quando trabalhava com uma orquestra em um estúdio de Botafogo, em plena madrugada, ouviu uma voz vindo da técnica pelos alto-falantes. "As violas estão desafinadas." Era Cesar. Os músicos não gostaram da intervenção e Chico nada entendeu, mas foi falar com o amigo e percebeu que ele estava abatido. Ofereceu carona até a rodoviária, já que Cesar pegaria um ônibus em poucas horas para São Paulo, e aproveitou o caminho para conversarem sobre a vida, ou melhor, sobre Elis. No trajeto, Chiquinho percebeu que Cesar abria-se com o feiticeiro responsável pelo início de toda a história, o elo de duas vidas complementares, e decidiu assumir-se como tal. Quando chegavam próximo à rodoviária, dava meia volta no carro, engatava a segunda, no máximo a terceira, e retornava para Botafogo. Refaria o percurso três ou quatro vezes até sentir Cesar mais aliviado e, enfim, deixá-lo embarcar. "Boa viagem", despediu-se do pianista, já perto das 6 horas da manhã.

O primeiro programa que Fábio e Elis fizeram em Nova York foi assistir ao deslumbrante musical *Chorus Line*, na Broadway, estreado havia cinco anos e que ficaria mais dez em cartaz. Enquanto viam a peça, Elis passou a falar com Fábio sobre uma ideia que a inspirava: "Você vai gravar uma música comigo quando a gente voltar para o Brasil." Fábio desconsiderou. "Ok, Elis, olha a peça." "Estou falando sério", insistiu. "Você está maluca? Vou cantar com você pra dizerem que me aproveitei da situação?" Anos depois, Fábio diria que poderia até ter tido um certo desprendimento e aceitado o convite, mas que não se arrependia da negativa: "Não seria prudente da minha parte cantar com a maior do País."

O artista se recordaria de outra passagem que o impressionou quando esteve ao lado de Elis. Ele sabia de suas inclinações espíritas, foi nesse ambiente que se conheceram. E Elis, nas lembranças do cantor, começou a sentir a presença de "um espírito" que, como ele diz, "andava colado em mim". "Ela tinha essa coisa espiritualista muito forte. E então percebeu que havia algo que me seguia o tempo todo. Depois de um tempo, me explicou a história." Elis disse ao cantor que se tratava da alma de um homem que havia sido apaixonado por sua primeira mulher, Teresa. "Esse homem havia morrido de acidente de moto, entrou na traseira de um caminhão. Ela me disse até o nome do rapaz. Fui checar depois e o nome estava certo." Fábio não revela o que teria causado o fim do efêmero relacionamento. Fato é que eles se separaram ainda em Nova York. Na manhã do dia seguinte ao passeio na Broadway, ele deixou o hotel em que estavam e voltou para o Brasil enquanto Elis seguiu para Los Angeles.

Por trás da artista livre e senhora de seus atos, por mais inconsequentes que parecessem, havia uma mulher que começava a se perder dentro de si. O que Guilherme, Fábio ou qualquer homem que se deixasse aproximar de seus encantos neste momento não sabiam era que seus romances não passavam de analgésicos para aliviar a insegurança na qual Elis mergulhava durante suas crises conjugais. Ela jamais se entregaria de corpo e alma a nenhum deles simplesmente porque não estava ali para amá-los, mas para tentar amar-se um pouco mais, preenchendo o vão que sentia depois das despedidas do marido. A cabeça de Elis ia a mil com qualquer tipo de rejeição. Havia sido assim com todos os músicos que ameaçaram deixar sua banda por outro projeto ou com amigos que lhe disseram não. E era assim agora que ela conhecia a categoria mais agressiva da doença: a rejeição física. Um comportamento aparentemente inexplicável a uma mulher de 35 anos na plenitude de seus encantos. Ao perceber que Cesar atraía olhares de mulheres mais jovens que ela, sua cabeça rodopiava.

Um pouco antes de conhecer Guilherme, Elis jantava com Cesar e uma turma de jovens cantores na churrascaria Plataforma, no Leblon, de Alberico Campana, o italiano ex-dono de bares do antigo Beco das Garrafas. Alguns deles eram integrantes de um grupo vocal para o qual Cesar fazia arranjos. Outros só estavam ali para curtir. Elis estava sentada à ponta da mesa, Cesar à sua direita e Natan ao lado de Cesar. Próxima também estava Celina Silva, filha do produtor Walter Silva e secretária de extrema confiança de Elis desde a temporada de *Saudade do Brasil*. Cesar conservava sempre uma expressão fechada, mas sabia se vestir com jovialidade, uma combinação que atraía mulheres. A certa altura, uma jovem foi falar com o pianista, cheia de gracejos. Elis ficou vesga no ato e Celina percebeu o perigo.

Visivelmente transtornada, a cantora chamou a secretária para acompanhá-la ao banheiro. Celina, ou como preferia Elis, Tia C, era seu porto seguro também para assuntos cardíacos. Seus sentidos apurados indicavam que Cesar era, de fato, o grande amor da patroa, mas que Elis sofria demais com a chegada da idade e havia se tornado um poço de neuras. Elis se virou para Celina, ergueu o vestido até a altura dos seios e fez uma pergunta que demoliu a secretária por dentro. "Diz pra mim, Tia C: você acha que eu sou tão feia assim? Fala se eu estou velha?" A amiga levou alguns segundos para retomar o ar. Elis estava nua à sua frente, de roupa e alma, uma cena deprimente de uma mulher que havia conquistado tudo, mas jamais se curado dos fantasmas que a tornavam tão frágil. "Não, querida, você está linda." Sem dizerem mais nada, voltaram para a mesa. Ao sentarem, Celina viu Elis vesga pela segunda vez. O clima foi pesando, com as moças cheias de graça ao lado de Cesar, até que Elis se levantou e, em um golpe de segundos, puxou a toalha da mesa jogando comida, pratos e copos para o alto. Naquela noite, Cesar iria dormir em um hotel de Copacabana. Elis, no apartamento de Ipanema.

Filha de Walter Silva, um dos maiores macacos de auditório que matava e morria em nome de Elis Regina, Celina não negou o sangue ao se converter logo em fã desde as gravações de *Dois na Bossa*, no Teatro Record, às quais ia com o pai, de paninho e chupeta. Só a *Falso Brilhante* foi mais de 20 vezes. Jornalista de formação, ela se casou com o músico Sergio Hernandez, um dos integrantes do grupo que tocava no espetáculo *Saudade do Brasil*. Foi na preparação deste *show* que sua tietagem virou profissão. Quando Elis precisou de alguém para ajudar com a imprensa, lá estava a jornalista. Durante os tempos em que Elis morou na Cantareira, Celina trabalhava como faz-tudo 24 horas por dia. Assim que a cantora se mudou para um apartamento na Rua Melo Alves, nos Jardins, se tornou secretária e acabou ganhando funções de governanta e assessora de imprensa. Era Celina quem conversava com os produtores, opinava nas fitas que chegavam, atendia aos jornalistas, levava o carro para o mecânico, marcava horário para as crianças no pediatra.

Seus dias como integrante da família a fariam presenciar dramas e belezas particulares que pouco saíam de dentro daquelas paredes e que não combinavam com a imagem maluco beleza da patroa. Elis era extremamente profissional. Se tinha compromisso, estava pronta uma hora antes. Sua organização era impecável. Documentos, livros, fotos, canetas, tudo deveria repousar nos devidos lugares. Exigente com os empregados, não admitia mancadas. Certa vez tirou as roupas passadas do armário, chamou a arrumadeira e lhe deu uma descompostura de dar dó. "Eu falei que esta você guarda assim, esta assim e esta assim." Então, pegou todas as roupas e as jogou sobre a cama. "Pode passar tudo de novo. Parece que isto saiu da barriga da vaca." Além da irritação, ficava vesga também por vergonha. Com Celina, havia respeito e generosidade. Pedidos de entrevista não eram poucos e ela gostava de atender a todos. Adorava um papo com jornalistas e via nesses momentos a oportunidade de dizer verdades. Convites para participar de gravações com outros artistas também surgiam aos montes, mas, a esses, havia ressalvas. Um dia ligaram em nome da cantora Simone, pedindo que Elis aparecesse para uma participação em um projeto da cantora. Sua resposta foi a mais reginiana possível: "Vou nada. Mas diz a ela que quando eu fizer um especial meu, eu vejo se tem uma ponta pra ela fazer." Ao ler o que os jornalistas escreviam sobre seus discos e seus *shows*, mesmo quando se tratavam de críticas impiedosas, não reclamava.

Elis parecia querer triplicar seu pouco tempo com os filhos quando conseguia estar perto deles. Com Maria Rita, passava horas conversando papos de mulher. Pedro era o loiro "gringo" da família. Com o mais velho, João, havia certa turbulência, embates entre mãe e filho em idade da rebeldia de gênios nem sempre maleáveis. Por ser muito católica, Ercy tinha dificuldades em aceitar os frutos de um casamento não oficial. A amiga de infância Rejane Wilke, de Porto Alegre, visitou Elis em 1981. Dois dias depois de sua chegada a São Paulo, Elis a convidou para irem com as crianças verem Dona Ercy no hospital, onde ela se recuperava de uma cirurgia. "Hoje, você vai ver uma cena histórica", disse Elis, ainda no carro. "Minha mãe vai conhecer os filhos do Cesar", explicou. Pedro, cinco anos, e Maria Rita, três, ainda não conheciam a avó. No corredor do hospital, a caminho do quarto, Rejane ia ficando para trás enquanto Elis seguia em frente. Ao ver a amiga distante, a cantora a pegava pelo braço. "Vem comigo, quero alguém ao meu lado." Elis apresentou a amiga e depois os netos que sua mãe não conhecia. "Ah, Pedro, dá um beijinho na vó", falava Dona Ercy, olhando para o garoto. Sobre Maria Rita, disse apenas "puxa, mas é vesguinha como você quando era criança." Rejane sentia pesar algo que sua pouca convivência com a amiga não permitia decifrar.

Celina tinha carta-branca para dar conselhos em quaisquer territórios, sua colher poderia entrar até em briga de marido e mulher. "Calma, Elis, ele não quis dizer isso", era uma de suas frases mais pronunciadas depois das desavenças com o marido. Os sensores da secretária sabiam quando as coisas não iam bem. Afinal, foi treinada para identificar ruídos naquela paixão desde a temporada no Canecão de *Saudade do Brasil*. Quando a música "Marambaia" começava, Cesar tinha de dançar com Elis em um momento que poderia ser estonteante, com o casal flutuando pela pista, ou desastroso, com tropeços e pés enganchados. Tudo dependia de como havia sido a noite anterior.

A idade chegava e a mulher que parecia blindada contra ações do tempo sentia sua passagem. Elis disse certa vez que jamais queria "ficar velha como a Edith Piaf". Celina não esqueceu de seus comentários. "Já pensou? Vira um tal de 'pega a velha', 'põe chapéu na velha', 'leva a velha pra tomar sol'. Eu não quero isso." Mãe por três vezes, foi depois de *Saudade do Brasil*, quando fez muito exercício no palco e fora dele, que Elis começou a olhar mais para o próprio corpo. E foi por aí, também, que outra diferença passou a ser percebida entre marido e mulher até mesmo em um simples almoço de família. Elis buscava o equilíbrio interior fazendo descobertas espirituais e físicas, prestando atenção no budismo, no espiritismo e em medicinas alternativas como a acupuntura. Passou a comer com moderação e a tentar contagiar Cesar com a mesma filosofia até o dia em que ele chegou com um pote de morango com *chantilly* e um comentário: "Tudo o que tem de ruim eles colocam nessa tal de alimentação macrobiótica." Ao mesmo tempo em que ameaçava partir para uma dieta saudável, Elis passou a tomar mais goles da vodca que guardava na geladeira e voltou a fazer algo que havia largado por um bom tempo: fumar.

A inquietação voltou-se para a busca do entendimento daquilo que nem todos conseguiam explicar. Sobretudo por influência da amiga Orphila, já havia chegado ao espiritismo cheia de perguntas. Discretamente, para que sua ligação com os locais que frequentava não ganhasse um viés marqueteiro – algo que nem ela nem as lideranças espíritas queriam – foi ao Centro Doutor Leocádio, em Curitiba, e conheceu o médium e professor Maury Rodrigues da Cruz para estudar a doutrina de Allan Kardec. Maury liderava o centro no Paraná e também passava uma parte do ano morando em um apartamento no Rio. O envolvimento de Elis foi rápido. Uma das raras vezes em que ela falou publicamente sobre o assunto foi ao *Jornal da Tarde*: "Há sete anos venho estudando Allan Kardec e participando de reuniões com pessoas que, como eu, acreditam que a religião ou a religiosidade só têm razão de ser no momento em que também atuem no sentido social."

Orphila narra que testemunhou Elis psicografando mensagens mais de uma vez em reuniões realizadas em sua própria casa. Segundo Elis dizia na mesma reportagem do *JT*, as manifestações paranormais lhe chegavam compulsivamente, quase sempre à noite, poderia estar ela em qualquer cidade do mundo. Ao menos uma vez, Celina foi chamada para acompanhar Elis a uma sessão espírita no apartamento do professor Maury, na Avenida Nossa Senhora de Copacabana, no Rio. Em determinado momento, Elis passou a escrever algo em uma folha de papel com bastante agilidade, como se estivesse recebendo uma mensagem que só ela poderia ouvir.

A cantora chegou a fazer *shows* nunca divulgados para arrecadar fundos destinados a obras sociais da instituição e, em 1980, a Globo a convidou para ser uma das intérpretes em um especial em homenagem a Chico Xavier. Elis cantou "No Céu da Vibração", uma música que Gilberto Gil havia feito para o médium mineiro. "A encarnação, Deus / Como será não estar aqui nem lá? / E tão somente andar ao léu / No céu da vibração." Apesar de levar a sério suas ligações com a doutrina kardecista, Elis pouco falava do assunto. E quem a conhecesse bem e a olhasse de fora, acreditando em espíritos ou não, via com bons olhos o fato de Elis, pela primeira vez, buscar algum equilíbrio para domar as forças que se digladiavam dentro de si.

23.

Era 1981 quando Elis sentiu a necessidade de tomar mais um trem com destino desconhecido. O argumento de que queria se reinventar já soava desgastado. Disco após disco, que grudavam espetáculos uns aos outros, era um esquema que vinha desde sempre com elementos-surpresa de impacto e alto risco. Ninguém sabia o que era grande produção até que o circo *Falso Brilhante* chegou. Poucos acreditavam que um *show* politizado daria certo em 1978, quando *Transversal do Tempo* surgiu. A crítica aplaudia e enxovalhava nas mesmas proporções, mas nunca sabia a cor do coelho que sairia da cartola na próxima temporada. Quando o novo momento chegou, sua proposta parecia ser menor com o palco e maior com a cantora. Elis Regina queria exorcizar seus demônios a bordo do *Trem Azul*.

A cantora procurou Fernando Faro para a investida, um amigo conhecido de longa data do programa *Ensaio*, da TV Cultura. "Baixo, me convidaram para eu estrear uma casa aqui em São Paulo e eu queria que você dirigisse o *show*, que pensasse em uma coisinha simples." Elis queria o contrafluxo de *Saudade do Brasil*, voltar a ser mais cantora do que atriz. Faro aceitou, desde que ela revisse a parte do "coisinha simples".

O gancho agora seria a televisão. Faro se inspirava nesta linguagem para fechar um repertório de canções que havia acabado de migrar para as telas, como "Alô, Alô Marciano" e "Lança Perfume", de Rita Lee, e "Menino do Rio", de Caetano Veloso. A intenção era o sucesso, e a graça ficava para quando as caras e bocas de Elis e o instrumental da banda interpretassem vinhetas de programas como *Os Trapalhões* e *Fantástico*. Afinal, aquela seria sua estreia na Som Livre, a gravadora de maior poder midiático na época, justamente por ser de propriedade de um império chamado Rede Globo, contra o qual Elis se cansara de brigar. "A melhor maneira de a gente brigar contra uma série de coisas é ficando próximo do acontecimento, das coisas. Quer dizer, quanto mais gente com a consciência até dessa onipotência ou dessa prepotência da TV Globo estiver lá dentro, mais fácil será eles voltarem a conversar com os artistas e darem a eles o peso e a medida que, na realidade, eles têm", disse em entrevista ao suplemento Folhetim, da *Folha de S.Paulo*. Elis assinara com a Som Livre depois que o executivo da gravadora, João Araújo, pediu sua liberação da EMI e listou todas as benesses que a casa poderia oferecer.

O espaço escolhido para o lançamento de *Trem Azul* foi o Canecão-Anhembi, que havia nascido para ser a filial do Canecão carioca na zona norte de São Paulo. O cantor Luiz Ayrão, um dos três sócios do empreendimento, aproveitou a estrutura de uma cozinha industrial da empresa de mudanças Lusitana, que havia funcionado no mesmo endereço, para idealizar seu sonho. Quando percebeu que o teto era baixo demais e que as muitas pilastras poderiam atrapalhar a visão da plateia, correu para solucionar os problemas antes da estreia, marcada para o dia 30 de dezembro de 1980 com um *show* de Roberto Carlos. Ayrão conseguiu elevar o teto em 60 centímetros e afinar as vigas, mas não livrar o espaço de todos os problemas. Um brigadeiro da Aeronáutica, residente da Vila Militar que ficava em frente, fez uma visita em tom ameaçador. Se o barulho da casa perturbasse o sono dos oficiais, sua casa seria fechada no ato. Um tratamento acústico, testado por várias guitarras ligadas ao mesmo tempo, foi feito às pressas.

Chamado para pensar a cenografia, Elifas Andreato ficou preocupado quando viu os pilares e elaborou uma estratégia. Para amenizar o prejuízo, criou esculturas de madeira em forma de bonecos que tinham, no lugar de cabeças, monitores de televisão pelos quais o público que não tivesse o poder de enxergar através do concreto pudesse ver o *show*. Mais tarde, as alegorias tão festejadas pela produção seriam destruídas em um acidente com o caminhão que voltava da montagem do espetáculo em Porto Alegre. Mas, naquele momento, era a saída perfeita para um problema estrutural que, ainda por cima, mantinha diálogo com a proposta de Faro, além de imprimir um tom bastante futurista.

Tão futurista que inspirou a produção a encomendar as roupas que Elis usaria no espetáculo para um profissional que havia trabalhado, segundo Rogério, na equipe de figurinistas do filme *Guerra nas Estrelas*. Elifas Andreato, o responsável por essa área, não gostou nada quando o irmão de Elis veio contar a novidade – uma invasão de território difícil de engolir. "Sabe o que é, Elifas, o cara é muito fã de Elis e resolveu fazer as roupas para ela de presente." Elifas ouviu aquilo como uma desculpa criada para justificar o atropelo.

Fingiu que acreditou, engoliu seco e decidiu ver para crer. Ao lado de Cesar e da própria Elis, seguiu para um ateliê da Rua Augusta onde o tal figurinista os esperava com a encomenda pronta. Assim que Elis chegou, o rapaz se aproximou trazendo um macacão prateado de dar arrepios em Darth Vader, uma peça com tanta ponta e brilho que nem o personagem da fenomenal série com a qual o diretor George Lucas começava a ganhar o planeta teria coragem de vestir. Desta vez, Elis nem vesga ficou antes de soltar todos os palavrões que o gringo podia e que não podia entender. "Mas você acha que eu vou vestir essa merda que você fez? Isto pode funcionar na sua terra, aqui não." Depois de sugerir um destino nada digno para a vestimenta, virou as costas e saiu. Cesar foi atrás. E Elifas, com ar de "viu no que dá não me consultar?", ganhou moral.

Faltando pouco mais de um mês para a estreia, Elis chegou ao ensaio de cara amarrada. Ao amigo Natan, disse apenas três palavras, separando bem as sílabas da última: "Desta vez, acabou." A mensagem era clara: Cesar não era mais seu marido, muito menos diretor artístico. O episódio responsável pelo final irreconciliável na história de um dos casais mais prodigiosos que já houve na música brasileira se deu diante dos olhos de um músico e produtor, amigo de Cesar e Elis, chamado Sergio Augusto Sarapo. Um trauma que abalaria profundamente a vida de ambos e faria com que Elis Regina, pela primeira vez em quase dez anos, se apresentasse sem Cesar Camargo Mariano.

O paulista Sarapo era dono do estúdio Sonima e amigo de Cesar desde a década de 1960, quando o pianista ainda era casado com a cantora Marisa Gata Mansa. O reencontro, anos depois, se deu quando Cesar resolveu pedir a locação do Sonima para gravar um disco de Elis. Cesar, que ainda trabalharia com Sergio fazendo *jingles* e trilhas publicitárias, havia fundado com ele e outros amigos a Trama, em 1975. O nome havia sido sugerido por Rogério, irmão de Elis, e criado com as iniciais dos sobrenomes dos sócios: T de Edmar Tomy; R de Elis Regina; A de Sergio Augusto; M de Cesar Mariano; e o segundo A de Aldo Astolfi. A sede funcionava no escritório de Sergio, na Avenida Rio Branco, 1619. No ano seguinte à fundação, 1976, Sergio e Astolfi passaram suas cotas da sociedade para Rogério e Cesar e abriram mão de suas participações na empresa, alegando falta de tempo. Sergio Augusto se tornou homem de confiança de Cesar e confidente de Elis. Por muitas vezes, presenciou episódios de rompimento e cedeu mais do que o ombro aos amigos. Era em sua casa que Cesar se alojava quando as coisas pelos lados da Serra da Cantareira ficavam insustentáveis.

O dia que amanheceu torto e não endireitou mais começou com Elis entrando no escritório de Sergio, na Avenida Rio Branco, com uma senhora desconhecida e uma jovem. As três chegaram em silêncio e subiram as escadas até a sala de Sergio. Bateram e entraram. Ele estava sozinho. Cesar tocava piano trancado no estúdio do andar de baixo. "Sergio, vim aqui contar pra você quem é esse homem chamado Cesar Camargo Mariano", disse Elis. A senhora que Sergio não conhecia era a mãe da garota. As duas haviam procurado Elis com uma bomba. "Só vim dizer para a senhora que o seu marido está tendo um caso com a minha filha", disse a mulher ao se encontrar com Elis. Sergio ouvia tudo calado. Mãe e filha ficaram sentadas nas poltronas da sala em silêncio enquanto Elis triturava a reputação do marido. Ao final, Sergio decidiu deixar as três na sala e descer ao estúdio para falar com Cesar. "A Elis está lá em cima, Cesar." E contou tudo. Cesar respondeu com uma frase antes de sair do estúdio para encarar a esposa e todos os objetos que poderiam voar ao seu encontro: "Eu amo a Elis." Não haveria mais amor que sustentasse as ruínas.

O próprio Sergio já havia tentado segurar as pontas dos amigos e até obtido sucesso por algum tempo. Depois de uma das brigas que havia presenciado, convenceu-os a passar alguns dias no Guarujá, litoral de São Paulo, e combinou de ir encontrá-los para um fim de semana entre amigos. Quando chegou com a mulher, viu de fora do prédio que algo não estava bem. Elis havia jogado pela janela vários pertences do marido.

O caso agora era mais sério. Na mesma noite do dia que parecia não ter fim, depois da discussão, Elis chegou de carro à casa de Sergio, onde Cesar já estava hospedado. Sem dizer nada, estacionou na rua, desceu e apanhou no porta-malas dezenas de LPs da coleção do casal. Arremessou um a um no jardim, entrou de novo no carro e sumiu para não voltar mais. Por anos, Sergio ficou sem saber o que fazer com todos aqueles discos que Cesar não queria aceitar de volta. Acabou negociando-os em um sebo.

Natan não tinha mais dúvidas de que, desta vez, seguiriam na estrada sem Cesar. Até ali, eles tinham meio caminho andado para colocar o espetáculo *Trem Azul* no palco. Cesar havia arranjado quase metade das músicas quando Elis pediu para o guitarrista segurar o rojão sozinho. A situação era a seguinte: Elis tinha de fazer uma viagem até o Chile para um compromisso assumido no início do ano. Enquanto isso, Natan terminaria de arranjar as canções e chefiaria os ensaios com a banda. Se não desse, era só Natan dizer que Elis estava pronta para cancelar o *show*. "Não faça isso. Eu topo, Elis, claro", disse o guitarrista. Quanto à viagem ao Chile, ela também desistiria, se fosse o caso. "Não, Elis, pode ir", reforçou. Sem a chefe por perto, Natan poderia trabalhar com menos pressão. O guitarrista pediu ajuda aos músicos e elaborou cada arranjo imaginando como Cesar os faria para não provocar uma ruptura na linguagem que já havia sido iniciada. Em uma tarde, Cesar Camargo ligou: "Oi, Natan. Estou aqui, e não paro de pensar no *show*. Você não quer que eu vá aí para te ajudar a fazer as coisas?" Contar com a mão do amigo naquele momento seria uma salvação, mas Natan não queria trair Elis. "Desculpe, Cesar, mas não podemos fazer isso. Eu não me sentiria bem, não é o que Elis gostaria." Assim que voltou de viagem, Elis foi checar o que tinham em mãos. Música a música, ela aprovava e se animava. Poderia haver vida inteligente depois de Cesar Camargo Mariano.

Outro mal-estar durante os ensaios atingiu em cheio a equipe de produção, já combalida pela perda de Cesar e pelas limitações da casa. Elis brigou feio com o diretor Fernando Faro pelo simples fato de ele ter citado o nome de Cesar em uma brincadeira que fazia com todo mundo. Logo depois da separação do casal, Faro chegou com a pior piada, em um momento que não poderia ser mais inoportuno. "Baixa, sabe quem eu vi ontem?" Baixa e baixo é a forma como sempre chamou todo mundo. "Quem?", quis saber Elis. "O Cesar." Faro dizia isso e sorria, enganando Elis com uma ingenuidade infantil. Mas, desta vez, não teve graça. Elis subiu a serra mandando o amigo para lugares inimagináveis na frente de todos. Faro sentiu o golpe e saiu de cena, jurando não trabalhar mais com a cantora.

Se Natan já se dava bem no lugar de Cesar, por que não Elifas nas funções de Faro? "Você pode assumir?", quis saber do artista. A resposta veio na lata: "Desculpe, mas não vou fazer isto. Sou programador visual, não diretor." Elis espumou, virou a cara para Elifas e seguiu com os ensaios. No silêncio de sua tristeza, Faro resolveu escrever um texto para ser pronunciado por Elis em uma gravação em *off* durante o *show*. Elifas passou na casa de Faro, pegou o texto e o levou a Elis para testemunhar o brilho nos seus olhos assim que ela terminasse a leitura da inspirada poesia escrita por um homem com o coração partido: "Agora o braço não é mais o braço erguido num grito de gol. Agora o braço é uma linha, um traço, um rastro espelhado e brilhante. E todas as figuras são assim: desenhos de luz, agrupamentos de pontos de partículas, um quadro de impulsos, um processamento de sinais. E assim, dizem, recontam a vida. Agora, retiram de mim a cobertura da carne, escorrem todo o sangue, afinam os ossos em fios luminosos e aí estou, pelo salão, pelas casas, pelas cidades, parecida comigo. Uma forma nebulosa feita de luz e sombra. Como uma estrela. Agora eu sou uma estrela." Elis terminou de ler às lágrimas e exigiu a volta de Faro ao ensaio, dizendo que só gravaria aquilo se ele estivesse presente. Faro voltou, deu um abraço apertado em Elis e reassumiu a direção. O tempo levaria muita gente a crer que sua inspiração era, na verdade, um sentimento premonitório. Faro negaria tal dom, dizendo que tudo não passou de um texto sobre a verdade do que era Elis naquele começo dos anos 1980 – uma artista disposta a pagar o preço dos falsos brilhantes para mostrar sua arte.

O peso de encarar um palco sem o homem que acumulava as funções de marido, pianista e diretor era grande. Os nervos estavam por um fio quando Elis decidiu procurar o escritório de um advogado de direitos autorais que conhecia de outros carnavais, amigo de Edu Lobo desde 1973, com serviços prestados a Tom Jobim e Chico Buarque. Samuel Mac Dowell já havia defendido Elis em *Falso Brilhante*, quando a produtora Trama foi cobrada em uma volumosa quantia em impostos sobre serviços pela Prefeitura de São Paulo. A lei isentava as peças teatrais, não os *shows* musicais. E *Falso Brilhante* era, a princípio, bem mais *show* que teatro. Mas Samuel puxou daqui e esticou dali até provar que, na verdade, aquela nova forma de vida se encaixava em uma categoria de espetáculo teatral. O crítico Sábato Magaldi, então secretário municipal da Cultura de São Paulo, se juntou a outros dois acadêmicos para endossar a teoria de Samuel e a Justiça engoliu. A dívida foi cancelada.

Agora, ao voltar a vê-lo, Elis era uma mulher bem mais frágil, assustada com o fato de ter de se apresentar sem o marido. Ela colocava o espaço físico do *show* também como um problema, um lugar que dizia ser mal-ajambrado e de estrutura caótica. O adiamento da estreia chegou a ser cogitado, sem que o assunto fosse adiante. A certa altura, a pergunta cabível mas que ninguém faria, até por respeito ao momento, era o que de fato a cantora fazia ali. Só se fosse ingênuo demais, o que não era o caso, Samuel teria deixado passar essa. Elis Regina precisava de um homem, não de um advogado. E o homem por quem balançava agora estava sentado bem à sua frente.

Samuel Mac Dowell chegou do Recife com 20 anos para terminar a faculdade de Direito no Largo São Francisco. O sobrenome materno Mac Dowell poderia ser tanto herança dos escoceses quanto dos norte-americanos que passaram por aquela região. A primeira vez em que viu Elis foi em um *show* no Clube Internacional do Recife, quando ela cantou na mesma noite em que Roberto Carlos. De zero a dez, o grau do impacto que sentiu ao vê-la não passou de cinco. Bem depois, seu respeito seria elevado ao assisti-la no *Fantástico* interpretando "Como Nossos Pais", mas nada que mudasse sua opinião nas conversas de restaurante que travava com o amigo Edu Lobo. "Edu, pra mim, a melhor cantora do Brasil é a Nana Caymmi. A segunda é a Nana e a terceira é a Nana."

O fato de não ser um homem da música não o condenava a não ser um homem de música. O LP *G.I. Blues*, que Elvis Presley lançou em 1960 como trilha sonora do filme homônimo, chegou em suas mãos em 1964. Um ano depois, conheceria o disco de estreia do Zimbo Trio e começaria a mudar de ramo. Aos 15 anos, definiria toda a essência musical de sua vida ao trocar Elvis por um álbum que trazia uma coletânea de Frank Sinatra da fase gravadora Capitol. Alguns anos mais tarde, em agosto de 1981, lá estavam Samuel e Elis Regina de mãos dadas assistindo ao *show* de Frank Sinatra no teatro do Hotel Maksoud Plaza, em São Paulo, com outras 698 abençoadas testemunhas.

Samuel Mac Dowell e Elis Regina assumiram o namoro sem medos. Família, amigos, imprensa, todos viam a imagem de Cesar desbotando na foto com a chegada de um exemplar aparentemente fora dos padrões reginianos. A mulher que havia 20 anos não conhecia outra espécie de homem que não fosse a que dorme e acorda sobre partituras declarava-se apaixonada por um advogado bem-sucedido e de aparente controle sobre suas emoções – o que o tornava equilibrado, mas não frio. Samuel era o cavalheiro que abria a porta do carro, trazia flores em dias da semana e cobria a mulher de carinhos e gentilezas com uma classe que afastava qualquer possibilidade de se tornar pegajoso. Um bálsamo que Elis se dava o direito de viver após tantas tempestades. Maduro, tinha a seu favor também o fato da experiência acumulada por, recentemente, ter saído de um casamento que lhe deixou dois filhos. Quando o interfone do apartamento da Rua Melo Alves, em que Elis vivia desde o rompimento com Cesar, anunciava a chegada de Samuel, ela sorria como uma adolescente e brincava com Celina: "Agora, dá licença porque eu vou me arrumar para o meu namorado."

Se havia um longo caminho para o equilíbrio, algo que talvez jamais fosse atingido, Elis, ao menos agora, respirava em seu próprio lar. Morando com os três filhos e Celina, recebia Samuel em casa ou o visitava em seu apartamento ainda improvisado de homem recém-separado na Avenida Caxingui, no Butantã. Isto quando não estavam em *shows*, restaurantes e gravações de programas de televisão. Quando a alegria de Elis transbordava, ela ligava o aparelho de som da sala e colocava Aretha Franklin e Earth Wind and Fire para pular com as crianças. Aquele cantinho agora era seu e seria decorado conforme seu gosto.

O provável bem-estar de Elis abria também a temporada de novas amizades – ou, ao menos, de tentar reatar as antigas. Desde que havia partido da Philips para não voltar mais, Elis não tivera mais notícias de seu parceiro de muitas jornadas, Roberto Menescal. A última conversa não havia sido agradável, com ele incomodado por ser chamado de bundão na imprensa e ela se sentindo preterida pela gravadora. Até que os novos humores de Elis chegaram e ela ligou para Menesca, aos prantos. "Pô, Roberto, nós somos dois babacas." "Elis, desculpe mas eu não briguei com você. Foi você quem brigou comigo." "Esquece isso, você está chateado?" "De jeito nenhum, fiquei triste por termos rompido." Depois de reatarem, Elis o convidou para ver *Trem Azul*. "Quero muito que a gente volte a trabalhar juntos." Menescal sentiu que também devia um presente a Elis, e o melhor que poderia dar neste momento, por mais absurdo que parecesse, era uma música que nenhuma cantora queria gravar.

Menescal havia escrito para o mexicano craque dos boleros Armando Manzanero pedindo que ele mandasse uma canção para estar em um novo disco de Gal Costa. A fita chegou com sete composições, sendo a melhor delas a romântica "Me Deixas Louca". "Gal, estou te mandando uma música, veja o que acha", avisou à cantora na primeira ligação. Sem resposta, foi atrás da baiana: "E aí, ouviu?" Gal disse que não havia tido tempo. Algumas semanas depois, Menescal tentou de novo: "Oi, Gal, ouviu a fita?" Nada. Como a cantora não parecia um poço de interesse, nem tocada pelo fato de a versão em português ter sido feita pelo escritor e parceiro de Raul Seixas, Paulo Coelho, Menescal voltou à casa da baiana em busca da fita. Quando chegou, Gal não estava. Uma mulher atendeu a porta. "A senhora deixa eu entrar para eu pegar uma coisa minha que está aí?", pediu o músico. Com a fita recuperada, decidiu tentar Maria Bethânia. "Puxa, adoro o Manzanero", comemorou

Bethânia. Dias depois, lá foi Menescal saber o que ela havia achado. "Ouviu a música, Bethânia?" Nada. Alguns dias depois, uma nova tentativa: "E aí, Bethânia, gostou?" Nada, de novo. Alguém deveria estar de sacanagem. Até que, um dia, Simone ligou. "Oi, Roberto, soube que você tem um bolero do Manzanero." "Sim, Simone, e ninguém quis gravar." "Então, manda pra mim", pediu ela. Mas foi aí que o papo com Elis aconteceu e "Me Deixas Louca" mudou de destinatário. Daniel Filho ouviu e deu grande força para que Elis gravasse o tema que poderia ser usado na trilha da novela que ele iria dirigir na Globo, *Brilhante*.

Elis adorou e a entregou nas mãos de seu novo diretor artístico, Natan Marques, com a indicação de que a deixasse mais balada e menos bolero. Natan se lembrou da introdução de "You've Got a Friend", de James Taylor, e fez uma abertura de guitarra nos mesmos padrões. Elis aprovou e incluiu ainda algumas frases que havia criado com a voz para serem feitas por um violino em uníssono com a guitarra distorcida de Natan, um carinho que nem de longe imaginaria ser para sua última gravação em estúdio.

Trem Azul estreou como um longo espetáculo de 25 músicas bastante reconhecíveis, incluindo "Me Deixas Louca", provavelmente a produção de intenção mais *pop* de sua carreira. Depois de algum tempo tentando deixar o cabelo crescer e atingindo uma aparência mais conservadora, que pouco combinava com sua personalidade artística, Elis reapareceu no palco com um corte curto de pontas desfiadas e audaciosamente descoloridas, usando um macacão dourado, intencionalmente copiado da peça que Rita Lee já havia usado em público, e portando um dos primeiros microfones sem fio do *show biz*. A diferença não era mais de *show* para *show*, mas de Elis para Elis. Sua postura era a de uma cantora de *rock and roll* dos anos 1970, uma Janis Joplin que, por vezes, evocava Billie Holiday.

Elis vinha com tudo e mal controlava o próprio corpo, se jogando para frente e para trás com uma euforia convulsiva. Ao apresentar os músicos, gesticulava os braços com força em direção a eles e falava em um código de emoções embaralhadas. Fazia graça com Baby Consuelo cantando "Menino do Rio", fingindo lamber as axilas na parte do "dragão tatuado no braço". Ao mesmo tempo em que havia um impacto artístico inegável, o *show* causava desconforto em muita gente que conhecia Elis de outros palcos. "Se Eu Quiser Falar com Deus" deixou Gilberto Gil atônito, literalmente de queixo caído, tenso primeiro e rendido depois. "Como é que eu vou cantar essa música agora?", comentou com Elifas Andreato. Sua maior oração saía da igreja para fazer um voo cósmico nos gritos de Elis. A música "O Trem Azul" seguia a mesma linha, atingindo uma massa de vibração e beleza delirantes. Mas, enquanto aplaudiam, os espectadores recebiam um envelope que não queriam abrir. A Elis que estava ali não era a Elis que eles conheciam.

Uma das mesas do Canecão-Anhembi era ocupada por Caetano Veloso, Sonia Braga, Gilberto Gil e sua mulher, Flora. Avisada por Elifas de que os baianos estavam presentes, Elis primeiro ficou indignada. "Como é que eu vou cantar agora, Elifas?", tremeu. Mas, logo depois, escreveu um bilhete para Gil e uma carta de duas páginas para Caetano. Para Gil, era um cheiro: "Um beijo querido, estou muito feliz por você estar aqui." Para Caetano, um doloroso pedido de desculpas por tê-lo satirizado durante o espetáculo *Transversal do Tempo*: "Caetano, eu fico amargurada de pensar que fiz aquilo. Quero que saiba que a ideia foi dos diretores, que eu jamais faria nada que prejudicasse nossa amizade. Te admiro muito." Mas, minutos depois de o *show* começar, pela quarta ou quinta música, todos da mesa pensaram juntos: "Isso não pode ser só álcool." Gil cochichou com o amigo: "Isso não é normal." Ao vê-la apresentando os músicos com gestos desmedidos, Caetano teve a mesma suspeita, ou a mesma certeza: "Isso é cocaína."

Menescal espantou-se na plateia. As letras tinham perdido a conexão com os sentimentos. Elis chorava nos momentos felizes, sorria nas tragédias e se rastejava a qualquer hora. Se fechasse os olhos, estaria tudo bem. Mas, ao abri-los, parecia ver tudo ao contrário. Do palco, Natan sentia ondas de energia que o abatiam como um tornado. Sua cantora parecia uma vocalista de *heavy metal* com uma vibração duplicada que puxava o volume às alturas. O jornalista Zuza Homem de Mello, enviado ao *show* para fazer uma crítica ao jornal *O Estado de S. Paulo*, também percebeu algo estranho. Elis estava exagerada e ultraconfiante, com uma postura de palco que não era seu habitual. Sua crítica não detonou o *show*, mas as entrelinhas indicavam que aquela estava longe de ser uma grande apresentação: "É nesse clima de ausência que esse *show* vem à tona. Cercado de uma especialíssima atmosfera de tensão e de torcida favorável para que tudo dê certo."

As impressões estavam corretas. Elis havia chegado à cocaína, um destino surpreendente de uma mulher que passou a vida desaprovando as drogas com uma personalidade inabalável na época em que o mundo artístico descobriu o pó. Elis não se intimidava em remar contra a maré, ameaçando mandar músicos embora se não largassem o que chamava de "porcaria". As viagens a bordo das canções tinham alucinógenos o suficiente para tornar dispensável qualquer substância que tirasse seus pés do chão, mas a coca fazia mais. Sua outra mágica, a de tornar qualquer camundongo um super-herói, era o que Elis precisava em um de seus momentos de fraqueza mais intensos. Quando a primeira carreira chegou ao cérebro, ela experimentou uma segurança que há muito tempo não sentia, uma força que potencializava seu furacão interior fazendo a ausência de Cesar, no palco e fora dele, se tornar insignificante. O problema era o depois. O elixir dos deuses, em minutos, só aumentaria a dor da alma.

Elis se afundava cada vez mais em porções que chegava a consumir diluídas em doses de uísque para, conforme acreditava, evitar que a voz fosse prejudicada. Elifas Andreato viu quando ela voltou de uma viagem ao Chile. Junto com os dólares do cachê que ganhou por ter participado de um programa de TV, havia cocaína o bastante para oferecer aos músicos da banda. Sem meio-termo, vivendo primeiro para medir o estrago depois, dava de ombros às preocupações dos amigos mais próximos que assistiam à sua escalada como um espetáculo de terror. A temporada de *Trem Azul* a fazia perder a medida e ultrapassar a linha do suportável. Eram raras as noites em que não estava sob os efeitos da droga.

Elifas viu o trem sair dos trilhos ao menos por uma vez. Elis exaltou-se a ponto de perder a noção do que deveria fazer no palco. Momentos antes da apresentação, o artista disse a Rogério que talvez fosse a hora de fazerem algo. "Rapaz, está difícil. Como é que ela vai fazer esse *show*?" Elis foi colocada no chuveiro do camarim e lá ficou até se mostrar minimamente recuperada. Seguiu para o palco e fez uma de suas mais confusas apresentações, protagonizando cenas de gestos exagerados e frases desconexas. Quando a apresentação terminou, Elifas cogitou com Faro e Rogério de finalmente a levarem para um hospital, mas Elis reagiu furiosa, falando como o alcoólatra que jura não estar bêbado. Não via sentido em procurar um médico, dizia ela. Uma exposição pública de suas fraquezas diante de seus filhos e de Samuel seria a morte para alguém que passou a vida dando provas de força e liberdade.

A Elis que Elifas conheceu antes do pesadelo, amiga e carinhosa, também ressurgia quando ele menos esperava. Uma das vezes foi durante uma folga da temporada de *Trem Azul*, ainda em São Paulo, quando ela o convidou para jantar em casa. Assim que chegou, foi recebido pela empregada e conduzido ao quarto de Elis. Ela estava lá, abraçada à filha Maria Rita, ouvindo o disco gravado com Tom Jobim. "Nunca mais vai acontecer uma coisa desse tamanho", disse, extasiada com o próprio feito, sem olhar para o convidado.

Luiz Ayrão conhecia a cantora de outros tempos. Havia visto Elis garotinha chegar do Sul para registrar um de seus primeiros discos nos estúdios da CBS e, quase duas décadas depois, assistido Elis mulher gravando "Alô, Alô Marciano". Um dia, foi visitar sua contratada no camarim do Canecão paulista. Ao entrar, percebeu que Elis olhava para a parede e cantava "Upa Neguinho" como exercício vocal, alongando suas notas ao máximo para treinar afinação. "É por isso que ela é a cantora mais afinada do País", saiu pensando.

Elifas sabia de sua paixão pelo personagem Mafalda, do cartunista argentino Quino. Ao ser informado de que o desenhista estava no Brasil, o convidou para assistir a uma sessão do espetáculo. Quino, também um admirador de Elis, aceitou no ato. Antes do *show*, no camarim, Elifas deu a notícia à cantora, certo de que seria recebida com euforia. "Elis, o Quino, da Mafalda, está aí. Veio ver o seu *show*." Mas não. "Seu filho da puta. Como é que eu vou cantar agora sabendo que ele está aí?", devolveu. Elifas ficou sem jeito e se retirou.

Ao final da apresentação, Quino ficou para ver a cantora no camarim, mas ela, estranhamente, não quis recebê-lo. Desconcertado, Elifas argumentou que seria um despropósito tratar o homem com tamanho desdém. Elis pediu que ele reservasse mesas no La Buca Romana, o restaurante em que gostava de passar os finais de noite, para um encontro em algumas horas. Elifas e Quino chegaram primeiro e esperaram até Elis entrar com os músicos. Sem olhar para o cartunista, a cantora passou direto, sentou-se em outra mesa e ignorou a existência do argentino. Chateado, Quino foi embora. Mais tarde, Elis foi a Elifas. "Puxa, hoje não deu pra falar com ele, né? Mas a gente podia marcar um almoço amanhã lá em casa, o que você acha?" Elifas não tinha mais paciência. "Sinceramente, Elis, se você quiser, fale com ele você. Não dá mais." Quino e Elis nunca mais se encontraram.

A temporada de *Trem Azul* seguiu com Elifas acumulando uma nova função: ao final dos *shows*, teria de esperá-la na porta do camarim. Se fosse preciso, e por muitas vezes foi, a carregaria no colo e a colocaria no sofá até que a tempestade passasse e Elis voltasse a si. A tempestade passava, mas nunca para sempre. Quando o *Trem Azul* seguiu em turnê para Curitiba, Elifas percebeu que a cantora estava em guerra com o namorado Samuel. Ao ligar para ele, fazia a temperatura subir sempre que o tema era o dia em que iriam viver juntos. Ela queria que fosse logo, mas Samuel titubeava. Em poucos minutos, Elis se descontrolava e batia o telefone com força. Ia então ao banheiro do quarto do hotel, passava algum tempo por lá e voltava para ligar e começar tudo de novo. "Ela está completamente descontrolada, vai perder a medida", disse Elifas a Faro. O salvador de uma possível tragédia naquela noite de Curitiba foi Edu Lobo. O antigo namorado de Elis, agora um amigo de longa data, amigo também de Samuel, estava na cidade e resolveu levar Elis a um restaurante. Sem saber, Edu tirava Elis do quarto quando ela já estava prestes a perder o chão.

Edu revia Elis por uma coincidência de agendas. O compositor havia criado a trilha para o espetáculo *Jogos de Dança*, do Ballet Guaíra, que também estreava na cidade, e convidado sua ex-mulher, Wanda Sá, para que levasse seus filhos pequenos para assistirem ao musical. Wanda reencontrava Edu e ambos reencontravam Elis. Seguiram ao restaurante, jantaram e, antes que a conta chegasse, Elis chamou Wanda para ir ao banheiro. Ao entrar, Elis sacou uma caixinha de metal com uma pedra de cocaína. "Ela parecia uma *expert* no assunto", lembraria Wanda. Elis começou a raspar a pedra para conseguir extrair o pó com uma pequena lixa que levava consigo, quando percebeu a expressão da amiga. Wanda não acreditava no que via. "Não, Elis, você não, por favor", pedia. "Não por quê? Por que você pode e eu não posso?", irritou-se Elis. E Wanda, ainda lívida, respondeu: "Porque você é a maior de todas."

Wanda Sá era a amiga de idas e vindas na história de Elis. Adorava aquela mulher, entendia suas oscilações de humor e a considerava a anos-luz de qualquer outra cantora. Conheceram-se muito jovens, assim que a gaúcha chegou ao Rio e foi parar no Beco das Garrafas. Estava na casa de Nelson Motta quando a imagem de Elis apareceu na TV pela primeira vez. "Como é cafona!", fez coro com o grupo reunido na sala. E também estava, tempos depois, no apartamento dos irmãos Marcos e Paulo Sérgio Valle quando, junto com o mesmo grupo da zona sul, teve de rever todos os conceitos. Sentada no chão, em silêncio, de vestido branco e sapato vermelho, Elis deixava que as pessoas cantassem e afinassem seus instrumentos até o momento em que iria mostrar, de fato, quem era Elis Regina. Assim que chegou sua vez, soltou a voz com tanta emoção que pareceu silenciar o quarteirão inteiro.

Edu Lobo havia deixado Wanda, sua namorada dos tempos de Beco das Garrafas, para namorar Elis na fase pré-Arrastão. Magoada, Wanda não quis ficar para ver o novo casal trocando carícias e foi morar nos Estados Unidos. Ao retornar ao Brasil, Edu e Elis já estavam separados. Ela se reaproximou de Edu, refez sua amizade com Elis e a chamou para, junto a Ronaldo, ser sua madrinha do casamento com o compositor. Wanda também seria madrinha do casamento de Elis e Ronaldo. Era muita história que a credenciava como conhecedora profunda de Elis Regina. Assisti-la agora esticando uma carreira de pó na pia do banheiro de um restaurante não poderia ser mais devastador. Wanda Sá e o mundo todo poderiam fazer isso. Elis Regina, não. Mas ela fez. As duas consumiram a droga e voltaram para a mesa falando pelos cotovelos.

Nada, contudo, parecia tirar *Trem Azul* dos trilhos. Se os amigos viam Elis com uma admiração perturbadora, havia também quem a saudava pelo impacto de suas interpretações. Depois de São Paulo e Curitiba, o espetáculo iria para Porto Alegre, com previsão de chegar ao Rio antes do Natal de 1981. Elis marcava outros afazeres no pouco espaço em branco da agenda, entre *shows*, tempo com os filhos e momentos com Samuel.

Entre os compromissos profissionais que a estimulavam estava a gravação que o produtor Roberto de Oliveira já havia fechado para a TV Record, a mesma emissora onde tudo tinha começado 15 anos antes. O ideal seria que ela gravasse as duas músicas que estavam no roteiro, "Me Deixas Louca" e "O Trem Azul", e voltasse para o Rio, onde estrearia o espetáculo. Mas o Aeroporto de Congonhas fechava à meia-noite e os estúdios da Record só eram liberados a partir desse horário. Ou seja, todos seriam muito bem-vindos desde que estivessem dispostos a não dormir cedo. Conhecendo Elis, que não era de repetir música, três horas de trabalho e tudo estaria nos trinques. Mas, naquela noite, não foi assim.

Elis queria mais e mais, acreditando que tudo poderia ficar melhor. Entre uma e outra gravação, ia para o camarim, passava dez minutos com a porta fechada e voltava com a energia redobrada. Gravava outra, voltava ao camarim e retornava ao estúdio. "Vamos de novo", dizia a Roberto. As duas músicas só não ganharam versões de trás para frente, o resto foi tudo, até o dia amanhecer. Não havia como não ter prazer ao ver as tentativas de Elis em lapidar *takes* que qualquer diretor daria por definitivo. De vestido branco, longo, leve e rodado, que a deixava de braços livres, cantava "O Trem Azul" de costas para Natan e Luizão rasgando as notas mais agudas no refrão e se divertindo como se descobrisse a canção naquele momento. Arrastados por ela, Natan e Luizão começaram a se olhar brincando com as notas nas brechas em que podiam até que Elis percebeu a sintonia e se virou para cantar olhando para os dois, perseguindo o solo de Natan nota por nota. Subiram juntos uma ladeira que terminava em um mi bemol aparentemente impossível de ser atingido pela voz humana. Mas Elis chegou ao ponto mais alto sem fazer força e desceu aos pulos.

Muitos papéis haviam sido assinados naqueles tempos pós-Cesar, como se Elis quisesse enterrá-lo sob montanhas de contratos. Sua vida com Samuel era agora de aparente harmonia, depois dos desentendimentos ao telefone, mas sua cabeça sentia a pressão das expectativas. Sob os cuidados da Som Livre, Elis tinha de pensar em um próximo disco forte para a grande estreia na nova companhia. As fitas cassete que chegavam dos compositores já lotavam quatro sacos de 100 litros cada e ouvi-las em detalhes se tornava uma tarefa árdua para a qual Elis, sem Cesar, pedia ajuda a Celina. A fase da matrícula da escola das crianças para 1982 chegara e Elis, com pesar, a delegou à secretária. No momento de escrever um bilhete de recomendações para ser levado à escola, se emocionou por não ter tempo de fazer uma das tarefas que tanto prezava e acabou redigindo um tratado de amor e liberdade aos pais e seus filhos que comoveu Celina.

E tinha Samuel. Em pouco mais de cinco meses de namoro, os dois decidiram que iriam se casar. Antes, porém, queriam comprar uma casa que zerasse o passado de ambos naquele início de vida nova. Acharam primeiro um belo imóvel no Alto de Pinheiros, do qual gostaram muito, a não ser pelo fato de não haver um cômodo anexo para Elis ensaiar com a banda. Seguiram então para o Morumbi, onde se depararam com outra mansão, mas a negociação não foi adiante. Eram dias extenuantes de olhar casa por casa em ritmo acelerado, já que Elis queria resolver tudo até o Natal para entrar em estúdio no início de 1982 sem pendências. Encontraram uma na Rua Chile, no bem localizado Jardim América, e fecharam negócio. Enquanto a papelada não saía, Elis seguia com a família na Melo Alves. Vivendo no ritmo de Elis, Samuel a conhecia rápido, em seus dons e suas fraquezas.

A imaginação de Elis fez Samuel virar Ronaldo Bôscoli ao menos por uma vez. Samuel queria aproveitar o fim de semana para ver os filhos no Rio. Eles estavam com a ex-mulher desde a separação. Assim que chegou à casa do irmão, de onde partiria para se encontrar com os meninos, Samuel recebeu um recado da cunhada. "É melhor você ir cuidar da Elis." A cantora havia ligado em surto, certa de que seu noivo estava nos braços da ex-mulher. Depois de passar a tarde de sábado com os meninos, o advogado decidiu voltar. Desembarcou em Congonhas às 21h30 e comprou um jornal para ver onde a noiva faria o *show* naquela noite. Descobriu o endereço da casa em Santos, pegou o carro que havia deixado no estacionamento do aeroporto e seguiu para lá. Quando chegou, Elis já havia se apresentado. Estava no camarim, exausta e chateada. Sem falar nada sobre a ligação, tirou a maquiagem e a roupa do espetáculo, entrou no carro de Samuel e deitou a cabeça em seu colo para ser acariciada enquanto subiam a serra em silêncio.

Foi sobretudo nas reuniões para definir o novo disco que alguns amigos souberam que Elis estava usando cocaína. Em uma delas, na casa de Daniel Filho, Elis fez um sinal que o surpreendeu, querendo dizer que iria cheirar pó ao tapar uma das narinas com uma mão e aspirar forte com outra, tudo bem discreto para que Tia Léa, a nova administradora de sua equipe, não percebesse. Em outra ocasião, começou a ouvir verdades de Natan até resolver cortar-lhe as asas. "Pô, Baixinha, você não deveria entrar nessa, porque você pra mim já é uma Ferrari, está sempre a mil. Pra que envenenar o motor de uma Ferrari? Por que você não fuma um baseado?" Maconha nunca foi sua praia. "Nem vem. Nunca gostei desse mato, não."

A exceção da vida limpa de Elis havia sido a mescalina que tomou na primeira noite em que ficou com Nelson Motta na casa da Avenida Niemeyer. Elis era chata com o assunto. Em um jantar com o presidente da Philips, André Midani, se chocou ao vê-lo tragar um cigarro de maconha. No dia seguinte, resolveu ligar: "Midani, eu não admito que meu patrão use drogas." Quando passou uma temporada morando na casa da família Figueiredo, assim que se mudou do Rio para São Paulo com Cesar e João, fez um escândalo ao pegar um cigarro de maconha entre as coisas de Patrícia, a filha mais nova de Abelardo. Seus músicos eram tratados na rédea curta. Um deles tomou uma bronca por usar um perfume de patchuli que Elis teve certeza de ser qualquer substância alucinógena. "Pô, que coisa mais careta, para com essa merda", dizia para Nenê quando o via com um baseado nas mãos. Certa vez, em um hotel de Curitiba onde estavam hospedados na época do Circuito Universitário, Elis acordou furiosa no meio da noite ao perceber que os jogadores de um time de futebol que estava no mesmo hotel fumavam maconha no *solarium*. Fez todos os seus músicos acordarem para mudarem de hotel.

Mãe, 36 anos, três filhos pequenos, ideias combativas, posturas firmes, Elis parecia protagonizar um filme de roteiro inverossímil sempre que alguém a imaginava cheirando cocaína. A droga caía como um vestido fora de moda mais por questões culturais do que moralistas. Elis havia feito suas revoluções e superado a fase da rebeldia, passando ilesa pelos ácidos dos anos 1970 e segurando a barra até o início de 1980, quando a cocaína estava disseminada no universo artístico. Diretores de TV, atores de novela, músicos e cantores eram seduzidos pelo pó. Quem não caía por gosto, caía por moda. Cheirar era *cool*, algo que estava de acordo com os novos dias, uma atitude libertadora. Elis começou a se incomodar consigo mesma e a rever seus conceitos. "Eu chego aos lugares e as pessoas mudam de assunto. Estou cansada de ser a polícia dos meus amigos", disse, certa vez, a frase que o filho João ouviu. Sua chegada às drogas era tardia mas intensa, praticada por uma mulher em constante crise existencial. Elis decidiu implodir a sobriedade que havia construído esticando carreiras de pó até no banheiro de sua própria casa, escondida de Samuel.

Depois de uma apresentação do *Trem Azul* em São Paulo, Samuel decidiu chamar músicos e amigos de Elis para uma reunião doméstica. Ao chegar, a casa já estava cheia e ele percebeu que havia um entra e sai sem fim do banheiro, com pessoas fungando mais do que o normal. Avisado por uma amiga de confiança de que Elis andava cheirando cocaína havia alguns meses e de que ela fazia tudo às escondidas dele, Samuel sentiu-se traído, mas não levou o assunto à mulher. Ali, naquela noite, resolveu acabar com o jogo de esconde-esconde. "Pessoal, é o seguinte: aqui não tem polícia, não tem nada disso. Então escutem: está proibido cheirar escondido, ok? Podem cheirar onde quiserem, liberou geral." Elis se encolheu ao seu lado.

24.

Em dezembro de 1981, Elis e Samuel planejaram um Natal diferente, só com as crianças. Sem João Marcello, que preferiu ficar em São Paulo com a avó, seguiram com Pedro e Maria Rita no automóvel MP Lafer da cantora para Foz do Iguaçu a fim de conhecerem as Cataratas. Elis e Samuel tiveram momentos leves, falaram sobre morarem juntos com entusiasmo e curtiram as crianças. Um dos poucos ruídos aconteceu quando o noivo tomou uma bronca ao pegar algo nos pertences de Elis sem avisá-la – uma resistência da cantora que só faria sentido um pouco mais tarde. Assim que voltou para São Paulo, Elis seguiu, agora sem Samuel, para uma viagem ao litoral com Maria Rita, Pedro e uma amiga 17 anos mais nova, Patricia Figueiredo.

Algo em Patricia fazia Elis ver a si mesma quando criança. Ao escrever bilhetes para Laura, mãe da garota, ela assinava "Patricia 2", e a protegia como se fosse sua própria filha. Era com ela e com sua irmã mais velha, Mônica, que Elis parecia resgatar a infância da qual havia sido retirada ainda em Porto Alegre. Jogavam pedrinhas, tarô, encapavam cadernos. Patricia a imitava atrás dos candelabros da sala, usando-os como microfone, e anotava frases engraçadas que ouvia de Elis como "a roupa que eu estou usando pode estar suja, mas eu estou limpa, bicho" ou "fique de olho na privada: se o cocô boia, a cabeça tá boa. Se afunda, tá ruim." Uma graça infantil. Anos depois, Patricia foi viver em Paris e passou a receber cartas de uma Elis preocupada com sua possível alienação. "*Não seja burguesa, esqueça as lojas Dior e companhia limitada. Coloca um* jeans, *caneta e bloco no bolso e sai anotando tudo o que você vir por aí. Você recebeu ouro em pó, não desperdice.*" Patricia voltou a conviver com Elis assim que retornou ao País. Substituiu uma atriz no grupo de atores que participava de *Saudade do Brasil* e passou a fazer caras e bocas que tiravam risos da cantora, como quando imitava Gal Costa se despedindo do público com os cabelos ao vento e encarando a plateia.

Patricia não tinha a seu lado uma amiga amargurada ou depressiva quando as duas chegaram a Juquehy, no litoral norte paulista. Estavam com Pedro e Maria Rita, cheias de energia para fazerem as velhas piadas. Sentada no banheiro, Elis cantava para Patrícia uma versão que acabara de criar ali mesmo de "Meu Bem, Meu Mal", um sucesso de Caetano Veloso na época, gravado por Gal Costa como tema da novela *Brilhante*, da Globo, a mesma para a qual Elis registrou "Me Deixas Louca". "É assim que ela tem de cantar..." E seguia, arrastando os tempos para dobrar sua duração, com um timbre delicioso de Nina Simone. A grande voz estava ali, sentada diante de Patricia, em uma inesquecível *performance* em seu vaso sanitário. A graça só acabava, ou ficava preocupante, quando Elis usava cocaína.

Ao voltar do litoral, Elis entrava em 1982 com uma angústia no peito. Depois de passar o *réveillon* com Samuel, voltou a falar de trabalho e de família, dois vulcões que pareciam prestes a entrar em ebulição. Viver sob o mesmo teto que Elis já parecia uma questão de dias quando Samuel foi apanhado por um sentimento de abandono dos próprios filhos, uma sensação dolorida de um pai saudoso de seus dois pequenos, ao mesmo tempo em que fazia planos para morar com a nova mulher e seus três filhos. Agora, quem entrava em crise era ele, sentindo que poderia estar substituindo suas crianças pelas crianças de Elis. As próximas noites na Melo Alves seriam de insônia e de uma tensão crescente. Sexta, sábado, manhã de domingo, quase três dias de um silêncio pesado entre o casal, com os dois lados apostando nos anestésicos do próprio tempo. Os espíritos já pareciam desarmados no domingo, mas aquela trégua só duraria até a próxima noite.

Segunda, 18 de janeiro de 1982, foi um dia cheio, com Rogério e família chegando para o almoço depois de passarem vinte dias de férias em São Pedro da Aldeia, no Rio de Janeiro. Elis acordou cedo e foi para a cozinha, queria preparar um almoço de gala para o irmão, a cunhada Biba e os dois sobrinhos que ela não havia visto no Natal. Almoçaram, contaram da viagem e trocaram presentes até que deu a hora de Rogério e Biba levarem a filha Carolina ao pediatra. Natan Marques e o compositor Ronaldo Bastos chegaram no começo da tarde, um pouco antes de Rogério sair, e foram direto para um dos quartos revirar os sacos de fitas em busca de músicas para o novo disco. A noite fecharia com um jantar à luz de velas preparado para Samuel, uma investida definitiva para dissipar as nuvens carregadas. A programação do longo dia de Elis tentava satisfazer os três universos dos quais ela mais se cobrava: família, trabalho e Samuel.

As horas com Natan e Ronaldo foram de muita audição e pouca definição. Elis evitou fazer escolhas antes que escutassem ao menos metade dos quatro sacos plásticos com fitas. Havia outras possibilidades que não estavam no lote. Edu Lobo, que havia perdido contato com Elis, voltava discretamente a seu convívio por meio de Samuel. Uma nova canção sua, naquele ou em um próximo disco, era cada vez mais viável. Daniel Filho também havia atiçado seu ímpeto empreendedor ao sugerir que fizesse um disco de *crooner*, inspirado nas seleções que as pessoas faziam em casa quando gravavam suas músicas preferidas em fitas cassete – uma febre na época. Para Daniel, era a hora de Elis, que havia começado a vida artística como voz de orquestra de baile, homenagear suas origens em um álbum menos autoral e mais *pop*.

Ronaldo Bastos escolheu "Gema", samba de Caetano Veloso, e pediu que Arrigo Barnabé pensasse em criar algo. Elis falou de "Till There Was You", dos Beatles, que acabaria sendo gravada por Beto Guedes, na versão em português de Ronaldo, em 1984. Dori Caymmi era um dos nomes na lista dos arranjadores, assim como o produtor Lincoln Olivetti, em alta nos estúdios da época, deveria ser chamado para imprimir o acento *pop* que as rádios pediam. Mais definida estava uma versão para "Nos Bailes da Vida", de Milton Nascimento, com menções propositais a "Something", de George Harrison.

A ideia era de Natan, que queria começar a canção com o solo da introdução de "Something" e entregar para "Nos Bailes da Vida", ao mesmo tempo em que um arranjo com as frases da música do *beatle* soasse por trás. O solo de "Something" voltaria no meio da música antes que "Nos Bailes da Vida" fosse cantada pela segunda vez. "É só a gente pedir autorização para usar os solos", propôs Natan. A empolgação de Elis a fez falar com um sorriso. "Isso é do cacete, Natan! Por que a gente não grava amanhã mesmo?" O estúdio estava marcado para dali a uma semana. "Vai lá, Elis, acho que você consegue mudar isso, você é a chefe", sugeriu o guitarrista. "Então vamos fazer isso amanhã, às três da tarde", fechou Elis.

Quando não falavam de música, Natan, Ronaldo e Elis falavam da vida. Ninguém, segundo Natan e Ronaldo, consumiu drogas durante as horas que passaram juntos. Elis, nas lembranças de Ronaldo, não apresentava sinais que denunciassem ter aspirado cocaína. João Marcello trouxe algumas latas de cerveja da cozinha e Ronaldo tomou duas. Por volta das 20h30, Natan e Ronaldo decidiram ir embora, mesmo sob a insistência de Elis para que ficassem mais. Samuel já havia chegado e ninguém queria atrapalhar o jantar. Quando já se despediam, Elis percebeu que a noite estava fria e que Ronaldo usava apenas camiseta. Pediu que esperasse um segundo, foi a um armário e voltou com um suéter de lã verde-escuro. "Coloque isto, está frio." "Não precisa, Elis, obrigado", disse Ronaldo. "Pode levar, é seu, é um presente", disse Elis. E fechou a porta.

Elis e Samuel começaram um silencioso jantar por volta das 21h, quando as crianças já dormiam. O clima romântico construído na mesa farta e iluminada por velas entregava a boa vontade de Elis em voltar a ser feliz com o namorado, mas não era páreo para o insustentável peso de um drama que existia à revelia de suas intenções. Qualquer coisa que dissessem desaguaria nas angústias de Samuel, que só queria conseguir viver aquela nova felicidade em grupo sem sentir-se um traidor por não ter os filhos ao lado. Uma equação delicada de ser explicada, sobretudo a alguém como Elis, nada afeita a rodeios que aparentassem anteceder uma negativa. A certa altura da conversa, pouco antes da meia-noite, Elis apanhou a capa de um LP que estava ao lado do sofá e a colocou em frente ao rosto enquanto Samuel falava, dando o recado de sua indisposição com aquilo tudo. Samuel reagiu: "Elis, é melhor eu ir embora." E foi. Elis, com raiva, ligou para a portaria do prédio logo depois da saída de Samuel, um pouco antes de meia-noite. "Seu Manoel, é o seguinte: não deixe ninguém subir a partir de agora. Nem minha mãe nem meu pai nem o Samuel e nem Deus." A noite só estava começando.

Minutos depois de chegar em casa, Samuel decidiu ligar para Elis em busca de um ponto de equilíbrio após a lamentável cena no jantar. Mas o embate foi retomado em uma intensidade ainda maior, com Elis nervosa e, aos poucos, incontrolável. Após falar os palavrões que queria, sem dar direito a réplica, desligou com força. Alguns minutos depois e agora era Elis quem ligava com um esperançoso tom de reconciliação, até que sua ira fosse retomada à base de mais alguns palavrões. Samuel passou então a tentar falar com Elis ligando diversas vezes até perceber que ela havia tirado o aparelho do gancho. Nada que uma noite de sono não pudesse melhorar.

Samuel foi acordado às 6 horas da manhã por um estranho impulso, que antecedia seu despertar de todos os dias em pelo menos uma hora e meia. Ele se levantou, tomou banho e se vestiu com elegância para ver Elis, decidido a enterrar a noite anterior com beijos e abraços até ser pego por outro estranho impulso: o de não ir. Samuel pensou que não poderia fazer isso sempre que brigassem, que seria um despropósito aparecer por lá tão cedo depois de uma noite como aquela. Um risco. Convencido de que faria a coisa errada se saísse de casa em direção aos braços de Elis, tirou a roupa e voltou à cama.

No apartamento da Melo Alves, Elis saiu do quarto às 6 horas da manhã. Fez o café e acordou João Marcello entre 6h30 e 7 horas para comerem juntos. Estava com olheiras profundas de uma noite mal dormida, mas parecia tranquila. João, que não gostava de café, tomou leite com achocolatado e Elis, café com torradas. Os dois haviam combinado de ir ao *shopping* à tarde para comprar roupas para ele. João estava ansioso. Após comer e conversar, Elis voltou ao quarto e trancou a porta. Eram quase 9 horas da manhã.

Quando Samuel já estava em seu escritório, entre 9horas e 9h30, o telefone tocou. Elis tateava os sentimentos do namorado para entrar na velha discussão de forma mais leve. Samuel respondeu com reservas até sentir que havia arrependimento e boa vontade do outro lado da linha. A situação confusa deveria ser superada pelos dois e, de preferência, não em forma de cabo de guerra. Quinze minutos de conversa se passaram em juras de amor até que Elis começou a emitir palavras desconexas sem mais ouvir o que Samuel dizia. Suas frases foram ficando espaçadas e sua pronúncia derrapando até se tornar uma pasta quase incompreensível. "Elis, Elis!", Samuel tentava intervir. Preocupado, ouviu seu nome sair de uma voz irreconhecível por três vezes antes que o silêncio viesse para sempre. "Samuel... Samuel... Samuel..." O advogado saiu às pressas em direção à Melo Alves.

De um orelhão próximo ao bairro dos Jardins, Celina Silva tentava avisar Elis de que iria passar na oficina mecânica, pegar o Jeep que havia ficado para consertar e seguir o quanto antes para o apartamento da cantora. Elas já haviam acertado de ouvir juntas mais fitas cassete. A empregada Dores atendeu ao telefone e disse que a patroa ainda não havia saído do quarto nem para dar o dinheiro da feira. Celina ligou várias vezes para o número do quarto, mas só ouviu sinal de ocupado. "Com quem ela tanto fala?", estranhou. Sem esperar mais, seguiu para a oficina, apanhou o carro e saiu dirigindo às pressas para a casa de Elis, quando um outro veículo passou em sua frente em alta velocidade. Assustada, pisou forte no freio e o banco em que estava se deslocou com força, fazendo-a perder o controle e o Jeep deslizar em um movimento de "cavalo de pau" com uma das portas aberta. Ao se recuperar, amarrou a porta com a alça da bolsa e voltou a dirigir. Quando estava bem próxima da Rua Estados Unidos, a gasolina acabou. Celina foi à casa de um amigo que morava perto e pediu para usar o telefone. De novo, tentou ligar para o quarto de Elis uma, duas, três vezes e nada. Trancou o carro e seguiu a pé.

Samuel chegou ansioso como ninguém naquela casa o vira antes. Cruzou com Pedro, Maria Rita e duas empregadas no *playground* do prédio. Perguntou pela namorada, apanhou a chave e subiu às pressas para o apartamento. Dores resolveu ir atrás. Abriu a primeira porta com uma das cópias encontradas pela arrumadeira e a segunda, do quarto de Elis, com as ferramentas que a mesma Dores trouxe em uma caixa. João correu para ver o que havia com a mãe, mas foi impedido de entrar: "Vai brincar, está tudo bem", disse Samuel. Elis estava caída, segurando o telefone com a mão estendida para o lado direito. Ficou claro que era algo mais sério que um desmaio. O advogado ligou para o amigo do escritório, Marco Antônio Barbosa, e, logo depois, para pedir uma ambulância.

Celina chegou querendo saber de Elis. "E essa mulher que não atende telefone?" "O Samuel chegou cedo e estava lá chutando a porta, parece que ela dormiu mesmo", respondeu Dores. A secretária foi até o quarto e ameaçou entrar em pânico ao ver Elis no chão. Samuel tentava reavivá-la, gritando seu nome e fazendo respiração boca a boca. "Nós vamos sair dessa", repetia Celina. Ela também ligou para o 191, cobrando a ambulância que não chegava. Ao desligar, correu para ajudar Samuel, massageando o peito de Elis com força, mas os sinais vitais não voltavam. "Lili, fala comigo? Por favor, Lili, fala comigo."

Samuel decidiu não esperar mais. Às 11h20, uma hora depois de chegar ao apartamento, desceu pelo elevador com Elis no colo e pediu que Celina corresse até a frente do prédio para chamar um táxi. No instante em que ela voltava avisando que o carro estava na entrada do edifício, um outro táxi chegou trazendo o amigo de Samuel, o advogado Marco Antônio, e um médico, o doutor Álvaro Machado Junior. Samuel partiu com Elis no colo, e o médico, no automóvel da frente, enquanto Celina e Marco Antônio seguiram no de trás. Em cinco minutos, chegaram ao Hospital das Clínicas. O táxi parou buzinando na entrada do pronto-socorro e todos desceram às pressas. O motorista Manoel ajudou Samuel e Álvaro a colocarem Elis em uma maca que a equipe de plantão trouxe rapidamente. Depois de receber de Celina o pagamento pela corrida, Seu Manoel manobrava para partir quando viu que Samuel havia deixado sua agenda cair no banco traseiro. Desceu novamente e correu até a recepção, mas não o encontrou. Deixou o objeto com uma atendente, que anotou seu nome e a placa do carro. Celina fazia a ficha de Elis enquanto os pensamentos começaram a chegar com uma velocidade angustiante. "Meu pai, Natan, as crianças. Quem está cuidando das crianças!"

A maca trazendo Elis chegou à sala de emergência do HC às 11h35 e a doutora Elisabeth Lima Nicodemus nem percebeu que, naquela manhã, tentaria salvar um ídolo. "Parada!", gritou um enfermeiro, sinalizando que se tratava de um paciente com parada cardiorrespiratória. A jovem médica de 29 anos, formada havia dois, voltava ao trabalho naquele dia depois de uma licença-maternidade de três meses. Minutos antes de Elis chegar, três companheiros da equipe de emergência da 1ª Clínica Médica do HC combinaram de almoçar juntos. Elisabeth não foi. Queria usar o horário de almoço para ir até sua casa, próxima ao hospital, amamentar a filha, e só faria isto quando os amigos voltassem.

Auxiliares e técnicos vieram para seguir as orientações de Elisabeth. Antes de saberem que Elis estava em suas mãos, algo de que só seriam informados mais tarde, perceberam que aquela paciente parecia jovem demais. As chances de recuperação seriam boas se agissem rápido, mas o eletrocardiograma apontava que Elis não tinha movimentos respiratórios espontâneos, muito menos batimentos cardíacos. Fizeram a entubação para iniciar a ventilação artificial, investiram em uma forte massagem cardíaca e administraram substâncias como adrenalina, gluconato de cálcio e carbonato de sódio. Elisabeth apalpou o corpo de Elis em várias partes percebendo que ele não estava gelado e que não havia o que os médicos chamam de rigidez cadavérica, algo que lhe dava a certeza de que aquela parada era algo muito recente. Mas Elis não respondia a nenhum procedimento. As massagens no peito e os choques elétricos para reanimá-la pareciam intermináveis. Às 11h45, quando a ficha da paciente chegou ao setor de emergência com o nome datilografado, Elisabeth levou um susto ao saber quem era a mulher que ela tentava salvar: Elis Regina Carvalho Costa. A mesma que a fez se emocionar quando menina, no palco do programa *O Fino da Bossa*. Sua sensação agora era de frustração. Elisabeth sentia que, por muito pouco, não trazia Elis de volta. Os sinais mostravam que a cantora havia chegado aos seus cuidados tarde demais.

A notícia de que Elis Regina era atendida naquela manhã por Elisabeth voou pelos corredores do hospital e mobilizou médicos, enfermeiros e técnicos de várias áreas. Muitos vieram oferecer ajuda. Celina viu por uma fresta uma mulher de traços orientais quase que de pé sobre a maca, apoiada sobre o corpo da cantora. O barulho das massagens e dos desfibriladores criavam uma expectativa insuportável. Tudo o que Elis precisava fazer era tossir, gemer, dar um único respiro. "Ela continua parada", dizia um enfermeiro. Os médicos tentaram por muito tempo, até que Celina ouviu a frase que fez tudo ao seu redor se movimentar em câmera lenta: "Não tem mais jeito." Antes do óbito ser declarado, o diretor do hospital, Luis Bacalá, disse a Elisabeth que o corpo de Elis deveria ser enviado ao IML, o Instituto Médico Legal, e não ao SVO, o Serviço de Verificação de Óbito. Algo o fazia desconfiar de que aquela morte deveria ser melhor explicada e, uma vez que o corpo chegasse ao IML, um inquérito policial seria aberto para investigação.

Celina saiu em busca de um orelhão. Chorando, ligou para o médium Mauri, em quem Elis confiava. Seu desespero a fazia pedir pela ajuda dos espíritos. Quem atendeu ouviu um clamor incomum. "Pelo amor de Deus, façam alguma coisa. Eu preciso falar com o professor Mauri. A Elis morreu." Sem saber o que responder, o atendente disse o que achou que deveria dizer naquela hora: "Desculpe, mas o professor Mauri não está. Pode deixar que eu darei o recado assim que ele voltar."

Na mesma angústia, Celina passou a ligar para quem se lembrasse, dando a notícia da morte. O corpo seguiu para o IML, ao lado do Hospital das Clínicas. Os amigos e a família chegavam em busca de informações. Natan desmaiou em frente ao hospital assim que teve a confirmação daquilo que parecia um trote. Walter Silva chorava como criança. Ronaldo Bastos, em choque, lembrou-se da frase do policial no dia de sua prisão: "Avisa a Elis que ela vai se ver com a gente. Ela não perde por esperar."

A partir do momento em que os jornalistas chegaram, o pesadelo dos que amavam Elis como mulher passou a ser potencializado em uma comoção nacional por aqueles que a cultuavam como cantora. Seu Manoel, o motorista que a levara ao hospital, ouviu pelo rádio do carro que a mulher que carregou em seu banco traseiro era Elis Regina. E que, agora, ela estava morta. Do IML o corpo seguiu para ser velado, não por acaso, no Teatro Bandeirantes, o mesmo palco onde Elis havia se apresentado tantas vezes.

A equipe do perito Jorge Hizume, da Seção Técnica de Perícias em Crimes contra a Pessoa do Instituto de Criminalística, recebeu uma ligação às 14h20 do delegado Carmo Aparecido Camargo para comparecer ao apartamento de Elis Regina a fim de esclarecer a ocorrência. O pedido foi oficializado mais tarde em uma mensagem teletipada do 4º Distrito Policial, assinada por Carmo. "Solicito técnica para local de morte a esclarecer à Rua Doutor Melo Alves, 668. Vítima: Elis Regina Carvalho Costa." Ao receber a primeira ligação, no entanto, Jorge Hizume não tinha o endereço do apartamento de Elis, e combinou com o delegado de se encontrarem no pronto-socorro do HC para apanharem as coordenadas. Enquanto os técnicos perdiam tempo, o apartamento de Elis recebia gente o bastante para alterar completamente a cena do quarto no instante da morte. Além das empregadas que haviam ficado no local o tempo todo, Samuel, acompanhado por dois irmãos, resolveu retornar ao endereço enquanto o corpo estava no IML. Mais tarde, Rogério fez o mesmo.

Os técnicos chegaram anotando o que podiam. Na suíte de Elis havia uma cama de casal, uma estante, uma mesinha, uma chapeleira e um armário. Sobre a cama, algumas almofadas e um lençol amarrotado. A estante, entre a cama e a porta, abrigava livros, um aparelho de som, uma TV, fitas cassete, vasos com plantas ornamentais e outros objetos. O telefone ainda estava no chão, próximo à mesinha. Sinais menos comuns apareceram quando observaram a porta do quarto de Elis. A fechadura, retirada por Samuel, havia sido cuidadosamente recolocada, com um dos parafusos frouxo. No banheiro, conforme anotaram, não havia anormalidade. Um armário de parede guardava produtos homeopáticos e, dentro de uma caixinha que ficava em um móvel junto à banheira, comprimidos próprios do que os técnicos chamaram de "farmácia caseira". Os peritos perceberam que aquele cenário poderia ter sido alterado e avisaram sobre isso no laudo técnico.

A primeira a entrar no quarto depois de Samuel sair com Elis nos braços foi Maria das Dores. A empregada potiguar de 40 anos que morava na favela da Rocinha, no Rio, antes de ir trabalhar com a cantora, disse à polícia que encontrou o quarto relativamente arrumado, mas que não estranhou. "Elis tinha problemas de coluna e gostava de dormir no chão." Afirmou também que muita gente chegou logo depois da morte da cantora. Sobre drogas, respondeu que "o único pó branco que sua patroa tomava, conforme sabia, era sal de frutas" e que, quando se sentia cansada, usava calmantes como o Carmocetina para dormir. Dores, no entanto, revelou que, ao entrar no quarto, retirou de lá uma garrafa de Cinzano branco caída no chão do quarto com apenas um resto de líquido. E que havia também recolhido todo o lixo que estava no banheiro e jogado seu conteúdo em um saco plástico.

Samuel pode ter sido a segunda pessoa a entrar no quarto de Elis. Ao retornar ao apartamento, foi até à suíte apanhar algumas fotos que havia tirado com a cantora. Ficou lá, sozinho por um tempo que não soube precisar, mas disse em depoimento à polícia que já havia encontrado o lugar arrumado. Informou também que encontrou no banheiro da suíte um envelope vazio onde deveriam estar quatro comprimidos do remédio Sonotrat. Sua observação no depoimento foi de que o Sonotrat era um medicamento que Elis usava em raras ocasiões, quando precisava se recuperar para os compromissos do dia seguinte. Samuel afirmou que, assim que viu a embalagem do remédio no banheiro, a colocou em seu bolso. "Por quê?", quiseram saber os policiais. Ele respondeu que nem sabia o motivo de sua reação, mas talvez por lamentar a descoberta naquele momento, já que muitas vezes insistiu com Elis para que ela deixasse de tomar aqueles medicamentos. No mesmo depoimento, o advogado reforçou que "Elis jamais fez uso de qualquer tóxico durante os seis meses em que conviveram e que, dada a intensidade dessa convivência, pode fazer essa afirmação com absoluta certeza."

A notícia da morte devastou Cesar Camargo no momento em que ele comemorava o fato de ter feito as pazes com a ex-mulher. Estava na sede da gravadora Som Livre, no Rio, produzindo para o diretor artístico Max Pierre o novo disco de Cauby Peixoto. Ao mesmo tempo, Max fazia reuniões na casa de Elis aos sábados para definir o repertório do próximo álbum. Dias antes de um desses encontros, Cesar havia sofrido um acidente de moto na Avenida Marquês de São Vicente, no Rio, e quebrado um braço em três lugares. Max comentou com Elis sobre o tombo e sentiu a preocupação da cantora. No domingo, Elis ligou para Cesar dando bronca: "Tá pensando que é moleque com essa moto?" Era a primeira vez que se falavam desde a separação. Na mesma ligação, fizeram as pazes e ela permitiu que ele visse os filhos Pedro e Maria Rita. Justamente no momento em que Cesar contava a Max sobre sua alegria em falar de novo com Elis, um produtor entrou na sala com a notícia: "Vocês viram que a Elis Regina morreu?" Cesar primeiro duvidou, mas em seguida começou a esmurrar a mesa e a parede do escritório aos berros, em meio a uma crise de nervos. Max e seu funcionário o contiveram e a mulher do diretor trouxe um copo de água com açúcar. Aos poucos, Cesar foi se acalmando.

Os dois tomaram o primeiro voo para São Paulo e Max veio ao lado do colega, que não conseguiu conter as lágrimas durante todo o trajeto. Ao chegar em São Paulo, Cesar foi direto para a casa de Elis, onde encontrou os filhos.

A fila no mesmo endereço que um dia foi formada por uma multidão vinda em caravanas para ver *Falso Brilhante* perdia-se agora de incredulidade pela Avenida Brigadeiro Luís Antônio. Senhores, jovens e artistas caminhavam pela calçada questionando uns aos outros sobre o que poderia ser a causa da morte. Por 23 horas seguidas de velório, 25 mil pessoas passariam para o adeus. O trânsito parou. Dentro do teatro, a cerimônia improvisada sugeria que as pessoas se aproximassem do caixão lacrado no palco, passassem por Elis, de quem só viam o rosto por uma tela, e seguissem em frente. Mas muitas resolviam continuar ali, ou aglomeradas no palco ou sentadas na plateia. A família, que ficava em um espaço reservado na parte de trás do palco, mal conseguia se aproximar. Um repórter da Globo tentou entrevistar Seu Romeu e Dona Ercy ao lado das coroas de flores que não paravam de chegar. "Como o senhor está vendo essa manifestação de amor pela sua filha?" Romeu tentou uma resposta. "É uma satisfação", conseguiu dizer. Ercy balançou a cabeça e ameaçou desmoronar ao lado do marido. Algumas pessoas saíam desmaiadas, retiradas pelos seguranças. A plateia começou a cantar "Travessia", de Milton Nascimento, levando muita gente aos soluços. Assim que uma turma terminava uma canção, outro grupo começava outra. E assim, Elis era velada ao som de "Romaria", "Saudosa Maloca", "Valsa da Despedida".

Cesar perguntou aos filhos Pedro, de seis anos, e Maria Rita, de quatro anos, se eles queriam ir a um negócio que se chamava velório. Sem saber dos detalhes, as crianças disseram que sim e seguiram com o pai para o Teatro Bandeirantes. Ele prometeu que seria rápido e entrou com os dois pelos fundos. Ao se deparar com as pessoas cantando, teve uma crise de choro e foi amparado pelos amigos. No microfone colocado no centro do palco, pediu colaboração. "É uma festa, sim, é uma festa. Cantem bastante. Mas vou pedir uma coisa: daqui a pouco nossos filhos, Pedro e Maria Rita, vão dar o adeus pra sua mamãe." Sua voz embargou e ele interrompeu o discurso. Mas voltou para completar. "Por favor, neste momento, façam silêncio."

Desde que chegou com o pai, Pedro via uma sequência de cenas que levaria anos para processar. João, o confiante irmão mais velho, estava transtornado, em um estado que Pedro jamais havia visto. Maria Rita, carregada por Samuel, parecia perdida na multidão, carente dos cuidados da mãe que, diziam os adultos, havia partido. As pessoas de quem Pedro gostava e via em casa, choravam nos cantos. E um caixão sustentava o corpo de sua mãe, que estava ali sem estar. Sem maturidade emocional para entender a causa da tristeza alheia, o garoto se chocava com a existência de tanta tristeza ao mesmo tempo. Muitas memórias do que vivera com a mãe seriam jogadas em um fosso para protegê-lo. O rosto, o toque, as broncas, quase tudo desaparecia. Pedro e Maria Rita ficariam com muito pouco da Elis viva. A partir daquele dia, no entanto, começavam a descobrir o tamanho da mulher que até a noite anterior era só a mãe que os colocava para dormir.

O bailarino Lennie Dale gritava com uma dor física, um choro assustador. Ronaldo Bôscoli venceu o medo de avião neste dia para se despedir de Elis. Mônica Figueiredo testemunhou o instante em que João Marcello se debruçou sobre o caixão para olhar a mãe fixamente. Um repórter escreveu que esse momento durou 20 minutos. Ali, Mônica viu o menino de 11 anos envelhecer 50. Adylson Godoy tentou consolá-lo logo depois, ao perceber que ele estava só. "Dureza, né, João?" E percebeu que o menino envelhecido ainda era só um menino: "É minha mãe, né, Adylson, minha mãe." O caixão foi retirado do teatro pouco antes das 11 horas, provocando empurra-empurra de repórteres, fotógrafos, policiais e fãs. Um caminhão do Corpo de Bombeiros levaria o caixão até o Cemitério do Morumby. Depois que as pessoas deixaram o teatro, outras chegaram e se acomodaram nas cadeiras da plateia. Mesmo sem o corpo de Elis presente, elas ficaram ali, em silêncio, olhando para um palco vazio.

25.

O GRANDE PÚBLICO APARECEU PARA UM CORTEJO que parou São Paulo na manhã de 20 de janeiro de 1982. Cada vez mais pessoas seguiam a pé o carro de bombeiros, desde a saída do Teatro Bandeirantes, até que a família percebeu e pediu ao motorista para aumentar a velocidade. Quando não podiam mais alcançar o veículo, na altura do Parque do Ibirapuera, a multidão deixou de caminhar, mas foi substituída por cerca de dois mil automóveis que, em fila, buzinavam sem parar. Fãs acenavam com lenços brancos do alto dos prédios e em todos os viadutos sobre a Avenida 23 de Maio. Aplausos e gritos de "Elis, Elis" duraram até a chegada ao Morumbi.

Um cordão de isolamento providenciado por 450 policiais militares impedia a imprensa e os fãs de se aproximarem da quadra sete, setor cinco, onde ficava o jazigo 2199. Walter Silva e Rogério decidiram vesti-la com a camiseta usada no especial da Globo, de Daniel Filho, que trazia a imagem da bandeira nacional. Um carro da prefeitura chegou trazendo mais de 50 coroas de flores, enviadas por artistas como Roberto Carlos, Gal Costa, Caetano Veloso e Gilberto Gil. Chamava atenção a de Edu Lobo, um violão formado por rosas amarelas com uma faixa em que se lia apenas: "Com saudades". Jair Rodrigues era aplaudido por alguns grupos enquanto os jornalistas procuravam por Lula. Ele dizia estar ali "pelo muito que Elis contribuiu com sua arte para o País, pelo muito que contribuiu ao movimento de anistia e, finalmente, pelo muito que contribuiu com todos os trabalhadores, particularmente em 1979, quando precisávamos de recursos e ela não hesitou em tornar vários *shows* beneficentes". "Como cantora", seguia Lula, "eu diria que vai ser difícil encontrar alguém como ela, a maior intérprete da nossa música popular." Samuel Mac Dowell, Rogério e Natan Marques ajudaram a levar o caixão até a beira do jazigo. "Que Elis seja recebida pelos anjos", dizia o padre Carlito Spadoline, concluindo a cerimônia. Enquanto o corpo de Elis descia os 2,2 metros de profundidade, o choro de Lennie Dale ia longe. Às 14 horas, a multidão deixava o cemitério tentando entender algo que parecia não haver explicação. E fazendo duas perguntas em uma só: "Como?" e "Por quê?"

Suicídio? A hipótese foi levantada. Mas Elis seguia a vida a mil, cheia de planos desafiadores e, por mais que pudesse ainda sentir algo mal resolvido por Cesar ou estar em crise com Samuel, nada parecia grave o suficiente para levá-la a dar cabo da própria vida entregando à sorte os três filhos pequenos que amava. Não combinava com Elis. Assassinato? Mas quem? Por quê? Como? As conversas rondavam os bastidores da cerimônia. Samuel teve suas suspeitas confirmadas por um dos presentes. Elis consumia drogas havia cerca de dez meses. E ouviu de Rogério outra revelação: ao entrar no quarto em que a irmã morreu, depois que Samuel a levara para o Hospital das Clínicas, ele mesmo havia limpado a cocaína que viu no local. As informações bateriam com o que Samuel iria escutar um tempo depois da amiga e cantora Wanda Sá: "Elis estava usando drogas, mas não queria que você soubesse."

O Instituto Médico Legal divulgou o laudo com a causa da morte de Elis no dia seguinte ao enterro. O documento afirmava que Elis morrera por ter ingerido álcool com cocaína, uma combinação explosiva. Assinado pelos doutores José Luiz Lourenção e Chibly M. Haddad, o laudo trazia duas conclusões complementares, uma reforçando a outra. "Na necropsia procedida, nada encontramos digno de especial menção que pudesse explicar o evento letal, apresentando os órgãos suas integridades anatômicas. Assim sendo, é de se presumir que a examinada gozava aparentemente de boa saúde física. O laudo nº 415/82 do laboratório de toxicologia deste instituto revelou resultado positivo para cocaína e álcool etílico, este na quantidade de 1 grama e 600 miligramas de álcool por litro de sangue. A quantidade de álcool etílico encontrado em nível sanguíneo revelou estar a vítima sob estado de embriaguez e a presença de cocaína caracterizou o estado toxicológico que, em somatória, pode responder pelo evento letal."

Ou seja, Elis não havia morrido por causas naturais, já que tudo em seu organismo funcionava na mais perfeita ordem até o dia da morte. O mesmo documento trazia então o resultado do exame toxicológico, assinado pelas peritas Tania R. M. da Costa do Amaral e Maria Isabel Garcia Massa. "As análises químicas e cromatográficas revelaram resultado positivo para cocaína." Oito dias depois, um exame complementar do mesmo IML falava da quantidade de cocaína encontrada no corpo de Elis: 23 miligramas por 100 mililitros de urina e 2,4 miligramas por 100 gramas de tecido, uma quantidade considerada alta pelo médico-legista José Lourenção. "Os valores indicados são superiores aos da tabela norte-americana que usamos como referência, com o agravante do álcool que Elis ingeriu." O álcool havia tornado a droga mais poderosa e letal, aumentando seus efeitos. A quantidade de pó encontrada no estômago da cantora indicava que ela havia provavelmente diluído a coca na bebida alcoólica. Não havia sinais de que algo teria sido aspirado ou injetado.

O médico que divulgou o laudo para a imprensa, Harry Shibata, diretor do Instituto Médico Legal, entrou na mira de amigos e familiares que o acusaram de participar de uma armação, já que Elis, até onde sabiam, não usava drogas. A imprensa colocou Shibata no córner oposto a Samuel para o segundo *round* de uma luta que havia começado seis anos antes, quando um laudo assinado pelo mesmo Shibata, na condição de segundo perito, dava como certo o suicídio em cárcere do jornalista e preso político Vladimir Herzog. Trabalhando pela família de Herzog, Samuel provou a impossibilidade do suicídio nas condições apresentadas no laudo e reverteu a situação, desmoralizando Shibata, culpando a União e dando ganho de causa à família de Herzog. Agora, o legista poderia ter se vingado divulgando um documento em que a morte de Elis era associada ao consumo de cocaína, uma bomba de efeito moral arremessada na biografia da mulher de seu desafeto. Um belo caso com potencial para render páginas na imprensa, mas que não representava sequer os sentimentos do próprio Samuel. "Eu nunca achei que o laudo fosse forjado. Isso foi algo criado pelos jornais", disse, anos depois. Diante das teses de suicídio, indução ao suicídio e homicídio, a polícia abriu as investigações e colheu depoimentos que não apontaram nenhum novo caminho que não a morte acidental.

Ao analisar o inquérito, o promotor do caso, Pedro Franco de Campos, defendeu o arquivamento por "não haver crime a ser punido". Algo que chamou a atenção, entretanto, foram as fotos da autópsia realizada em Elis, anexadas ao documento pelo IML a pedido de Shibata. Ali, Pedro sentiu uma tentativa de vingança por parte de Shibata contra seu suposto desafeto, Samuel Mac Dowell. As imagens que o promotor nunca havia visto em processos anteriores mostravam o corpo de Elis aberto de fora a fora, como um animal, com ganchos separando sua estrutura óssea e um corte que saía do pescoço e seguia até as partes inferiores. Atento ao efeito que as fotos poderiam provocar nos filhos da cantora se caíssem nas mãos de jornalistas, Pedro alertou o juiz do caso, Antônio Filardi Luiz, de que se tratava de um despropósito com cheiro de revide. No dia 24 de fevereiro de 1982, Filardi Luiz, da 1ª Vara Auxiliar da Capital, determinou que o inquérito fosse arquivado e as fotos, lacradas. "Se Elis merecia respeito como ser humano, merecia-o ainda mais como mulher e mãe, não justificando que permanecessem visíveis nos autos as fotos que ora definitivamente lacro, fato já ocorrido anteriormente a pedido do culto e humano promotor público, doutor Pedro Franco de Campos, posto que referidas fotos nenhum interesse jurídico possuem e podiam perfeitamente ter sido dispensadas", anotou em sua sentença.

Sua decisão pelo arquivamento era justificada em uma peça de cinco páginas escrita por um magistrado comovido. "Seja como for, cobriu-se o evento de densa e nebulosa cortina sobre os reais motivos que ceifaram a vida de alguém que, entre outras coisas, tinha o mérito de encantar o público com sua arte, uma das poucas artistas a 'ousar' aparecer publicamente vestindo blusa verde e amarela." Em outro trecho, descartava as hipóteses de suicídio induzido e homicídio. "Não há que falar em homicídio, pois inexiste qualquer indício a esse respeito nos autos. E, no que concerne a uma possível instigação, auxílio ou induzimento ao suicídio, também absolutamente nada se encontra na prova produzida capaz de alicerçar tal hipótese. Inexiste a mínima suspeita contra qualquer das pessoas do relacionamento da falecida, conforme profundamente demonstrado nos autos." Ainda sobre a causa da morte, Filardi ressaltava que "se houve suicídio, só Elis sabe dos motivos e enterrou-os em seu túmulo. Contudo, a hipótese mais viável é de que houve mero acidente." Um erro provocado pela ingestão de cocaína com álcool, o que levou a uma "intoxicação exógena aguda".

A polícia seguiria investigando para tentar descobrir quem havia fornecido a dose fatal para Elis. Assim que a causa de sua morte foi divulgada, Ronaldo Bastos passou a ser apontado como um dos culpados. Ao passar em frente a uma banca de jornal, leu a manchete do jornal *Última Hora* com o coração acelerado. "Compositor traficante." Seguiu lendo as letras menores e percebeu que o "rapaz loiro de cabelos encaracolados" que a polícia procurava só poderia ser ele, um usuário, mas jamais um traficante. Ao chegar a seu apartamento, o pai e os irmãos o esperavam preocupados com a situação. Até que a temporada de caça às bruxas terminasse, seria melhor que partisse para Nova York. Aos poucos, a busca pelos possíveis traficantes cedeu lugar às homenagens a Elis. Culpar alguém pela morte de uma mulher de 36 anos que só fazia o que bem entendia foi perdendo o sentido. Elis, apontavam os laudos, havia morrido de inexperiência. E a culpa da tragédia, até alguma prova em contrário que jamais apareceu, era exclusivamente sua.

João chorou quando abriu a porta do quarto dos irmãos e os viu brincando como anjos, sem imaginarem o tamanho da dor que um dia sentiriam. Nenhum lamento pela partida de Elis seria mais triste do que o baque de doses fortes e lentas percebido pelas crianças. Aos poucos, pessoas que pareciam próximas e carinhosas tornavam-se frias e distantes, como se a morte da mãe estivesse derrubando também a mentira dos que habitavam seus mundos em benefício próprio. A vida havia se transformado para os três em uma manhã.

A velocidade das mudanças que a morte impõe atropelou as crianças com violência. João Marcello se sentiu devastado diante de uma questão que só ele poderia resolver com a experiência de seus 11 anos de idade: a partir daquele dia, qual seria seu lar? Viver com o pai biológico, Ronaldo, um homem cheio de boas intenções e que tomava uísque no café da manhã, estava fora de questão. Ir com os irmãos Pedro e Maria Rita para a casa de Cesar era outra incerteza na qual preferiu, a princípio, não apostar. O laço familiar mais próximo, além dos inconstantes avós Ercy e Romeu, era o tio Rogério, que passou a viver por uns tempos no apartamento da Melo Alves com a mulher Biba e seus dois filhos. João decidiu ficar com eles, mesmo sentindo faíscas saírem na relação com o tio.

Assim que as aulas voltaram, a família não contava mais com um motorista para levar as crianças para a escola na ausência de Elis. João, o mais velho, foi deixado com o material em um ponto de ônibus. Descobriu a linha que passava perto do colégio perguntando para as pessoas da rua. Amigos que antes o bajulavam cuidavam agora de suas próprias vidas. Ao passar em frente ao parque de diversões Playcenter, no carro de um deles, pediu: "Você me traz aqui um dia?" E ouviu a resposta: "Pô, João, eu não faço isso nem para os meus filhos, vou fazer para você?"

Cesar perguntou a Pedro se ele queria ir para a escola no primeiro dia de aula. "Quero sim", respondeu o menino. "Mas, olha, vocês vão ouvir muitas coisas sobre a mãe de vocês. Sejam fortes", preparou o pai. Ao chegar na sala, a criança de seis anos sentiu-se no centro de uma coletiva de imprensa. Pais, amigos e professores queriam saber tudo – se sua mãe usava drogas, se ele havia visto o corpo no quarto, como havia sido o enterro. Pedro só lembrava de Cesar pedindo que fosse forte.

Uma professora o viu entrando na sala e começou a chorar. Por muitas vezes, o garoto tinha a certeza de ser uma peça nas mãos dos adultos. Ter a amizade do filho de Elis era como conquistar uma medalha. Aos poucos, ele criou seus mecanismos de defesa, pronto para ir ao ataque quando se sentisse usado em nome da mãe. Por mais de uma vez, rompeu amizades com aqueles que o apresentavam para suas famílias usando a frase que ele passou a temer: "Mãe, este aqui é o filho da Elis." Nem em seus fracassos lhe deixavam ser ele mesmo. Ao tirar uma nota baixa na prova do colégio, ouviu do professor: "Está pensando que vai ter moleza aqui só porque é o filho da Elis Regina?" Neste dia, por pouco, não partiu para a agressão física. Ao chegar em casa, triste, queria saber do pai quando é que aquilo iria acabar. "Filho, sua mãe foi muito, muito grande. Grande mesmo. Pode ser que isso aconteça para sempre." E assim foi, sobretudo porque Pedro Mariano decidiu enfrentar os fantasmas e seguir a carreira de cantor.

Os desentendimentos entre João e o tio Rogério se tornaram insustentáveis. Depois de dois anos de conflitos, João ligou para Cesar pedindo para viver com ele na espaçosa casa em que o pianista morava com Pedro, Maria Rita e sua nova mulher, Flávia, na Granja Julieta, em São Paulo. João saiu do apartamento de Rogério com a roupa do corpo para não voltar mais. Em 1997, aos 27 anos, abriu uma gravadora com o mesmo nome da antiga produtora de Elis, Trama.

Em 1993, Maria Rita partiu com Cesar e Flávia para os Estados Unidos, enquanto Pedro e João ficaram em São Paulo dividindo um apartamento nos Jardins. Aluna residente de Comunicação Social e Estudos Latino-Americanos na Universidade de Nova York, sentia que a música deixava de ser diversão para se tornar necessidade. No dia em que tomava banho no alojamento, cantando para o bloco inteiro ouvir, um casal de namorados parou abraçado em frente ao seu quarto e começou a dançar de olhos fechados. No ano seguinte, seus amigos a inscreveram em um *show* de calouros organizado pelos estudantes. Maria Rita não queria participar, mas eles insistiram. Quando chegou sua vez de subir ao palco, as pessoas começaram a chamar por seu nome em coro, mas ela fugiu correndo. Os amigos se dividiram em grupos e foram à sua procura, até que a encontraram sozinha, sentada no banco de uma padaria. Fizeram uma roda à sua volta insistindo para que fosse cantar, que não perdesse a chance, que aquele palco era seu. E Maria Rita explodiu em um grito: "Vocês não têm ideia do que isso significa para mim!" Em 2003, aos 26 anos, ela lançou seu primeiro CD.

* * *

Julho de 2014, São Paulo. Uma Elis menina abraça Jair Rodrigues cheia de afeto e outra Elis mulher entrega-se a Cesar Mariano com um beijo de olhos fechados. A terceira, mais abaixo, parece abatida e solitária, prestes a desabar em uma tristeza de cor cinza, bem diferente da jovem decidida e concentrada, de braços erguidos para cantar "Arrastão". Mais de 30 fotos estão coladas nas paredes do camarim, muitas nas laterais de um espelho iluminado que reflete, em silêncio, a imagem de um outro rosto em transformação.

Quando se ouve o primeiro sinal, a pele clara de Laila Garin já está maquiada. Os lábios pequenos são reforçados pelo batom e os olhos verdes, cobertos por lentes escuras. Os cílios são alongados e duas perucas de fios pretos e curtos são delicadamente colocadas por cima dos cabelos crespos. As costas estão feridas pelas fitas adesivas que prendem o fio do microfone e a voz passa a produzir sons subindo e descendo intervalos até o limite de sua extensão. Soa o segundo sinal, a tensão aumenta e Laila acende um incenso.

As 1.422 cadeiras do Teatro Alfa estão tomadas por um público que quer ver Elis Regina 32 anos depois de sua morte. Mais de 200 mil pessoas assistiram ao musical feito para homenagear a cantora nos primeiros oito meses de montagem. A temporada paulistana está a uma semana do fim. Laila deixa o camarim apressada e sobe dois lances de escada. Chega à coxia, ajoelha-se e curva o corpo para encostar a testa no palco. Fica assim até acabar sua oração. Vem o terceiro sinal, as cortinas se abrem e, no alto de uma plataforma, Elis Regina, a própria, metade levada por uma atriz, metade por sua plateia, surge cantando "Fascinação" com a força de quem está pronto para viver tudo de novo.

entrevistados

Adylson Godoy
Airton dos Anjos
Alaíde Costa
Alberico Campana
Alceu Valença
Aldir Blanc
Amilson Godoy
Amilton Godoy
André Midani
Angela Maria
Antonio Adolfo
Armando Pittigliani
Arrigo Barnabé
Beth Carvalho
Beto Previero
Biba
Bocato
Boni
Caçulinha
Caetano Veloso
Carlos Lyra
Cauby Peixoto
Celina Silva
Chico Batera
Chiquinho de Moraes
Claudette Soares
Claudio Basbaum
Claudia
Daniel Filho
Dayse Rego
Déa Silva
Dom Salvador
Dudu Portes
Dulce Nunes
Edgard Silveira Bueno Filho
Edu Lobo
Edval Nunes da Silva (Cajá)
Elifas Andreato
Elisabeth Lima Nicodemus
Erasmo Carlos
Ercy Carvalho Costa
Fábio Jr.
Fagner
Fernando Faro
Gal Costa
Gilberto Gil
Glênio Reis
Guilherme Arantes
Hector Costita
Hélio Delmiro
Hermeto Pascoal
Horácio Berlinck
Hyldon
Ivan Lins
Ivo Pitanguy
Jair Rodrigues
Jô Soares
João Araújo
João Bosco
João Donato
João Marcello Bôscoli
José Lázaro
José Nogueira Neto
José Roberto Sarsano

Joyce
Julio Medaglia
Luiz Ayrão
Luiz Carlos Miele
Luiz Claudio Faria
Manoel Barenbein
Manoel Carlos
Manoel Poladian
Márcia
Marco Mazzola
Marcos Valle
Maria Odette
Maria Rita
Maricenne Costa
Marika Gidali
Max Pierre
Mayrton Bahia
Milton Nascimento
Mônica Figueiredo
Nana Caymmi
Natan Marques
Nelson Angelo
Nelson Motta
Nenê
Netinho
Ney Matogrosso
Odair José
Orphila Negrão
Oswaldo Mendes
Patricia Figueiredo
Paulo Cesar Pinheiro
Pedro Franco de Campos
Pedro Mariano
Pedro Sirotsky
Pelé
Pierre Barouh
Raul de Souza
Rejane Wilke
Renato Sérgio
Renato Teixeira
Ricardo Amaral
Rita Lee
Roberto de Oliveira
Roberto Menescal
Ronaldo Bastos
Ronnie Von
Rubinho Barsotti
Ruth Maria
Samuel Mac Dowell
Sergio Augusto Sarapo
Sérgio Cabral
Silvio Cesar
Solano Ribeiro
Toni Tornado
Toninho Horta
Toquinho
Tunai
Walter Negrão
Wanda Sá
Wanderléa
Wilson das Neves
Wilson Gomes
Wilson Rodrigues Poso
Zuza Homem de Mello

bibliografia

Livros:

A Bossa do Lobo: Ronaldo Bôscoli (Denilson Monteiro)
A Era dos Festivais: Uma Parábola (Zuza Homem de Mello)
Eles e Eu: Memórias de Ronaldo Bôscoli (Luiz Carlos Maciel e Ângela Chaves)
Furacão Elis (Regina Echeverria)
Histórias das Minhas Canções (Paulo Cesar Pinheiro)
Maysa: Só Numa Multidão de Amores (Lira Neto)
Noites Tropicais (Nelson Motta)
Prepare Seu Coração: A História dos Grandes Festivais (Solano Ribeiro)
Solo (Cesar Camargo Mariano)
Verdade Tropical (Caetano Veloso)
Viva Elis (Allen Guimarães)
Vou Te Contar: Histórias de Música Popular Brasileira (Walter Silva/Pica-Pau)

Jornais:

A Noite (Rio de Janeiro)
Aqui São Paulo (São Paulo)
Correio Brasiliense (Brasília)
Diário Carioca (Rio de Janeiro)
Diário da Noite (Rio de Janeiro)
Diário de Notícias (Rio de Janeiro)
Diário de Pernambuco (Recife)
Diário de S.Paulo (São Paulo)
Folha de S.Paulo (São Paulo)
Jornal da Tarde (São Paulo)
Jornal do Brasil (Rio de Janeiro)
O Estado de S. Paulo (São Paulo)
O Globo (Rio de Janeiro)
Última Hora (Rio de Janeiro)
Zero Hora (Porto Alegre)

Revistas:

Amiga (Rio de Janeiro)
Fatos e Fotos (Rio de Janeiro)
Intervalo (São Paulo)
Manchete (Rio de Janeiro)
O Cruzeiro (Rio de Janeiro)
Playboy (São Paulo)
Revista do Rádio (Rio de Janeiro)
Veja (São Paulo)

créditos

"Nada Será Como Antes", título autorizado por Sony e Dubas retirado da obra "Nada Será Como Antes" de Ronaldo Bastos e Milton Nascimento.

Capa: Elis Regina em sua casa na Joatinga, Barra da Tijuca, em 4 de abril de 1973.
Foto: Paulo Moreira/Agência O Globo

p.01: Em outubro de 1966, no I Festival de Música Popular Brasileira.
Foto: Arquivo/Agência O Globo

p.20: Angústias e dilemas eram abertos aos jornalistas em entrevista ao jornal *O Estado de S. Paulo*, no ano de 1979.
Foto: Mario Leite/Estadão Conteúdo

p.32: Elis Regina na Rádio Farroupilha de Porto Alegre.
Foto: Reprodução/Acervo CPDoc JB

p.42: Em novembro de 1967, no *Fino da Bossa*.
Foto: Arquivo/Estadão Conteúdo

p.64: Jair Rodrigues e Elis Regina em 15 de maio de 1968.
Foto: Folhapress

p.80: Elis Regina em maio de 1967: cabeça de músico, não de cantora.
Foto: Wilson Santos/CPDoc JB

p.106: Elis no *show* de comemoração de dois anos do programa *O Fino da Bossa*, no Teatro Record, em 22 de maio de 1967.
Foto: Arquivo/Estadão Conteúdo

p.126: Com Gilberto Gil no festival Phono 73, no Centro de Convenções do Anhembi, em São Paulo. Maio de 1973.
Foto: Claudine Petroli/Estadão Conteúdo

p.140-141: Casamento no civil com Ronaldo Bôscoli em dezembro de 1967.
Foto: Arquivo/Estadão Conteúdo

p.156: Elis, Ronaldo Bôscoli e Miele em 1972.
Foto: Autor desconhecido/todos os direitos reservados/CPDoc JB

p.174-175: Elis Regina e Miele ensaiando no Teatro da Praia em 27 de junho de 1969.
Foto: Alberto Jacob/CPDoc JB

p.184-185: No Programa *Som Livre Exportação*, em 1971, ao lado de Wilson Simonal e Ivan Lins.
Foto: Arquivo/Agência O Globo

p.194-195: Durante entrevista ao jornal *O Estado de S. Paulo* em 16 de agosto de 1978.
Foto: Oswaldo Luiz Palermo/Estadão Conteúdo

p.216-217: Elis Regina e Cesar Camargo Mariano no Canecão, em 1980.
Foto: Chico Ybarra/CPDoc JB

p.238-239: Tom Jobim e Elis Regina falam ao *Jornal do Brasil*, 24 de outubro de 1974.
Foto: Hamilton/CPDoc JB
Direitos de Imagem de Antonio Carlos Jobim autorizados por Jobim Music Ltda.

p.256-257: Durante ensaio em São Paulo em agosto de 1973.
Foto: Osvaldo Luiz/Estadão Conteúdo

p.266: Elis Regina com seus filhos João Marcello, Maria Rita e Pedro, na casa da Serra da Cantareira, em 1979.
Foto: Dario de Freitas/Abril Comunicações S/A

p.280: Em 1966, seu segundo ano de São Paulo.
Foto: Folhapress

p.294-295: Entrevista descontraída também ao *JB* em 10 de maio de 1979.
Foto: Ronaldo/CPDoc JB

p.308: Ensaio em 2 de agosto de 1973, em São Paulo.
Foto: Osvaldo Luiz/Estadão Conteúdo

p.334: Em entrevista ao *Estadão*, na Serra da Cantareira, em 15 de setembro de 1980.
Foto: Alfredo Rizzutti/Estadão Conteúdo

p.348: Antes da estreia do espetáculo *Trem Azul*, em São Paulo, 1981.
Foto: Sidney Corrallo/Estadão Conteúdo

p.364: Em entrevista ao *Estadão*, na Serra da Cantareira, em 15 de setembro de 1980.
Foto: Alfredo Rizzutti/Estadão Conteúdo

p.378: Com Fernando Faro em julho de 1981.
Foto: Silvio Correia/Agência O Globo

p.396: Durante apresentação do espetáculo *Transversal do Tempo*, no Teatro Ginástico, no Rio de Janeiro, em 1978.
Foto: U.Dettmar, mar.78/Folhapress

p.410: Elis Regina, na capital paulista, em entrevista ao jornal *O Estado de S. Paulo*, no ano de 1979.
Foto: Mario Leite/Estadão Conteúdo

Para conhecer outros títulos da editora, acesse nosso site:
www.editoramasterbooks.com.br

Este livro foi composto na tipologia Chaparral e impresso em papel Pólen Bold 70 g/m², pela gráfica Pancrom, em março de 2015.